'ANWYL FAM'

Llun: Dafydd Jones
(o'r Cambrian News)

‘Anwyl Fam’

– Pererindod drwy’r Rhyfel Mawr

Ifor ap Glyn

Argraffiad cyntaf: 2023

ISBN clawr meddal: 978-1-84527-747-5

ISBN elyfr: 978-1-84524-530-6

Cyhoeddwyd gyda chymorth Cyngor Llyfrau Cymru

Cynllun y clawr: Eleri Owen

Cyhoeddwyd gan Wasg Carreg Gwalch,
12 Iard yr Orsaf, Llanrwst, Dyffryn Conwy, Cymru LL26 0EH
Ffôn: 01492 642031
e-bost: llyfrau@carreg-gwalch.cymru
lle ar y we: www.carreg-gwalch.cymru

Argraffwyd a chyhoeddwyd yng Nghymru

Cyflwynedig i bobl Ceredigion

Gellir lawrlwytho nodiadau ar gyfer pob pennod o'r gyfrol hon ac atodiad o wefan Gwasg Carreg Gwalch:

https://files.ekmcdn.com/92a6b5/resources/other/anwyl-fam-nodiadau.pdf

Mynegai

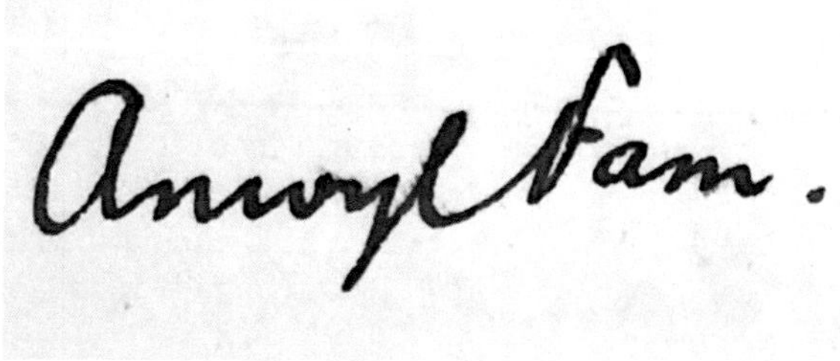

Rhagair

Mae 'na hanes hir i'r llyfr hwn. Ces i wybod gyntaf am lythyrau Dafydd Jones yn ôl yn 2007–8, pan o'n i'n ymchwilio ar gyfer y gyfres deledu *Lleisiau'r Rhyfel Mawr*.

Un llais ymhlith rhyw gant o Gymry eraill oedd Dafydd yng nghyd-destun y gyfres honno, ond gwelais yn syth fod ganddo dipyn mwy i'w ddweud, ac y byddai 'na hen ddigon o ddeunydd yn y casgliad o'i lythyrau i'm galluogi i ddweud ei stori yn fanylach. Mae'r casgliad – sydd bellach yn y Llyfrgell Genedlaethol – yn cynnwys rhyw 60 o lythyron a chardiau post ganddo ef ei hun, a rhyw gant o eitemau eraill sy'n ymwneud ag ef.

Gyda chanmlwyddiant brwydr y Somme yn agosáu, yn 2014 cynigiais i S4C y byddai rhaglen am hanes Dafydd Jones yn ffordd deilwng iawn o gofio'r gyflafan, gan fod Dafydd ymhlith y miloedd o Gymry a fu farw yn ystod y frwydr honno, ac mae ei lythyrau yn cynnig persbectif unigryw Gymraeg ar sut y paratowyd Cymry ifainc fel yntau ar ei chyfer, dros gyfnod o ddwy flynedd bron.

Er bod cannoedd lawer o lythyron Cymraeg wedi goroesi o'r Rhyfel Mawr, prin yw'r **cyfresi** o lythyron gan filwyr unigol sydd yn ein galluogi i ddod i'w hadnabod yn dda. Mae 'na gasgliadau pwysig o lythyron gan W.T. Williams o Lanllechid, gan Sam Johnson o Gynwyl Elfed, a Hugh Pugh o Gorris ymhlith eraill – ond mae'r rhain i gyd yn ymwneud â blynyddoedd olaf y rhyfel. Llythyron Dafydd Jones yw'r **unig** gasgliad mawr yn y Gymraeg sydd wedi goroesi o flynyddoedd cynta'r rhyfel. Mae'n unigryw felly.

Yn anffodus, nid oedd modd dwyn perswâd ar swyddogion S4C i

gefnogi'r prosiect uchod, ond roedd diddordeb gan Radio Cymru ac felly, diolch iddyn nhw, bues i'n teithio yng ngwanwyn 2016 o Geredigion i'r Rhyl ac o Lundain i Ffrainc ar drywydd hanes Dafydd. Cwrddais am y tro cyntaf â rhai o aelodau ei deulu, ac mae fy nyled yn fawr i Sarah Evans, Dafydd Jenkins a Margaret Hammonds am rannu cymaint o wybodaeth â mi (ac yn wir, am ddatgelu fod ambell grair a llythyr arall o eiddo Dafydd oedd wedi aros ym meddiant y teulu, fel y gwelwn yn y man!).

Cyfres o dair rhaglen hanner awr oedd 'Y Lôn i Mametz' ac fe gafodd ei darlledu ar Radio Cymru i gyd-fynd â chanmlwyddiant y frwydr ym mis Gorffennaf 2016. Ond unwaith eto, gallwn weld fod 'na sgôp i ddweud ei hanes yn fanylach fyth – mewn llyfr y tro hwn...

Dwi wedi dadlau cyn hyn (*Lleisiau'r Rhyfel Mawr*, 2008) mai llythyrau Cymraeg y Rhyfel Mawr yw 'Gododdin yr ugeinfed ganrif' – a'u bod nhw'n haeddu mwy o sylw gan fyfyrwyr ein llên. Rhyfel wrth gwrs oedd cefndir y Gododdin hefyd, rhai o'r cerddi cynharaf yn ein traddodiad llenyddol, o fil a hanner o flynyddoedd yn ôl; mae'r cerddi yn adrodd am gyrch gwaedlyd ar Gatraeth, ac mae 'na elfen o ailadrodd yn perthyn iddynt, sydd ond yn grymuso'r dweud ac yn dwysau'r profiad o'u darllen nhw.

Yn yr un modd, wrth i lythyrwyr unigol fel Dafydd Jones ail-ymweld â motiffau cyfarwydd y *trenches* yn eu cyfnod nhwthau (sef y mwd, y colledion, a haelioni'r parseli), unwaith eto, mae 'na elfen ailadroddus i'w llythyrau sydd hefyd yn dwysau'r profiad o'u darllen nhw. Er na fwriadwyd i'r llythyrau hyn gael eu darllen fel cyfanwaith, mae modd gwneud hynny; ac wedyn, maen nhw'n troi'n epig gyfoes – Gododdin epistolaidd. Mae cryn gamp ar yr ysgrifennu'n aml, gan fod llythyru'n grefft oedd yn cael ei hymarfer yn gyson gan filwyr fel Dafydd; eu llythyrau, heb os, yw'r cofnod llawnaf sydd gennym o brofiad y milwr Cymraeg yn ystod y Rhyfel Mawr.

Ond nid gwerthfawrogiad llenyddol yw unig fwriad yr hyn sy'n dilyn, ond yn hytrach defnyddio llythyrau Dafydd Jones er mwyn dweud ei hanes, ac i fapio'i daith fer ar y ddaear hon – taith y bûm innau'n ceisio'i holrhain, o Geredigion i'r Rhyl, o Gaerwynt i Lundain, ac yna i Ffrainc. Gyda'r Eisteddfod Genedlaethol newydd ymweld ag ardal enedigol Dafydd yng nghanol Ceredigion, dyma amser delfrydol i rannu ei stori â'r genedl.

Anwyl Fam.

Mae pob llythyr gan Dafydd yn y casgliad yn cychwyn gyda'r geiriau 'Anwyl Fam' – a chadwodd Margaret Jones, ei fam, bob un o'i llythyrau'n ddiogel hyd ddiwedd ei hoes. Ond chafodd hi erioed gyfle i weld y llefydd a ddisgrifiwyd mor fyw gan Dafydd yn ei lythyrau – ac felly cynigiaf y gyfrol hon fel cofiant i'w mab, fel ymgais i ddeall y Rhyfel o safbwynt personol... ac fel pererindod ar ei rhan hithau.

Caernarfon, Rhagfyr 2022

Nodyn ar sut yr ymdrinwyd â'r llythyrau:
Ar y cyfan, dilynwyd confensiynau sillafu Dafydd ac hefyd ei atalnodi (neu yn hytrach, ei ddiffyg atalnodi!) Serch hynny, ychwanegwyd atalnodau i'r llythyrau mewn ambell le, er mwyn hwyluso'r gwaith i'r darllenydd, ac er mwyn gwneud yr ystyr yn gliriach.

1

'Ni wn a oeddech yn ei adnabod'

(*Llanio... Y Rhyl... Mametz – ble mae dechrau?*)

Ble mae dechrau'r bererindod hon ar ran ei fam? Nid ydych wedi cael cyfle i gyfarfod â Dafydd Jones eto, ond wrth ei gyflwyno i chi, ym mha le y dylwn i gychwyn? Yn y Wern Isaf, Llanio, cartre ei deulu, efallai? Neu beth am Aberystwyth, lle roedd Dafydd yn fyfyriwr pan benderfynodd ymrestru yn y fyddin? Neu ydi'r stori'n dechrau go iawn yn y Rhyl, am mai o fanno yr ysgrifennodd y llythyr cyntaf a gadwyd gan ei fam – y llythyr cyntaf yng nghasgliad y Llyfrgell Genedlaethol?

Ynteu a ddylen ni ddechrau yn y diwedd a gweithio 'nôl? Dechrau yng ngogledd Ffrainc, lle treuliodd saith mis olaf ei oes yn mireinio'i grefft fel milwr gyda'r Gatrawd Gymreig? Gwaith anodd bellach yw ceisio dychmygu'r 'trenches', chwedl Dafydd, y llain fwdlyd a lleuog o dir fu'n ymestyn gynt o fôr y Gogledd at yr Alpau. Erwau'r gyflafan ac erwau gwaed oedd y rhain, ond erbyn heddiw maen nhw mor... *normal*, hefo pentrefi cysglyd a threfi prysur, heb fawr ddim i awgrymu sut roedd hi yno gan mlynedd yn ôl. Mae'r caeau lle bu cyrff yn hongian ar weiren bigog, heddiw'n wag unwaith eto, mae'r ffosydd wedi'u hen lenwi, ac mae'r tir neb a bantiwyd gan fagnelau'r ddwy

ochr wedi'i lyfnu'n gwysi twt gan genedlaethau o feibion ffermydd Picardie ar gefn eu tractorau. Ac eto, pan oedd y rhyfel yn ei anterth, roedd hwn yn fyd llawn sŵn annaearol, gyda siels yn rhwygo'r awyr fel sgrech trên drwy stesion...

'Gwlad estron yw'r gorffennol,' meddai L.P. Hartley; 'yno, maen nhw'n gwneud pethau'n wahanol', ac anodd dychmygu gorffennol sy'n fwy o 'wlad estron' nag eiddo gogledd Ffrainc. Bydd y gwaith o geisio dychmygu byd Dafydd yn y ffosydd, a'r defodau gwahanol a oedd yn patrymu'i fywyd yno yn rhan allweddol o'n pererindod nes ymlaen – ond nid yn fanno y dechreuwn ni.

Dechreuwn yn Aberystwyth, nid yn y coleg, fel yr awgrymwyd uchod, ond yn hytrach yn y Llyfrgell Genedlaethol. Yno, ynghanol y milltiroedd lawer o silffoedd, mae 'na focs llwyd, ac ynddo mae talp o fywyd Dafydd Jones. Llythyrau a sgrifennodd yntau yn nwy flynedd olaf ei fywyd, a llythyrau a sgrifennwyd amdano ar ôl ei farw. Pethau digon cyffredin yw llythyrau – ond gallant droi yn greiriau ar ôl i'r sawl a'u luniodd farw – yn enwedig os nad oes dim byd arall ar ôl. Nid oes carreg gwyn i nodi man gorffwys Dafydd, ynghanol y cannoedd o filoedd o gerrig gwynion sydd mewn mynwentydd milwrol ar draws Ffrainc a Fflandrys – dim ond yr un bocs llwyd yma yn seren o goffadwriaeth yng ngalaeth ein Llyfrgell Genedlaethol.

Yn ogystal â'i lythyrau, mae pob math o greiriau eraill yn y bocs, gan gynnwys ei ddisg adnabod, a'r biliau a thrugareddau eraill oedd yn ei bocedi pan fuodd farw; pethau digon dibwys sy'n magu arwyddocâd newydd am iddynt gael eu trafod gan ddwylo'r ymadawedig. Cadwyd y cyfan gan ei fam, ac yna gan Megan, sef

chwaer fach Dafydd; a hi synhwyrodd ddegawdau wedyn fod yma gasgliad o bwys cenedlaethol a phenderfynu cyflwyno'r cyfan i'r Llyfrgell Genedlaethol yn 1994.

* * *

Dechreuais ymchwilio o ddifri i hanes Dafydd yn 2015, ac er mwyn cael astudio'i lythyrau, roedd rhaid dod i arfer â'r defodau sydd ynglŷn ag ymweld â'r Llyfrgell Genedlaethol. Gadael côt a bag a phethau'r byd allanol dan glo mewn cwpwrdd wrth y fynedfa, gan gadw tŵls ymchwil yn unig yn fy llaw – y laptop a'r llyfr nodiadau. Yna mentro drwy grombil y llyfrgell tua'r ystafell ddarllen. Esgyn y grisiau i'r prif goridorau ysblennydd a'u nenfydau uchel, ac yno, rhaid stopio ar gais swyddogion y llyfrgell yn eu lifrai. Maen nhw isio gweld fy ngherdyn llyfrgell; dwi'n jyglo fy nghyfrifiadur bach dan fy nghesail, tra'n ymbalfalu yn fy mhoced am y cerdyn, cyn ei ddangos. Gwên broffesiynol ac amneidio 'diolch'. Dwi'n rhydd i symud ymlaen. Sylweddoli fod y cerdyn llyfrgell yn dod i ben 25.6.16. Union gan mlynedd i'r diwrnod ar ôl llythyr olaf Dafydd. Rhyfedd.

Wrth gownter yr ystafell ddarllen, dwi'n gofyn am lythyrau Dafydd. Dwi wedi eu harchebu rhag blaen ond rhaid i'r llyfrgellydd eu nôl nhw o'r stafell gefn. Dwi'n syllu i gyfeiriad y môr. Mae'n braf tu allan, a thros doeau'r dref mi welaf dyrau'r Hen Goleg, lle bu Dafydd yn astudio Cemeg a Gwyddor Amaethyddiaeth o 1912 ymlaen. Tybed a gerddodd erioed i fyny Allt Penglais, heibio safle'r Llyfrgell hwn? Dechreuodd y gwaith adeiladu yn 1911 ac mae'n debyg y byddai tipyn i'w weld yma erbyn diwedd cyfnod Dafydd yn y coleg. Roedd y prif waith adeiladu wedi dod i ben erbyn hynny a'r cant a mwy o weithwyr adeiladu wedi troi eu sylw at blastro a gosod lloriau o fewn i'r muriau ysblennydd. Ond ni fyddai Dafydd wedi dychmygu erioed y byddai casgliad o'i lythyrau yntau

yn un o fân drysorau'r lle hwn, ymhen blynyddoedd...

Mae'r llythyrau wedi cyrraedd, gan ddod â fi 'nôl at heddiw a'r gwaith dan sylw. Maen nhw mewn bocs cardbord llwyd, troedfedd o led a throedfedd a hanner o hyd. Dwi'n datod y llinyn amdano'n ofalus cyn datgelu cyfrol frown golau oddi fewn, gyda'r rhif llyfrgell 'NLW MS 23269E' a'r teitl 'Llythyrau Milwr' mewn llythrennau du ar y meingefn. O fewn cloriau'r gyfrol hon, mae holl lythyrau Dafydd wedi cael eu rhwymo'n gelfydd gan ffurfio math ar lyfr.

Bywyd ar ei hanner sydd yma – a'r tristwch yna sy'n gwneud y profiad o gyffwrdd yn y llythyrau mor ddirdynnol. Sgwrs ar bapur sydd yma, neu hanner sgwrs o leiaf, gan mai dim ond llythyrau Dafydd at ei fam sydd gennym. Collwyd ei llythyrau hithau ato ef; ac eto, cawn ambell atsain o'i llais wrth i Dafydd ymateb i'w chwestiynau.

Wrth droi'r llythyrau'n ofalus, mae hyd yn oed y papur yr ysgrifennwyd nhw arno'n dweud ei stori ei hun. Mae'n amrywio'n fawr, o bapur *embossed* y gwesty lle bu'n aros yn ystod ei gyfnod hyfforddi, i'r llythyrau a ysgrifennwyd yn frysiog ar gefn papur *signals* yn y ffosydd. Mae ambell lythyr wedyn lle mae plentyn ifanc (Megan, chwaer fach Dafydd, mae'n debyg) wedi defnyddio pensil i geisio ffurfio llythrennau unigol mewn unrhyw fwlch ar y papur nad oedd Dafydd wedi'i lenwi yn barod.

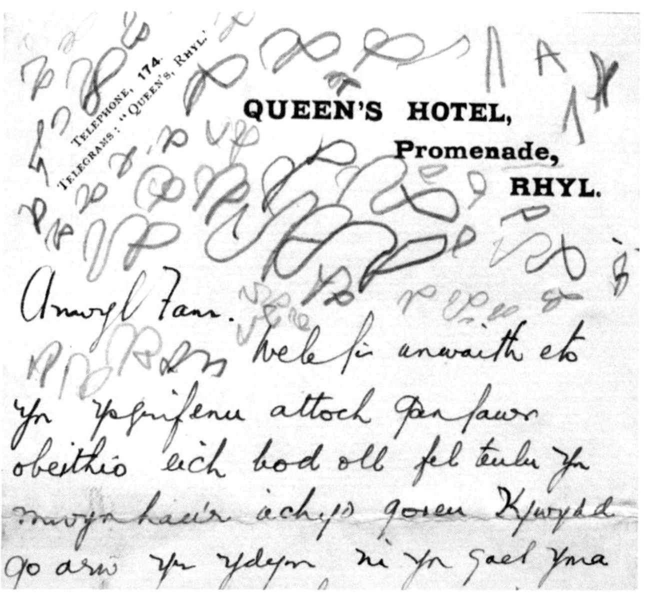
Telephone, 174.
Telegrams: "Queen's, Rhyl."

QUEEN'S HOTEL,
Promenade,
RHYL.

Anwyl Fam.
Wele fi unwaith eto
yn ysgrifenu attoch gan fawr
obeithio eich bod oll fel teulu yn
mwynhau'r iechyd goreu Tywydd
go arw yr ydym ni yn cael yma

Dyma aelwyd lle roedd trugareddau fel papur sgwennu'n brin; gallwn ddychmygu llaw oedolyn yn cipio'r pensil o law'r plentyn cyn iddi wneud mwy o lanast – ond wedyn doedd ei rhieni ddim yn ddifai yn hyn o beth chwaith! Mae llaw oedolyn wedi defnyddio cefn gwag llythyr arall, er mwyn gwneud symiau. Yn y Wern Isaf yn 1915, roedd llythyrau Dafydd heb eto gael y statws o fod yn bethau i'w gwarchod a'u trysori.

Mae'r biliau a'r derbynebau a gadwyd hefo'r llythyrau yn dweud eu straeon eu hunain hefyd. Bil teiliwr yw un – H.K. Osborne, Stryd Bodfor, y Rhyl – am altro côt a lifrai Dafydd pan gafodd ei ddyrchafu'n is-gapten. Mae bil arall gan y Queen's Hotel, eto yn y Rhyl. Roedd Dafydd yn Ystafell 17 ac yn talu 5 swllt y diwrnod am 'Board, inclusive'.

735

Telegraphic Address "Queen's, Rhyl." Telephone No. 174
Garage
Billiards (5 Tables).

QUEEN'S HOTEL,
CENTRAL PROMENADE, RHYL.

Proprietors: The Rhyl Palace Arcade and Hotel Co., Limited.
Secretary & General Manager: Mr. Samuel Thornley.

Accounts rendered Weekly. *Cheques not received in payment except by previous arrangement.*

No. of Order *M* *Room No.*

191

Brought forward
Board, inclusive
Apartments & Attendance
Breakfasts
Luncheons
Dinners
Teas
Suppers
Ale and Stout
Wines
Spirits
Liqueurs
Minerals
Cigars

A dyma ni wedi cyrraedd man cyntaf ein pererindod, sef Ystafell 17 yn y Queen's Hotel. Mae hi'n wythnos gyntaf Rhagfyr 1914 ac mae Dafydd newydd gyrraedd ei gartref newydd. Mae wedi dadbacio, ac yn smocio cetyn efallai wrth geisio ymwroli cyn ysgrifennu at ei fam. Doedd hi ddim am iddo ymuno â'r fyddin cyn gorffen ei radd, ond dyna a wnaeth gan fynd yn groes i'w hewyllys. Nawr mae'n rhaid iddo gyfaddef hynny a cheisio cyfiawnhau ei benderfyniad. A dyna gefndir y llythyr cyntaf yn y casgliad. Dechreuwn ni hefo hwnnw, a'i benderfyniad i adael Aberystwyth.

TELEPHONE, 174. TELEGRAMS: "QUEEN'S, RHYL."

1st Rhondda Battalion

QUEEN'S HOTEL,
Promenade,
RHYL.

Annwyl Fam.

Nis gwn yn iawn sut i gychwyn y llythyr yma, gwelwch ar unwaith fy mod wedi gadael Aberystwyth fel yr oeddech yn ofni. Dywedaf ar unwaith mai dyma y tro anhawsaf erioed i ysgrifenu attoch ond credaf pe baech yn fy esgidiau na wnaech ond gwneyd yr un cam a wnes i. Buasai bywyd yn Aberystwyth ar ol yr wythnos hon yn druenus. Yr unig ddau wir ffrynd oedd gennyf wedi gadael a'r milwyr yn dod i Aberystwyth dydd Mercher. Gwelwch y buasai gwaith yn amhosibl. Mae yn beth rhwydd i chwi yn y wlad i gadw swn yn erbyn y rhai sydd yn barod i aberthu er mwyn cadw ein gwlad mewn safle gysurus Cofiwch da chwi fod y wlad hon bob mynyd yn disgwyl yr Almaenwyr i lanio yma, wedi hyny ni fyddem ond fel y Belgians trueiniaid a'u cartrefi wedi eu rhwygo Credaf ymhellach y buasai'n well genych golli un mab na cholli'r holl deulu Nid ydwyf wedi gwneud dim er anhydeddu chwi fel mam a thad a theulu ond yn hytrach Credaf fy mod wedi codi parch i chwi. Ni wnawn fynd fel soldiwr cyffredin. fel officer yr wyf yma. ac yn derbyn y parch mwyaf gan bawb. - yn berffaith gysurus oni bae am un peth, a hwnnw yw y ffaith fy mod yn llwfr oherwydd Credaf fy mod wedi eich siomi

Yr oeddwn wedi meddwl rhoi tro am danoch cyn ymadael ag Aberystwyth Nid oeddwn yn meddwl y buaswn yn ymadael mor fuan Pan oeddwn yn siarad a Jane a Nellie dydd Llun ni oeddwn yn dychmygu y buaswn yn gadael cyn diwedd yr wythnos, ond cefais delegram yn dweud wrthyf am ddod i fyny yma ac felly ni chefais gyfle i ddod adref o gwbl. Er hyny gobeithiaf yn fawr cael dod adref dri neu bedwar diwrnod dros y Nadolig

Mwy na thebyg ni chawn ni yma byth weled ythyfel fawr yma. Byddwn yma am chwech mis o leiaf ac wedi'n os bydd eisiau cawn fynd i amddiffyn un o'n —

Talaethau. rhag ofn y gwna rhywun ymosodiad arnynt.
Mae fy nau ffrynd arall, Dalfyn ac Ivor. gyda mi yma felly nid oes eisiau i chwi ofni y caf unrhyw gam gan neb
Maent hwythau dau wedi ymadael heb ofyn caniattad o gartref felly nid oes cydymdeimlo ar gyhydd i fod yma yn awr.
Mae fy mocs yn ngofal John Dolfelin bydd yn dod ag ef adref dydd toriad y term Nid oes genyf ond 4 par sleeves yma a dau gris. Bydd y cwbl mewn khaki cyn pen wythnos hyd yn od crisau a coleri prynais underwests a 6. par o socks a chwain o facynon cyn gadael Aberystwyth felly ni raid i chwi ofni dim am fy iechyd

Hefyd nid oes eisiau i chwi ofni dim ynghylch fy negree. Mae'r awdurdodau wedi addaw rhoddi degree i bob un fuasai yn gorffen y flwyddyn hon

Gwelais Lewis a Powell yn Aberystwyth
ac yr oedd y ddau yn fy nghofio i i
ffrd y bydd yn llawen iawn hawdd
cael jol ar ol y rhyfel os byddwn wedi
Cymeryd swyddogaeth ac yr wyf i o'r
unfarn fy hun.
Wel ~~dim~~ oes rhagor heddyw ond erfyniaf
arnoch unwaith eto ar i chwi gymeryd
yr un olwg a mi ar y cam yr wyf wedi
gymeryd.

Sec Lt D.

Fy adress yw.

Sec. Lt. Dai Jones.
1st Rhondda Battalion
Queen's Hotel
Rhyl.

Hoffwn glywed oddiwrthych yn fuan.
Cofion cynesaf attoch oll gan obeithio
cael gweled oll Nadolig.

Oddiwrth
Dafydd.

2

'Buasai bywyd yn Aberystwyth ar ôl yr wythnos hon yn druenus'

(*Aberystwyth: Hydref – Tachwedd 1914*)

Mae'n amlwg fod y llythyr cyntaf hwn o'r Rhyl wedi bod yn un anodd i Dafydd ei ysgrifennu.

> Anwyl Fam
>
> Nis gwn yn iawn sut i gychwyn y llythyr yma, gwelwch ar unwaith fy mod wedi gadael Aberystwyth fel yr oeddech yn ofni.

Mae'r frawddeg agoriadol hon yn awgrymu fod Dafydd wedi trafod ei fwriad i ymuno â'r fyddin – ond ymddengys fod ei deulu wedi gwrthwynebu. Ysgrifennwyd y llythyr hwn yn fuan ar ôl y 26ain o Dachwedd pan dderbyniwyd ef i'r fyddin. Roedd y rhyfel wedi cychwyn ryw bedwar mis ynghynt, ac ar ddechrau Hydref roedd Dafydd wedi ufuddhau i'w rieni a mynd yn ôl i'r coleg ar gyfer blwyddyn olaf ei radd. Ond fel y gwelwn ni, newidiodd ei feddwl cyn pen y tymor colegol, a phenderfynu mynd yn groes i ewyllys ei rieni:

> Dywedaf ar unwaith mai dyma y tro anhawsaf erioed i ysgrifenu attoch ond credaf pe baech yn fy esgidiau na wnaech ond cymeryd yr un cam â wnes i.

Yn amlwg, doedd anufuddhau ddim yn beth a wnaeth yn ysgafn; ond 'haws ceisio maddeuant na gofyn caniatâd' efallai! A dyma Dafydd yn mynd ati yn ei lythyr i geisio cyfiawnhau ei benderfyniad:

> Buasai bywyd yn Aberystwyth ar ôl yr wythnos hon yn druenus. Yr unig ddau wir ffrynd oedd gennyf wedi gadael a'r milwyr yn dod i Aberystwyth dydd Mercher. Gwelwch y buasai gwaith yn amhosibl.

Y ddau ffrind hyn oedd Talfryn James a T. Ifor Davies, a oedd fel yntau wedi bod yn aelodau o'r *Officer Training Corps* (OTC) ers iddyn nhw ddechrau yn y coleg yn ôl yn 1912. Cawn drafod mwy ar hynny yn y man. Ond mae Dafydd yn rhoi mymryn o stretsh yn ei stori yn fan hyn: awgryma fod Talfryn ac Ifor 'wedi gadael' ac yntau felly wedi eu dilyn; ond mewn gwirionedd (fel y datgelwyd ar ôl i Dafydd gael ei ladd), roedd y tri ohonynt wedi ymuno â'r fyddin hefo'i gilydd ar yr un diwrnod.

Mae'n cyfeirio hefyd at y 'milwyr yn dod i Aberystwyth dydd Mercher'. Roedd awdurdodau'r dref wedi penderfynu ynghanol mis Tachwedd y dylid cynnig i'r Swyddfa Ryfel y byddai Aberystwyth yn lle da ar gyfer hyfforddi milwyr, gan fod cymaint o westai a thai lojin yno. Derbyniwyd y cynnig ac aeth yr heddlu o gwmpas y dre yn marcio pob adeilad hefo sialc, i ddangos faint o filwyr a allai letya oddi fewn iddynt, a chyrhaeddodd y garfan gyntaf ar ddydd Mercher y 9fed o Ragfyr, 1914. Mae tôn y llythyr yn newid fymryn yn awr, wrth i Dafydd ddadlau yn fwy ymosodol:

> Mae yn beth rhwydd i chwi yn y wlad i gadw swn yn erbyn y rhai sydd yn barod i arberthu [sic] er mwyn cadw ein gwlad mewn safle gysurus, cofiwch da chwi fod y wlad hon bob munyd yn disgwyl yr Almaenwyr i lanio yma, wedi hyny ni fyddem ond fel y Belgians drueiniaid a'u cartrefi wedi eu rhwygo. Credaf ymhellach y buasai'n well genych golli un mab na cholli'r holl deulu.

Nid yw'n hollol eglur at bwy mae'n ergydio yma. Pwy tybed oedd y rhai 'yn y wlad' oedd yn 'cadw sŵn' yn erbyn mynd i ryfel? Aelodau o'i deulu efallai? Roedden nhwthau yn sicr yn byw 'yn y wlad'. Ond mae'r cyfeiriad at fygythiad yr Almaenwyr yn ddigon clir. Ar ddechrau'r rhyfel, roedden nhw wedi ysgubo drwy'r rhan fwyaf o Wlad Belg gan beri i dros filiwn o Felgiaid ffoi, i'r Iseldiroedd, Ffrainc a gwledydd Prydain. Roedd carfan o'r ffoaduriaid hyn wedi cyrraedd Aberystwyth ar ddechrau Hydref a Dafydd o bosib ymhlith y 'large crowd of students and townspeople' a oedd wedi eu croesawu yn yr orsaf, cyn eu hebrwng i'w llety yn y Queens Hotel ac yna canu'r 'national anthems' i'w difyrru. Merched a phlant oedd y rhan fwyaf o'r 'Belgians drueiniaid' hyn, a oedd wedi colli eu cartrefi. Ond a fase'n well gan fam Dafydd 'golli un mab na cholli'r holl deulu'? Nid yw hynny'n ddewis y dylid ei orfodi ar unrhyw riant. Mae

Dafydd fel petai'n deall iddo fynd yn rhy bell gyda'i rethreg; ac mae'n newid trywydd eto, gyda geiriau meddalach y tro hwn:

> Nid ydwyf wedi gwneud dim er dianrhydeddu chwi fel mam a thad a theulu ond yn hytrach credaf fy mod wedi codi parch i chwi. Ni wnawn fynd fel soldiwr cyf[f]redin; fel officer yr wyf yma ac yn derbyn y parch mwyaf gan bawb...

(Cyfieithiad ychydig yn gloff o 'dishonour' yw 'dianrhydeddu' – sy'n dangos fod Dafydd yn meddwl yn Saesneg weithiau ac yn trosi i'r Gymraeg wedyn.) Fel aelod o'r OTC roedd ganddo hawl i gynnig ei hun ar gyfer comisiwn yn y fyddin, a dyna a wnaethai. Roedd felly

> ...yn berffaith gysurus oni bae am un peth, a hwnnw yw y ffaith fy mod yn llwfr oherwydd credaf fy mod wedi eich siomi. Yr oeddwn wedi meddwl rhoi tro am danoch cyn ymadael ag Aberystwyth. Nid oeddwn yn meddwl y buaswn yn ymadael mor fuan. Pan oeddwn yn siarad a Jane a Nellie dydd Llun ni oeddwn yn dychmygu y buaswn yn gadael cyn diwedd yr wythnos, ond cefais delegram yn dweud wrthyf am ddod i fyny yma ac felly ni chefais gyfle i ddod adref o gwbl.

Roedd wedi 'siomi' ei rieni drwy fynd yn groes i'w hewyllys – ond mae 'llwfr' yn air annisgwyl yn y cyswllt hwn. Wedi'r cyfan, roedd newydd ymrestru yn y fyddin. Roedd posibiliad cryf y câi ei ladd. Nid gweithred llwfrgi mo hyn, 'doedd bosib? Credaf fod yr ateb yn y frawddeg nesaf: 'Yr oeddwn wedi meddwl rhoi tro am danoch cyn ymadael ag Aberystwyth'. Roedd yn 'llwfr' am iddo beidio. Roedd wedi osgoi wynebu ei rieni, ac yn hytrach, wedi aros tan iddo gyrraedd y Rhyl cyn datgelu'i benderfyniad iddynt – ac erbyn hynny, wrth gwrs, roedd yn rhy hwyr iddyn nhw drio newid ei feddwl.

Cyfeiria hefyd at weld 'Jane' (1896–1965) a 'Nellie' (1898–1978); ei ddwy chwaer hynaf oedd y rhain. Os oedden nhw wedi dod o Lanio i weld Dafydd yn Aberystwyth, tybed oedden nhw'n rhan o'r gyfrinach? Yn sicr, mae'r gor-fanylu ynglŷn â pha mor annisgwyl o sydyn daeth yr alwad i'r Rhyl ychydig yn amheus! Derbyniwyd Dafydd i'r fyddin ar y 26ain o Dachwedd, ond yn ei lythyr mae'n cyfeirio at y milwyr yn cyrraedd Aberystwyth ar y 9fed o Ragfyr fel rhywbeth cyfredol.

Jane

Eleanor

Hyd yn oed os oedd yn ysgrifennu yn gynharach yr wythnos honno, roedd dal wedi cael o leiaf wythnos i fynd i weld ei rieni! Roedd pedwar trên y diwrnod yn rhedeg nôl a mlaen o Aberystwyth i Bont Llanio, ac roedd yn llai nag awr o siwrnai – ond roedd wedi dewis peidio. A dyna, mae'n debyg, oedd yn pigo'i gydwybod.

> Er hyny gobeithiaf yn fawr cael dod adref dri niwrnod dros y Nadolig.

Ar ôl hynny, mae'n troi'r stori er mwyn ceisio lleddfu pryderon ei fam.

> Mwy na thebyg ni chewn ni yma byth weled y rhyfel fawr yma. Byddwn yma am chwech mis o leiaf ac wedin os bydd eisiau, cawn fynd i amddi[f]fyn un o'n talaethau, rhag ofn y gwna rhywun ymosodiad arnynt.

Roedd y gobeithion y byddai'r 'cyfan drosodd erbyn y Nadolig' wedi cilio erbyn dechrau Rhagfyr, ond ar y llaw arall, nid oedd yn amlwg eto y byddai'r ymladd statig yn ffosydd Ffrainc a Gwlad Belg yn parhau am bedair blynedd tan 1918. Ond rhag brawychu ei fam gyda'r syniad mai ymladd yn y ffosydd fyddai ei ran ar ôl cwblhau'r cyfnod hyfforddi, mae Dafydd yn ceisio awgrymu y bydd yn cael 'cushy posting' yn amddiffyn y 'talaethau' neu drefedigaethau'r ymerodraeth, rhywle 'tawel' ymhell o'r ffrynt yn Ffrainc! Mae'n ei sicrhau hi wedyn fod ganddo gwmni, cyfeillion a fydd yn gefn iddo:

> Mae fy nau ffrynd arall, Talfryn ac Ivor gyda mi yma, felly nid oes eisiau i chwi ofni y caf unryw gam gan neb. Maent hwythau dau wedi ymadael heb ofyn caniattad o gartref felly nid oes cydymdeimlo a'n gilydd i fod yma yn awr.

Cyfrwys yw'r sylw fod Talfryn ac Ifor heb ofyn caniatâd chwaith; hynny yw, mae'n ceisio normaleiddio'r peth. Yna, mae'n troi at faterion ymarferol:

> Mae fy mocs yng ngofal John Dolfelin, bydd yn dod ag ef adref dydd toriad y term. Nid oes genyf ond y par gleision yma a dau gris. Bydd y cwbl mewn kaki cyn mhen wythnos hyd yn od crisau a coleri. Prynais undervests a 6 par o socks a dwsin o facynon cyn gadael Aberystwyth, felly ni raid i chwi ofni dim am fy iechyd.

Roedd John Williams, Dolfelin, yn gyfyrder iddo ac ar ei flwyddyn gyntaf yn Aberystwyth. Roedd yn byw'n gyfagos yn Llanio ac felly roedd wedi cytuno i ddod â llyfrau a dillad sbâr Dafydd yn ôl i'r Wern ar ddiwedd y tymor. Gan fod Dafydd yn gwybod y byddai maes o law yn gorfod cael ei ddilladu fel swyddog ('y cwbl mewn kaki') nid oedd diben cario llwyth o ddillad gydag e i'r Rhyl – dim ond un pâr o drwsus glas, dau grys, a'i ddillad isaf. Ond mae Dafydd druan yn dal i droi fel cwpan mewn dŵr, yn teimlo'n euog am iddo adael heb ddweud wrth ei rieni. Yn ddigon digyswllt, dyma restru mwy o resymau pam ei fod wedi 'gwneud y peth iawn':

> Hefyd nid oes eisiau i chwi ofni dim ynghylch fy negree. Mae'r awdurdodau wedi addaw rhoddi degree i bob un fuasai yn gorffen y flwyddyn hon.
>
> Gwelais Lewis a Powell yn Aberystwyth ac yr oedd y ddau yn fy nghynghori i fynd; y bydd yn llawer iawn haws cael job ar ôl y rhyfel os buaswn wedi cymeryd swyddogaeth ac yr wyf fi o'r un farn fy hun.

Mae'n anodd canfod unrhyw beth i gefnogi haeriad Dafydd fod y coleg wedi addo rhoi graddau i'r gwirfoddolwyr oedd ar eu blwyddyn olaf. Mae golygydd cylchgrawn y coleg, *The Dragon*, wrth ymateb i'r honiad am 'the backwardness of Aber. men in joining the colours' yn dweud hyn:

> *...the College and University authorities, in spite of their vague promises, have done nothing to encourage the would-be recruit. In our humble lay opinion, if the present Session were left out of the reckoning as regards the courses of those who offered for service, the number of volunteers would be considerably increased.*

Tybed ai'r 'vague promises' hyn roedd Dafydd yn cyfeirio atynt? Ni chawsant eu hanrhydeddu fodd bynnag, a bu'n rhaid i Talfryn ac Ifor fynd nôl i Aberystwyth am flwyddyn ar ôl y rhyfel, er mwyn cwblhau eu cyrsiau gradd nhwthau.

Cyd-fyfyrwyr o Dregaron oedd Lewis a Dai Powell, mae'n debyg. Ni wn pam fod Dafydd yn meddwl y dylid rhoi cymaint o bwys ar eu barn nhw am y rhyfel – heblaw, wrth gwrs, fod hyn yn ffordd hwylus unwaith eto i ddilysu a normaleiddio ei benderfyniad yntau! Nid andwyo ei gyfle o ddod ymlaen yn y byd fase gadael coleg fel hyn, ond ei wella. Gallwn ddychmygu Dafydd yn cymryd ei wynt ato ac yn meddwl, dyna ddigon am y tro. Roedd wedi gwneud ei brif bwyntiau, er iddo neidio ychydig o un lle i'r llall. Roedd yn amser cau pen y mwdwl:

> Wel nid oes rhagor heddyw ond erfyniaf arnoch unwaith eto ar i chwi gymeryd yr un olwg â mi, am y cam yr wyf wedi gymeryd.

......

Fy adress yw

Sec. Lt. Dai Jones
1st Rhondda Battalion
Queen's Hotel
Rhyl.

Hoffwn glywed oddiwrthych yn fuan. Cofion cynesaf attoch oll gan obeithio eich gweld oll Nadolig.

Oddiwrth
Dafydd

* * *

Es i draw i Aberystwyth a cherdded ei strydoedd i geisio dychmygu sut le oedd yno, yn yr wythnosau a arweiniodd at benderfyniad Dafydd i ymrestru yn y fyddin. Mae llawer o adeiladau'r cyfnod wedi goroesi, ac anelais am y prom gyda sŵn hamddenol y tonnau yn amlygu'i hun fwyfwy wrth imi agosáu at y môr. Trois i'r dde wedyn, i gyfeiriad Constitution Hill. Chydig o dywod go iawn oedd ar y traeth islaw ond yn hytrach rhyw ro mân llwyd – a llawer o hynny'n crensian dan draed ar y prom, wedi'i daflu i fyny yn ystod y tywydd mawr ryw wythnos yn gynt. Cyrhaeddais Neuadd Pumlumon, sydd â'i hwyneb at y môr, ddim yn bell o ben y prom.

Yma roedd neuadd y dynion yng nghyfnod Dafydd (ond fe'i dinistriwyd, gyda'r adeiladau cyfagos, gan dân ofnadwy yn 1998). Cafodd ei hailadeiladu ers hynny, mewn arddull digon tebyg i'r hyn a fu gynt, o'r tu allan o leiaf, ac ar y safle hon, os nad yn yr adeilad presennol, yr oedd Dafydd yn byw fel myfyriwr.

Mae llun ym meddiant y teulu, sy'n dangos Dafydd yn yr ardd yng nghefn y neuadd, gyda chriw o'i gyd-fyfyrwyr.

Neuadd Pumlumon

Myfyrwyr Neuadd Pumlumon 1913/14

Sefyll ar yr ochr dde y mae Dafydd, a phedwar botwm ei siaced wedi cau, a'i ddwylo ym mhocedi ei drowsus. Mae ambell un yn y llun yn gwenu, ond nid Dafydd; a dweud y gwir, mae golwg y rhan fwyaf ohonynt yn awgrymu fod 'y busnes tynnu lluniau 'ma' wedi cymryd mwy o amser nag roedden nhw wedi ei ragweld!

Gwnaed cerdyn post o'r llun ac roedd Dafydd wedi prynu rhai er mwyn eu hanfon at ei deulu. Mae'r neges ar y cefn yn darllen:

> Cyrhaeddais yn ddiogel ac y mae yr oll yma rywbeth tebyg i arfer, yr hen wedi dod yn ol ac un newydd wedi dod o Poland. Does dim un newydd neullduol arall
>
> Cofion cynesaf at bawb.
>
> D

Mae'r cerdyn wedi'i gyfeirio at ei fam, ond yn anffodus, does dim modd darllen dyddiad y marc post. Mae'r llun wedi'i dynnu yn y gaeaf, gan nad oes unrhyw ddail ar y llwyni yn y cefndir; ac mae'r neges yn awgrymu mai ar ddechrau tymor newydd y cafodd ei anfon, o bosib ar ddechrau blwyddyn academaidd – felly, ryw bryd rhwng Ionawr 1913 a Hydref 1914.

Os anodd yw dyddio'r llun, her hefyd yw rhoi enwau i'r dynion ifainc eraill sydd ynddo. Yn y rhes flaen mae Bertie

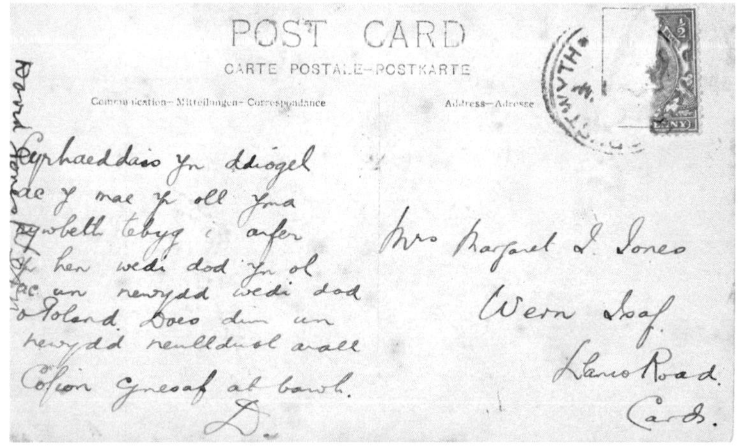
POST CARD

CARTE POSTALE–POSTKARTE

Communication–Mitteilungen–Correspondance

Address–Adresse

Cyrhaeddais yn ddiogel
ac y mae y oll yma
rywbeth tebyg i arfer
y hen wedi dod yn ol
ac un newydd wedi dod
o Poland. Does dim un
newydd neullduol arall
Cofion gwresaf at bawb.
D.

Mrs Margaret I. Jones
Wern Isaf
Llanio Road.
Cards.

Bertie Bonarjee

Bonarjee, mab i fargyfreithiwr cefnog o Bengal, oedd wedi symud i Lundain ryw wyth mlynedd ynghynt.

Roedd chwaer Bertie, Dorothy Bonarjee, hefyd yn astudio yn Aberystwyth yn yr un cyfnod; ac yn eisteddfod y coleg yn 1914 enillodd hi'r gadair am gerdd Saesneg neu Gymraeg, ar y testun 'Owain Lawgoch'! T. Gwynn Jones oedd yn beirniadu, a hi oedd y ferch gyntaf yn hanes eisteddfod y coleg i ennill y gadair. Mae'n debyg y byddai Dafydd wedi'i gweld hi yn cael ei chadeirio, gan iddo ennill ar yr unawd bariton yn yr un eisteddfod.

Gwyddom fod ei gyfaill Talfryn James yn rhannu stafell hefo Dafydd yn y neuadd, ac felly mae'n bur debyg ei fod yntau hefyd yn rhywle yn y llun. Mae 'na lun o Talfryn o bapur newydd yn 1915, ond yn anffodus, gan ei fod erbyn hynny yn ei lifrai ac wedi tyfu mwstásh, a chan fod ansawdd y llun yn reit wael beth bynnag, nid yw'n llawer o help. (gweler t. 30)

Serch hynny, ar gownt siâp ei geg a'r pannwl ar ei ên, tybed ai'r pumed o'r dde yn y rhes gefn ydi Talfryn? Mae rhywbeth am ei osgo hyderus sy'n tynnu llygad hefyd; a chan fod Talfryn yn gapten tîm hoci'r coleg, tybed ai dyna'r bathodyn sydd ar labed ei siaced?

Sut bynnag, Talfryn oedd un o ffrindiau pennaf Dafydd yn Aberystwyth. Roedd ei deulu wedi ymgartrefu yn Nhreforus ger Abertawe erbyn iddo fynd i'r coleg, ond roedden nhw wedi symud tipyn yn ystod ei ieuenctid. Teiliwr oedd ei dad, yn hanu o ardal Aberteifi, ond un o Aberdâr oedd ei fam, ac yn yr ardal honno y ganwyd Talfryn. Yn bump oed, symudodd y teulu i Hwlffordd, yna i'r Drenewydd ac yna i Dyddewi, cyn setlo yn Nhreforus tua'r adeg yr aeth Talfryn i Aberystwyth. Yn ôl y Cyfrifiad, roedd pawb yn y teulu'n medru'r Gymraeg – er mai llythyru yn Saesneg a wnâi Talfryn, a'i fam, fel y gwelwn maes o law. Sut bynnag, rhoddwyd enwau digamsyniol o Gymraeg ar fechgyn y teulu. Yn ogystal â Talfryn, roedd yna Brynmor, Islwyn a Teyrnon!

Lt. Talfryn James

Ffiseg oedd pwnc Talfryn yn y coleg; ac yn ogystal â disgleirio ar y cae hoci, roedd yn rhedwr chwim. Ym mabolgampau'r coleg yn 1914, curodd ei gyd-fyfyrwyr yn y ras ganllath a'r ras ganllath dros y clwydi; enillodd y ras ganllath agored hefyd. Talfryn felly oedd y *victor ludorum* ('enillydd y gemau', neu yr un oedd wedi ennill y mwyaf o'r cystadlaethau); Dafydd

Talfryn ar y chwith? – a Dafydd ar y dde

oedd yn ail, gan iddo ennill ar daflu pêl griced a thaflu pwysau, neu *shot put*.

Cyfaill mawr arall i Dafydd yn y coleg oedd Tom Ifor Davies. Roedd yntau wedi ei fagu ym Merthyr Tudful ond roedd yn astudio Gwyddor Amaethyddiaeth. Roedd tad Ifor, William, yn dod o Gastell-paen yn sir Faesyfed, yn wreiddiol, ond aeth i ardal Merthyr i weithio fel *bar iron and steel weigher*; ac yn Nowlais y ganwyd Ifor, a'i frawd hŷn William John. Er mor Gymreigaidd oedd yr ardal honno ar y pryd, ac er bod eu mam Sarah Ann yn medru Cymraeg, yn Saesneg y magwyd y ddau frawd.

Rywbryd ar ôl Cyfrifiad 1911, symudodd rhieni Ifor yn ôl i Gastell-paen, hen gynefin William ei dad, am fod hwnnw wedi cael gwaith fel postfeistr y pentre. Yn y cyfamser, roedd Ifor wedi bod yn gweithio ers dwy flynedd fel 'athro heb gymhwyster' yn ardal Caersŵs, cyn mynd i Aberystwyth. (Yr un oedd profiad Dafydd yn ardal Tregaron, fel y cawn weld ym mhennod 6; roedd Talfryn, ar y llaw arall, wedi cael mynd yn syth o'r ysgol i'r coleg, ac felly roedd e'n flwyddyn yn iau na'r ddau arall.)

Roedd Dafydd ac Ifor yn astudio Gwyddor Amaethyddiaeth hefo'i gilydd, er bod Dafydd hefyd yn gwneud cwrs mewn Cemeg. Es i draw i'r Hen Goleg, a dringo'r grisiau carreg i'r ail lawr. Ar adeg fy ymweliad, roedd awdurdodau'r coleg yn y broses o wagio'r adeilad er mwyn ei ail-ddatblygu, ond roedd un o'r labordai cemeg yn dal yno. Roedd y byrddau hir a'r tapiau nwy yn edrych fel pe baent wedi'u gosod yno ar ôl cyfnod Dafydd; ond roedd yr olygfa drwy'r ffenestri heb newid dim, gyda thonnau'r môr ar y creigiau tu allan. Tybed a oedd sylw Dafydd yn crwydro ambell waith, wrth iddo wneud arbrofion yno? Yng nghylchgrawn y coleg o'r cyfnod, *The Dragon*, mewn rhestr o sylwadau gogleisiol, ceir y cyfeiriad hwn at labordai'r adran Gemeg: 'mixed bathing is popular in the steam-bath up at the Chemi. Labs'. Anodd dychmygu bellach beth oedd yn gyfrifol am hyn; rhywbeth wedi berwi drosodd efallai, nes llenwi'r lab hefo stêm? Ond mae'n awgrymu nad oedd popeth yn mynd yn iawn yno bob tro!

Ar dudalennau *The Dragon* ceir hefyd ambell gyfeiriad at Dafydd a'i ffrindiau. Yn yr un rhestr o sylwadau gogleisiol (a'r jôc gwreiddiol wedi hen fynd yn angof, gwaetha'r modd) dysgwn mai 'Talfryn James is now the Hostel barber and that he shaves free of charge'. Mewn ffug adolygiad o lawlyfr dychmygol, *Views from a College Window*, honnir fod rhan o'r llyfr hwnnw wedi'i ysgrifennu gan Dafydd:

> *The next article is a dissertation of the academic side of Coll. life by Mr. Dai Jones. Although some of his ideas, if carried out, would be startling innovations, yet his advice is on the whole good. We are glad to see that he advocates the conversazione method of lectures and at the end of his article we have some very helpful hints from Mr. Jones, Ll. B., on "What to say at tea-parties".*

Anodd dyfalu at beth roedd yr awdur yn ergydio yma! Oedd Dafydd yn cael ei adnabod fel gŵr tawedog efallai?! Ond mae'r rhan fwyaf o'r cyfeiriadau ato yn *The Dragon* yn dipyn haws i'w deall, diolch i'r drefn. Roedd Dafydd hefyd yn beldroediwr medrus; bu'n gapten ar dîm ysgol Tregaron gynt, a bu'n cynrychioli'r coleg o'i flwyddyn gyntaf ymlaen. A chan fod adroddiad am bob gêm ar dudalennau'r *Dragon*, cawn dipyn o'i hanes ar y cae pêl-droed. Yn ei flwyddyn gyntaf, cafodd gyfle fel ymosodwr:

> *D. Jones at centre played a dashing game, bustling the opposing backs and goalkeeper, but he lacked experience as a leader of a line of forwards.*

Ar ôl hynny, tueddai i ymddangos yng nghanol y cae, fel *right half*. Roedd tîm coleg Aberystwyth yn chwarae'n rheolaidd yn erbyn y colegau eraill ym Mangor a Chaerdydd; a hefyd yn erbyn timau'r canolbarth – Pant United ger Llanymynech, y Drenewydd, Bermo, Machynlleth, ac wrth gwrs tref Aberystwyth ei hun. Roedd 'Coll. v Town' yn dipyn o 'ddarbi', a phan enillodd y coleg 4-0 yn Hydref 1914, 'D. Jones finished up an individual effort with a beautiful shot'. Er iddo ganfod y rhwyd sawl gwaith dros y coleg, ei waith amddiffynnol sy'n cael ei ganmol amlaf:

David Jones tackled strongly.

David Jones distinguished himself with some really fine defensive work.

E. B. Jones at left half and D. Jones at right half held the opposing wing forward well in hand, and fed their own forwards nicely.

Ond weithiau mae cywirdeb ei basio'n cael ei feirniadu!

David Jones (...) had the one fault of kicking too far for his own forwards.

W.J. Pugh and David Jones worked like Trojans all through, but probably owing to the lightness of the ball, their passing was somewhat faulty.

Yn ei dymor olaf yn Hydref 1914, roedd wedi'i godi'n is-gapten ar y tîm – ac wedi newid safle eto. Yn erbyn Clwb Rhyddfrydol y dref, 'Dai Jones made a bustling centre-half and with experience ought to do well in future matches'. Sgoriodd gôl hefyd, wrth i'r coleg chwalu'r tîm arall, 8-1. Ond yn anffodus, dyna'i gêm olaf dros y coleg, wrth i gemau gael eu canslo oherwydd y rhyfel.

* * *

Tybed beth arall oedd yn mynd â bryd Dafydd yn y coleg? Gan ei fod yn dipyn o ganwr, tybed oedd galw arno i wneud 'tyrn' a diddanu ei gyd-fyfyrwyr?

One of the most successful features of the term so far from the men students' point of view has been the "smokers". There is an abundance of new singers, and the O.T.C. smoker and particularly the second smoker reached a very high pitch of excellence.

Nosweithiau i ddynion yn unig oedd 'smokers' neu 'smoking concerts'; nosweithiau 'brethyn cartre' gyda lle i adroddwyr yn ogystal â chantorion. Y caneuon mwya poblogaidd yn aml oedd y 'topicals', gyda phenillion yn disgrifio rhyw droeon trwstan yn hanes y myfyrwyr oedd yn bresennol, gyda chytgan oedd yn caniatáu i bawb ymuno. Weithiau ar ddiwedd y noson, byddai criw y 'smoker' yn gorymdeithio o'r Ystafell Gyffredin yn yr

Hen Goleg at Neuadd Alexandra, sef neuadd y merched ym mhen draw'r prom, ac yno'n ail-ganu rhai o'r uchafbwyntiau o'r stryd, er eu budd nhw. Tybed oedd y merched yn gwerthfawrogi, yn enwedig os oedd hi'n hwyr?! Does wybod; ond roedd y merched yn garfan niferus erbyn cyfnod Dafydd, tua traean o'r rhai oedd yn astudio yn Aberystwyth, ac roedd rhai yn dechrau cwestiynu'r *status quo*, gyda'r pwyslais parhaol ar weithgareddau'r dynion ar dudalennau'r *Dragon*. Ysgrifennodd un o'r merched i gwyno'n ddi-enw yn 1913:

> *The idiosyncrasies, shortcomings, and the general doings of the men receive quite adequate treatment, but for some reason or other (apparently from notions of false delicacy) we girls are quite left out of the picture (...) many of us would be much more interested at the appearance of the mag. if there were a prospect of finding our own doings (...) contained in its pages.*

Roedd rhai digwyddiadau cymysg, fel nosweithiau'r Gymdeithas Geltaidd. Yn nhymor y Pasg 1913, gwahoddwyd Nansi Richards, telynores Maldwyn, atynt.

> *Dyma'r tro cyntaf i Miss Richards ganu'r delyn yn y Coleg, a thystia'r gymeradwyaeth uchel a gafodd nad dyma'r tro olaf. Teyrnasai distawrwydd dwfn pan oedd hi yn "tynnu mêl o'r tannau mân".*

Ond ar y cyfan, cawn yr argraff mai'r prif nod yn y coleg oedd creu ethos tebyg i eiddo'r ysgolion bonedd. Un enghraifft o hynny oedd y 'College Yell' a oedd wedi cychwyn tua'r flwyddyn 1905, fel ffordd 'unigryw' i'r myfyrwyr ddangos eu cefnogaeth i'w timau mewn cystadlaethau rhyng-golegol. Ond erbyn cyfnod Dafydd, roedd yn cael ei ddefnyddio i gyfarch pwysigion yng ngorsaf Aberystwyth, neu hyd yn oed mewn cyngherddau! Yn Chwefror 1914, gwahoddwyd triawd o Ffrainc i ddiddanu'r *Musical Club* yn y coleg:

> *Though the pieces were long and complicated and the concert occupied two hours, the audience, like Oliver Twist, asked for more and rewarded the distinguished musicians from across the Channel with sustained applause and the College yell.*

Dyma ddisgrifiad ohono o'r cyfnod, gyda chyfarwyddiadau ar gyfer sut i'w berfformio'n gywir:

Boom! Whaa!! Rhaa!!!
Boom! Whaa!! Rhaa!!! (*Loud and deliberate*)
Ish mabi! Ish mabi .... (*Very soft and impressively*)
Keezle Keezle, Whacka Whacka.
Keezle Keezle, Whacka Whacka, (*Getting louder and quicker*)
Ish mabi keezle whacka
Boom! Whaa!! Rhaa!!!
PHT. (*...produced through the upper teeth and lower lip, and resembled the sound produced by the backfire of a motor or the bursting of a tyre.*)

(Gallaf eich dychmygu fel minnau yn ceisio ail-greu sŵn rhyfeddol y 'PHT'. Gobeithiaf nad ydych yn darllen y llyfr hwn mewn lle cyhoeddus!)

* * *

Wrth chwilio am hanes Dafydd ar dudalennau'r *Dragon*, gwelais enw sawl Cymro a ddaeth yn adnabyddus wedyn, yn cydoesi ag ef yn y coleg, er enghraifft, Ifan ab Owen Edwards, a D.J. Williams. Nid oes llawer o sôn am Ifan, ond mae D.J. yn ymddangos yn fynych yn yr adroddiadau am y 'Lit. and Deb.' – y gymdeithas oedd yn trafod llenyddiaeth ac yn trefnu dadleuon cyhoeddus. Roedd wedi dechrau hogi'i sgiliau fel siaradwr cyhoeddus ac yn y ddadl ryng-golegol yn 1913 ar y testun 'Fod Cyfundrefn Addysg Bresennol Cymru yn Lladd Gwreiddioldeb', roedd yn dadlau o blaid, yng nghwmni 'Miss Kate Roberts' o goleg Bangor! Dyma sylwadau'r *Dragon* ar gyfraniad D.J.:

> *Mewn araith wreiddiol lawn barddoniaeth a gwladgarwch, pwysleisiodd fod eisieu dysgu Cymru fod ganddi le a neges yn y byd*

Ond gan amlaf roedd y dadleuon yn yr iaith fain, ar destunau fel hyn:

> (*this House believes*) *'That the Cinema is Ousting the Theatre'*
> *'That the Censorship of the Press should be revived'*
> *'That Wales should be Anglicised'*

Ac yn Saesneg hefyd oedd popeth bron yng nghylchgrawn *The Dragon*, heblaw am adroddiadau am yr Eisteddfod Ryng-golegol a'r Gymdeithas Geltaidd. Er fod 359 o'r 429 o fyfyrwyr oedd yng ngholeg Aberystwyth yn 1913 yn dod o Gymru, does fawr ddim yn 'Gymreig' ynghylch *The Dragon*, (heb sôn am 'Gymraeg'!). Dyna ysgogodd criw o fyfyrwyr i sefydlu cylchgrawn newydd y flwyddyn honno, sef *Y Wawr*, y cylchgrawn colegol cyntaf **yn Gymraeg**. Mewn erthygl sy'n olrhain hanes byrhoedlog y cyhoeddiad hwnnw, mae T. Robin Chapman yn dadlennu llawer am *The Dragon*, a'r ethos yr oedd yn ceisio'i annog ar gyfer y coleg.

> *It reflected in essence what was seen in student publications at universities across Britain. The magazine strived to convince its readers that they were experiencing the most enjoyable period that they would ever see and that they should make the most of it. College life was a sociable thing (...)*
>
> *Two things were considered anathema on the pages of* The Dragon. *The first was any mention of party politics, and the second was the lack of any acknowledgment that Aberystwyth College was a part of any society or community outside its own walls. In common with a host of similar publications in the period,* The Dragon *had built a defensive wall around itself. It represented a well-intentioned institution but one that was largely indifferent towards the wider world.*

Roedd gwerthoedd golygyddol *Y Wawr*, ar y llaw arall, yn hollol wahanol; iddyn nhw, roedd rhaid ystyried y coleg fel rhan o'r gymdeithas o'i gwmpas (a oedd wedi helpu ei ariannu yn y lle cyntaf). Arwyddair y cylchgrawn oedd: 'Ein goreu i Gymru a Chymru i'r byd'.

Ond swigen Seisnigaidd a Saesneg oedd bywyd colegol ar dudalennau *The Dragon*. Hyd yn oed pan ddaeth y rhyfel yn 1914, gwelwn yr un diffyg cysylltiad â'r Gymru o'u cwmpas, ac â'r byd ehangach. Erbyn i'r golygyddol cyntaf ymddangos yn nhymor yr hydref y flwyddyn honno, roedd dau o staff y coleg, Dr. Hermann Ethé a'r Athro Schott, wedi cael eu bygwth yn eu tai gan dorf afreolus, oherwydd eu cysylltiadau â'r Almaen, ac roedd Ethé a'i wraig wedi gorfod gadael y dre, er eu diogelwch eu hunain. Collfarnwyd hynny gan olygydd *The Dragon* ('a lasting disgrace upon the Town') ac eto:

> *Nevertheless, we feel that it is the duty of every one of us to maintain a cheerful courage and to fail in nothing of the zest and enthusiasm which is the very soul of our College life. (...) This term we miss the faces of many who have left us to fight our battles at the front (...) These pages are the last place to look for recruiting advertisements and any attempt on our part to influence anyone's decision would be an impertinence. But what we must emphasise is the necessity, at a time of crisis like the present, for everyone, having first decided what his duty is, to do it, and do it with his might. Those who go forth may be trusted to do their part; from those who perforce remain behind, Coll. expects their very best.*

Roedd *The Dragon* yn ceisio glynu at fywyd hwyliog y coleg gynt, ond daeth yn gynyddol anodd i gysoni'r 'ddyletswydd' i fwynhau bywyd colegol i'r eithaf, hefo'r newyddion o'r ffrynt; hefo presenoldeb ffoaduriaid yn y dre; ac hefo dyfodiad miloedd o filwyr dan hyfforddiant. Dyna'r cefndir i benderfyniad Dafydd i adael y coleg a cheisio comisiwn yn y fyddin, ond roedd un ffactor arall yn ei benderfyniad, sydd heb ei drafod yn iawn hyd yma – sef y ffaith fod Dafydd wedi bod yn aelod o'r *Officer Training Corps*, neu'r OTC, ers ei flwyddyn gyntaf.

* * *

Sefydliad cymharol newydd oedd yr OTC. Cafwyd nifer o broblemau yn ystod Rhyfel y Boer (1899–1902), gan gynnwys prinder swyddogion addas; ac fel un o nifer o fesurau i ddiwygio'r fyddin wedyn, sefydlwyd yr OTC yn 1908, mewn ysgolion bonedd ac mewn wyth o brifysgolion, gan gynnwys Aberystwyth. Y gobaith oedd sicrhau mwy o swyddogion i'r fyddin, drwy ddechrau eu hyfforddi yn gynt.

Cant o ddynion oedd y nod ar gyfer nifer aelodau'r OTC yn Aberystwyth, a llwyddwyd i gadw at hynny drwy'r blynyddoedd cyntaf. Roedd swyddog o'r fyddin yn cael secondiad i helpu

Bathodyn cap OTC Aberystwyth

hyfforddi'r cadets neu'r darpar swyddogion yn yr OTC, a bu sawl swyddog o gatrawd Gororwyr De Cymru yn gyfrifol am cadets Aberystwyth. Roedden nhw'n cyfarfod unwaith yr wythnos i gael eu 'drilio', ac i astudio ar gyfer eu cymwysterau – Certificate A yn gyntaf, ac yna Certificate B. Roedd yr arholiadau'n cael eu cynnal bob mis Mawrth a mis Tachwedd, ac roedd Dafydd wedi cael ei Certificate A erbyn iddo fynd i'r fyddin yn 1914.

Beth oedd wedi ei ddenu i'r OTC yn y lle cyntaf, tybed? Roedd wedi ei fagu yn y capel, a doedd traddodiad anghydffurfiol y cyfnod ddim yn rhoi bri ar fywyd milwrol o gwbl. I'r gwrthwyneb, fel y tystiodd Huw T. Edwards yn ei atgofion am y blynyddoedd cyn y Rhyfel Mawr, pan oedd yntau wedi ymuno â'r milisia (sef y Territorials, neu'r fyddin wrth gefn):

> *Edrychid fel arfer ar ddyn a oedd yn ymuno â'r fyddin fel pe bai heb fod yn or-hoff o waith, ond edrychid ar y rhai a ymunai â'r milisia fel rhai a oedd yn fwy na hanner y ffordd i golledigaeth.*

Beth berswadiodd Dafydd felly, yn ôl yn 1912, ymhell cyn bod sôn am ryfel, i hyfforddi fel milwr?

Cemeg oedd un o bynciau Dafydd yn y coleg ac roedd ei Athro yn yr adran honno, T. Campbell James, hefyd yn Lieutenant yn yr OTC. Roedd James yn ŵr disglair ym maes Cemeg. Bu'n astudio yn Aberystwyth a Chaergrawnt cyn ei benodi'n Athro yn y 'coleg ger y lli', ac yn 1909 roedd wedi cyd-ysgrifennu gwerslyfr ar 'Practical Organic Chemistry' a fyddai'n cael ei adargraffu tan y 1940au. Ond roedd hefyd yn gymeriad digon hwyliog, ac yn mwynhau actio. Cymerodd ran 'William the waiter' yng nghynhyrchiad y coleg o *You Never Can Tell* gan George Bernard Shaw:

> *Mr T Campbell James made himself the leading character in the play by his attractive personality and his ever ready and affable demeanour. Mr James was certainly the star of the evening.*

Un o Lanelli oedd e'n wreiddiol ac aeth yn ôl i Gapel Als yn y dref honno i roi darlith ar un o'i ddiddordebau eraill, fel yr adroddodd y *Tyst*:

> *Mae ef wedi gwneyd tarddiad ein cenedl yn destyn astudiaeth. Y mae ei Gymraeg yn lan a gloew. Cafwyd hwyl anarferol i siarad ar ôl y papyr galluog. Yr oedd cynulliad lluosog wedi dyfod yn nghyd.*

Ryw bedair blynedd ar ddeg yn hŷn na Dafydd oedd e, ac efallai'n fwy o 'frawd mawr' nag o 'ffigwr tadol'. Fodd bynnag, roedd Dafydd ac yntau'n cyd-dynnu'n dda, a James, mae'n debyg, wnaeth ysgogi'r myfyriwr ifanc i ymuno â'r OTC. A chan fod ei athro hefyd yn Gymro ac yn gapelwr, mae'n siwr y byddai

Dafydd yw'r ail o'r dde isod (yn arbrofi gyda mwstásh!)

Cadets Aberystwyth mewn gwersyll haf

hynny wedi helpu lleddfu unrhyw ofidiau gan rieni Dafydd ynglŷn â phriodoldeb hyfforddi fel milwr!

Un o uchafbwyntiau'r flwyddyn i'r cadets, heb os, oedd y gwersyll blynyddol gydag Officer Training Corps y colegau eraill. Ar ddiwedd ei flwyddyn gyntaf, yn 1913 felly, cafodd Dafydd bythefnos yn Ilkley yn Swydd Efrog. Ond roedd OTC Aberystwyth wedi ymgynnull am wythnos cyn hynny yn y dre, ac felly yng ngeiriau'r adroddiad yn *The Dragon*, 'for three weeks, we were more or less military men'.

A doedd dim rhaid i'r cadets boeni am eu costau, fel y nodwyd mewn rhifyn blaenorol o'r cylchgrawn:

> *the company will be on parade about six hours daily. Each member of the corps will be paid for the work, and the pay will be about sufficient to clear his expenses at Aber. for the week.*

Y flwyddyn ganlynol yng Ngorffennaf 1914, cynhaliwyd y gwersyll blynyddol yn Hawick yn yr Alban. Yng nghwmni'r colegau eraill, bu cadets Aberystwyth yn cymryd rhan mewn ffug ymosodiadau, gorymdeithiau ac 'Inter-Battalion sports and matches'. Yn fwy na dim, roedden nhw'n cael hwyl, fel y tystia'r cartŵn hwn yn y *Dragon*, gan ffrind Dafydd, Talfryn James.

Cadets Aberystwyth yng ngwersyll blynyddol yr OTC, Ilkley, 1913

Ond doedd y llywodraeth ddim yn rhoi gwyliau am ddim i'r dynion ifanc hyn, heb ddisgwyl rhywbeth yn ôl. Er bod cadets Aberystwyth yn bodloni'r awdurdodau o ran safon eu gwaith a'u llwyddiant yn yr arholiadau Certificates A & B, mae'n debyg fod gormod ohonyn nhw'n gweld y peth fel hwyl hefo'u ffrindiau a dim byd mwy, fel nodwyd yn adroddiad yr OTC ar dudalennau'r Dragon yn 1915:

> *it must be confessed, that, up to August 1914, the Contingent had failed in the chief object of its existence. The number of Officers passed by us into the Special Reserve of Officers or the Territorial Force was only 10 – a figure far from satisfactory to the War Office authorities (...) we were warned at the camp of July 1914 that the next year would be one of probation and trial. If the OTC did not justify the objects of its existence, it would be disbanded.*

Ond newidiodd popeth gyda dyfodiad y rhyfel. Roedd 250 o ddynion wedi mynd trwy rengoedd OTC Aberystwyth ers ei sefydlu – ac yn ystod pythefnos cyntaf y rhyfel, roedd bron eu hanner nhw wedi gwirfoddoli.

OTC Aberystwyth ar orymdaith. Ai Dafydd yw'r trydydd o'r dde yn y llun agos?

Ond doedd Dafydd a'i ffrindiau Talfryn ac Ifor ddim yn eu plith. Daethant yn ôl i'r coleg ym mis Hydref, gan ufuddhau i ddymuniadau eu rhieni. Ac er bod carfan yn y coleg, fel y gwelsom yn y dyfyniad o'r *Dragon*, yn ceisio cario ymlaen fel petai dim wedi newid, roedd yn anoddach, mae'n rhaid, i aelodau o'r OTC wneud yr un fath, a chynifer o'r cadets eraill wedi ymuno yn barod.

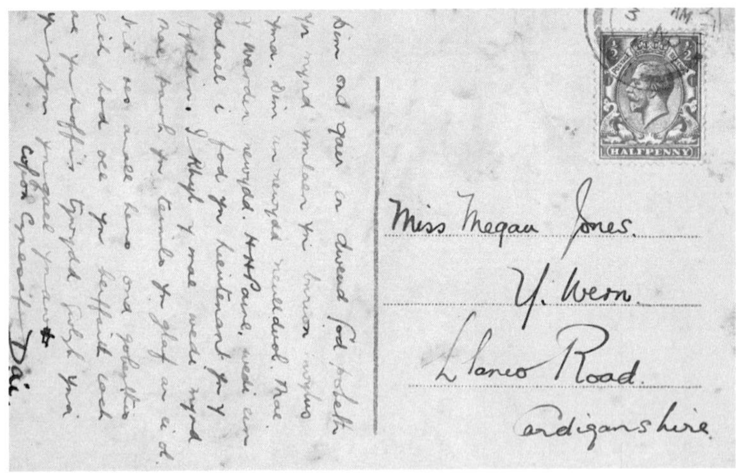

Cefais weld cerdyn post arall sydd ym meddiant teulu Dafydd, cerdyn post sydd yn rhagflaenu'r llythyrau a gadwyd yn y Llyfrgell Genedlaethol. Mae'r marc post arno'n glir – 3 NO 14 – ac fe'i hanfonwyd gan Dafydd at Miss Megan Jones, ei chwaer fach bedair oed, ond mae'r neges yn amlwg wedi'i anelu at y teulu i gyd:

> Dim ond gair er dweud fod pobeth yn mynd ymlaen yn burion hwylus yma. Dim un newydd neullduol. Mae y warden newydd H.H. Paine wedi ein gadael i fod yn Lieutenant yn y fyddin. I Rhyl y mae wedi mynd. Mae pawb yn teimlo'n glaf ar ei ôl. Nid oes arall heno ond gobeithio eich bod oll yn berffaith iach ac yn hoffi'r tywydd gwlyb yma yr ydym yn gael yn awr.
> Cofion cynesaf
> Dai

Roedd Paine yn ddarlithydd yn yr adran Ffiseg, ac yn hanu o Gasnewydd. Aeth ymlaen i ennill y Groes Filwrol yn 1917, a dod yn ôl i'w swydd yn Aberystwyth ar ôl y rhyfel. Ond roedd Paine hefyd yn un o swyddogion yr OTC. Fel warden y neuadd, byddai'n gweld Dafydd bob dydd bron, a dim ond rhyw ddeng mlynedd oedd rhyngddynt o ran oedran. Tybed ai ymadawiad Paine oedd yr hyn wnaeth ddechrau newid meddwl Dafydd ynglŷn â mynd i'r fyddin? Mae'n arwyddocaol mai hanes Paine yw'r hyn y dewisodd Dafydd ei rannu â'i deulu (er iddo honni nad oedd 'dim un newydd neullduol' ganddo!) Gydag un arall o'i gyd-aelodau yn yr OTC wedi mynd, mae'n siwr fod Dafydd yn teimlo pwysau cynyddol i wneud yr un peth. Gellid dehongli'r cerdyn post hwn fel ymdrech ganddo i fraenaru'r tir hefo'i deulu yn Llanio, a phlannu'r syniad y gallai yntau hefyd ymrestru yn y fyddin maes o law. Oherwydd, dair wythnos ar ôl anfon y cerdyn hwn, dyna'n union y byddai wedi ei wneud.

* * *

Unwaith y gwnaeth ei benderfyniad (a Talfryn ac Ifor tua'r un pryd hefyd mae'n debyg), bydden nhw i gyd wedi ymweld â'r Drill Hall ar Ffordd Glyndŵr yn Aberystwyth. Codwyd y neuadd honno yn 1904 ac mae'n eironig iddi gael ei dymchwel yn 2014 ar ddechrau canmlwyddiant y Rhyfel Mawr. Tesco a Marks & Spencer sydd ar y safle bellach. Ond yn 1914, fanno oedd prif swyddfa recriwtio'r sir, er bod 25 o asiantau lleol yn y trefi a'r prif bentrefi o gwmpas y sir.

Yn ei atgofion, mae W.J. Jones Edwards yn disgrifio sut yr aeth yntau ar y trên i ymrestru yn Aberystwyth yn Ebrill 1915:

> *Ni ddywedais gartref beth oedd fy mwriad ond 'roedd yr ysbryd gwladgarol wedi oeri tipyn cyn imi gyrraedd Aberystwyth. Eisteddais ar sedd ar y* prom *a dadlau â mi fy hun beth i'w wneud. Yn fy nghyfyng-gyngor daeth rheng o filwyr heibio yn cael eu harwain gan fand* drum and fife. *Setlodd hynny'r mater. Euthum mor gyflym ag y gallwn i'r* Drill Hall *i weld y* Recruiting Officer.

G. R.

MEN OF CARDIGANSHIRE

Your King and Country Need You.

RECRUITS

URGENTLY NEEDED.

Pan aeth adre wedyn i ddweud wrth ei deulu, nid oedd neb yn frwd dros ei benderfyniad!:

> *bu mam druan bron â thorri ei chalon ac aeth fy nhad yn fud. Ni wyddai fy chwiorydd a'm brawd beth i'w ddweud, ac nid oes eisiau dyfalu beth oedd teimladau fy mam-gu a'm modryb.*

Haws deall, ar ôl darllen hwn, pam y penderfynodd Dafydd ddianc i'r Rhyl er mwyn osgoi golygfeydd tebyg!

Yn y Drill Hall, byddai wedi llenwi ffurflen 'Nomination of a Candidate for Appointment to a temporary commission in the Regular Army for the period of the war'. Mae'r ffurflen wedi'i chadw bellach yn yr Archif Genedlaethol yn Llundain, ac archebais gopi ohoni. Gwelwn fod Dafydd wedi llenwi'r cais ar y 24ain o Dachwedd 1914, a'i arwyddo ei hun. (Gan ei fod dros ei un ar hugain ers dechrau'r flwyddyn, doedd dim rhaid iddo ofyn am lofnod ei rieni.)

Mae'r ffurflen yn nodi ei fod yn ddi-briod, o 'pure European descent' (beth bynnag oedd hynny!) ac mae'n rhoi Y Wern fel ei gyfeiriad parhaol, ond yn gofyn i'r Swyddfa Ryfel ohebu ag ef yn Neuadd Myfyrwyr Pumlumon, yn Aberystwyth. Doedd e ddim am orfod ateb cwestiynau anodd gan ei rieni nes oedd e wedi mynd!

Roedd cwestiwn rhif 9 yn gofyn 'Whether able to ride' ac atebodd yn gadarnhaol, er nad oedd ganddo dystysgrif i brofi hynny. Ac o dan rhif 10, 'details of previous military training and military experience', nododd Dafydd iddo gwblhau 3 blynedd o wasanaeth yn yr OTC fel Cadet Corporal ac iddo basio 'War Office's Certificate A. Infantry Division'.

Card

Form M.T. 423

NOMINATION OF A CANDIDATE FOR APPOINTMENT TO A TEMPORARY COMMISSION IN THE REGULAR ARMY FOR THE PERIOD OF THE WAR.

The information asked for below must be given in full.

MILITARY SECRETARY'S RECEIVED 14 ...

1. Name in full — Surname. / Christian names.	Jones / David
2. Date of birth (a birth certificate to be forwarded later).	January 21st 1893
3. Whether married.	Not married
4. Whether of pure European descent.	Pure European Descent.
5. Whether a British born or a naturalized British subject.	British Born.
6. Permanent address.	Y. Wern Llanio Road Cardiganshire
7. Present address for correspondence.	The Plynlymon Victoria Terrace Aberystwyth

Arwyddwyd y ffurflen gan Brifathro Coleg Aberystwyth, T.F. Roberts, i ddatgan fod Dafydd yn meddu ar 'good moral character'; ac ategwyd hynny gan lofnod G.T. Lewis, ei

Certificate of moral character during the past four years. If the candidate has been at school, college, or other educational establishment during any portion of the period the certificate should be signed by the head of the establishment, otherwise it may be signed by a responsible person (not a near relative or connection), e.g., the minister of the parish or other local clergyman, a magistrate, a senior officer of the Army or Navy who has been well acquainted with the candidate in private life during the period.

If the above-mentioned person cannot certify for the whole period of four years, a second certificate for the period not covered by the first should be signed by a similar person.

I hereby certify to the good moral character of Mr David Jones

for the last three years

Signature T. F. Roberts, Principal of the

†Rank, office or occupation University College of Wales.

Date Nov. 24th 1914 Address Aberystwyth

To be filled in when the above certificate does not cover four years.

I hereby certify to the good moral character of David Jones.

from 1909 to 1912.

Signature G T Lewis

†Rank, office or occupation Headmaster

Date Nov. 2nd 1914. Address County School, Tregaron.

‡Evidence that the candidate has attained a good standard of education.

brifathro gynt yn Nhregaron. Arwyddodd Roberts hefyd fod Dafydd wedi cael 'good standard of education' ac atododd y geirda canlynol:

University of Wales
Aberystwyth

I hereby certify that Mr David Jones entered this college in 1912 from Tregaron County School having obtained before entering the College two years' teaching experience. At the close of his school period he passed the Senior Certificate of the Central Welsh Board exempting him for (sic) the Matriculation Examination of the University of Wales. He was Captain of the School Football Team.

In 1913 at the close of his first year at Aberystwyth he passed the Intermediate Examination in Science of the University of Wales in Mathematics, Physics and Chemistry, and has since been engaged in pursuing the two years Final Courses prescribed for the B.Sc., Degree of the University of Wales in Organic and Inorganic Chemistry and Agriculture. In the ordinary way of things he would have presented himself for the Final Examinations in June 1915. He is Vice-Captain of the Association Football Team and was last year proxime accessit for the Championship of the College Athletic Sports. He is Welsh speaking and has also some knowledge of French.

T.F. Roberts
Principal
November 24th, 1914

'*Proxime accessit*', (neu 'daeth nesa ato' yn Lladin), sy'n cyfleu mai Dafydd oedd yn ail ym mabolgampau'r coleg yr haf cynt; Talfryn oedd y *victor ludorum*, neu'r pencampwr, wrth gwrs. Roedd Dafydd yn ŵr ifanc cydnerth ac mae'r ffurflen hefyd yn nodi fod A. Bassett Jones wedi ei archwilio ar y 24ain yn Aberystwyth, a'i gael yn 'fit for Military Service'.

Ond mae un cwestiwn yn aros wrth drafod sut y cafodd Dafydd ei dderbyn i'r fyddin, sef pam yr ymunodd ef, a'i ddau gyfaill, â bataliwn y Rhondda o'r Gatrawd Gymreig? Wedi'r cyfan, nid oedd ganddo yntau unrhyw gysylltiad â'r ardal honno; roedd Talfryn wedi'i eni yn y cwm nesa, ond heb fyw yno ers yn blentyn; ac er bod Ifor wedi'i fagu yn Nowlais, roedd ei wreiddiau ym Mrycheiniog a Maesyfed, dalgylch traddodiadol Gororwyr De Cymru. Ac ar ben hynny, swyddogion o'r gatrawd honno oedd wedi bod yn eu hyfforddi yn yr OTC yn Aberystwyth. Pam dewis bataliwn y Rhondda felly?

Holais yr hanesydd milwrol, Lt. General Jonathon Riley, am ei farn am hyn. Yn wahanol i'r fyddin cyn y rhyfel, meddai, lle roedd y swyddogion bron yn ddieithriad o'r ysgolion bonedd a'r dosbarth uwch, roedd rhaid bod yn fwy hyblyg wrth greu byddinoedd newydd Kitchener: 'selection was based on patronage or educational achievement' meddai. 'Boneddigion dros dro' ('temporary gentlemen') oedd y swyddogion newydd hyn – ac yn sicr, doedd 'run o'r tri chyfaill yn dod o gefndir breintiedig. Annhebygol felly y bydden nhw'n 'adnabod rhywun' (tu allan i'w cysylltiadau OTC) fyddai'n medru eu helpu. Gellid dychmygu fod y tri chyfaill wedi mynegi awydd i gael mynd i'r un fataliwn, ac os dyna'r brif ystyriaeth, efallai iddynt neidio am y fataliwn gynta oedd yn cynnig lle ar gyfer tri 2nd Lieutenant? Mae'r dirgelwch yn parhau!

Sut bynnag, ar waelod ffurflen gais Dafydd, gwelwn eu bod wedi cael hyd i rywun oedd yn fodlon rhoi clust i'w cais. Ar y 26ain o Dachwedd roedd Colonel Holloway o'r 1st Rhondda wedi arwyddo i gymeradwyo cais Dafydd am gomisiwn; ac felly

The Commanding Officer nominating the candidate will sign the following certificate :—

I certify that I am well acquainted with David Jones

and can recommend him as a suitable candidate in all respects for appointment to a temporary commission in the Regular Army for the period of the war. 2nd Lieutenant

E. L. Holloway Colonel

Commanding 1st Rhondda Battalion The Welsh Regiment

Station Rhyl

Date 26. November 1914

‡ Not required in the case of a candidate who has previously served in the Regular Army or Special Reserve of Officers.

BRIGR. GENERAL,
COMMANDING 2ND BRIGADE,
WELCH ARMY CORPS.

hefyd y Brigadydd Robert Dunn, ('This candidate appears suitable' meddai); ac yn olaf, Arglwydd Raglaw Morgannwg, oedd yn byw yng Nghastell Sain Ffagan ('recommended' meddai hwnnw).

Yn fuan wedyn, daeth hi'n amser i Dafydd a'i ffrindiau ymuno â'u bataliwn newydd, a bydden nhw wedi ailymweld yn gyntaf â'r Drill Hall yn Aberystwyth, fel y gwnaeth W.J. Jones Edwards yn Ebrill 1915:

Daeth y diwrnod i ymadael (...). Gelwais yn y Drill Hall a chefais swllt a gwarant i drafaelu gyda'r trên, via Afon Wen i Fae Colwyn. Ni buaswn cyn belled â'r Borth cyn hynny.

Tebyg nad oedd Dafydd wedi teithio fawr pellach na hynny chwaith, ond roedd ei gyfeillion ac yntau'n mynd i'r Rhyl, un arall o drefi arfordir y gogledd. Ac i fanno yr oeddwn innau'n mynd hefyd, dros ganrif yn ddiweddarach. Roedd y bererindod wedi cychwyn go iawn...

Ceir manylion am ffynonellau pob dyfyniad yn y bennod hon, a phob un sy'n dilyn, ar wefan Gwasg Carreg Gwalch:
https://files.ekmcdn.com/92a6b5/resources/other/anwyl-fam-nodiadau.pdf

3

‘Nid oes neb o’r dynion wedi cael uniforms eto’

(*Y Rhyl: Rhagfyr* 1914)

Er mai Dafydd ei hun a benderfynodd ymuno â’r fyddin, mae modd olrhain ei ddyfodiad i’r Rhyl yn ôl at ddau benderfyniad arall, rai misoedd ynghynt, ynghylch sut y dylai llywodraeth Prydain ymateb i ymosodiad yr Almaen ar Wlad Belg ac ar Ffrainc.

Roedd y cyntaf yn ymwneud â’r angen i gynyddu’r niferoedd ym myddin Prydain. Byddai dros hanner y fyddin broffesiynol a anfonwyd i’r cyfandir ym mis Awst 1914 wedi’i cholli erbyn diwedd y flwyddyn – bron i 88 mil allan o gyfanswm o 165 o filoedd. Daeth y penderfyniad cyntaf felly, yn nyddiau cynta’r rhyfel, ar y 6ed o Awst, wrth i Kitchener dderbyn ei swydd newydd fel Ysgrifennydd Gwladol dros Ryfel. Yn wahanol i’r rheini oedd yn datgan yn or-hyderus y byddai’r cyfan ‘drosodd erbyn y Nadolig’, roedd yr hen filwr profiadol hwn wedi rhagweld mor fuan â 1911 y gallai rhyfel cyfandirol barhau am flynyddoedd – ac o ganlyniad roedd wedi gofyn yn syth am gael recriwtio a hyfforddi hanner miliwn o ddynion newydd.

Daeth yr ail benderfyniad tua mis a hanner yn ddiweddarach. Erbyn canol Medi roedd yr ymgyrch recriwtio yn ei hanterth gyda 30 mil o ddynion yn ymrestru bob diwrnod. Mewn araith i’r Cymry Llundain yn y Queen’s Hall yn Langham Place, roedd Lloyd George, Canghellor y Trysorlys, wedi galw am sefydlu ‘byddin Gymreig’.

Roedd y Queen’s Hall yn dal rhyw ddwy fil a hanner o gynulleidfa – a dyma gartref cyntaf y ‘Proms’, y gyfres flynyddol o gyngherddau oedd yn ceisio denu cynulleidfa yn ystod misoedd poeth yr haf, hefo tocynnau rhatach fel abwyd.

Ond gwres gwahanol oedd yn y neuadd ar y prynhawn Sadwrn hwnnw ym mis Medi, pan gododd David Lloyd George i annerch y dorf. Roedd Lloyd George wedi tynnu llawer i’w ben wrth wrthwynebu Rhyfel y Boer dros ddegawd ynghynt; ond areithiodd yn gofiadwy ar y diwrnod hwn, am ei awydd i weld byddin Gymreig newydd yn cymryd ei lle yn y frwydr yn erbyn lluoedd y Kaiser:

I should like to see a Welsh Army in the field. I should like to see the race who faced the Normans for hundreds of years in a struggle for freedom, the race that helped to win Crecy, the race that fought for a generation under Glendower, against the greatest captain in Europe – I should like to see that race go and give a taste of its quality in this great struggle in Europe.

Dechreuwyd ar y gwaith o wireddu breuddwyd Lloyd George, a sefydlu'r Welsh Army Corps, bron yn syth. Roedd sawl bataliwn o'r Ffiwsilwyr Brenhinol Cymreig, Gororwyr De Cymru a'r Gatrawd Gymreig ar faes y gad yn barod; ac ers dechrau'r rhyfel, roedd 50 mil o ddynion Cymru hefyd wedi ymrestru; ond doedd Kitchener ddim yn fodlon ail-drefnu'r fyddin i ganiatáu i'r bataliynau hynny ddod yn rhan o brosiect Lloyd George. Byddai'n rhaid felly recriwtio'r cyfan o'r newydd.

Y cam cyntaf oedd sicrhau fod y bataliynau newydd oedd wrthi'n cael eu codi yn Abertawe (14th Welsh Regiment), Gogledd Cymru (13th Royal Welsh Fusiliers), a'r Rhondda (10th WR), yn ogystal â bataliwn o Gymry Llundain (15th RWF), i gyd yn cael eu dynodi'n rhan o'r Fyddin Gymreig newydd. Dros y misoedd nesaf, cafodd deuddeg bataliwn eu haseinio i'r 'fyddin' newydd – digon i ffurfio adran neu 'Division', ond roedd angen dwbl hynny ar gyfer corfflu, 'Corps'.

Erbyn Hydref 1915, roedd Pwyllgor y Welsh Army Corps wedi llwyddo i recriwtio 50 mil o ddynion, mwy na digon i greu'r ail adran,

8 THE LONDON WELSHMAN AND KELT.

CYMRU A'I RHYFEL.

. . CYNHELIR . .

CYFARFOD CYHOEDDUS

YN Y

QUEEN'S HALL, LANGHAM PLACE, W.

Prydnawn Sadwrn, Medi 19eg,

am 3 o'r gloch yn brydlon.

Traddodir araith ar Y Rhyfel a'r hyn ai achosodd, gan y GWIR ANRHYDEDDUS

D. LLOYD GEORGE, A.S.,

CANGHELLOR Y TRYSORLYS.

Cadeirydd: Y Gwir Anrhydeddus IARLL PLYMOUTH

Datgenir caneuon gwladgarol gan Gor Cymreig o dan arweiniad Mr. MERLIN MORGAN o 2.30 i 3 o'r gloch.

Tocynau, yn rhad oddiwrth yr Ysgrifenyddion
T. J. EVANS a L. N. VINCENT EVANS,
64, Chancery Lane, W.C.

Hysbyseb i'r cyfarfod, o'r Cymro Llundain a'r Celt

a thrwy hynny gyrraedd y nod gwreiddiol. Pam na ffurfiwyd y Welsh Army Corps felly? Am fod llawer o'r recriwtiaid newydd hyn yn cael eu dargyfeirio i atgyfnerthu adrannau eraill o'r fyddin. Yng ngeiriau'r hanesydd milwrol, Jonathon Riley;

> *Kitchener and the War Office were at best lukewarm about the idea of a Welsh Army Corps; at worst, it might be thought that the whole idea was quietly sabotaged.*

Er nad oedd yr un awch am ymreolaeth yng Nghymru ag yr oedd yn Iwerddon, byddai caniatáu i'r Cymry gael eu corfflu eu hunain oddi fewn i fyddin Prydain wedi arwain at geisiadau tebyg o'r Alban ac Iwerddon. Ac meddai Riley eto:

> *the formation of a distinctively Welsh national Army Corps might well have been a powerful engine in developing national consciousness: it certainly proved to be so in Canada and Australia during the Great War.*

Roedd bataliwn Dafydd felly, y 1st Rhondda, neu'r 10th Welsh, yn un o'r rhai cyntaf i gael ei haseinio i'r Fyddin Gymreig newydd. Asiant dylanwadol undeb y glowyr, D. Watts Morgan, oedd wedi galw am recriwtio bataliwn ymhlith dynion y Rhondda ar ddechrau Medi; ond erbyn canol Hydref, roedd 150 o Gwm Rhymni a 100 o ardal Tredegar wedi ymuno hefyd; a rhyw fis yn ddiweddarach, roedd 75 arall o ardal Maesteg wedi eu dilyn. Er nad oedd pawb yn y fataliwn yn dod o gymoedd y Rhondda, roedd stamp yr ardaloedd glofaol yn drwm arni; Cwmni Glofeydd yr Ocean oedd wedi talu am afr fel masgot i'r fataliwn, ac yn ôl Adroddiad Ffederasiwn Cyffredinol yr Undebau Llafur yn 1915, 'it is said that in the 10th Welsh Battalion the percentage of Trade Unionists is 95'. Apeliwyd at synnwyr tegwch yr undebwyr hynny mewn cyfarfod recriwtio yn Nhredegar:

> *The speaker made an apt illustration of the war by stating that if a price list had been arranged for cutting coal, and if managers offered a lesser price than that stipulated to a particular man, would not the other miners stick up for their butty? – (hear, hear). The butty in this case was Belgium. She had been knocked down, and were they at New Tredegar going to stand by and see that kind of thing done? – (cheers).*

Roedd dynion bataliwn y Rhondda wedi cael eu hanfon ar y dechrau i Codford ger Caersallog, ac i Erddi Sophia yng Nghaerdydd. Yn ôl y *Glamorgan Gazette*:

The men are billeted in private houses in the Canton district, and take their meals in marquees in the field.

Ond ar ddechrau Tachwedd 1914, cawson nhw eu symud i arfordir y gogledd, fel y nododd y papur newydd lleol, y *Rhyl Record and Advertiser*:

Good news for Rhyl: We are pleased to be able to announce as an exclusive bit of news that 900 recruits and 30 officers are due to arrive in Rhyl today (Friday). They are to be billeted in the East end of town. We also understand that 7 officers and 840 men of the 10th Battalion Welsh Regiment will arrive at Rhyl shortly.

Roedd 'na ddigon o welyau ar gael mewn trefi glan môr fel y Rhyl, ac anfonwyd bataliynau eraill o'r Fyddin Gymreig newydd i Landudno ac i Fae Colwyn hefyd. Roedd cryn ddiddordeb yn ardal y Rhyl yn nyfodiad y gwŷr hyn o'r De. Yn ôl un gweinidog, a anfonodd adroddiad i bapur newydd Y *Tyst*:

Golwg luddedig oedd arnynt pan gyrraeddasant, ond wedi iddynt gael lluniaeth ac ymdrwsio yn y tai lle y lletyent, edrychent yn dra gwahanol. Ymddanghosent yn ddynion cryf a glew. Peth dieithr i ni oedd gweled cynifer o gewri glewion Gwalia ar ein heolydd. Saeson llwyd a gwael eu gwedd, gan mwyaf, yw y bobl sydd yn talu ymweliad a ni yma – pobl yn dod i chwilio am adgyfnerthiad wedi gor-lafur yn nhrefi masnach Lloegr. Ond am wŷr y Rhondda, ymddanghosent fel meibion Anac ar ein heolydd.

Hil o gewri Beiblaidd oedd meibion Anac, felly mae 'na ychydig o or-ddweud yn fan hyn! Yn enwedig o gofio fod bataliwn y Rhondda wedi cael caniatâd arbennig i recriwtio dynion oedd ond yn 5 troedfedd a thair modfedd o ran taldra, gan fod cynifer o'r glowyr yn gymharol fyr. Ond os nad oeddynt yn dal, mae'n siwr fod natur corfforol eu gwaith wedi'u gwneud nhw'n gawraidd o ran eu cyhyrau, a dyna oedd wedi creu argraff ar awdur y dyfyniad uchod. Eu gweld nhw'n ddynion garw oedd gohebydd papur newydd y *Brython*, wrth iddo yntau ddisgrifio'r newydd-ddyfodiaid hyn:

Glowyr y Rhondda yw lluaws ohonynt, ac mor chwannog i ymladd ag yw ci i chwyrnu. A phwy mwy cynefin ag angau, a hwythau wedi arfer gweithio yn ei ymyl bob dydd a nos ym mhyllau glo'r De?

Rhoddwyd llety iddyn nhw mewn gwestai rhad ar West Parade yn ôl yr hanesydd lleol Robert H. Griffiths. Roeddwn i wedi trefnu ei gyfarfod mewn caffi, a dros baned deallais mai plismon oedd e cyn ymddiddori mewn hanes, a'i fod wedi wynebu rhai o wyrion y glowyr hyn ym mrwydr Orgreave yn ystod streic 1984–5! Mae Bob wedi cyhoeddi sawl llyfr am y Rhyfel Mawr gan gynnwys hanes Gwersyll Cinmel a ddaeth yn ganolfan hyfforddi bwysig yn yr ardal o 1915 ymlaen. Ond trefniadau mwy anffurfiol oedd yn y Rhyl yn ystod misoedd cynta'r rhyfel pan fu Dafydd yno. Yn ôl Bob, roedd rhai o'r tai yn orlawn, fel y dengys y sgwrs ddoniol hon rhwng milwr a'i sarjant, a gofnodwyd yn y *Rhyl Record & Advertiser*,

– *Ti 'di siafio?*

– *Do, sarjant.*

– *Ond mae dy wep di fel sandpaper!*

– *Wel o'n i'n meddwl mod i 'di siafio, ond roedd 'na gymaint ohonon ni i gyd yn defnyddio un drych bach, mae rhaid mod i 'di siafio rhywun arall!*

Os oedd y tai yn llawn, roedd pob milwr yn cael gwely ei hunan ac roedd yna drefn pendant ynglŷn â'u bwydo. Roedd perchnogion y gwestai yn derbyn tri swllt pedair ceiniog a dimai y diwrnod, (neu tua 17 ceiniog yn arian heddiw) am bob milwr yr oedden nhw'n rhoi gwely a bwyd iddo; ac roedd canllawiau'r llywodraeth yn fanwl iawn ynglŷn â'r tri phryd o fwyd y dylid eu rhoi i'r milwyr:

Breakfast: six ounces of bread, one pint of tea with milk and sugar and four ounces of bacon.

Hot dinner: one pound of meat previous to being dressed, or the equivalent in soup, fish and pudding, eight ounces of bread, eight ounces of potatoes or other vegetables.

Supper: six ounces of bread, one pint of tea with milk and sugar and two ounces of cheese (...)

A Householder shall, if required, supply a soldier with a packet of Bread and Cheese and Cold Meat for consumption out of doors in place of any meal which absence on duty or leave prevents him taking it in the house.

Tra bod y milwyr cyffredin mewn tai lojin a gwestai yn y West Parade, roedd y swyddogion mewn gwesty dipyn crandiach. Ar ôl ffarwelio â Bob Griffiths, cerddais lawr i'r prom i sefyll o flaen y Queen's Hotel lle bu Dafydd yn aros. Roedd yr adeilad brics coch yn dal i sefyll, er yn ddigon blêr ei olwg, a'r gwaith plastar dan y bondo yn dangos fod y rhan honno wedi ei diweddaru yn 1892.

Y *Queen's Hotel a'r Queen's Palace, 1903* (*Francis Frith*)

Ddeng mlynedd yn ddiweddarach cafodd yr adeilad ei ymestyn ymhellach ac ychwanegwyd cromen (neu *dome*) ysblennydd.

Llanwyd y selerydd â dŵr er mwyn creu '*Little Venice*' o gamlesi, gyda gondolas i gario'r ymwelwyr drwyddynt! Ond ar ôl tân yn 1908, collwyd y gromen a bu'n rhaid ail-adeiladu unwaith eto; serch hynny, roedd y lle'n ddigon moethus o hyd yng nghyfnod arhosiad Dafydd, gyda'i 'marine balconies' a'i 'Grand Billiard Room', gyda phump o fyrddau.

Ond yn anffodus erbyn fy ymweliad i, lle bu unwaith 'oyster bar', 'smokeroom' a'r 'first class restaurant' nid oedd ond tecawê 'sgod a sglodion'. Lle bu unwaith neuadd ddawnsio hefo 'sprung maple dance floor' oedd yn gallu dal 2000 o gyplau ar y tro, nid oedd bellach ond marchnad dan do a mynedfa honno â *shutter* metal drosti. Lle bu unwaith 'Spanish mahogany and plate-glass, with tiled entrances', roedd bellach arcêd gwag, ac alawon y peiriannau hap-chwarae yn canu'n amhersain ar draws ei gilydd. Ac ysywaeth, erbyn heddiw, nid oes hynny hyd yn oed; ar ôl ymgyrch aflwyddiannus i achub yr adeilad (sef un o'r gwestai olaf ar y prom oedd yn dyddio nôl i oes Fictoria), cafodd y cyfan ei ddymchwel yn 2021.

* * *

Adeilad y Queen's Hotel, 2016

Ond ar ddydd Mawrth yr 8fed o Ragfyr 1914, roedd y Queen's Hotel yn dal yn lle moethus a chlyd, ac i fyny yn ystafell rhif 17 aeth Dafydd ati i ysgrifennu ei ail lythyr adref o'r Rhyl. Mae rhywbeth yn y llythyr hwn sy'n gwneud i ni feddwl ei fod e'n dal heb dderbyn ateb i'w lythyr cyntaf. Mae'n cychwyn yn ddigon ffurfiol a chwrtais:

> Anwyl Fam
>
> Wele fi unwaith eto yn ysgrifenu attoch gan fawr obeithio eich bod oll fel teulu yn mwynhau'r iechyd goreu. Tywydd go arw yr ydym ni yn gael yma, gwyntog a gwlawiog, ond nid ydym yn mynd allan os bydd yn bwrw gwlaw.

Ar ôl cael y pethau ffurfiol allan o'r ffordd, mae Dafydd fel petai'n cymryd gwynt ato ac yn plannu iddi:

> Bum yn Aberystwyth dros y Sul. Cyrhaeddais Aberystwyth wyth o'r gloch nos Sadwrn a gadewais un o'r gloch y Llun canlynol. Sef ddoe. Daeth Dan Rhattal i [f]farwelio a mi pan oeddwn yn ymadael.

Roedd Dan Williams o fferm y Rhattal yn un o gymdogion y teulu yn Llanio. Roedd wyth mlynedd yn hŷn na Dafydd ac yn gweithio ar y fferm gyda'i dad – ond roedd rhyw fusnes wedi mynd ag ef i Aberystwyth y bore Llun hwnnw. Doedd wiw i Dafydd felly geisio cuddio'r ffaith iddo fod nôl yng Ngheredigion, gan y byddai'r stori wedi cerdded yn ddigon buan o'r Rhattal i'r Wern Isaf, fod eu mab nhw wedi cael ei weld yn Aberystwyth! Ond mae'n ddirgelwch llwyr beth fyddai'r rheswm iddo wneud y daith hir yn ôl o'r Rhyl, a hynny ddyddiau yn unig ar ôl iddo ymadael ag Aberystwyth. Petai wedi anghofio rhywbeth mae'n debyg y gellid trefnu anfon hwnnw ymlaen gyda'r post. Tybed oedd rhyw ran o'r broses ymrestru oedd angen sylw, a bod Dafydd wedi gorfod ymbresenoli yn y swyddfa recriwtio ar y bore Llun? (gan achub ar y cyfle hefyd i weld ei ffrindiau coleg ar y nos Sadwrn a'r dydd Sul.) Gan nad oedd trenau'n rhedeg o Aberystwyth i Bont Llanio ar y Sul, mae'n debyg y byddai wedi cael maddeuant gan ei deulu am beidio ag ymweld â nhw y tro hwn. Ond roedd yn obeithiol o'u gweld yn fuan:

> Nid wyf yn gwybod os byddaf yn dod adref dros Nadolig am saith niwrnod ai peidio. Os na chaf ddod adref y pryd hwnw caf dod adref dechreu'r flwyddyn pryd y gobeithiaf y caf eich gweled oll yn hapus cysurus ac iach.

Mae'n disgrifio ychydig ar ei rwtîn yn y Rhyl, gan bwysleisio normalrwydd yr holl brofiad:

> Nid oes dim rhyfedd yn cymeryd lle yma, mae pob peth yr un fath bob dydd. Dechreu gwaith am haner awr wedi saith a gorffen am bedwar ond nid ydym yn gweithio yn galed o gwbl ac nid oes tebygolrwydd y cewn weled Germans byth. Nid oes neb o'r dynion wedi cael uniforms eto ond cotiau mawr.

Roedd cymaint wedi ymateb i alwad Kitchener a Lloyd George am ffurfio byddinoedd newydd, roedd cyflenwyr y fyddin yn methu cadw i fyny hefo'r gwaith o ddilladu'r holl filwyr. Yn y llun nesaf, gwelwn filwyr bataliwn y Rhondda yn gorymdeithio ar stryd fawr y Rhyl cyn derbyn eu gwisgoedd milwrol.

Nid *uniforms* oedd yr unig beth oedd yn brin ar y dechrau, fel y nododd yr hanesydd milwrol Jonathon Riley:

> *Training in North Wales was limited by the lack of instructors and the want of equipment – broomsticks did duty as rifles and handcarts as machine-guns.*

Gyda phethau'n dal yn ddi-drefn yn ei fywyd newydd, y peth diwethaf roedd ar Dafydd ei angen oedd teimlo fod ei deulu'n dal i wrthod siarad ag ef, oherwydd iddo adael y coleg a mynd i'r fyddin. Mae brawddeg olaf y llythyr yn awgrymu ei fod heb glywed gan ei deulu ers cyrraedd y Rhyl:

Bataliwn y Rhondda ar Stryd Fawr y Rhyl, 1914
(Casgliad Harry Thomas)

Carwn yn fawr gael gair oddiwrthych yn fuan, yr wyf yn byw yn mhell o bob man yn awr, felly carwn yn fawr glywed ychydig o hanes yr ardal a chael gwybod sut yr ydych chwi yn dod ymlaen.

Nid oes rhagor heno ond cofion cynhesaf attoch oll fel teulu oddiwrth eich hanwyl fab,

Dafydd

Mae'r llythyr nesaf gan Dafydd wedi ei ysgrifennu ar ddydd Iau, ddeuddydd yn ddiweddarach. Roedd wedi derbyn llythyr o'r diwedd ond ymddengys mai anwadalwch y post fu'n gyfrifol am yr oedi yn hytrach nag unrhyw awydd gan ei fam i gosbi ei mab!

Anwyl Fam,

Derbyniais eich llythr yn ddiogel ond derbyniasoch chwi fy llythr mor fuan ag y derbyniais i eich un chwithau[?] Da gennyf grybwyll nad oes yr un sail i'ch ofn yn fy nghylch er fod un o fechgyn Aberystwyth wedi torri i lawr gan Pneumonia. Yr oedd wedi mynd i Landudno am y dydd a chafodd ei daro'n sal yno ac yna y mae hyd yn hyn. Bydd derbyn y Welsh neu y Cambrian yn bur dderbyniol. Fel yr wyf yn sefyll ar hyn o bryd nid wyf yn gwybod dim o hanes yr ardal.

Cyfeirio roedd Dafydd at y *Welsh Gazette* a'r *Cambrian News*, dau wythnosolyn oedd yn cael eu cyhoeddi yn Aberystwyth. Mae ei fam yn amlwg wedi cynnig ymateb i'w gais am fwy o newyddion o Geredigion! Mae Dafydd yn cloi ei lythyr gyda'r sylwadau hyn:

> Yr wyf yn anfon fy mhapyr aelodaeth adref fel yr addewais. Derbyniais ef drwy'r post heddyw. Nid oes rhagor heno ond cofion cynhesaf at bawb,
>
> Dafydd

Roedd Dafydd wedi ymaelodi yng nghapel Seilo yn Aberystwyth yn ystod ei gyfnod yno fel myfyriwr. Wrth ymadael am y Rhyl roedd wedi gofyn am ei bapur aelodaeth, i'w gyflwyno i'r capel nesaf lle byddai'n ymaelodi. Mae'r cymal 'fel yr addewais' yn awgrymu fod llythyr arall gan Dafydd o'r cyfnod yn syth ar ôl iddo ymadael ag Aberystwyth wedi mynd ar goll. Yn sicr, nid oes cyfeiriad arall yn y llythyrau sydd gennym at ei bapur aelodaeth. Ymddengys fod ei fam o'r farn na fyddai'n cael cyfle i ymaelodi â chapel yn y Rhyl ac felly mai'r peth doethaf fyddai iddo anfon ei bapur yn ôl i'r Wern, iddyn nhw ei gadw'n ddiogel iddo. A doedd Dafydd ddim am ddadlau! (Er bod capeli'r Rhyl, fel y gwelwn yn y man, yn ddigon gweithgar ymhlith y milwyr a oedd wedi dod i'w tref).

Anfonodd ei lythyr nesaf y Sul canlynol. Ar ôl y tawelwch cychwynnol, roedd Dafydd yn amlwg yn awyddus i ymateb yn syth i lythyrau ei fam, wrth iddyn nhw gyrraedd!

> Anwyl Fam.
>
> Derbyniais eich llythyr yn ddiogel ac yr oedd y newyddion yn creu tipyn o syndod yn enwedig hanes Joe Rhatal. Nid oeddwn yn tybied ei bod mor galed arno a hyn yna, ond fe wna yn bur dda os y gall gael gwraig fel yr oeddech yn crybwyll. Ni fydd raid iddo wedin gael ei yrru oddeutu gan fifty miners. Credaf na ddaw y briodas byth i ffwrdd er hyny.

Nid yw'n glir bellach beth oedd yr helynt yn hanes Joe Rhatal. Roedd e'n frawd i'r Dan Rhatal â oedd wedi ffarwelio â Dafydd yn Aberystwyth, ac roedd e'n rhedeg busnes llaeth gyda brawd arall yn Llundain. Un peth sy'n sicr: os oedd Dafydd wedi cwyno gynt nad oedd e'n derbyn llawer o newyddion am ardal Llanio, nid oedd hynny'n wir mwyach! Roedd y straeon diweddaraf i gyd yn cyrraedd y Rhyl. A dyma Dafydd yn rhannu ychydig o'i hanes yntau yn y dref honno:

Bum yng nghapel y Wesleyaid Seisnig y boreu yma yn cymeryd gofal am tua deugain o ddynion sydd yn perthyn i'r enwad hwnnw. Rhaid mynd i'r capel neu Eglwys ddewisir i ni gymeryd gofal.

Bob bore Sul, roedd y milwyr yn cael 'church parade' ac yn gorymdeithio i'r addoldai perthnasol. Methodist Calfinaidd oedd Dafydd o ran ei fagwraeth – ond yn gorfod ufuddhau i orchmynion yr uwch-swyddogion a gofalu am y gwahanol garfannau enwadol yn eu tro. Serch hynny, gyda'r nos câi fynd i addoli pa le bynnag y mynnai ac roedd yn awyddus i ddangos i'w fam nad oedd wedi anghofio'i wreiddiau:

Cefais lythr oddiwrth Lewis Tregaron yn dweud ma[i] yma mae Havard fu yn pregethu yng nghyrddau mawr Llanddewi ychydig flynyddoedd yn ol yn cadw, ac yr wyf yn mynd iw gapel heno. Nis gwn a yw yn pregethu ai peidio, ond rhaid mynd at yr hen enwad wedi'r cwbl.

Gwilym H. Havard oedd gweinidog capel Clwyd Street yn y Rhyl, ac roedd eisoes wedi bod yn hynod weithgar gyda gweinidogion eraill y dref i ddarparu ar gyfer anghenion y milwyr, fel y nododd ar dudalennau'r *Goleuad*:

Nid oes amheuaeth nad yw holl eglwysi y Rhyl yn gwneud eu goreu dros gysur y 2,000 milwyr sydd yma o dan ddisgyblaeth ar hyn o bryd. (...) Gosodir ni fel eglwysi ar ein prawf (...) i wneud ein rhan, fel y teimla milwyr wrth ymadael a ni, mai'r cyfeillion goreu gawsant yn y Rhyl oedd eglwysi Iesu Grist.

Capel Clwyd Street, y Rhyl

Ac nid anghenion ysbrydol y milwyr oedd yr unig gonsárn i swyddogion y gwahanol eglwysi. Ys dywedodd gweinidog arall, y Parch. James Evans: 'agorwyd yr ysgoldai (*h.y. yr ystafelloedd lle cynhelid yr Ysgol Sul*), huliwyd y byrddau, a threfnwyd yn helaeth at eu horiau hamdden.' Cynhaliwyd nosweithiau llawen i'r milwyr, a threfnwyd darlithwyr poblogaidd fel T. Gwynn Jones i ddod draw o Aberystwyth i'w difyrru, ac *Organ Recital* gan Moreton Bailey o Fae Colwyn.

Agorwyd Y.M.C.A. yn fuan wedyn yn Neuadd y Dref, ac mi wnaeth hynny dynnu dipyn o'r baich o ddarparu cyfleusterau cyffredinol i'r milwyr oddi ar yr eglwysi (er eu bod yn dal i agor eu drysau i'w croesawu). Disgrifiwyd y Y.M.C.A. newydd fel a ganlyn, gan y Parch. James Evans:

> *Deil y Neuadd, meddid wrthyf, tuag wyth cant, ac yno darperir papurau, byrddau, a defnyddiau ysgrifennu, te a choffi, a gwerthir myglys* (tybaco) *a cigarettes – ac, wrth gwrs, caniateir ysmygu. Euthum yno erbyn saith i gael gweld drosof fy hun sut y gwerthfawrogid y cyfleusterau hyn gan y milwyr. Yr oedd cyngerdd i fod yno am chwarter i wyth gan* Bals *Abertawe, ond am gryn awr cyn hynny yr oedd y Neuadd yn orlawn ar y llawr ac i fyny ar yr oriel; a sicrheid fi gan y gweinidogion a welais mai felly yr oedd bob nos, pa un a fyddai yno rywbeth neilltuol neu beidio.*
>
> *Profiad y rhai y bum i yn siarad a hwynt ydoedd fod y ffurf yma yn fwy cymeradwy gan y milwyr na myned i'r gwahanol ysgoldai. Hawdd deall hyn ar unwaith wrth ddod at y drws a gweled y tarth a'r colofnau mwg yn esgyn. Yma yr oedd y bechgyn gyda'u gilydd, tra byddai myned i'r gwahanol ysgoldai yn golygu ymrannu. Yma caent wneuthur y peth a fynnent—darllen, ysgrifennu, cadw swn ac, uwchlaw popeth, ysmygu.* (...) *Y mae llwyddiant y Y.M.C.A. wedi gwneud gwaith yr eglwysi yn hawddach fel y gallant ymroddi yn fwy llwyr i ddarparu ar gyfer y rhai sydd yn chwennych treulio eu horiau mewn ffordd fwy sylweddol ac adeiladol; ac, wedi'r cyfan, y mae llu ohonynt yn y fyddin heddyw.*

Roedd Dafydd yntau yn un o'r rhai oedd yn dewis treulio'u hamser hamdden mewn ffordd fwy 'sylweddol ac adeiladol' fel y gwelwn yn y man. Ond ar ôl cyhoeddi yn ei lythyr ei fod am ymweld â chapel Clwyd Street y noson honno, teimlodd wedyn fod rhaid iddo atgoffa ei deulu fel petai, pam ei fod yno yn y Rhyl yn y lle cyntaf, sef fel rhan o'r ymgyrch yn erbyn y Kaiser:

Gwyddoch fod pedair o longau Germany wedi ei suddo dydd iau, fwy na thebyg, dyna yr unig newydd rhyfedd yr wythnos ddiweddaf.

Cadarnhaodd y Morlys ar ddydd Iau y 10fed o Ragfyr, 1914, fod pedair llong wedi'u suddo ar ôl pum awr o frwydr ger Ynysoedd y Falklands y diwrnod cynt, sef y Scharnhorst, y Gneisenau, y Leipzig, a'r Nürnberg. Efallai mai annoeth oedd consurio realaeth rhyfel i'w fam (er mor bell i ffwrdd) ac mae Dafydd yn troi'n syth wedyn at newyddion hapusach:

> Dechreuodd y dynion yma fynd adref am eu gwyliau Nadolig ddoe, ugain o bob cant yn mynd bob Sadwrn am saith diwrnod, felly ni fydd ond ychydig o waith am y pum wythnos nesaf.
>
> Nid oes rhagor heno ond cofion cynesaf a pob diolch am eich llythr.
>
> Oddiwrth eich mab
> Dafydd

Gwelwn yn aml yn llythyrau Dafydd eu bod nhw'n gallu ymddangos yn ddi-gyswllt, ac yntau'n neidio o un pwnc i'r llall. Ond credaf fod modd dehongli hyn mewn ffordd garedicach. Mae tôn cyffredinol y llythyrau yn dangos fod Dafydd yn gallu bod yn reit agored hefo'i fam ar sawl pwnc. Ac mae'r ysbryd agored hwnnw yn ei arwain weithiau ar drywydd penodol cyn iddo sylweddoli, ac yntau'n adnabod ei fam gystal, ei fod yn 'paentio'i hunan mewn i gornel' fel petai! Bron y gallwn ei ddychmygu yn oedi â'i bin yn ei law, cyn dweud wrtho'i hun: 'A! Tebyg na fydd hi isie clywed gormod am hyn', neu: 'Falle bydd sôn mwy am hyn yn hala iddi boeni'. Ac yn syth wedyn, mae'n newid ei drywydd rhag blino'i fam na pheri gofid iddi.

* * *

Ond doedd 'na ddim byd fase'n peri gofid i neb yn y peth nesaf iddo ei anfon adref o'r Rhyl, sef cerdyn post arall at ei chwaer fach, Megan. Gwelwn o'r marc postio mai ar ddydd Iau yr 17eg o Ragfyr oedd hynny. Roedd y cerdyn post diwethaf at Megan hefo neges i'r teulu cyfan, ond y tro hwn mae'n siarad yn uniongyrchol hefo'i chwaer bedair oed:

> Wyt ti yn medru darllen erbyn hyn dwed[?] Nag wyt rwyf yn siwr, falle y gallet adnabod rhywyn yn y llun. Tria nawr
> Dai

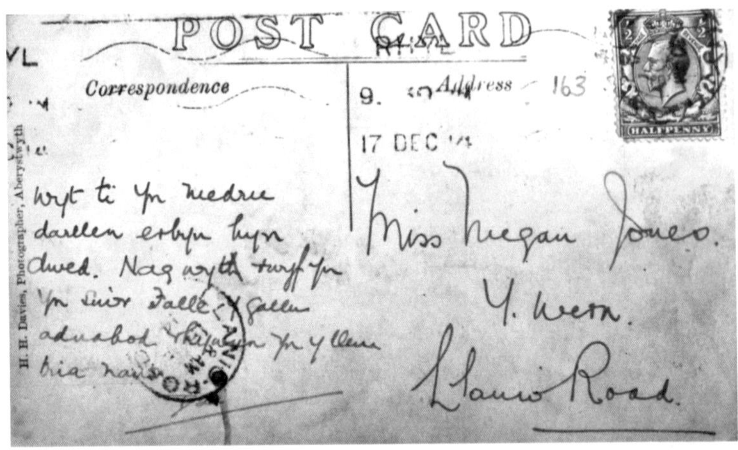
POST CARD

Correspondence

Address

H. H. Davies, Photographer, Aberystwyth

Wyt ti yn medru darllen erbyn hyn dwed. Nag wyth [illegible] yn siwr falle y gallen adnabod [illegible] yn y llun [illegible]

17 DEC '14

Miss Megan Jones.
Y. Wern.
Llanio Road.

Dafydd yw'r trydydd o'r dde

O droi y cerdyn drosodd, gwelwn Dafydd gyda chriw o ddynion eraill, a'r rhan fwyaf ohonynt mewn gwisgoedd *pierrot*, fel yntau! Mae'n debyg iddyn nhw wisgo felly i berfformio mewn cyngerdd yn y coleg yn gynharach yn y tymor, a chael tynnu'u llun i gofio'r achlysur. Ond pam gwisgo yn y fath fodd?

Diddanwyr glan-môr mewn hetiau pig a gwisgoedd hefo pom-poms oedd pierrots, yn canu, dawnsio, jyglo ac yn dweud jôcs. Roedd 'Pierrot' (neu 'Pedr bach' mewn Ffrangeg) yn gymeriad comig o'r traddodiad pantomeim yn Ffrainc, ond sefydlwyd y grŵp cyntaf o pierrots ym Mhrydain yn 1891, a daethant yn hynod boblogaidd wedyn. Cofnodwyd dros fil o wahanol grwpiau o pierrots dros y degawdau nesaf, tra bu gwyliau glan môr ym Mhrydain yn eu bri. Dim ond wrth i bobl ddechrau hedfan am yr haul o'r 1960au ymlaen y daeth cyfnod y pierrots i ben.

> *The pierrot concert party was the main way in which young entertainers broke into the profession, the Edinburgh Fringe, the stand-up club and indie pop chart of its day – a pierrot troupe was where young entertainers cut their teeth and looked for a big break and where old-stagers found their staple income in the summer.*

Cefais fy synnu o ddeall fod rhai o'r diddanwyr a gofiwn o 'mhlentyndod wedi dod i amlygrwydd gyntaf fel pierrots ar lan y môr; pobl fel Arthur Askey, Stanley Holloway, a Leslie Crowther. Yng nghyfnod Dafydd wrth gwrs, roedd y grwpiau pierrots yn dal yn eu hanterth ac fel y gellid disgwyl, roedd *troupe* i'w gael yn Aberystwyth. Yn 1910 roedd rheini wedi ffraeo hefo Byddin yr Iachadwriaeth ar y prom, a chyfeiriwyd y mater wedyn at sylw Cyngor y Dref:

> *Darllenwyd llythyr oddi wrth reolwr y minstrel troupe y rhai oedd yn meddu hawl i berfformio ar y Marine Terrace, yn cwyno fod Byddin yr Iachawdwriaeth prydnawn y Llun Gwyn wedi dwyn seindorf pres cryf o fewn can llath i'w stand, yr hyn oedd yn ei gwneyd yn ammhossibl i ganu y pierrots gael ei glywed. Yr oedd yr anghydgordiad yn ddychrynllyd ac yn lle cymmeryd ychydig bunnoedd, fel yr oedd yn gobeithio, ni dderbyniodd ond ychydig sylltau.*

Am fod y pierrots wedi talu i'r cyngor am eu trwydded i berfformio ar y prom, penderfynwyd o'u plaid, a chymerwyd camau i atal unrhyw anghydfod o'r fath yn y dyfodol.

Mae'n siwr felly y byddai gweld Dafydd a'i gyfeillion yn eu gwisgoedd, yn dynwared pierrot troupe, wedi ennyn cryn ymateb gan eu cyd-fyfyrwyr pryd bynnag y buon nhw'n perfformio; ond erbyn i Dafydd anfon y cerdyn post hwn at ei chwaer roedd wedi ffeirio'r 'iwnifform' honno am iwnifform gwahanol iawn. Roedd wedi rhoi heibio pethau bachgennaidd.

* * *

Cafwyd un llythyr arall ganddo yn 1914, ychydig ddyddiau cyn y Nadolig:

> Anwyl Fam,
>
> Dim ond gair byr er hysbysu nad allaf ddod adref dros y Nadolig ond byddaf yn dod adref ar Ionawr 9ed. Drwg gennyf na fuaswn wedi dwyn fy llyfr Tonau i fyny yma. Yr ydwyf yn gweled ei eisiau yn yr hwyr dim ond y geiriau sydd yn cael ei rhoddi ar lyfrau yr eglwys. Fel y dywedais o'r blaen rhaid mynd gyda'r dynion yn y boreu, i ble bynag y dewisir i ni. Gyda'r annibynwyr y bum y Sul diweddaf ac at y Wesleyaid foreu Nadolig.

Ymddengys fod ei fam wedi bod yn mynegi ofnau yn ei llythyr diwethaf ynglŷn â gallu Dafydd i wrthsefyll temtasiwn yn ei fyd newydd yn y fyddin. Prysurodd yntau felly i'w sicrhau nad felly y byddai:

> Nac ofnwch yr af yn fab afradlawn, yr wyf yn gweld ei bod yn haws byw yn gywir yma nac yn Aberystwyth. Ac y mae y mwyafrif mawr o'r Swyddogion yn llwyr ymwrthodwyr. Gallaf roddi adduned nawr na wnaf byth gyffwrdd ac unryw ddiod. Cymerwch fy ngair a gorffwyswch yn dawel yr wyf yn erfyn arnoch.

Hawdd i ni anghofio heddiw gymaint o ofn a fu, dros ganrif yn ôl, ynglŷn â gallu'r ddiod gadarn i ddinistrio bywydau – ac roedd y mudiad dirwest yn ffynnu o ganlyniad. Anogwyd plant Cymru i ymuno â'r Gobeithlu, neu'r *Band of Hope*, a oedd â thros 3 miliwn o aelodau erbyn 1897! Daeth y mudiad dirwest i'w anterth rhyngwladol yn y blynyddoedd ar ôl y Rhyfel Mawr, gyda gwaharddiadau llwyr ar alcohol am gyfnod, yn yr Unol Daleithiau, Canada, a'r Ffindir.

Yn ystod y Rhyfel Mawr, roedd y brenin Sior V wedi datgan na fyddai'n cymryd alcohol tra bod y rhyfel yn parhau – ac anogid eraill i wneud yr un modd. Yn y llun nesaf, gwelir cerdyn nodweddiadol o'r cyfnod.

Roedd llythyr gan y Parch. James Bevan yn y *Tyst* yn Rhagfyr 1914 yn sôn am ymddygiad y milwyr yn y Rhyl, ac yn cadarnhau yr hyn roedd Dafydd wedi'i ddweud yn ei lythyr, ei bod hi'n 'haws byw yn gywir' yn y fyddin nag yn y coleg:

> *Os am enghraifft o ddylanwad amgylchoedd ar ddynion, nid oes eisiau ond myned i Rhyl. Gosodwyd hwynt i letya yn y boarding houses yn y rhan oreu o'r dref, a thystiwyd wrthyf gan rai o'r bechgyn eu hunain fod ugeiniau yn dychwelyd gartref yn sobr bob nos o barch i'r cartrefi glan a chysurus yr arhosant ynddynt.*

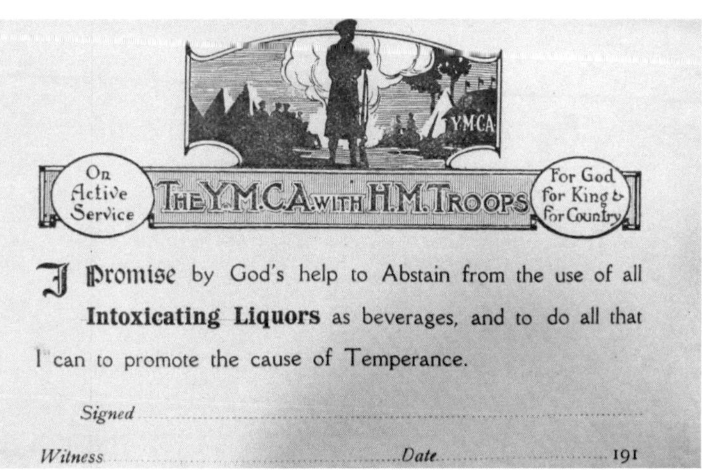

I Promise by God's help to Abstain from the use of all **Intoxicating Liquors** as beverages, and to do all that I can to promote the cause of Temperance.

Signed ....

Witness .... *Date* 191

Clywais am un pur hoff o'r ddiod wedi ei osod mewn lle felly gyda nifer o rai sobr. Gwyddai ei gyfeillion am ei wendid, ac apeliasant ato i beidio eu gwaradwyddo hwy a'r teulu drwy ymyfed. 'O'r goreu,' meddai yntau, 'os caf ddod allan gyda chwi.' Â allan gyda hwynt bob nos, a dychwel heb gyffwrdd a diferyn. Digwyddais ofyn i un arall faint oedd yn aros yn yr un ty ag ef. 'Pymtheg,' meddai, 'a phob un ohonom yn ddirwestwyr.' Dywedwyd wrthyf gan y Parch G. H. Havard ac eraill fod ugeiniau yno wedi arwyddo dirwest. Nid yw un wennol yn gwneud haf, na'r ffeithiau uchod yn profi fod pob un yno yn sobr ond gan mai tystiolaeth gafwyd ar antur felly ar ymweliad byr ydyw, y mae'n galonogol dros ben.

Gwelwn yn nes ymlaen nid yn unig nad oedd Dafydd yn cael ei demtio gan y ddiod gadarn, ond ei fod e hefyd yn eitha llafar ei farn ynglŷn â'r milwyr oedd yn yfed. A gwelwn hefyd nad oedd pob milwr yn byw mor fucheddol â'r rhai yr oedd y Parchedig Evans wedi cyfarfod â nhw, a bod alcohol yn ffactor mewn digwyddiad anffodus yn y Rhyl ychydig fisoedd yn ddiweddarach. Ond ar drothwy'r Nadolig roedd popeth yn dawel yn y dref a'r milwyr yn ymddwyn yn barchus rhag peryglu eu cyfle am *leave*:

> Nid oes yr un newydd neullduol yma; y mae deuddeg or swyddogion wedi mynd adref dros y Nadolig, pob priod wedi cael mynd ac y maent yn ein cadw ni, yr amhriod i ofalu am y dynion sydd ar ol.

Er nad oedd Dafydd fel dyn di-briod (neu 'amhriod' chwedl yntau!) yn cael bwrw'r Nadolig gyda'i deulu, yr oedd wedi trefnu anrheg ar eu cyfer.

> Wele fi yn anfon fy llun adref gan fawr obeithio na wnewch ei dorri ar unwaith.

A dyma'r llun a anfonodd Dafydd adref gyda'r llythyr hwnnw, Nadolig 1914. Mae'n ei ddangos yn ei lifrai newydd, a chyda'i sylw hanner-cellweirus am 'ei dorri ar unwaith' mae'n amlwg fod Dafydd yn dal i boeni nad oedd ei rieni wedi llwyr dderbyn ei benderfyniad i ymadael â'r coleg!

Dyw'r llun hwn ddim i'w weld fel rhan o'r casgliad yn y Llyfrgell Genedlaethol, ond wrth ddechrau ymchwilio i hanes Dafydd nôl yn 2016, roeddwn i wedi cael fy nghyflwyno i Dafydd Jenkins, ei nai. Roedd Blodwen, ei fam, yn chwaer i Dafydd Jones. Roeddwn i eisoes wedi derbyn rhai o'r lluniau a welwyd ym Mhennod 2 drwy ebost gan Dafydd Jenkins, a chefais wahoddiad i fynd draw i'w fferm yn Llanfihangel y Creuddyn i weld mwy.

Roedd Dafydd Jenkins yn ei saithdegau ar y pryd a chefais gryn groeso ganddo a'i wraig Val yng nghegin y fferm. Sylwodd 'mod i'n edrych yn syn ar y rhes o ffônau symudol oedd yn sefyll ar ffrâm un o'r hen ffenestri sash. 'Na'r unig le yn y tŷ ble mae signal go lew!' chwarddodd Dafydd. Er bod Dafydd wedi ei eni sawl degawd ar ôl marwolaeth Dafydd Jones ei ewythr, gofynnais a fedrai ddweud mwy am berthynas ei fam â'i brawd:

> Oe'n nhw'n weddol agos at ei gilydd. Oedd e'n hynach nag oedd hi, roedd Mam yn un ar bymtheg oed pan gadd ei ladd yn y Rhyfel gynta ond wi'n credu bod hi'n meddwl y byd ohono fe...Ces i ngeni yr un diwrnod... (dim yr un flwyddyn!) ...ond yr un diwrnod

â marwoleth 'yn ewyrth. Yn sgil hynny oedd Mam am 'y ngalw i'n 'David' er cof am ei brawd...

Ac yna dangosodd imi'r llun a dynnwyd o Dafydd yn y Rhyl, wythnosau'n unig ar ôl iddo fynd i'r fyddin. Os craffwn yn ofalus ar y llun gwelwn fod ei gap a'i lifrai yn edrych fel petaen nhw newydd ddod oddi ar y silff mewn siop – ac mae ei dei fymryn yn gam, wedi'i dynnu'n rhy dynn. Mae wedi gadael byd myfyriwr, ond heb eto setlo fel swyddog.

Un arwydd o hynny yw'r cysgod o fwstásh dan ei drwyn. Roedd Dafydd Jones wedi arbrofi gyda thyfu mwstásh fel cadet yn y coleg, yn un o wersylloedd haf yr OTC. Ond mae'n rhaid fod hwnnw wedi mynd, oherwydd yn y llun hwn, newydd ddechrau tyfu mwstásh yn ôl y mae e, fel y dangosodd Dafydd ei nai i mi:

> mae'r blew ysgon (*ysgafn*) yn mynd tôn yn gryfach ymhob llun wedyn wi'n credu, ond mae'n edrych yn debyg... fod e'n gorffod dangos ei hun yn... mm... hynach, i ddangos ei awdurdod ... drwy dyfu mwstásh!

* * *

Yn ôl yn y Rhyl, darllenais weddill llythyr olaf Dafydd o 1914 tra'n eistedd ar y prom yn edrych allan ar y tonnau. Ar ôl cyflwyno'r llun ohono'i hun mewn iwnifform fel anrheg i'w rieni, roedd Dafydd Jones yn methu gwrthsefyll y temtasiwn i'w hatgoffa nhw o'r rheswm pam ei fod wedi penderfynu ymuno â'r fyddin:

> Cofiwch ddwyrain Lloegr yr wythnos ddiweddaf pryd y lladdodd a chlwyfodd llongau'r Germans ymron 700 o ddynion. Pwy wyr na ddont i Gymru cyn bo hir ac yna byddwch yn falch fy mod yn cymeryd rhan er eich hamddiffyn.
> Cofion fyrdd
> Dafydd

Cyfeirio y mae Dafydd yma at gyrch gan lynges yr Almaen ar nifer o drefi glan môr ar arfordir dwyreiniol Lloegr. Ar yr 16eg o Ragfyr, taniodd llongau'r Almaen ar Scarborough, Hartlepool a Whitby gan ladd 137 ac anafu 592, y rhan fwyaf ohonynt yn sifiliaid. Roedd wedi brawychu llawer, fel y dengys yr adroddiad hwn o bapur y *Genedl*:

Gwnaed hefyd gryn ddifrod i eglwysi, ysgolion, ysbytai, gwestai ac adeiladau ereill. ...Cafodd amryw o bobl eu lladd yn yr heolydd, a chyfarfu ereill a'u diwedd trychinebus yn y tai a niweidiwyd... Rhuthrai gwragedd o'u tai, a chyda'u plant bychain yn ngodreu eu dillad, a chymerai pobl gysgod ymhob man cyfleus. ...Yr oedd y golygfeydd yn yr heolydd yn ddychrynllyd. Yr oedd yn debyg iawn i'r darluniau a welsom o'r bobl druain yn Belgium. Yr oedd llawer o bobl heb fawr o ddillad am danynt; yr oeddynt yn amlwg wedi rhuthro allan o'u gwelyau pan glywsant yr ergyd gyntaf.

A dyna orffen gohebiaeth 1914 ar nodyn sobreiddiol. Ni wyddys sut y gwnaeth Dafydd dreulio ei Nadolig cyntaf yn y fyddin. Efallai iddo fynd i Eisteddfod Gŵyl San Steffan yn y dre – 'the Event of the Season', yn ôl y *Rhyl Record & Advertiser*, hefo 'Splendid Prizes for Competitions in Music, Literature and Recitation'. Os ysgrifennodd lythyr arall adref, cyn iddo fynd ar *leave* ar ddechrau Ionawr, nid yw wedi goroesi. Ond anfonodd un llun arall, cyn diwedd y flwyddyn, fel calennig i'w chwaer fach.

Roedd y llun yn dangos swyddogion y fataliwn, mewn rhesi o flaen Pafiliwn y Rhyl, gyda Dafydd ar y chwith. Tynnwyd y llun tua'r un pryd â'r llun stiwdio ohono a anfonodd cyn y Nadolig, gan mai digon ysgafn yw'r mwstásh yn hwn hefyd! Rhwymwyd y llun wedyn â rhuban gwyrdd,

rhwng dau glawr. Roedd un yn dwyn crest y gatrawd; a'r llall yn dwyn y neges hon:

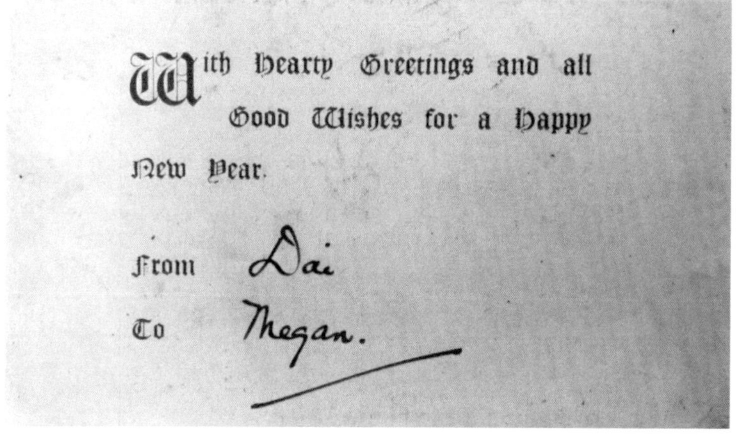

With Hearty Greetings and all Good Wishes for a Happy New Year.

From Dai

To Megan.

Ond calennig gwell o lawer i Megan fach fyddai gweld ei brawd mawr yn y cnawd, pan ddaeth nôl ar leave ychydig ddyddiau'n ddiweddarach, ar ddechrau 1915. Paciais innau fy magiau ac anelu o'r Rhyl am Geredigion.

Ceir manylion am ffynonellau pob dyfyniad yn y bennod hon, a phob un sy'n dilyn, ar wefan Gwasg Carreg Gwalch:
https://files.ekmcdn.com/92a6b5/resources/other/anwyl-fam-nodiadau.pdf

4

'Byddaf yn dod adref ar Ionawr 9fed'

(*Llanio: Ionawr 1915*)

Ar Ionawr y 9fed, aeth Dafydd nôl adref i'r Wern Isaf, am y tro cyntaf ers iddo ymrestru yn y fyddin. Ni allwn ond dychmygu'r llawenydd o'i weld; ac mae'n siwr y cafwyd ambell sgwrs ddigon anodd hefyd parthed ei benderfyniad i adael y coleg ryw chwe wythnos ynghynt. Ond wedi clirio'r awyr ar yr aelwyd, byddai Dafydd wedi cael rhyddid i hel tai a gweld ei ffrindiau a'i berthnasau o gwmpas yr ardal. Yn amlwg does 'na dim llythyrau at ei fam yn perthyn i'r cyfnod hwn, felly rhaid edrych i gyfeiriadau eraill os am ddeall mwy am ei gynefin, a'r ardal a'i magodd.

Roeddwn i wedi trefnu aros yn y New Inn, Llanddewi Brefi, ryw filltir neu ddwy o'r Wern, ac ar ôl i Yvonne y dafarnwraig ddangos y llofft imi, des i lawr am beint yn y bar bach clyd. Roedd yn noson brysur a phytiau sgyrsiau diddorol i'w clywed ar bob llaw. Un yn cwyno fod adroddiad newyddion wedi sôn am 'dri nyrs' yn lle 'tair'.

New Inn, Llanddewi Brefi

'Na beth ma'r plant yn codi wedyn, twel'. Un arall yn cyhoeddi: 'Felly wedes i wrtho fe – I'll have the effing baby and bring it up on my own. Fel'a ma dangos iddo fe!'

Wrth fynd nôl at y bar i godi peint arall o gwrw Teifi, cefais ychydig o hanes Yvonne, a deall iddi redeg y New Inn ers blynyddoedd. 'Mae pob un yn cofio'r lle hyn oherwydd Operation Julie a Little Britain', meddai, 'a sneb yn cofio Dewi Sant – mae'n eitha trist. Oedd menyw o Llandeilo 'ma diwrnod o'r blân. "Who's he?" meddai hi – am Dewi Sant! O Landeilo!'

Roedd cwsmer arall yn cyfri'i newid wrth y bar a gofynnodd ai fi oedd gweinidog newydd Bethesda. Roeddwn i newydd gymryd llymaid o 'nghwrw a bu bron i'r cyfan dasgu drosto wrth imi drio peidio chwerthin. Daeth criw mewn am beint, 'ar ôl y parliment' chwedl Yvonne (hynny yw, cyfarfod y cyngor cymuned).

Roedd y New Inn yn amlwg yn dipyn o ganolfan i'r pentre. 'Gorffes i gael trwydded o 8 o'r gloch yn bore,' meddai Yvonne, 'dim ond i gynnal boreau coffi! Sdim neb yn cael diod gadarn, ond er mwyn agor y dryse, rhaid bod 'da ti drwydded. Ma pobol yn meddwl bo fi ddim yn codi am bo fi ddim yn agor y cyrtens yn y ffrynt tan 11 – ond 'sen i'n neud hynny bydde mwy fyth yn troi miwn 'ma.'

'Hon yw'r dafarn ore yn yr ardal,' meddai'r wraig fferm oedd yn yfed te wrth y bar; roedd wedi dod lawr i roi lifft adre i'r gŵr oedd yn gorffen ei beint wrth y bar. 'Mae hyd yn oed plant tair oed yn y pentre yn gwybod enw Yvonne.' Erbyn hyn roedd y dafarn yn dechrau gwagio. Cyn imi fynd i fyny i'r gwely, dangosodd Yvonne lyfr ymwelwyr y New Inn imi – roedd John ac Alun wedi aros yno, a phobl o bedwar ban byd, o New Jersey, Denmarc, a Tjeina. Roedd criw o Ffermwyr Ifainc Ynys Môn wedi canmol y cwrw; ac roedd Dewi Pws wedi canmol rhywbeth arall – ond bydd rhaid i chi ymweld â'r New Inn eich hun i weld beth oedd hynna!

* * *

Wrth fwynhau brecwast hamddenol drannoeth yn ystafell gefn y dafarn, edrychais ar yr hambyrddau cwrw oedd yn addurno'r wal, a'u henwau o'r oes o'r blaen, fel *Allsopp's Pale Ale* a *Bullseye Brown Ale*. Sylwais fod 'na luniau o'r ardal ar y walydd hefyd. Roedd rhai yn gyfoes, fel y llun o'r tîm pêl-droed lleol, Sêr Dewi; a rhai yn fwy hynafol, yn dangos yr hen orsaf rheilffordd leol ym Mhont Llanio. Byddai Nhad yn mynd ar y lein hon ar ei daith o Lundain i weld ei fam-gu a'i dad-cu ym Mhontrhydfendigaid, a gallai adrodd enwau'r gorsafoedd i gyd ar ei gof; '....Llambed, Derry Ormond, Llangybi, Olmarch, Pont Llanio...' – roedd 'na ramant yn perthyn i'r enwau hyn – ac roedd y map yn dangos fod y lein yn croesi tir y Wern Isa. Ac ar y lein honno y byddai Dafydd wedi teithio adref ar gyfer ei *leave* wrth gwrs.

Y bore hwnnw, roeddwn i wedi trefnu cyfarfod â rhywun oedd yn adnabod Llanio'n dda, er mwyn ceisio deall mwy am gynefin Dafydd, ac yn ddiweddarach, daeth Eirwen James Tŷ Mawr draw i'r dafarn am sgwrs dros goffi. Yn gyntaf, eglurodd, er nad oes fawr mwy na milltir yn gwahanu Llanio oddi wrth Landdewi Brefi, mae trigolion y pentre gwasgaredig hwnnw yn bendant mai pobl Llanio ydynt, nid pobl Llanddewi! 'Rhaid cofio,' meddai, 'fod Llanio fwy neu lai'n hunan-gynhaliol 'slawer dydd – ro'dd ciosg, iard lo, lle lladd moch, swyddfa bost, a phwmp aer tu fas ar gyfer teiars ceir. Ro'dd blwch postio yn

Gorsaf Pont Llanio
(Agorwyd y ffatri laeth sydd i'w gweld yn y cefndir yn 1937)

Ysgoldy ac un arall yn y stesion...' Cymerodd lymaid o'i choffi, ac yna aeth y rhestr yn ei blaen:

Ro'dd siop Maes Capel yn gwerthu losin a papure; ro'dd siop Rattal yn fwy o siop gyffredinol – roedd nwydde mewn sache lan lofft, ac o't ti'n gweld llygod bach yn rhedeg drostyn nhw weithie! Ro'dd tafarn y Deri Arms i gael – Maes y Deri yw enw'r tŷ nawr, ac ro'dd efail i gael – John Evans 'yn hen dad-cu o'dd y gof. Ar ôl cyfnod Dafydd y da'th y ffatri la'th wrth y stesion wrth gwrs, ond ro'dd siop fach yn fan'ny hefyd – wi'n cofio nôl crisps o'r ffatri la'th, ar ôl bod yn yr afon.

Roedd modd gwneud popeth bron yn Llanio, yng nghyfnod Dafydd. Yr unig dynfa i Landdewi Brefi oedd ar gyfer addysg a chrefydd. Yn Llanddewi Brefi roedd yr ysgol leol, ac er bod ysgoldy anenwadol yn Llanio, lle byddai teulu'r Wern yn mynd i'r Ysgol Sul, i gapel Bethesda yn Llanddewi Brefi y bydden nhw'n mynd er mwyn addoli yn y bore a'r nos, gyda'r Presbyteriaid.

Dyna syniad go lew am gynefin Dafydd felly; ond gan fod Eirwen hefyd yn gyfarwydd iawn â chasgliad llythyrau Dafydd, aethon ni ymlaen i siarad am ei deulu, a'i fam yn benodol – Margaret Jones, yr 'Annwyl Fam' sydd wedi rhoi'r teitl i'r llyfr hwn.

Roedd yn rhaid imi gyfaddef wrth Eirwen – pan ddes i ar draws y llythyrau gyntaf yn 2007, tybiais (yn hollol anghywir!) fod tad Dafydd wedi marw, gan nad oes cyfeiriad ato ddim un waith drwy'r ohebiaeth. Wedi dweud hynny, 'dyw Dafydd ddim yn holi fawr ddim yn ei lythyrau am ei frodyr na'i chwiorydd chwaith. Go brin y byddai neb yn casglu fod Dafydd yn un o wyth o blant, petai'n pwyso ar dystiolaeth y llythyrau'n unig.

Ond wrth gwrs, annheg yw barnu ar sail y llythyrau a gadwyd, yn unig. Gwyddom iddo lythyru hefo Charles ei frawd, a Jane ei chwaer, ond nid yw'r llythyrau atyn nhw wedi goroesi. Mae ambell gerdyn post at Megan ei chwaer fach sydd wedi'i gadw, a gall ei fod wedi anfon ambell lythyr at aelodau eraill o'r teulu – ond ymddengys mai'r ohebiaeth â'i fam oedd yr un bwysicaf.

Nid bod hynny'n beth anghyffredin ymhlith milwyr y Rhyfel Mawr. Yn ôl Michael Roper, sydd wedi astudio'r llythyrau sydd yng nghasgliad helaeth yr Imperial War Museum, roedd dynion chwe gwaith yn fwy tebygol o ysgrifennu at eu mamau nag at eu tadau. Pan oeddwn i wedi galw yn nhŷ Dafydd Jenkins yn Llanfihangel y Creuddyn er mwyn trafod ei ewythr, dyma oedd ganddo yntau i'w ddweud am hyn:

Walle fod Dafydd yn teimlo taw ati hi oedd e moyn dod gynta, a bydde hi wedyn yn pasio'r wybodaeth neu beth bynnag ymla'n i'r teulu.

Roedd hi'n dal yn arfer gan rai yn y cyfnod hwn i ddarllen llythyrau yn uchel, felly roedd derbyn llythyr yn achlysur cymdeithasol.

Bydde cefnderwyr yn dod i'r tŷ, neu bobl yn dod i ofyn sut oedd Dafydd yn dod yn ei fla'n... a debyg iawn bydde'r llythyron ma'n cael eu darllen... A bydden nhw'n cael gwbod yr hanes, beth oedd yn digwydd yn te.

Felly doedd cyfeirio llythyr at ei fam ddim yn golygu mai at ei sylw hi yn unig roedd y cynnwys i fod. Ond roedd yn cydnabod ei statws o fewn y teulu, ac yn dangos parch iddi. Yn ôl Dafydd Jenkins:

Wi'n credu fod Mamgu.... hi oedd y brif berson yn y teulu i gyd, mai hi oedd yn gwneud y penderfyniade... ch'mod, magu wyth o blant...

'Hi oedd y brif berson yn y teulu...'; fel y cawn weld, gall fod hyn yn batrwm oedd wedi'i sefydlu yn gynnar yn eu priodas. Roedd Margaret wyth mlynedd yn hŷn na Thomas. Doedd hi ddim wedi rhuthro i ddewis ei gŵr! Roedd Thomas yn dal yn 19 oed pan briodon nhw a chan y bu'n gweithio oddi cartre am gyfnodau yn ystod blynyddoedd cyntaf eu priodas, daeth Margaret i arfer â bod yn annibynnol a gwneud penderfyniadau dros y teulu cyfan.

Roedd hi'n fenyw benderfynol, a dim ofn gwaith arni; er ei bod hi bron yn 29 oed yn geni Charles, ei phlentyn cyntaf, aeth ymlaen i eni a magu saith arall. Enwyd y pedwar cyntaf ar ôl rhieni Thomas a Margaret, yn unol â thraddodiad – Charles (1891) ac Eleanor (1898) ar ôl tad-cu a mam-gu Waunclawdd, sef cartref Margaret; a Dafydd (1893) a Jane (1896), ar ôl tad-cu a mam-gu Gilfach y Rhedyn, sef cartref Thomas. Dilynwyd nhw wedyn gan Blodwen yn 1900, Idris yn 1902, Mary Anne (Polly) yn 1905, ac roedd Margaret bron yn 48 pan anwyd ei phlentyn olaf, Megan, yn 1910. Nid yw'n syndod iddi hefyd wasanaethu yn yr ardal fel bydwraig answyddogol – roedd ganddi ddigon o brofiad yn sicr! Ond rydym yn rhuthro ymlaen yn ormodol; gadewch i ni fynd nôl i'r dechrau, a sôn am ei blynyddoedd cynnar, a'i phriodas hefo Thomas.

Ganwyd Margaret ar y 14eg o Fawrth, 1862, y plentyn ieuengaf o naw o blant. Collodd ei mam pan oedd hi yn ei dauddegau, ac yn aml yn y cyfnod hwnnw byddai hynny'n golygu fod disgwyl i'r plentyn ieuengaf (sef Margaret) aros gartref i ofalu am ei thad. Ond roedd Margaret yn ffodus fod ganddi chwaer hŷn, sef Mary Anne, oedd i weld yn ddigon hapus i wneud hynny (a hi yn y pen draw fyddai'n etifeddu Waunclawdd ar ôl ei thad). Felly roedd Margaret yn rhydd i ennill ei thamaid drwy weini ar ffermydd eraill. Gwyddom iddi weithio yn fferm Penddol ar gyrion Llanddewi Brefi am gyfnod, ac o bosib dyna pryd y gwnaeth hi ddechrau canlyn hefo Thomas Jones o'r Gilfach, fu'n gweini ar fferm gyfagos, sef Olmarchisaf. Roedd Thomas yntau wedi ei eni ar y 6ed o Ebrill, 1870, ac efe oedd y pedwerydd blentyn mewn teulu o ddeg.

Capel Bethesda, Llanddewi Brefi

Priododd y ddau yng nghapel Bethesda ar yr 20fed o Chwefror 1890 – ac erbyn noson y Cyfrifiad yn Ebrill 1891, roedd Margaret yn byw hefo'i thad a'i chwaer fawr yn Waunclawdd – ac roedd Charles ei mab cyntaf yn ddau fis oed. Roedd yn beth eitha cyffredin yn y cyfnod i ferch fynd yn ôl i gartref ei rhieni i eni'r plentyn cyntaf. Ond ble roedd Thomas felly? Ar noson y Cyfrifiad roedd o'n dal i orffen ei dymor fel gwas ar fferm Olmarchisaf, ac mae'n debyg mai dim ond wedyn y cafodd y teulu bach newydd eu cartref cyntaf eu hunain, yn Mill Street, neu Stryd y Felin, yng nghanol Llanddewi Brefi.

Certified Copy of an Entry of Birth.

Pursuant to the Births and Deaths Registration Acts 1836 to 1874

Registration District of Tregaron

1893 Birth in the Sub-District of Tregaron in the County of Cardigan

No.	When and Where Born.	Name (if any).	Sex.	Name and Surname of Father.	Name and Maiden Surname of Mother.	Rank or Profession of Father.	Signature, Description, and Residence of Informant.	When Registered.	Signature of Registrar.	Baptismal Name if added after Registration of Birth.
200	Twenty first January 1893 Mill Street Llanddewi Brefi R S D	David	Boy	Thomas Jones	Margaret Jane Jones formerly Jones	General Labourer	Thomas Jones Father Mill Street Llanddewi Brefi	Eleventh February 1893	Peter William	

I, Jenkin Lloyd Superintendent Registrar for the District of Tregaron in the County of Cardigan Do hereby Certify that this is a True Copy of the Entry No. 200 in the Register Book of Births No. 13 for the Tregaron Sub District and that such Register Book is now legally in my custody.

Witness my Hand this 6th day of May 1909

Jenkin Lloyd Superintendent Registrar.

Yno y ganwyd Dafydd yn Ionawr 1893, a phan ymunodd â Charles ei frawd mawr yn Ysgol Llanddewi Brefi yn Ionawr 1896, dyna oedd cyfeiriad y teulu o hyd. Teulu'r Greens oedd yn y Wern Isa yn y cyfnod hwnnw, ac nid yw'n hysbys pa bryd y trosglwyddwyd y fferm i Thomas a Margaret Jones – ond mae 'na hysbyseb ym mhapur y *Brython* yn 1896, yn cyhoeddi arwerthiant:

Friday, October 9th, at Wern Isaf, Parish of Llanddewi-brefi, Important Sale of Stock.

Ai gwerthu stoc y cyn-berchenogion oedd hyn, cyn iddyn nhw symud ymlaen? Yn sicr, erbyn i Jane, plentyn nesa Thomas a Margaret, ddechrau ar ei haddysg yn Ysgol Llanddewi Brefi ym mis Mai 1900, cyfeiriad y teulu oedd 'Wernisaf'. 'General Labourer' oedd disgrifiad swydd Thomas Jones ar dystysgrif geni Dafydd yn 1893 – ond erbyn Cyfrifiad 1901 roedd e'n gallu galw ei hun yn 'farmer'.

Roedd yn glod i ddycnwch a gwaith caled y pâr ifanc fod Thomas wedi gallu cymryd ffarm 40 erw ymlaen, cyn cyrraedd ei ddeg ar hugain. Go brin y byddai ei rieni wedi gallu bod yn gefn iddo yn ariannol. Gweithio ar y rheilffordd oedd ei dad – yn 'platelayer' yn ôl Cyfrifiad 1891, ac yn 'navvy on the railway' yn 1901. Roedd dau o'i frodyr yn Llundain bid siŵr, ond eto go brin y bydden nhw wedi medru neilltuo symiau mawr i helpu'u brawd, a nhwthau'n ceisio adeiladu'u busnesau eu hunain.

Digon tlawd oedd teulu Margaret hefyd – fferm fach bymtheg acer oedd Waunclawdd, ac roedd Charles ei thad wedi gorfod ychwanegu at ei incwm drwy hel treth ar ran gwarcheidwaid y tlodion. (Roedd yn cael 5d – tua dwy geiniog newydd – am bob punt yr oedd yn ei chasglu ar eu rhan). Sut felly roedd Thomas a Margaret wedi llwyddo i hel digon i gael fferm 40 erw?

Yn ôl yr hanesion a gofnodwyd gan David Jones (1919–97), un o wyrion Thomas Jones, roedd ei dad-cu wedi gweithio mewn gwaith glo ger Rhydaman yn nyddiau cynnar y briodas, ac yna wedi helpu adeiladu'r cronfeydd dŵr yng Nghwm Elan ar droad y ganrif. Os oedd gwaith dan ddaear yn galed, doedd gweithio yng Nghwm Elan fawr haws. Roedd y gweithwyr ar y safle yno yn byw mewn cytiau pren ac yn cael eu harchwilio cyn dechrau'r gwaith, er mwyn sicrhau nad oedd llau nac unrhyw gyflwr heintus arnynt. A byddai Thomas yn cerdded i Gwm Elan dros y mynydd bob wythnos, dau ddeg wyth milltir o daith. Yn y teyrnged iddo ar ôl iddo farw, dywedwyd amdano:

O'i weld yn cerdded gyda'i osgo bendant a'i gamrau bras, mor briodol y gair hwnnw "Ni frysia'r hwn a gredo".

Tebyg fod hyn yn arddull cerdded a berffeithiodd ar y teithiau hir nôl a mlaen o Gwm Elan; oherwydd ar ôl gweithio wythnos yno, byddai Thomas yn cerdded yn ôl i'r Wern Isaf i wneud cymaint ag y gallai ar y fferm dros y Sul, cyn dychwelyd i Gwm Elan ar gyfer wythnos arall. Yn ei absenoldeb, Margaret fyddai'n gyfrifol am bopeth ar y fferm – ac am fagu'r plant. Ond drwy fentro fel hyn, fe lwyddodd y ddau nid yn unig i hel digon i gynnal eu teulu, ond hefyd i roi addysg iddynt.

Erbyn 1915 roedd Dafydd, a Charles ei frawd, eisoes wedi cael mynd i'r ysgol sir yn Nhregaron ac yna ymlaen i'r coleg yn Aberystwyth. Yn y pen draw, byddai chwech o blant y Wern yn cael addysg uwchradd yn Nhregaron a phump allan o'r wyth yn cael astudio am radd – cryn gamp gan nad yw'r Wern Isaf yn fferm fawr. Yn ôl Dafydd Jenkins, Llanfihangel y Creuddyn byddai angen fferm 200 acer i gynnal wyth o blant erbyn heddiw.

* * *

Es i draw i weld y Wern yng nghwmni Sarah Evans, un arall o ddisgynyddion y teulu. Cwpwl Saesneg sydd yn byw yno heddiw, a doedd neb gartref pan alwon ni, felly rhaid oedd bodloni ar olwg sydyn – digon i sefydlu nad yw'r lle wedi newid yn sylweddol ers pan dynnwyd y llun isod yng nghyfnod Thomas a Margaret Jones.

Ond roeddwn i'n dal yn awyddus i wybod mwy am rieni Dafydd. Yn ôl yn y New Inn, chwiliais ar lein drwy'r papurau newydd lleol sydd gan y Llyfrgell Genedlaethol, ond heb weld enw Margaret Jones

Wern Isa, tua 1930?

yn unman. Es i draw i Aberystwyth drannoeth i'r Llyfrgell Genedlaethol ei hun, er mwyn edrych drwy rai o'r rhifynnau sydd heb fod ar lein, gan gynnwys y *Welsh Gazette* am 1914–16; craffais yn eiddgar ar bob adroddiad o dan y penawdau Llanddewi Brefi neu Bont Llanio, yn y gobaith o weld rhyw gyfeiriad at Margaret, ond yn ofer. Er imi ddysgu fod cant o bobl wedi mynychu'r dosbarth cadw dofednod yn Llanddewi Brefi, bod 'na bryder am 'boy labour' ar ffermydd yr ardal, a bod rhyw Capt. Lewes wedi dod â'i gŵn i Bont Llanio i hela dyfrgwn, yr unig beth a gefais oedd cyfeiriad at un o ferched y Wern, sef Blodwen, yn adrodd yng Ngŵyl Flynyddol Pont Llanio. Roedd rhestr hirfaith o'r gwragedd lleol a fu'n gyfrifol am 'arlwyo bord o ddanteithion blasus' ond doedd Margaret ddim yn eu plith. Wedi'r cyfan, onid oedd ganddi ddigon ar ei phlât gartref? Rhwng geni Charles a marw Dafydd chwarter canrif yn ddiweddarach, roedd gan Margaret o leiaf un plentyn dan chwech yn mynnu'i sylw a'i gofal yn y Wern – a dau neu dri am y rhan fwyaf o'r cyfnod hwnnw. Ac eto, roedd hi'n ddigon parod ei chymwynas, fel bydwraig er enghraifft; ond roeddwn i'n dechrau synhwyro nad un i wthio'i hun ymlaen mohoni. Roedd Margaret yn barod i wneud ei rhan, ond gwneud hynny'n dawel a chadw i'r ymylon. Cofiais eiriau direidus Sarah, fu'n fy nhywys i Wern Isa: '*backroom boy* oedd hi, fel finne!

Pan drois fy sylw at Thomas Jones, cefais fwy o lwc wrth chwilio papurau'r cyfnod, gan ddod o hyd i ambell gyfeiriad ato – ond cyfeiriadau rhwystredig o gynnil oeddynt i gyd. Yn ystod mis Ebrill 1898, mae dau adroddiad sy'n ei grybwyll – mewn llys barn! Y tro cyntaf, roedd yn aelod o'r rheithgor yn y Llys Chwarter yn Llambed; gwrandawsant ar achos o niwed corfforol difrifol yn erbyn gwneuthurwr basgedi o'r enw Charles Price, cyn dyfarnu yn ei erbyn. Sipsi oedd Price ac wedi ymosod ar sipsi arall yn ei ddiod, hefo cwlltwr aradr! Cafodd fis o garchar gan y barnwr. Ond yn yr ail adroddiad, bythefnos yn ddiweddarach, Thomas Jones ei hun oedd o flaen ei well y tro hwn, yn Llys Ynadon Tregaron, ar gyhuddiad o 'gario dryll heb drwydded'. Yn ôl y *Cambrian News*:

> *Thomas Jones, Wernissaf, Llanio Road, was summoned by Benjamin Phillips, Tregaron, inland revenue officer, with having carried a gun without a licence at Llanddewi on February 21st.—Evidence was given by Thos. Cruickshank, supervisor, B. Phillips, and P.C. David Davies.— Defendant denied the charge.—The hearing of the case occupied over half an-hour.—The Bench were unanimously of opinion that the case was not proved and dismissed it.*

Mae'n drueni nad yw'r adroddiad yn y papur yn rhoi mwy o gefndir, ond braf nodi fod Thomas Jones wedi cadw ei enw da – ac nid oes sôn amdano yn y papurau newydd wedyn tan 1915:

> *The sub-committee appointed to inspect and report on certain dangerous curves on the Tregaron to Lampeter main road, met at Pont Llanio on Wednesday, November 25th, 1914, and interviewed Messrs. D. D. Evans, Llanio; T. Jones, Wern Isaf; J. Green, Wern Uchaf; and Peter Davies, Pont Llanio, the owners of the land between Llanio Schoolroom and Pont Llanio, each of whom expressed their readiness to co-operate with the Council in the removal of the dangerous corners complained of; and consented to give whatever land was necessary for the purpose, free of charge, and to assist on condition that the work should be proceeded with without delay. The sub-committee wished to put on record their appreciation of the kind and public-spirited manner in which they were met by those gentlemen.*

Dyma adleisio'r casgliad uchod ynglŷn â Margaret ei wraig; roedd Thomas hefyd yn cyfrannu i'r gymdeithas yn dawel heb wneud ffŷs – ac yn cael ei barchu am hynny. Yn ôl Dai Evans o fferm Llanio Fawr, 'Thomas Jones' oedd e gan bawb, nid 'Twm' na 'Tom' – yr enw llawn bob tro, er dangos parch. Yn ôl Lloyd Jones, Ystrad Dewi, cymydog arall oedd yn ei gofio, roedd yn ffermwr da a waeth i neb gwyno fod 'na ormod o law neu ormod o haul, a hynny'n argoeli'n wael ar gyfer y gwair neu'r llafur: '"Ma' digon o dywydd, dim ond i chi wotsio fe"; dyna fydde Tomos Jones yn ei weud. A chollodd e ddim un cnwd erio'd.'

Es i nôl at ei ŵyr Dafydd Jenkins yn Llanfihangel y Creuddyn, i'w holi ymhellach am ei dad-cu. Yn gyntaf, dangosodd y llun uchod o deulu'r Wern yn y gwair. Mae'n anodd gweld pwy yw pwy – Thomas Jones sydd ar y dde, mae'n debyg, ac ai Charles ynteu Dafydd sy'n dal y rhaca? Gan mai dwy flynedd yn unig oedd rhyngddynt, anodd credu fod y ddau yn y llun hwn. Mae'n siwr fod rhai o'r brodyr a'r chwiorydd eraill yn bresennol – ond mae'n amlwg fod plant y cymdogion yn helpu hefyd, gan fod deuddeg o blant neu bobl ifainc yn y llun i gyd! Roedd trysorau eraill gan Dafydd Jenkins i'w rhannu. Estynnodd doriad o bapur newydd, sef y deyrnged a ymddangosodd yn y *Cambrian News* ar ôl i'w dad-cu farw yn 1960; roedd hwnnw hefyd yn canmol Thomas Jones fel gweithiwr dygn a thawel:

> *Treuliodd ef a'i ddiweddar briod, Margaret Jones, oes ddiwyd a dedwydd yn y Wern, Llanio, yn ddiarbed eu llafur ar adeg tra gwahanol mewn ffermio a'r amser presennol... Yr oedd clywed ei gofion am yr amser gynt yn odiaeth o ddiddorol am helyntion bywyd cymdeithasol, gwleidyddol (oblegid yr oedd yntau'n lecsiynwr pybyr) a chrefyddol... Yr oedd ei garedigrwydd parod ef a'i briod fel cymdogion yn hysbys trwy'r ardal, ac Ysgoldy Llanio yn agos iawn at eu calon hwy a'u teulu mawr.*

Gofynnais i Dafydd Jenkins sut un oedd ei dad-cu, o ran ei bersonoliaeth? Dangosodd ddau lun imi o Thomas Jones pan oedd ar drothwy oed yr addewid, yn y Wern.

Yn un, mae'n eistedd yn ei ddillad parch, a'i ddwylo nerthol wedi'u plethu am ei goesau; mae ei het wrth ei ymyl. Yn y llall mae'n troi at y camera wrth gneifio. Rhaid cyfaddef, mae'n edrych yn fwy cyffyrddus yn ei ddillad gwaith nag yn ei ddillad parch!

Roedd Dafydd Jenkins yn 17 oed pan fuodd farw ei dad-cu, ac mae'n cofio fel y byddai'n ymweld â'u cartre nhw yn Llanfihangel y Creuddyn. Erbyn hynny roedd Margaret wedi marw, a Thomas wedi gwerthu Wern Isa, a symud i fyw at Mary Anne, ei ferch, yn Llangeitho (neu Polly, fel roedd hi'n cael ei hadnabod).

Bydde Tadcu yn dod lan aton ni am wythnos i helpu ar y fferm. Bydde fe'n dal trên o Bont Llanio i stesion Trawsgoed a chered lan aton ni o fanna... Wi'n cofio ambell waith, mynd mas am wâc pnawn Sul gyda Tadcu... ond o'dd amser yn brin! Bydde rhaid mynd nôl i odro! ...Un tawel a chall oedd Tadcu... wi'n credu fod e wedi dibynnu tipyn ar Famgu – hi oedd y feistres.

Ac fel mae'r straeon am waith Margaret Jones fel bydwraig wedi parhau hyd heddiw yn ardal Llanio, felly hefyd straeon am Thomas Jones ei gŵr. Yn ôl Eirwen James:

O'dd e'n deip o ddyn o'ch chi moyn ar eich pwys chi pan o'ch chi mewn dadl, neu pan o'ch chi moyn help ymarferol, dyna'r argraff wi'n gael o bobl wi 'di bod yn siarad â nhw. Y sôn o'dd fod e'n ddyn sylweddol o gryf, pob un yn hoffi'i gal e i gyfnewid achos o'dd e ddim ofan gwaith.

Soniodd hefyd am ryw achlysur pan oedd tarw wedi dianc, a phawb o gwmpas Thomas Jones yn rhedeg; ond gan ei fod yntau'n stwcyn o foi ac yn gwybod nad oedd gobaith iddo redeg yn gynt na'r tarw, arhosodd yn ei unfan. Camodd fymryn i'r ochr wrth i'r tarw ruthro ato, cydio yn ei gyrn wrth iddo basio a rhoi tro nerthol iddynt, nes taflu'r tarw drosodd ar ei wddf. Fel mae Eirwen yn ei ddweud:

– a ma hwnna'n gweud rhwbeth am y dyn on'd yw e? Dim ond stori llafar gwlad yw hi, ond mae'n neis clywed y straeon ma.

Roedd yn ŵr gwydn yn sicr, a bu fyw'n hir gan gyrraedd ei ben blwydd yn 90 oed. Mae'r lluniau ohono'n awgrymu'n sicr ei fod yn ddigon cadarn ei gorff i gyflawni camp o'r fath. Gwir ai peidio, mae'r stori honno'n dweud llawer wrthym am sut roedd yr ardal yn dymuno cofio Thomas Jones – a sut mae'r cof hwnnw wedi parhau. Roedd Dafydd ei fab hefyd yn gorfforol gryf; a byddai'n dangos maes o law ei fod yntau hefyd yn gallu cadw ei ben mewn sefyllfa beryglus – fel ei dad. Ond i gloi'r pennod hwn, rhown y gair olaf i'r gohebydd anhysbys a geisiodd grynhoi hanes Thomas Jones mewn teyrnged i'r papur newydd:

> *bu'n weithiwr caled a'i waith yn bleser iddo. Wedi ei wreiddio yn y ffydd, yr oedd yn un pwyllog ei farn ac aeddfed ei gyngor ac fel y dywedir ar lafar gwlad – yr oedd yn ddyn sownd ymhob ystyr.*

Ac fel y gwelwn yn y penodau nesaf, er mai troi o gwmpas ei fam a wnai llythyrau Dafydd i'r Wern, roedd Thomas Jones yntau wedi gadael ei stamp arno hefyd: 'dyn sownd' oedd Dafydd, fel ei dad.

Ceir manylion am ffynonellau pob dyfyniad yn y bennod hon, a phob un sy'n dilyn, ar wefan Gwasg Carreg Gwalch:
https://files.ekmcdn.com/92a6b5/resources/other/anwyl-fam-nodiadau.pdf

5

'Efallai eich bod wedi clywed ein bod wedi cael riots yma.'

(*Rhyl: Ionawr – Mai 1915*)

Dim ond pedwar llythyr sydd wedi goroesi o bum mis cynta'r flwyddyn, ond roedd digon o sôn am y Fyddin Gymreig newydd yn y wasg i'n galluogi ni i gael syniad dipyn llawnach o fywyd Dafydd yn ystod y cyfnod hwn, na'r hyn fyddai'n bosib pe byddem yn dibynnu ar y llythyrau yn unig.

Ac yntau wedi mynd ar *leave* ar y 9fed o Ionawr, dychwelodd Dafydd i'r Rhyl ryw wythnos yn ddiweddarach, un o'r rhai olaf i fynd nôl at ei ddyletswyddau. Fel nododd y *Rhyl Record and Advertiser* ganol Ionawr, 'holidays are now practically at an end.' Ysgrifennodd Dafydd adre i'r Wern yn fuan wedyn:

> Anwyl Fam.
>
> Dim ond gair er hysbysu fy mod wedi cyrraedd yn ôl yn ddiogel ar ol taith hir. Y mae pobpeth yn mynd ymlaen yma fel arfer heb yr un newydd neullduol. Boreu dydd Mercher anfonwyd fi allan i Prestatyn i wylio'r traeth gyda deg ar ugain o ddynion a chawsom noswaith go hwylus. Canfyddom signals yn mynd ymlaen o ben un o'r mynyddoedd sydd y tu ôl ir pentref ond erbyn i ni gyraedd y lle ni welsom ddim yn mynd ymlaen.

Adroddwyd am ddigwyddiad tebyg yn ardal Dyserth (sydd yn agos iawn i Brestatyn) ryw wythnos yn gynharach:

> *Dyserth*
>
> *A False Alarm.*
>
> (...)*For some nights, lights have been observed on the hills and the flashes of the lamps in every way corresponded with the Morse code. On inquiries being made, however, it has been discovered that the 'flashes' have come from a lamp used by farmhands in pursuit of their usual avocations in the fields.* (...)

Hawdd deall y paranoia y gallai rhywun fod wrthi yn anfon signals allan i'r môr, o gofio'r ymosodiad a wnaed cyn y Nadolig ar drefi glan môr dwyrain Lloegr. (Yn ddiweddarach yn y rhyfel, cofiai fy mam-gu yn Llundain fel yr oedd un o'i chymdogion wedi cael ei restio ar amheuaeth o anfon signals drwy ffenest yn ei do, er mwyn tywys Zeppelins y gelyn at eu targedau yn y ddinas.)

Mae Dafydd yn ymhelaethu am ei anturiaethau ar y mynydd:

> Yr oedd gennym le echryslon i ddringo, llawn llwyni a thyllau. Yr oedd yn beth hawdd i ddyn guddio yn unryw le yno. Nid oedd eisiau iddo ond gorwedd i lawr ac ni ddarganfyddai 1,000 o ddynion ef oni bai i rhywun ei gicio. Rhyw le tebyg i fanc Troedyrhiw ond fod mwy o greigiau ar hyd iddo ond yr oedd y foundation yn hynod debyg.

Mae banc Troedyrhiw i'w weld ar y gorwel o Wern Isa, ryw ddwy filltir i ffwrdd. Tybed sut olwg oedd ar Dafydd a'i ddynion, ar ôl bod allan ar y mynydd y noson honno?

Roedd y trefniadau ar gyfer golchi dillad y milwyr newydd yn amrywio o ardal i ardal, fe ymddengys:

> *The question of washing clothes is a personal matter between the soldier and his landlady.*

meddai'r *Brecon and Radnor Express*, tra bod yr *Udgorn* ym Mhwllheli yn cyhoeddi:

> *Any washing of the soldier's personal clothing beyond 1 shirt, 1 singlet, 1 pants, 1 pair of socks, per week, must be paid for by him out of his own pocket.*

Ond yn Awst 1915, nododd y *Cambria Daily Leader* o Abertawe fod:

> *Various hard-worked women were doing unpaid washing for soldiers or hospital.*

Pwy bynnag oedd yn gyfrifol am wneud y gwaith golchi, roedd disgwyl i'r dynion fod yn drwsiadus erbyn *kit inspection* y diwrnod wedyn (a oedd yn cael ei gynnal weithiau ar rinc sglefrio yn y Queen's Hotel). Roedd dynion y Rhondda yn cael eu gweithio'n galed i'w hyfforddi fel milwyr, fel y nododd y *Rhyl Record and Advertiser*:

> *Under the new orders many of the men have now to turn out for drill in the evenings after tea. The regimental bands are becoming very efficient, and always attract attention as they march in fine style through the streets. (...) During the past week, the climactic conditions have improved considerably, and much to the satisfaction of the soldiers, who have been having a somewhat uncomfortable time for some weeks past drilling in the rain.*

Ceir y rheswm am yr holl bwyslais ar ddrilio yn llawlyfr hyfforddi'r fyddin, *Infantry Training* (1914 *edition*):

> *The first and quickest method of teaching discipline is close order drill*

(...) close order drill compels the habit of obedience, and stimulates, by combined and orderly movements, the man's pride in himself and in his unit.

Yn ôl y *Rhondda Leader*, roedd y fataliwn yn gwneud 'admirable progress'. Ac roedden nhw hefyd yn cael eu gwthio'n galed i godi'u ffitrwydd:

Long marches by both day and night are an outstanding feature of the training (...) It speaks well for the health of the Rhondda Battalion that not a man has fallen out during these marches, although the distance covered has been on more than one occasion close upon 30 miles. (...) The men are becoming expert trench diggers – the Glamorgan colliers being here quite in their element – while bayonet drill is also an important part of a day's work. Musketry instruction has yet to come.

Erbyn diwedd Ionawr 1915, trefnwyd i wneud yn iawn am y diffyg hwnnw, a darparu rhyw faint o hyfforddiant hefo'r reiffl i'r dynion. Roedd Rifle Club y Rhyl wedi rhoi eu *shooting range* newydd at wasanaeth y milwyr, ac anfonwyd Lieut. J. Gordon Davies i wersyll y fyddin yn Altcar ger Lerpwl i gael ei hyfforddi fel *musketry instructor* i'r fataliwn. Roedd Gordon yn dod o Brighton (a chawn fwy o'i hanes

3rd Scots Guards yn cael eu hyfforddi i saethu (Casgliad Royal Collection Trust)

ym Mhennod 13) a rhaid ei fod wedi dysgu'n sydyn, oherwydd lai na deufis yn ddiweddarach fe wnaeth dynion bataliwn y Rhondda guro dynion Rifle Club y Rhyl mewn cystadleuaeth saethu a hynny o 728 o bwyntiau i 665.

Doedd gwaith y swyddogion ddim yn gorffen o reidrwydd gyda'r nos. Yng nghanol Chwefror, rhoddwyd cyfle i rai ohonynt fynd draw i wrando ar ddarlith ym Mangor:

> *A number of officers availed themselves of the opportunity of attending a lecture by Mr. Spencer Wilkinson, Professor of Military History in Oxford University, on "The Strategy of the Present War", at the University College of North Wales on Friday evening.*

Tybed oedd Dafydd yn eu plith? Ond roedd cyfle i'r swyddogion gael rhyw faint o hamdden hefyd; ac ar ôl i Dafydd ddweud wrth ei fam cyn y Nadolig y byddai'n ymweld â chapel Clwyd Street, mae'n debyg iddo gadw at ei air, a mynychu'r lle yn reit gyson.

Dyma un adeilad yn y Rhyl sydd heb newid ryw lawer ers cyfnod Dafydd, ac mae adroddiadau'r wasg yn tanlinellu prysurdeb y lle ym misoedd cynta'r Rhyfel, wrth i'r gweinidog Gwilym Havard a'i flaenoriaid geisio darparu ar gyfer anghenion cymdeithasol y milwyr, yn ogystal â'u hanghenion ysbrydol.

Cynhaliwyd rhagor o gyngherddau i'w difyrru a rhoddwyd 'darlith ddarluniadol' i'r milwyr gan Mr. Richard Hughes, am yr amser a dreuliodd yn byw yn Jerusalem; ac yna, ynghanol Chwefror, bu Dafydd yn bresennol yn y noson hon:

Capel Clwyd Street

> *Nos Lun, y 15 cyfisol, rhoddodd Mrs. E. P. Jones, y foneddiges garedig o Brynestyn, (...) wledd i'r milwyr, sef te, a bron bob math o ddanteithion sydd yn myn'd yn dda gyda 'panaid. Daeth dros 400 o filwyr ynghyd, a chalonogol iawn oedd gweled dwy ysgoldy helaeth y capel yn orlawn hyd y drysau, a dau gyngerdd yn myned ymlaen yr un adeg yn yr ysgoldai. Noson i'w chofio oedd hon yn ddiau.*

Y milwyr fu'n gyfrifol am

ddarparu'r adloniant ond gyda chymorth rhai o ferched y capel. Sut y gwyddwn ni fod Dafydd yn bresennol? Am fod yr adroddiad yn cloi gyda'r geiriau hyn:

Diolchwyd dros y milwyr gan y Lieutenant D. Jones, 1st Rhondda Battalion, brawd hoffus iawn o Landdewi-brefi, sir Aberteifi.

* * *

Wythnos yn ddiweddarach, ar yr 22ain o Chwefror, galwyd pob milwr yn y Rhyl – dros bum mil ohonynt! – draw i'r prom i gael eu harchwilio gan Major-General Dixon, yr 'Inspector of Infantry for No.6 area of Western Command':

He complimented the commanding officers on the appearance of the men, and took great interest in the mascots of the regiments— goats with the Rhonddas and Carmarthen and a bulldog with the Swansea. Afterwards, headed by their bands and company leaders, the men marched past and proceeded for route marches.

Roedd yna reswm am ei ymweliad ac am y gorymdeithio wedyn ar y prom, fel yr esboniodd y *Flintshire Observer*:

Expected Visit of Mr. Lloyd George.

Steps are being taken by the brigade authorities for the celebration of St. David's Day by the troops. A special parade of the whole brigade is being arranged for, and, as a result of representations made to him, the Chancellor of the Exchequer hopes to be able to visit the town on his way to or from Llandudno.

Byddech chi'n meddwl fod hyn yn newyddion y byddai Dafydd yn awyddus i'w rannu hefo'i deulu yn ei lythyr nesaf adref. Pensaer y Fyddin Gymreig yn cael gweld ffrwyth ei weledigaeth! Serch hynny, pethau eraill a oedd yn cael y flaenoriaeth ganddo, wrth iddo roi pin ar bapur ar ddydd Sul yr 28ain o Chwefror:

Sul

Anwyl Fam

Dim ond ychydig eiriau er hysbysu fy mod yn berffaith iach ar hyn o bryd. Pob peth yn mynd ymlaen fel arfer. Nid oes gennyf yr un newydd o gwbl ond fod Mary Anne Manarafon wedi bod yma ryw ddiwrnod yr wythnos ddiweddaf ac yr oedd hi yn berffaith iach.

Doedd Manarafon ddim yn bell o'r Wern; a bu Jack, brawd hŷn Mary Anne, yn yr ysgol hefo Dafydd. Beth tybed oedd wedi mynd â hi i fyny i'r Rhyl? Nid yw Dafydd yn dweud, ond yn hytrach yn neidio ymlaen at ei newyddion nesaf:

Hefyd bum yng Ngholwyn Bay ddoe mewn Reunion o hen fechgyn Aberystwyth o Llandudno, Colwyn Bay a Rhyl. Yr oedd tua deg ar ugain yn bresenol er ein bod yn disgwyl ychwaneg.

Mae adroddiad yn *The Dragon*, cylchgrawn myfyrwyr Aberystwyth, am gyfarfod tebyg yn Llandudno. Mae'n agor gyda disgrifiad rhyfedd o ymddiheuriol am yr hyn yr oedd pawb yn ei wisgo:

Drab, khaki and blue with shining brass buttons and brown leather belts might not be a very artistic colour scheme in civilian life, but when the men in these uniforms are officers, N.C.O.'s, and privates of old Aberystwyth fame, you are guaranteed a perfect union of sentiment, and a common level of happiness not to be broken by distinctions of rank or faults in the combinations of colours.

Mae'r erthygl yn mynd yn ei flaen i enwi'r sawl a fu yno, a pha eitemau roedden nhw wedi eu cyfrannu i'r cyngerdd anffurfiol, er enghraifft:

Lieut. Stan Humphreys: jigs, choruses upon the piano and, helped by cigarettes, we soon have the atmosphere of an Aber. smoker almost perfectly reproduced.

A gellid dychmygu mai awyrgylch digon tebyg fyddai yn y noson y bu Dafydd ynddi, ym Mae Colwyn. Ond prysurodd Dafydd yn ei flaen heb fanylu am y noson honno er mwyn rhannu gweddill ei newyddion, gan ddiolch yn gyntaf am garedigrwydd ei fam yn anfon y *Cambrian News* ato bob wythnos:

Mae y papur yn dod i fewn yn gysson ac heddyw cefais fy synnu drwy dderbyn y Testament oddiwrth Mrs Cooper Davies, ond beth tybed oedd yr amcan o ddanfon un Saesneg. Nid wyf wedi anghofio fy Nghymraeg eto, fel y gwelwch. Ond diolch yn gynnes am dano er hynny, y mae yn un bach tlws iawn.

Mae sawl Mrs Cooper Davies i'w gweld yng ngholofnau papurau newydd y cyfnod – ond dim un i weld â chysylltiad ag ardal Llanddewi Brefi. Yn sicr, mae'n ymddangos o'r llythyr ei bod hi'n rhywun oedd yn adnabyddus i Dafydd a'i fam, fel ei gilydd. Ac roedd cryn ymdrech yn y cyfnod i sicrhau fod meibion y gwahanol eglwysi yn cael eu Beiblau eu hunain i fynd hefo nhw i Ffrainc: 'Carwn pe bai pob eglwys sydd heb wneud hynny yn gofalu fod Beibl bychan hylaw yn cael ei roddi i bob milwr (...) cyn myned allan i faes y gwaed', ysgrifennodd y Parchedig James Evans, yn y *Tyst*; 'tra bydd Beibl bach wrth law, ni bydd yr un ohonynt yn unig nac yn ddi-swcwr.'

Beth bynnag am Mrs. Cooper Davies, dyma Dafydd yn neidio ymlaen eto, gyda newydd fyddai wrth fodd ei fam, mae'n sicr:

Credaf y dof adref am dro ymhen Sul neu ddau. Adref dydd Sadwrn a dychwel dydd Llun fydd, er hynny.

Gan brinned y llythyrau o'r cyfnod hwn, ni allwn fod yn sicr a gafodd fynd adre ym mis Mawrth ai peidio, ynteu gorfod aros am fis neu ddau eto. Ond nid oes amheuaeth ynglŷn â phryd fuodd Lloyd George yn y Rhyl, a dyna'r newydd a gadwodd tan y diwedd un:

> Mae Lloyd George yn dyfod yma dydd Mawrth i ymweled â ni. Mae yn Llandudno heddyw ac yfori ac yna daw yma.
>
> Nid oes dim yn ychwaneg heddyw ond cofion cynhesaf
>
> oddiwrth Dafydd

A dyna fe. Tebygaf fod Dafydd wedi ysgrifennu mwy am y profiad o orymdeithio heibio Lloyd George mewn llythyr arall – ond os y gwnaeth, nid yw hwnnw wedi goroesi. Rhaid troi at y papurau newydd i gael blas o'r diwrnod hwnnw, Mawrth yr 2il, 1915:

> *Mr Lloyd George's visit to Rhyl was a great success, a bright sun giving colour to an extremely animated scene. There were thousands of visitors, who thronged the promenade to witness the parade and march-past of nearly 6,000 troops.*

Cerddais ar hyd y prom yn y Rhyl, gan geisio dychmygu'r lle yn atseinio i gamau disgybledig cannoedd ar gannoedd o barau o sgidiau hoelion mawr, a'r bandiau milwrol yn cyfeilio. Aeth dyn ifanc heibio, dan loncian mewn top Lycra â'i gi ar dennyn fel petai yn ei dowio yn ei flaen. Roedd yr olygfa i gyfeiriad y traeth heb newid cymaint â hynny yn ystod y can mlynedd a aeth heibio – heblaw am y rhesi o felinau gwynt ymhell allan yn y môr.

Roedd *pier* yn ymestyn i'r môr hefyd yng nghyfnod Dafydd – ond dymchwelwyd hwnnw yn 1973. Ac o edrych i gyfeiriad y dre, roedd llawer o'r adeiladau eraill a fyddai'n gyfarwydd i Dafydd a'i gyd-filwyr hefyd wedi chwalu. Er enghraifft, Pafiliwn y Rhyl, lle tynnwyd llun swyddogion bataliwn y Rhondda yn Nadolig 1914 – dymchwelwyd hwnnw yn y 1970au.

Ac mae'r hyn oedd yn weddill o westy'r Queen's bellach wedi mynd i'w ganlyn, yn fwy diweddar. Mae rhywbeth reit Americanaidd am hyder y Rhyl wrth iddi symud ymlaen o'i gorffennol; mor wahanol i Landudno, lle mae'r gwestai Fictoraidd yn dal i dra-arglwyddiaethu ar y prom yno. Trois fy mhen a gweld y dyn â'i gi yn diflannu i gyfeiriad Ffynnongroyw lle bu fy Nain yn gweithio fel nyrs ar ddiwedd y 1920au. Roedd y prom bron yn wag. Edrychais eto ar fy ffôn, er mwyn ceisio ail-gonsurio prysurdeb yr 2il o Fawrth 1915 (gyda chymorth gwefan Papurau Newydd Cymru!). Cefais hanes ymweliad Lloyd George, yn adroddiad y *Denbighshire Free Press*. Ar ôl i'r milwyr olaf orymdeithio heibio, roedd cyfle i gadeirydd cyngor y dre ddweud gair:

Pafiliwn y Rhyl cyn y Rhyfel Mawr (Casgliad Colin Jones)

> *Mr Philips, chairman of Rhyl Council, extend[ed] to the Chancellor a hearty welcome (...) The Chancellor briefly responded, and said the troops looked well, due, no doubt, to the invigorating air of Rhyl, (applause).*

Hebryngwyd y Canghellor wedyn i orsaf y Rhyl, lle roedd ei wraig yn disgwyl amdano. Cyn iddyn nhw ddringo i'r trên, cyflwynwyd tusw o flodau iddi, 'a beautiful bouquet of daffodils and lilies tied with red, white, and blue ribbons'.

* * *

Er mor drawiadol fyddai gweld rhyw chwe mil o filwyr newydd yn gorymdeithio yn y Rhyl, yn nhermau milwrol nid oedd hyn yn nifer mor fawr â hynny. Ym mrwydr Neuve-Chapelle er enghraifft, rhyw wythnos yn ddiweddarach ym Mawrth 1915, collwyd bron i 12 mil o filwyr Prydeinig ac Indiaidd o'r 40 mil a gymerodd ran (a hynny er mwyn ennill rhyw filltir o dir mewn ardal fyddai'n dod yn gyfarwydd iawn i Dafydd flwyddyn yn ddiweddarach).

Gyda cholledion ar raddfa fel yna, hawdd deall awydd yr awdurdodau milwrol i barhau i recriwtio. Roedd ail fataliwn wedi ei chodi yn ardal y Rhondda, y 13th Welsh, a gwnaed ymdrechion i ddwyn perswâd ar fwy fyth o ddynion ifainc ardaloedd y glo i ymuno. Dan y pennawd gogleisiol A FREE TRIP TO BERLIN ceir adroddiad yn y *Glamorgan Gazette* am gyfarfod recriwtio nodweddiadol o'r cyfnod, yn Neuadd y Gweithwyr, Blaengarw. Roedd band wedi gorymdeithio drwy'r strydoedd o flaen llaw i ddenu'r dorf o'u tai; a chan mai ymgyrch recriwtio ar y cyd oedd hon, rhwng bataliwn y Rhondda a'r Royal Horse Artillery, Captain Price Jones oedd yn apelio ar ran yr R.H.A. ond gŵr lleol oedd wedi'i ryddhau o'i ddyletswyddau yn y Rhyl oedd yn siarad ar ran bataliwn y Rhondda:

> *Captain Parkhurst, 10th Welsh, said some time ago he used to bring the money to the Ocean Colliery on pay day, but this time he was there to appeal to the young manhood to join the colours, as 75 per cent. in Kitchener's Army were married men. Could young men stand by and allow Colonists, white men and coloured men, to fight for the safety of their mothers and sisters? Although Glamorgan had given over 40,000 men, there were yet many more who could join, especially young men, and thus keep up the honour of Wales. (Applause.) His grand-father fought in the Battle of Waterloo, his father in the Crimea, his brother was now fighting in South Africa, while he himself had left wife and two children to again fight in this war. (Cheers.) In conclusion, Capt. Parkhurst appealed to big fellows to join the Welsh Guards, and short ones to join either the R.H.A. or 10th Welsh, as the Government were preparing a free trip to Berlin. (Loud cheers.)*

Roedd y Welsh Guards yn gatrawd newydd a oedd newydd ei ffurfio ar ddiwedd Chwefror 1915. Ond er mor danbaid oedd araith Capt. Parkhurst, a geiriau'r rhai eraill a siaradodd gydag ef ym Mlaengarw, dim ond dwsin o ddynion a benderfynodd ymrestru, pan y'u gwahoddwyd i gamu ymlaen ar ddiwedd y cyfarfod. 'Cheers were given for each one of the 12 who did so'. Tebyg oedd yr ymateb yng Nglyn-nedd ychydig ddyddiau ynghynt. Unwaith eto roedd Band Arian Glyn-nedd wedi chwarae o flaen llaw ac unwaith eto, roedd Captain Price Jones a Captain Parkhurst ymhlith y siaradwyr ar y llwyfan. Ond yng ngeiriau gohebydd y *Darian*, y papur newydd o Aberdâr: 'Cafwyd areithiau brwd, ond nid oedd yr ymrestwyr yn lluosog iawn.' Roedd brwdfrydedd mawr misoedd cynta'r Rhyfel wedi lleihau tipyn erbyn gwanwyn 1915.

Er mwyn aildanio'r frwdfrydedd honno efallai, cyhoeddwyd cân Gymraeg yn y *Rhondda Leader*, gan 'D.J.W.', bardd gwlad o ardal Penybont. 'Cân i Fyddin Rhondda' oedd ei enw, i'w chanu ar dôn Gwŷr Harlech.

> *Yn Mhorthcawl a Rhyl yn campo, byddin Rhondda yno'n drilo,*
> *Fe ga Kaiser Bill ei dwymo, gyda'r Rhondda Boys.*
> *Bechgyn da yw'r Colliers, cewri ydyw'r Haliars;*
> *Fe ddaw tro y bechgyn hyn i ddangos grym eu byddin*
> *Fe rown glod i'r Haliar beiddgar a rho fwlet i'r hen Kaiser,*
> *Dod ag e mewn dram i Dover— 'Mlaen hen Rhondda Boys!*

Roedd rhai o fataliwn y Rhondda wedi cael eu hanfon i Borthcawl ar ddiwedd Tachwedd ac ymddengys fod rhai ohonynt yn dal yno ar adeg llunio'r gân hon, er iddyn nhw ymuno â gweddill y fataliwn yn y Rhyl yn fuan wedyn. Mae pedwar pennill i gyd – dyma'r un olaf:

Pan gyrhaeddwch tir y Ffrancod, Germans rhed o'ch blaen fel llycod;
Gwaeddi allan wnant mewn syndod, Dyma'r Rhondda Boys.
Cliriwch hwynt o'r trenches, lladdwch hwynt yn daclus,
Er mwyn milwyr Belgium fach, ei hanes sydd druenus;
Cofiwch ddal hen Kaiser Billy, dewch ag e yn ol i Gymru,
Fe gaiff yma jail a skilly gyda'r Rhondda Boys.

(Mae 'skilly' yn air arall am lymru, yr uwd tenau a roddid i garcharorion y cyfnod. Hyfryd hefyd gweld y Wenhwyseg yn dylanwadu ar iaith y gân, gyda'r ffurf dafodieithol 'llycod' yn lle 'llygod'.)

Ond os oedd yr awydd i ymrestru wedi lleihau, doedd dim pall yn y balchder cyffredin dros y rheini oedd wedi dewis ymuno. Roedd papurau newydd drwy Gymru benbaladr yn dilyn hynt holl fataliynau newydd y Fyddin Gymreig – ac yn ymfalchïo yn eu recriwtiaid diweddaraf. Doedd bataliwn y Rhondda ddim yn eithriad yn hyn o beth ac mae'r pytiau hyn yn y papurau newydd yn rhoi syniad i ni am y math o ddynion fu'n cyd-wasanaethu gyda Dafydd. Ym Mawrth 1915, er enghraifft, cyhoeddodd y *Faner*:

Y mae Mr. William Morgan (Ap Shencyn), y telynor adnabyddus, yn rhingyll gyda Bataliwn y Rhondda yn Rhyl. Mab ydyw i'r diweddar Mr. Jenkin Morgan, Aberbargoed.

Ymfalchïodd y *Rhondda Leader* fod:

W. H. Evans, the Welsh international centre three-quarter, who played in all the matches last season, has joined the Rhondda Pals' Battalion. W. H. as he is known in the Rhondda, captained Llwynypia last season.

Roedd gohebydd Treorci, ar y llaw arall, yn awyddus i roi gwybod am lwyddiant chwaraewyr pêl-droed y dref honno:

Out of the Corinthians Association Football Team, which joined the 1st Rhondda Battalion, four of the players have been made lance-corporals, namely Tom Idris Morgan, Tommy Knapgate, D. Millward, and Tom Griffiths.

Ac ar y cyntaf o Ebrill cyhoeddwyd yn y *Flintshire Oberver* fod Dafydd yntau wedi cael dyrchafiad hefyd:

PROMOTIONS AT RHYL. Throughout the 1st Rhondda Battalion

much pleasure is felt at the well-merited promotions of a number of popular officers. (...) Second-Lieutenants Talfryn James, Tom I. Davies, Charles R. Terrett, Robert J. A. Roberts, David Jones, and Wilfred W. Tait have been advanced to first lieutenant's rank.

Roedd rhaid i Dafydd felly gael altro ei wisg filwrol i ddangos ei statws newydd. Roedd 2nd Lieutenant ag un seren ar bob llawes a phob ysgwydd, tra bod dwy seren ar wisg Lieutenant llawn. Ymhlith y papurau a gafwyd ar ôl i Dafydd farw, y mae dau fil am wneud y gwaith yma – un gan H.K. Osborne, a'r llall gan gwmni Sunderland yn Lerpwl.

Es i draw i Stryd Bodfor yn y Rhyl yn y gobaith fod siop Osborne dal yno – ond yn anffodus siop wag oedd yno adeg fy ymweliad. Yn ôl hysbysebion y cyfnod, a'r pennawd ar y bil ei hun, roedd Osborne yn arbenigo mewn dillad milwrol a chlerigol. Doedd Llanelwy ddim yn bell wedi'r cyfan!

Does wybod faint dalodd Dafydd i gyd am y newidiadau hyn, oherwydd fod un ochr o'r bil wedi diflannu – ond gallwn weld fod rhoi 'Stars on Coat' wedi costio 2/6. Ac mae 'na gyfeiriadau eraill at ychwanegu sêr ac altro llewys ei wisg i dderbyn seren ychwanegol y Lieutenant. Gwelwn hefyd fod Dafydd wedi mynd â'r dillad i mewn ar y 3ydd o Ebrill, ond wnaeth e ddim talu tan y 24ain o Orffennaf,

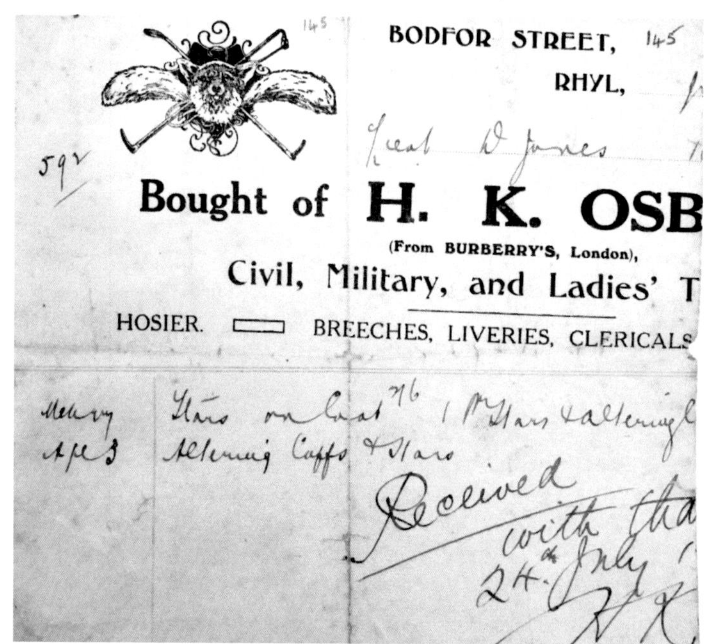

BODFOR STREET,

RHYL,

Lieut D Jones

Bought of H. K. OSB

(From BURBERRY'S, London),

Civil, Military, and Ladies' T

HOSIER. BREECHES, LIVERIES, CLERICALS

Stars on Coat 2/6

Received with tha

24 July

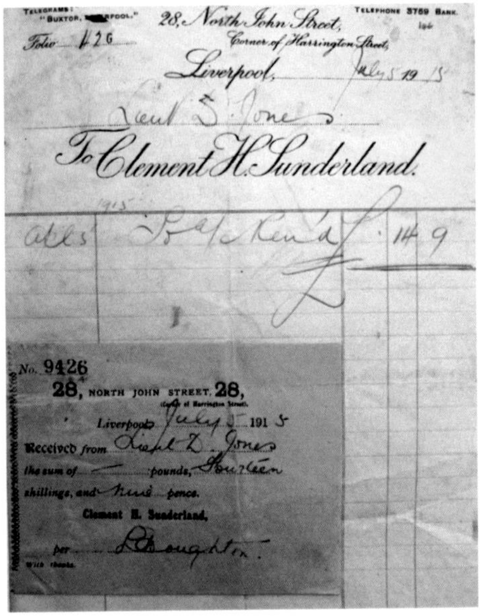
TELEGRAMS: "BUXTOR, [illegible]POOL." 28, North John Street, Corner of Harrington Street, TELEPHONE 3759 BANK.

Folio 426

Liverpool, July 5 1915

Lieut D. Jones

To Clement H. Sunderland.

To a/c ren'd £ 14 9

No. 9426

28, NORTH JOHN STREET, 28, (Corner of Harrington Street).

Liverpool July 5 1915

Received from Lieut D. Jones

the sum of — pounds, Fourteen

shillings, and Nine pence.

Clement H. Sunderland,

per L. Boughton.

With thanks.

wythnos cyn iddo adael y Rhyl. Pwy oedd yn araf tybed – Osborne a'i nodwydd? Ynteu Dafydd a'i waled? Ychydig o'r ddau efallai! Gwelwn batrwm tebyg gyda'r ail fil hefyd, gan gwmni Sunderland yn Lerpwl; ar ôl siopa yn y ddinas honno ar y 5ed o Ebrill wnaeth Dafydd ddim setlo'r bil am dri mis, tan y 5ed o Orffennaf. Military Tailors and Outfitters oedd Sunderland a pharhaodd y busnes tan y 1960au. Yn anffodus, dyw'r bil ddim yn nodi beth roedd Dafydd wedi'i brynu, dim ond 'to a/c ren'd' ('to account rendered', hynny yw, y swm a nodwyd ar gyfrif Dafydd i'w dalu ganddo maes o law). Tybed beth oedd wedi ei dynnu draw i Lerpwl? Un o'i gyd-swyddogion efallai, wedi clywed fod enw da gan siop Sunderland? Chawn ni fyth wybod.

* * *

Chawn ni fyth wybod chwaith beth oedd ymateb ei deulu i'w ddyrchafiad diweddaraf ond gwyddwn, diolch i'r papurau newydd, fod y gwaith hyfforddi yn parhau ac felly cawn olwg o hirbell fel petai ar fywyd Dafydd yn ystod y cyfnod hwn. Dyma adroddiad o'r *Drych*:

> *Cafodd Batalion Gyntaf y Rhondda – sy'n rhan o'r Fyddin Gymreig ac yn y Rhyl – brofiad pur newydd y dydd o'r blaen. Cerddwyd hwy o'r Rhyl i ymladd ffug-frwydr ar ben bryniau Trelawnyd (...) Yr oedd y ddaear tan gnwd o eira, a gwynt y Gogledd wrthi'n lluwchio'r eirwlaw oer i'w hwynebau ar hyd yr amser. Yr oedd cyn nesed a dim ellid gael i fod yn Ffrainc a Fflanders – gyda hyn o wahaniaeth: eu bod yn cael dychwelyd i'r Rhyl at y nos yn gyfan (...) Tamaid i'w brofi cyn mynd i'r rhyfel o ddifrif, oedd ffug-frwydr Treflawnyd.*

Efallai fod profiadau mwy heriol fel hyn wedi peri i ambell filwr gwestiynu doethineb ei benderfyniad i ymrestru yn y fyddin! Yn sicr, mae 'na dystiolaeth nad oedd y bywyd milwrol newydd at ddant pawb ym mataliwn y Rhondda.

Adroddodd y *Glamorgan Gazette* ym mis Mawrth fod Thomas Lewis wedi bod o flaen yr ynadon ym Mhenybont, 'charged with having deserted his regiment, the 10th Welsh Regiment, from Rhyl'. Cafodd ei gadw yn y ddalfa ac yna ei hebrwng yn ôl i'r Gogledd. Fis yn ddiweddarach, roedd un arall o filwyr y fataliwn, Pte. John Brown y tro hwn, o flaen yr un ynadon, a'r un oedd y cyhuddiad hefyd, sef encilio neu ffoi o'r fyddin.

Ym mis Mai wedyn, cafodd Alfred Major, ffermwr o Langynwyd, ei ddirwyo ddwybunt gan ynadon Penybont am helpu cuddio Private Richard Thomas, eto o fataliwn y Rhondda. Roedd hwnnw wedi dod ato a gofyn am waith gan honni iddo gael 'discharge' o'r fyddin, ond dechreuodd Major amau ei stori a dywedodd wrtho hel ei bac. Ond gadawodd Thomas ei wisg filwrol ar y fferm a defnyddiwyd honno fel tystiolaeth i brofi fod Major wedi rhoi lloches iddo. Mae'n dipyn o gyd-ddigwyddiad fod tri dyn o'r un ardal, i gyd wedi ceisio dianc o'r fataliwn. Rhaid bod hiraeth mawr am ardal Penybont! Tybed a oedd unrhyw un ohonynt wedi bod dan orchymyn Dafydd?

Ond os oedd rhai yn anfodlon ar fywyd yn y Rhyl, roedd eraill wrth eu boddau yno!

Another military wedding took place at St. Thomas's Church, Rhyl, on Tuesday, the contracting parties being Sergeant-Major Johns, 1st Rhondda Battalion, and Miss Elizabeth Boole, Alexandra Hotel, Rhyl. The officiating clergyman was the Rev. W. A. Jones. There was a large gathering of the military, and the bridegroom's company acted as a guard of honour. At the reception a purse of gold was presented to the bridegroom from the warrant officers, staff, and sergeants of the battalion, and a regimental walking-stick was presented by B Company, who also handed the bride a gold and diamond brooch. The bridegroom saw active service in the South African War, and wears the two medals with seven bars. He rejoined on the declaration of war.

Yn gynharach yn y flwyddyn roedd Annie Boole, chwaer y briodferch, wedi priodi un arall o ddynion bataliwn y Rhondda, sef Sgt. Perry. Roedd yntau hefyd yn ŵr hŷn, a oedd wedi gwasanaethu gyda'r fyddin yn yr Aifft yn y 1890au, cyn ail-ymuno yn 1914. Nid yw'n hysbys a fuodd cyd-filwyr Sgt Perry mor hael hefo'u rhoddion ond roedden nhw'r un mor frwd dros y briodas:

the bride and bridegroom had a more than usually warm welcome on leaving the church. Their carriage horses were dispensed with, and comrades of the bridegroom drew the equipage through the main streets of the town amid salvos of cheers. After the service, a reception was held at the Alexandra Hotel, when 250 sergeants and friends were entertained by Mrs. Greenhouse, aunt to the bride.

Priodas dawelach a fu rhwng Bertie Hinder o Dredegar a Florence Jones ym Mehefin 1915. Cymraes o'r Rhyl oedd Florrie; hi oedd merch y tŷ lle bu Bertie'n aros yn ystod ei gyfnod yno. Bertie a Florrie oedd nain a taid y nofelydd Sian Rees, a'u hanes nhw sy'n sail i'w nofel 'Hafan Deg'.

Gyda'r holl bwyslais gan awdurdodau'r fyddin ar gadw'r milwyr yn brysur, mae'n syndod fod y dynion hyn wedi cael yr amser i ganlyn, heb sôn am briodi! Darllenwn yn y papurau am dîm rygbi bataliwn y Rhondda yn curo tîm bataliwn Caerdydd o ddau gais i ddim (a chyda'r canolwr rhyngwladol o Lwynypia yn chwarae drostyn nhw, efallai nad yw hynny'n syndod!)

Ar ddechrau Ebrill, cynhaliwyd pencampwriaethau paffio ac ymaflyd codwm dros ddwy noson; ac ar ddiwedd y mis cafodd y brigâd cyfan o bedair bataliwn eu martsio drwy Ruddlan a Llanelwy ac yna i gyfeiriad Trefnant, cyn cyrraedd ystâd Parc Llannerch:

where they engaged in some interesting manoeuvres. The troops acquitted themselves very satisfactorily, and, notwithstanding a long day's hard work, looked wonderfully fit on their return in the evening.

Y diwrnod wedyn buon nhw wrthi'n dangos eu sgiliau newydd gyda reiffl, bidog a rhaw i'r *Inspector-General of Infantry*. Llwyddon nhw i blesio hwnnw, a datganodd cyn mynd ei fod yn 'very glad to see the steady improvement effected amongst the troops.'

Cawn un cip sydyn ar Dafydd ynghanol yr holl brysurdeb hwn; roedd yn un o dros dri deg o swyddogion y fyddin a fu'n helpu trefnu'r mabolgampau i filwyr y frigâd, gyda chymorth cynghorwyr y dre, ar brynhawn Sadwrn y 9fed o Fai. Yn ogystal â rasus rhedeg dros wahanol bellterau, i filwyr cyffredin, a'u swyddogion (ar wahân), roedd cystadlaethau tynnu rhaff, a ras gyfnewid dros hanner milltir. Roedd ambell ras fwy anghyffredin, fel y ras 'thread the needle' ar gyfer swyddogion; a hefyd ras i aelodau bandiau'r gwahanol fataliynau. Yn ôl y *Rhyl Recorder & Advertiser*:

This event was one of the most amusing of the afternoon, the competitors having to play their instruments whilst running.

Ac yna, tua diwedd Mai ar ôl bwlch o dros ddau fis, mae gohebiaeth

Dafydd yn ail-gydio. (Neu a bod yn deg â Dafydd, mae 'na lythyrau sydd wedi goroesi, a chawn ei hanes eto o'i enau ef ei hun.)

Credaf i'r llythyr cyntaf gael ei ysgrifennu rhwng dechrau a chanol Mai. Ymddengys fod Dafydd newydd ddychwelyd o *leave*, gan alw heibio rhai o'i hen ffrindiau coleg ar ei ffordd yn ôl i'r Rhyl:

> Anwyl Fam,
>
> Dim ond gair er hysbysu fy mod wedi cyrraedd yn ôl yn ddiogel. Fel y dywedais, arosais yn Aberystwyth tan nos Sul. Nos Sadwrn yr oedd concert yn y coleg a chefais y fraint o ganu cân y coleg, Hen Wlad fy Nhadau a God Save the King unwaith yn ychwaneg.

Tybed a oedd Dafydd wedi ledio'r caneuon hyn? Wedi'r cyfan, roedd wedi ennill yr unawd bariton yn Eisteddfod y Coleg flwyddyn ynghynt. Cyfansoddwyd Cân y Coleg yn yr 1890au gan David Jenkins, gyda'r geiriau Cymraeg gan Edward Anwyl. Dyma'r pennill cyntaf a'r gytgan:

Yn hyf i'r nefoedd wen
Ein Coleg gwyd ei ben,
A'i ieuangc wedd heb arwydd henaint caeth
Nid mewn rhyw ddistaw fan,
Ond draw ar greigiog lan,
Lle rhua'r don dragwyddol ar y traeth.

CYDGAN—
Beth yw d' arwyddair di, o goleg ger y lli?
"Nid byd, byd heb wybodaeth," meddwn ni.
Rhua fôr! Ei glod yn rhydd,
Aberystwyth fu a fydd.

Arhosodd Dafydd wedyn yn Aberystwyth tan nos Sul a theithio nôl i'r Rhyl dros nos:

> Cyrhaeddais yma tua hanner awr wedi tri boreu Llun ac yna dechreuwyd gwaith am hanner awr wedi naw. Nos Lun cefais beth y maent yn alw yma 'Inoculation' sef rhywbeth tebyg i gowpoc (*brechiad yn erbyn y frech wen*) ond trywaniad â nodwydd oedd hyn oll. Yn erbyn Typhoid oedd hyn. Cefais ddau ddiwrnod off wedi hyn i wella, ond nid oedd arnaf o'u heisiau. Ni chefais yr un salwch ar ei ôl, er fod rhai yma yn bur sal ar ei ôl am ddau ddiwrnod neu dri.

Nid oes rhagor heno ond cofion cynhesaf
Oddiwrth
Dafydd

Mae'r llythyr nesaf, a ysgrifennwyd ar nos Sul y 23ain o Fai 1915, yn disgrifio un o'r digwyddiadau hynotaf yn ystod cyfnod Dafydd yn y Rhyl. Mae'n ymddiheuro wrth ei fam i ddechrau 'nad ydwyf wedi cael mantais i anfon gair attoch, yr ydym wedi cael wythnos bur ddiwyd, yn enwedig tua diwedd yr wythnos.' A'r rheswm am hynny? Caiff Dafydd egluro:

> Efallai eich bod wedi clywed ein bod wedi cael riots yma. Yr oedd tri neu bedwar o Germans yn byw yn y dref a nos Wener dechreuwyd torri eu tai yn yfflon. Yr oedd un yn cadw siop barber a thobacconist; torrwyd yr oll o'i eiddo yn dameidiau ac erbyn heddyw mae'r cwbl wedi ei ystyllo i fyny.

Roedd siop Robert Fassy ar gornel Queen St a Sussex Street. Yn 1915 roedd yn hysbysu ei fusnes trin gwallt fel 'the Finest and most Up-to-date Hair-dressing Establishment in the town'. Roedd ganddo ystafell ar wahân ar gyfer trin gwallt merched a gellid trefnu ymweliad dros y ffôn.

Pan es i yno roedd dwy ffenest fawr bob ochr i'r drws megis cynt, ond erbyn hyn siop yn gwerthu tjeina, *sphinxes*, sbectols haul, a phob math o anialwch arall wedi anelu at ymwelwyr oedd hi. Hawdd dychmygu arswyd Fassy a'i deulu ifanc wrth i'r dorf falurio'i siop a cheisio ymosod arnyn nhw yn eu llety ar y llawr cyntaf uwchben. Milwyr oedd y rhan fwyaf o'r terfysgwyr hyn.

Safle siop Robert Fassy

Ganwyd Fassy yn yr Almaen, ond roedd ei fam o'r Swistir ac yno y cafodd ei addysg yntau. Roedd wedi byw yn y Rhyl ers degawd a phriodi merch o'r dre; roedd yn aelod o'r tîm polo dŵr lleol. Yn ôl y *North Wales Chronicle*, er iddo ymddangos unwaith cyn y rhyfel 'in the uniform of a German regiment at a fancy dress ball, (...) no one was louder in his denunciation of the Huns and their work'.

Ond fyddai hynny ddim yn ddigon i'w achub. Roedd y teimladau yn erbyn unrhyw un â chysylltiadau Almaenig wedi dwysau'n arw yn ystod y cyfnod hwn, fel yr eglurodd papur newydd *Y Llan* wrth geisio esgusodi ymddygiad y milwyr yn ystod helyntion y Rhyl:

> *Mae rhai o erchyllderau diweddaraf y Germaniaid, megis suddiad y Lusitania, wedi cynhyrfu gwaed y fyddin tu hwnt i ddesgrifiad bron, ac nid oes ganddynt ond un awch-ddymuniad, sef cael y cyfleusdra i dalu y pwyth yn ol.*

Suddwyd y Lusitania gan long danddwr Almaenig bythefnos ynghynt gan ladd dros fil o sifiliaid. Ychydig wythnosau cyn hynny, roedd papurau Cymru wedi adrodd am ddefnydd cyntaf yr Almaenwyr o nwy gwenwynig. Eglurodd *Baner ac Amserau Cymru* fod hyn yn 'ddull barbaraidd' o ryfela (...) a waherddir gan gyfreithiau rhyfel' (sef cytundeb rhyngwladol a wnaed yn Den Haag yn 1899). Ac ar dudalennau'r *Dinesydd Cymreig*, cafwyd yr adroddiad dirdynnol hwn gan un o swyddogion y fyddin:

> *O'r holl droseddau dieflig y bu'r Germaniaid yn euog ohonynt er dechreuad y rhyfel, hwn yw y mwyaf dieflig o lawer.*

Aeth rhagddo i ddisgrifio cyflwr truenus y milwyr hynny oedd wedi bod yn ddigon 'ffodus' i oroesi'r ymosodiadau cyntaf:

> *Mae gennym nifer o ddynion yn yr ysbyty yn dioddef o effeithiau y nwyon. Y mae eu gruddfanau yn dorcalonus, ac eisteddant i fyny yn eu gwelyau, gan siglo yn ôl a blaen, ac ymladd yn galed am anadl. Y mae eu hwynebau a'u cyrff yn las-ddu, eu llygaid yn ddwl, ac ewyn yn dod o'u genau. Y mae eu hysgyfaint wedi myned yn ddwfr, a dywed y meddygon yr ymddanghosant fel dynion pan ar foddi. Ymdrecha meddygon a gweinyddesau ddydd a nos i leddfu eu poenau, ond yn ofer.*

Nid oes rhyfedd felly fod teimladau o atgasedd tuag at y gelyn ar gynnydd erbyn Mai 1915. A throes y teimladau hynny yn drais yn erbyn busnesau gyda chysylltiadau Almaenig mewn sawl lle.

Ymosodwyd ar siopau Almaenig yn Llundain ar y 12fed o Fai; a chafwyd terfysg yng Nghastell-nedd wedyn ar nos Sadwrn y 15fed o Fai, ('it was a veritable street battle, and a number of civilians who could not escape were badly knocked about'). Yna, ar y nos Lun torrwyd ffenestri siopau Almaenig yn Abertawe; a chafwyd terfysg arall yn Aberafan ar yr un noson:

> *the Aberavon motor fire engine and brigade* (...) *was held in readiness*

to disperse the crowd with its powerful hose. Mr. George Koos, the objective of the demonstration, has been in business in Aberavon for 33 years. His father was a naturalised Britisher, and his mother a Welsh lady. He was born at Merthyr.

Gan mai bataliynau o Abertawe a Chaerfyrddin oedd y ddwy fataliwn arall oedd yn hyfforddi gyda dwy fataliwn y Rhondda yn y Rhyl, byddai hanesion am yr hyn oedd wedi digwydd yn y De wedi cyrraedd y milwyr drwy lythyrau oddi wrth eu teuluoedd yn ystod yr wythnos. Roedd 'na gynsail peryglus wedi ei osod... ond nid Robert Fassy oedd yn gyfrifol am danio'r ffrwgwd gwarthus hwn, mwy na Mr. Koos yn Aberafan.

Tiwniwr piano o Sais oedd yn gyfrifol am danio'r cyfan, sef Arthur Robert Brougham. Tua 7 o'r gloch ar nos Wener yr 21ain, bu Brougham yn siarad yn ddigon annoeth am ei wrthwynebiad i gonsgripsiwn a dywedodd mai mater o amser oedd hi cyn y base gwersyll milwrol Cinmel yn cael ei chwythu fyny. Clywyd hyn gan batrôl milwrol ac aethon nhw ar ei ôl, gan ofyn iddo roi'i enw a dweud o ba wlad yr oedd yn hanu. Gwrthododd, a chafodd ei restio. Aeth criw o filwyr ar ei ôl i'r orsaf heddlu a daeth mwy a mwy atyn nhw nes oedd torf lluosog yno, yn galw ar yr heddlu i ollwng Brougham allan iddyn nhw gael delio ag ef. Wrth gwrs, doedd yr heddlu ddim am wneud hynny; ac erbyn naw o'r gloch y noson honno a'r milwyr wedi diflasu gyda'r disgwyl, fe droeson nhw eu sylw at darged arall – siop Robert Fassy. Taflwyd cerrig i falu'r ffenestri a symudodd y dorf yn nes. Dyma ddisgrifiad y *North Wales Chronicle* o'r hyn ddigwyddodd nesaf:

Two officers, who chanced to be passing, did their best to put an end to the disorder. One mounted the window and addressed the crowd, first in Welsh and then in English, but his efforts were of no avail, and the crowd attempted to raid the shop. Other officers arrived, and with the assistance of the police endeavoured to clear the street. This attempt also failed, the crowd gradually assuming considerable proportions. A rush was made for the private entrance of the house. Some of the soldiers actually made their way up the stairs, and one man asserts that he was cut on the neck by a mirror which was thrown at him. Certainly he was badly cut, and was afterwards surgically treated

Yn y diwedd, llwyddwyd i glirio'r stryd, a dyma'r hyn a ddigwyddodd nesaf yng ngeiriau Dafydd:

Cymerwyd y perchenog i'r Police Station er diogelwch a phan glywodd y mob ei fod yno aeth ffenestri y lle hwnw yn yfflon.

Buasai'n werth i chwi weld y mob yn gwthio. Bu pethau yn mynd ymlaen fel hyn am tua tair awr, pryd y llwyddom i gael y cwbl i ymw[a]hanu. Gwely ynghylch dau o'r gloch.

Roedd gwraig Fassy a'i ddau blentyn gyda fe yng ngorsaf yr heddlu, ac fel y nododd Dafydd, bu'n rhaid galw am gymorth swyddogion y fyddin i gael trefn ar y milwyr a'u hebrwng nôl i'w llety. Tybed pwy fu'n gyfrifol wedyn am glirio'r cerrig a'r gwydr siwrwd o'r strydoedd, a hoelio styllod dros ffenestri rhwth siop Fassy? Dyma Dafydd yn sôn am y diwrnod canlynol:

Credwyd y buasai yr unpeth yn digwydd neithiwr. Ond gan fod mil o filwyr ar duty hyd ddeuddeg, llwyddwyd i gadw poppeth yn ddistaw. Wrth reswm yr oedd yn rhaid i ni'r officers fod gerllaw.

Roedd sawl un wedi cael ei anafu yn ystod y terfysg – ond nid Dafydd:

Yn ôl y papyr heddyw y mae'r hanes rywbeth tebyg i hyn – "Lieutenant Jones of the first Rhondda was badly hurt" dyna'r pryd y cefas wybod gyntaf fy mod wedi fy dolurio oddigerth fy mod wedi fy vaccinato yn nechreu'r wythnos, dyna faint fy nglwyfau – tri marc ar fy mraich.

Methais â chael hyd i'r adroddiad anghywir hwn ymhlith y papurau newydd sydd wedi eu digideiddio yn y Llyfrgell Genedlaethol; ond yn y *North Wales Chronicle* mae cyfeiriad at anaf a gafodd ei gyfaill, Talfryn.

During the disorder, Lieut. James, of the 1st Rhondda Battalion, fell down and was kicked. This is stated to have been an accident. He was carried into Mr Wadsworth's premises opposite and was there attended by Dr. Eyton Lloyd, and afterwards by the regimental doctor. He quickly recovered, and was able to go on parade.

Efallai fod drysu wedi bod mewn papur arall rhwng Lieut. James a Lieut. Jones? Ar olwg sydyn mae'r ddau yn ddigon tebyg. Bu'n rhaid i Fassy a'i deulu adael y Rhyl am gyfnod wedyn ond daeth yn ôl i geisio ail-adeiladu ei fusnes yn ddiweddarach. Mae'n gywilydd gorfod nodi na chafodd Fassy 'run geiniog o iawndal pan ddaeth ei achos (neu 'gyngaws') gerbron y llys ddwy flynedd yn ddiweddarach:

NIWEIDIO EI SHOP A CHOLLl EI GYNGAWS.

Ym Mrawdlys Caer, dygodd Robert Fassy, oedd gynt yn cadw shop eillio a baco yn Rhyl, gyngaws yn erbyn Cyngor Sir Fflint, gan hawlio 110p o iawn am niwaid a wnaed i'r shop mewn helynt yn erbyn Germaniaid. Rhoed dyfarniad yn erbyn Fassy.

* * *

Ar ôl dweud hanes cyffrous y ddeuddydd blaenorol, mae Dafydd yn cyfeirio nôl at rywbeth yr oedd ei fam, yn ôl pob tebyg, wedi'i grybwyll yn ei llythyr hithau ato fe:

> Son am gymanfaoedd, yr oedd JT Rees yma dydd iau wythnos i'r diweddaf yn arwain cymanfa ganu gyda Methodistiaid y cylch ond nid oedd y canu gystal a chanu Ceredigion o gryn dipyn. Bum yn siarad ag ef y dydd Sul canlynol ac yr oedd yntau fwy neu lai o'r un farn.
>
> Nid oes gennyf yr un newydd arall i anfon adref heddyw ond cofion cynhesaf attoch oll.
>
> Dafydd

Roedd J.T. Rees wedi dysgu yn ysgol Tregaron yn ystod cyfnod Dafydd yno. Yn ôl prifathro Tregaron, wrth annerch yn ystod seremoni wobrwyo 1910, yn ogystal â dysgu'r disgyblion i chwarae offerynnau, roedd Rees hefyd yn rhoi dwy wers bob wythnos,

> *in the theory and practice of singing. This is a point of the utmost importance, (...) pupils can get training from one of the most capable musicians. Mr Rees throws himself energetically into the work.*

Tybed oedd Dafydd wedi cael ei hyfforddi ganddo? Mae'r ffaith fod Dafydd wedi codi sgwrs gydag ef, y Sul ar ôl y gymanfa, yn awgrymu eu bod nhw'n adnabod ei gilydd yn weddol.

Bid a fo am hynny, dyma un o lythyrau olaf Dafydd o'r Queen's Hotel; roedd ei fyd ar fin newid eto ym Mehefin 1915, a byddai'n rhaid iddo arfer fwyfwy â chysgu dan ganfas ac ar wely gwellt. Hyd yn oed pe na bai wedi ymuno â'r fyddin, byddai Mehefin 1915 wedi bod yn drobwynt iddo, oherwydd dyna pryd y byddai wedi sefyll ei arholiadau gradd terfynol, a dechrau edrych am waith fel athro. Yn y bennod nesaf, felly, edrychwn yn ôl ar sut yr oedd wedi paratoi ei hun ar gyfer yr yrfa honno, cyn cyrraedd y 'Coleg ger y Lli' dair blynedd ynghynt.

Ceir manylion am ffynonellau pob dyfyniad yn y bennod hon, a phob un sy'n dilyn, ar wefan Gwasg Carreg Gwalch:
https://files.ekmcdn.com/92a6b5/resources/other/anwyl-fam-nodiadau.pdf

6

'In the ordinary course of things he would have presented himself for the Final Examination in June 1915'

(*Llanddewi Brefi, Tregaron a Phontrhydfendigaid: 1896–1912*)

Dyna eiriau Prifathro Coleg Aberystwyth, T.F. Roberts wrth gymeradwyo cais Dafydd ar gyfer comisiwn yn y fyddin ym mis Tachwedd 1914; mynd yn athro oedd ei fwriad gwreiddiol, fel y gwnaethai Charles ei frawd o'i flaen, ac fel y byddai'i frawd iau Idris, a'i chwiorydd, Blodwen a Megan yn gwneud ar ei ôl. Mae'n rhaid fod rhywbeth yn y dŵr yn y Wern Isa! Mynd i weithio yn Llundain oedd y dyhead mawr i genhedlaeth rhieni Dafydd, a dyna wnaeth Jane ei chwaer ac amryw o'i gefndryd a'i gyfnitheroedd hefyd. Ond rhaid bod Margaret yn ceisio annog ei phlant i gyfeiriad gwahanol, fel y gallen nhw ddringo ym myd addysg.

Wrth i ni geisio deall bywyd Dafydd yn well, y cyfnod a dreuliodd yn yr ysgol o 1896–1912 yw'r bennod hiraf o ddigon o hanes ei oes fer – ond yn anffodus, dyna hefyd y bennod lle mae ar ei leiaf gweladwy. Mae'n cwmpasu dau gyfnod yn ei fywyd mewn gwirionedd – fel disgybl yn gyntaf, yn Ysgol Llanddewi ac yna'r Ysgol Sir yn Nhregaron; ac yn ail, wrth iddo weithio fel 'uncertificated teacher' am ddwy flynedd mewn sawl ysgol leol, cyn cychwyn ar ei gwrs coleg yn Aberystwyth.

* * *

Dechreuodd Dafydd yn Ysgol Llanddewi Brefi yn Ionawr 1896, ar ddiwrnod ei benblwydd yn dair oed. Yn fuan wedyn, symudodd y teulu o Mill Street ynghanol y pentre i'r Wern Isaf yn Llanio, a byddai hynny wedi golygu taith lawer hirach bob bore a phrynhawn i'r bachgen ifanc. Tebyg y byddai Dafydd wedi cerdded y tair milltir a hanner nôl a mlaen, yng nghwmni ei frawd Charles, neu efallai yng nghwmni plant hŷn o Lanio. Doedd hyn ddim yn cael ei gyfri'n bellter

Ysgol Llanddewi yn 2016

eithriadol, gan fod rhai plant yn cerdded dros chwe milltir yn ôl a mlaen i'r ysgol bob dydd. Byddai'n daith ddiflas pan fyddai'n bwrw glaw, ond doedd hynny ddim yn esgus dros beidio mynd – ac roedd yr ysgol yn rhannu seithpunt o wobrwyon bob blwyddyn rhwng y plant oedd wedi bod fwyaf ffyddlon o ran eu presenoldeb.

Cafodd Dafydd a Charles eu gwobrwyo am eu record presenoldeb yn 1903, ac yn 1906 cafodd Nellie eu chwaer (1898–1978) wobr hefyd; roedd hi heb golli'r un diwrnod drwy'r flwyddyn. Blodwen (1900–95) oedd y chwaer nesaf ac roedd hi'n grediniol ei bod hi wedi elwa mewn sawl ffordd o'r cerdded beunyddiol. Yn ôl Dafydd Jenkins, ei mab:

> *Unrhyw beth oedd Mam angen dysgu ar ei chof, jest gadel hi tan y daith i'r ysgol a byddai wedi'i dysgu 'ddi erbyn cyrredd!*

A gan fod Blodwen, fel pump o blant y Wern, wedi mynd ymlaen i'r coleg, efallai fod yr holl gerdded nôl a mlaen i'r ysgol wedi bod yn fuddiol iddynt oll o ran hyfforddi'u meddyliau yn ogystal â chryfhau'u coesau!

Roedd 160 o ddisgyblion yn Ysgol Llanddewi Brefi yng nghyfnod Dafydd yn yr ysgol. Roedd yna bump o athrawon, a'r prifathro, J. Oliver Jones; ond pan oedd Dafydd yn wyth oed yn 1901, cafwyd tipyn o anghydfod rhwng y prifathro a Bwrdd yr Ysgol, ac yn y diwedd, fe ymddiswyddodd. Cyn ymadael, ysgrifennodd lith chwerw yn *Log Book*

Ysgol Llanddewi Brefi
(Casgliad Elin Penlanwen)

yr ysgol, dan y pennawd 'Inspectors and future Schoolmasters please note'. Yn ôl y prifathro, penodi aelodau newydd i fwrdd rheoli'r ysgol yn Chwefror 1901 oedd gwreiddyn y drwg. Methodistiaid oedd llawer ohonynt ac roedd wedi eu pechu, meddai, drwy beidio ymwneud yn ddigonol, yn eu tyb nhw, â gwaith y capel yn y pentref, ac ar ben hynny roedd ei gais am godiad cyflog wedi ei wrthod. Ymddiswyddodd ar ddechrau Mai 1901, ond roedd yn flin iawn wedyn pan welodd fod y Bwrdd yn cynnig £90 y flwyddyn i ddenu ei olynydd, er iddynt wrthod ei gais yntau am gynyddu'i gyflog o'r £80 a gawsai yntau ar y pryd!

Dyma lun o rai o blant yr ysgol o tua 1900. Tybed ai Dafydd yw'r 3ydd o'r chwith yn y rhes gefn? Tybed hefyd faint o effaith gafodd helyntion J. Oliver Jones ar blant yr ysgol? Prin fyddai disgyblion iau fel Dafydd yn ymwybodol o'r anghydfod, ond mae'n debyg fod addysg y plant wedi dioddef. Pan ddechreuodd y prifathro newydd, David Rees, ym mis Medi 1901, cofnododd:

> *the children lately, it appears, have been allowed to do as they liked and the condition of the school both in discipline and attainments is very unsatisfactory.*

Ond erbyn 1903, roedd pethau wedi gwella'n arw, a'r Arolygydd Ysgolion yn canmol:

> *Very creditable work has been done in this school since the present teacher was placed in charge. If the present state of progress is maintained, the work will soon reach a really high level of efficiency.*

Canmolwyd dosbarth Dafydd gan y prifathro yn ei gofnod ar gyfer 16.10.03:

> *St V is making good progress in all subjects and the writing throughout the school has improved.*

A dyma ddetholiad o'r cofnodion ar gyfer y flwyddyn ysgol honno, i roi blas ar natur addysg y cyfnod – a hefyd rhai o'r heriau oedd yn wynebu'r prifathro, wrth geisio sicrhau presenoldeb y plant yn yr ysgol:

> *A new Song "Rwyf i amaethwr" was taught this week. The weather has been too unfavourable for Drill. St VI are now fairly strong in Decimals and Fractions.*
>
> (23.10.03)
>
> *A trotting match was held in the field opposite the school today. The school was closed in the afternoon.*
>
> (10.2.04)
>
> *The school was closed this afternoon that teachers and pupils might attend the funeral of Bessie Morgan.*
>
> (23.3.04)
>
> *The farmers are exceedingly busy sowing the corn and every cottager is engaged in his garden and many pupils from the First Class are kept at home to assist.*
>
> (15.4.04)

* * *

Yn ôl cofrestr Ysgol Llanddewi Brefi, aeth Dafydd i fyny i'r Ysgol Sir yn Nhregaron ar y 18fed o Fedi 1905. Es i draw i Ysgol Tregaron gan gyrraedd ddiwedd prynhawn ar ôl i'r ysgol gau am y diwrnod. Crwydrais y coridorau a gofyn yn gwrtais i'r ferch oedd yn mopio'r llawr, 'tybed allwn i siarad hefo'r brifathrawes?' 'I'm sorry, I don't know what that is,' meddai – ateb annisgwyl ar sawl lefel! Roedd y brifathrawes mewn cyfarfod erbyn deall, ond gofalodd yr ysgrifenyddes amdanaf. Eglurodd mai Ysgol Henry Richard oedd enw newydd yr ysgol ac roedd yn darparu bellach ar gyfer plant o 3–16. Roedd yr adeilad lle roedden ni'n siarad yn dyddio o'r 1950au, ond yn

Idwal Evans y capten sydd â'r bêl, Kitchener Davies sydd ar y dde iddo, a 'nhad-cu, William Idris Hughes yn eistedd ar y llawr o'i flaen

yr hen adeilad dros y ffordd y byddai Dafydd wedi cael ei wersi. Yn anffodus, roedd hwnnw wedi'i gau ar y pryd, ac ers hynny mae wedi ei werthu – ond roedd ffordd arall i mi gael blas ar naws yr ysgol yn ystod ei degawdau cyntaf.

Ar goridorau'r adeilad o'r 1950au roedd nifer o luniau'r cyn-ddisgyblion – a chefais ganiatâd i fynd i edrych arnynt. Ymhlith y lluniau o'r gorffennol pell, gwelais lun fy nhad-cu a chofio jôc digon gwantan y byddai'n ei ddweud weithiau: 'Sa'i 'rio'd 'di ymddiddori fel'ny mewn llenyddieth, ond wi yn gallu hawlio 'mod i wedi ishte wrth dra'd y bardd Kitchener Davies.' Ac roedd hynny'n berffaith wir – yn llun tîm pêl-droed Ysgol Tregaron ar gyfer 1920–1!

Roedd Dafydd wedi bod yn aelod cyson o dîm pêl-droed yr ysgol ychydig dros ddegawd ynghynt; ys dywedwyd mewn erthygl goffa ar ôl iddo farw, Dafydd oedd 'the backbone of the Tregaron County School 1st XI for many years', ac yn ystod ei dymor olaf yn yr ysgol 'chollon nhw 'run o'u gemau. Roedd ambell lun o gyfnod Dafydd ar goridorau'r ysgol o hyd, ond yn anffodus, dim llun o dîm anorchfygol 1909–10, nac o Dafydd ei hun.

* * *

Agorwyd Ysgol y Sir yn 1897, yn Neuadd y Dre Tregaron i ddechrau, cyn symud i adeilad newydd pwrpasol yn 1899. Roedd 114 o ddisgyblion yn yr ysgol erbyn 1909. Yn ystod y seremoni wobrwyo y flwyddyn honno, ymfalchïodd y prifathro fod adeiladau'r ysgol yn meddu bellach ar 'class-rooms, laboratories, workshop, kitchen, music rooms, library, and private rooms for the use of governors and staff.' Ymhyfrydai hefyd fod:

The tone of the school was higher than ever and the pupils had one and all a love for the school which was truly rare. This love for their alma mater was also a beautiful trait in the character of the old pupils who had given practical proof of this, in bringing out a county school periodical and in presenting the school with framed portraits of the first headmistress and headmaster which were hung on the school walls.

Enwyd Dafydd yn ystod y seremoni fel un o'r rhai oedd wedi bod yn llwyddiannus yn yr arholiadau Higher Certificate a osodwyd gan y Central Welsh Board yn 1909, a flwyddyn yn ddiweddarach, llwyddodd yn arholiadau'r Senior Certificate cyn gadael Ysgol Tregaron yn haf 1910.

Cymeriad annelwig i ni yw Dafydd y cyfnod hwn, y bachgen ysgol sydd ond yn brigo i'n sylw ar restrau arholiad neu mewn seremonïau gwobrwyon blynyddol. Ond mae hynny'n dweud rhywbeth amdano. Roedd wedi hawlio'i le yna, a dangos ei fod yn weithiwr dygn fel ei dad a'i fam. Ac mae'n debyg fod uchelgais ynddo – roedd ei rieni wedi gwella'u byd a chyda dyfodiad addysg uwchradd i'r ardal, roedden nhw'n gallu meithrin uchelgais gwahanol ynddo yntau. Roedd hi'n oes newydd llawn posibiliadau. Roedd sawl aelod o deulu'i fam a'i dad wedi ffeirio bywyd caled yn sir Aberteifi am fywyd gwahanol o galed yn Llundain a Chymoedd y De. Mae'n debyg fod llythyrau yn cyrraedd aelwyd y Wern Isa gan frodyr a chwiorydd Thomas a Margaret i danio dychymyg y plant. Nid lle cyfyng ei orwelion mo Llanio'r cyfnod hwn.

Tybed beth oedd i'w ddarllen gan blant y Wern heblaw'r Beibl a'r llyfr emynau? Papur enwadol y Methodistiaid Calfinaidd, *Y Goleuad*, efallai? Mae'n debyg fod papurau newydd fel y *Cambrian News* a'r *Welsh Gazette* i'w gweld ar yr aelwyd. Ac roedd cylchgrawn misol Owen Edwards, Cymru, wedi cychwyn ers 1891 a *Cymru'r Plant* flwyddyn yn ddiweddarach – ond faint o fodd oedd gan deulu'r Wern i wario ar bethau felly?

Tybed oedd Dafydd yn cael menthyg llyfrau o lyfrgell yr Ysgol Sir? Doedd dim Llyfrgell Cyhoeddus lleol yn y cyfnod hwn, ond yn 1908 cychwynnwyd cymdeithas lenyddol newydd yn lleol, sef 'The Guild of Caron'; ac yn eu cyfarfod cyntaf, cyfeiriwyd at 'the new book case which had been purchased with a view to starting a lending library'. Tybed a fu hynny o gymorth iddo?

Nid oes llawer arall y gellir ei ychwanegu am hanes Dafydd yn ystod y cyfnod hwn, heblaw'r cofnod cryptig yn y *Cambrian News* sy'n dweud iddo gystadlu yn Eisteddfod Llanddewi Brefi ym mis Mawrth

1910 ac ennill ar yr "atebion gorau i chwe chwestiwn cyffredinol". Beth oedd y cwestiynau hyn yn union, ni wyddom – ond roedd hon yn gystadleuaeth boblogaidd ar y pryd, mewn eisteddfodau ac yn y papurau newydd. Roedd y cwestiynau yn gallu amrywio'n fawr o ardal i ardal, o bynciau ysgrythurol (Pontypridd), i gymorth cyntaf (y Rhondda); ac o odro (Caerfyrddin) i grefft y glöwr (Caerdydd); yng Nghaerdydd hefyd, yn 1909, fe wnaeth cwmni Stiffs Starch noddi cystadleuaeth hefo chwe chwestiwn am 'the merits of their famous starch'!

* * *

Os mai prin yw'r wybodaeth am hanes Dafydd yn ystod ei gyfnod yn yr ysgol, mae'r blynyddoedd nesaf yn cynnig mwy o fanylion amdano. Rhwng 1910–12, cyn mynd i'r coleg, aeth Dafydd i weithio fel 'uncertificated teacher', a gallwn olrhain ei hynt drwy Lyfrau Cofnodion y gwahanol ysgolion lle bu'n gweithio.

Roedd Charles ei frawd wedi gwneud yr un peth o'i flaen, ac mae'n debyg fod Dafydd wedi bod yn cynllunio dilyn yr un llwybr ers sbel. Pan oedd Dafydd yn dal yn y chweched ddosbarth yn Nhregaron yn 1909, roedd Charles erbyn hynny'n gweithio fel athro heb gymhwyster yn eu hen ysgol yn Llanddewi Brefi – ond pan gafodd Charles ei ryddhau dros dro, trefnodd i'w frawd gael profiad gwaith yn ei le, fel y nodwyd yn Log Book yr ysgol:

> *24.9.09*
> *Mr Charles Jones was absent this week attending an examination at U.C. Aberystwyth. His class during his absence was taken by his brother David Jones.*

Roedd Charles wedi gwneud argraff yn ei hen ysgol, ac ychydig wythnosau yn ddiweddarach:

> *4.10.09*
> *Mr Charles Jones left today to enter Aberystwyth College. He was presented by the teachers and pupils with a valuable Portmanteau as a token of respect.*

Roedd cael profiad o weithio fel 'uncertificated teacher' yn apelio i Dafydd am sawl rheswm. Mynd yn athro oedd ei fwriad yn y pen draw, ar ôl cwblhau ei gwrs coleg; ond roedd y cyflog yn atyniad hefyd, fel y gallai Dafydd gyfrannu at y costau fyddai'n disgyn ar ei deulu yn ystod y tair blynedd y byddai yn y coleg.

Roedd Dafydd am astudio cemeg a gwyddorau amaethyddol ac

roedd addysg brifysgol yn ddrud; roedd ffioedd coleg yn £3 y tymor am gwrs amaethyddiaeth, ac roedd 'additional Laboratory Fees for Science Students', heb sôn am gostau ei fwyd a'i lety. Ond fel athro heb gymhwyster gallai Dafydd ennill £25 yn ei flwyddyn gyntaf, a £30 yn yr ail. Felly byddai modd iddo gynilo tipyn, fel na fyddai'n ormod o fwrn ar ei deulu maes o law.

Ond nid i Landdewi Brefi yr aeth Dafydd i weithio, er cystal yr argraff a wnaethai ei frawd. Efallai fod Bwrdd yr Ysgol yno yn teimlo y byddai'n dangos gormod o ffafriaeth i un teulu, petaent yn rhoi gwaith i Dafydd mor fuan ar ôl cyfnod ei frawd.

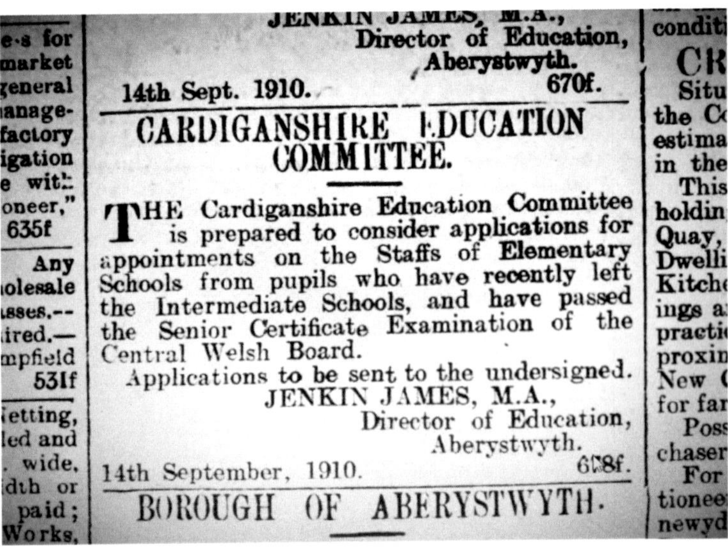

JENKIN JAMES, M.A.,
Director of Education,
Aberystwyth.
14th Sept. 1910. 670f.

CARDIGANSHIRE EDUCATION COMMITTEE.

THE Cardiganshire Education Committee is prepared to consider applications for appointments on the Staffs of Elementary Schools from pupils who have recently left the Intermediate Schools, and have passed the Senior Certificate Examination of the Central Welsh Board.

Applications to be sent to the undersigned.

JENKIN JAMES, M.A.,
Director of Education,
Aberystwyth.
14th September, 1910. 668f.

BOROUGH OF ABERYSTWYTH.

Fodd bynnag, ymatebodd Dafydd i hysbyseb yn y *Welsh Gazette*; a chafodd ei anfon gan y Pwyllgor Addysg i ysgol Pontrhydfendigaid, ryw naw milltir i'r gogledd o Lanio. John Rees oedd y prifathro yno ar y pryd ac roedd rhyw gant o blant yn yr ysgol, gyda phump o athrawon i ofalu amdanyn nhw, gan gynnwys Rees ei hun – a Dafydd wrth gwrs. Dechreuodd ar y 3ydd o Hydref ac mae rhywun yn synhwyro fod y prifathro dan bwysau o sawl cyfeiriad ar y diwrnod hwnnw, yn ôl y cofnod yn Log Book yr ysgol:

> *Oct 3*
> *David Jones UT* (uncertificated teacher) *commenced duties as teacher in place of Philip Roderick. Had to rearrange the classes as the new teacher has had no experience with classes. No teacher yet*

appointed to take Mary G. Rees' place, so monitors are delegated to help with Std. I and Infants. The School List of Requisitions for year commencing Sept 1910 having gone astray, the goods were not delivered until today.

Gyda'r prifathro yn gorfod derbyn a rhannu'r llyfrau a'r offer oedd newydd gyrraedd, ynghyd â chadw golwg bugeiliol ar ddau ddosbarth arall heblaw ei ddosbarth ei hun, tebyg na chafodd Dafydd lawer o groeso ar ei ddiwrnod cyntaf! Setlodd i'r gwaith newydd heb sylwadau pellach amdano gan y prifathro, a'r tro nesaf y ceir sôn amdano, salwch oedd y rheswm:

Nov 22

David Jones UT absent yesterday afternoon and this morning – ill.

Reported the coldness of the school to architect last week and District Education Committee today. Temperature being 41° in Infs, 43° Large Room, 50° in Standard I Classroom, and reminded them of remarks of HMI re need of better heating provision in Infant Room, as well as the loss in attendance of Std I & Infants' classes during all last winter.

(I'r sawl sydd heb arfer bellach â mesur tymheredd mewn Fahrenheit, dim ond 5°C oedd y tymheredd yn ystafell yr *Infants*!) Sdim rhyfedd felly fod 'na 'loss in attendance' yn ystod y gaeaf; ond nid oerfel oedd yr unig beth oedd yn cadw'r plant draw, fel y gwelwn o'r enghreifftiau isod o lyfr cofnodion yr ysgol:

Attendance improving, though still affected by turf carrying and potato-digging.

(7.10.10)

Low attendance in morning. School opened at 1PM because of Fair at Bont.

(13.10.10)

No school. C. Methodists monthly meeting held in village.

(9.12.10)

Roedd absenoldeb plant yn broblem drwy'r sir, ac yn ôl adroddiad a gyflwynwyd i'r Pwyllgor Addysg yn Ionawr 1910, dim ond sir Benfro oedd â record waeth drwy Gymru. Gan fod pob sir yn derbyn arian o'r llywodraeth ganolog yn unol â'r niferoedd oedd yn mynychu'r ysgolion,

[*It*] *also pointed out that the low attendance entailed a loss of £500 a year to the county, besides the educational loss to the children.*

Er mwyn ymateb i'r sefyllfa roedd Attendance Officers wedi cael eu cyflogi, ac roedd fy hen dad-cu, Evan Hughes, yn un o ddau oedd yn gweithio'n rhan amser yn ardal Tregaron. Bwtsiar oedd o, o ran ei brif alwedigaeth, ac mae'n debyg pan fyddai plant y ffermydd pellennig yn clywed ei feic modur yn agosáu, bydden nhw'n mynd i guddio, a'u rhieni'n ceisio argyhoeddi Evan Hughes eu bod nhw yn yr ysgol! Roedd hawl ganddo wysio'r rhieni mwyaf esgeulus o flaen yr ynadon, ac yn Ebrill y flwyddyn honno, roedd wedi dod ag achos yn erbyn un o rieni ysgol y Bont:

> *Morgan Morgans, Teify Street, Pontrhydfendigaid, was charged by Evan Hughes, attendance officer, with having neglected to send his three children to school regularly and was fined 2s. 6d. and costs.*

Mae'n bosib iawn y byddai Dafydd Jones, yr athro newydd, wedi cyfarfod ag Evan Hughes wrth iddo ymweld â'r ysgol; ond yn sicr fe gyfarfu Dafydd â 'nhad-cu, William Idris Hughes, sef mab hynaf Evan. Y llun cynharaf o Dafydd y gallwn ei ddyddio ag unrhyw sicrwydd yw'r llun hwn ohono hefo staff Ysgol Pontrhydfendigaid a rhai o'r disgyblion.

Yn sefyll nesaf ato mae'i gyd-athrawes Anne Jane Jones, ac yn eistedd nesaf ati hi yn y rhes flaen mae fy nhad-cu. Gan mai dim ond 6 oed oedd e ar y pryd, mae'n debyg mai Miss Jones fyddai'n ei ddysgu, tra bod Dafydd yn dysgu plant ychydig yn hŷn. Dyna'r cysylltiad agosaf y gallaf ei hawlio hefo Dafydd – os cysylltiad wedyn!

Y tro nesaf y mae enw Dafydd yn ymddangos yn Llyfr Cofnodion yr Ysgol yw ar ddiwedd tymor y Nadolig:

Dec. 16

D. Jones U.T. had leave of absence for afternoon to attend at the County School Prize Distribution.

Profiad rhyfedd, mae'n debyg, oedd dychwelyd am brynhawn o fyd yr athro yn y Bont, i fyd y disgybl yn Nhregaron. Roedd Dafydd yno i dderbyn ei Senior Certificate yn arholiadau'r Central Welsh Board; ond roedd hefyd wedi ennill gwobrwyon yr ysgol am fathemateg a gwyddoniaeth. Bu'r prifathro yn canmol ymdrechion y disgyblion a'i staff:

considering we were only five teachers and that we had a diversified syllabus, we can honestly claim to have done excellent work.

Ymfalchïodd fod 19 o'r disgyblion wedi pasio gwahanol arholiadau'r Central Welsh Board ond canmolodd hefyd weithgareddau cymdeithasol yr ysgol:

Concerts and debates were a regular feature of the Lent term. We believe strongly in this side of a pupil's school career; and excellent results ensue. One old boy, who started public speaking at the School debates, has been prominently before the public during the election as an eloquent political speaker. (Hear, hear.)

Tybed oedd Dafydd wedi cymryd rhan yn y dadleuon hyn? Roedd meddwl chwim yn werthfawr wrth ddelio hefo plant ysgol, fel hefo ei gyd-filwyr!

* * *

Ar ôl i ysgol y Bont gau am bythefnos dros y Nadolig, roedd Dafydd yn ôl yn yr ystafell ddosbarth ar ddechrau 1911, ac roedd cofnodion y prifathro yn sôn am y tro cyntaf am sut roedd y disgyblion yn dod yn eu blaen:

Feb 3

Better attendance on the whole but some rather irregular. Std V lax in arithmetic especially the girls – who are slow generally. Boys much better.

Class 2 wants waking up – some rather dronish and wanting in energy & pointedness. Gave sample Reading Lesson & Geography Lesson in Class 3.

Teaching too loud, & points not driven thoughtfully home to the children.

Pwy tybed oedd yr athro neu athrawes druan oedd yn codi'i lais yn ormodol wrth dysgu? Mae rhywbeth am Dafydd sy'n gwneud imi feddwl na fyddai'n rhaid iddo godi'i lais i gadw rheolaeth; dangosodd wedyn yn y fyddin ei fod yn meddu ar awdurdod naturiol.

Wrth olrhain cofnodion yr ysgol o dymor y Pasg i dymor yr haf, ar ôl oerfel y gaeaf, gwelwn fod y tywydd brafiach yn dod â phroblemau eraill yn ei sgil:

June 2

Weather very warm, and blinds needed for the windows. Elder pupils turf cutting on the bog.

Gyda'r nosweithiau hirach, roedd cyfle i Dafydd grwydro'r fro ar ôl oriau ysgol. Mae llun ohono yn eistedd tu allan i un o'r gweithiau plwm lleol – Esgermwyn, Cwm Mawr neu Bronberllan efallai – ac ar y cefn mae rhywun wedi ysgrifennu 'David Jones at Bont mine'.

Mae'i wallt yn gwthio allan o dan gantel ei het wellt ac er bod ei freichiau wedi'u plethu, bron y baset ti'n dweud fod 'na ymgais i wenu yma. Pwy oedd yr 'enaid hoff gytûn', tybed, oedd tu ôl i'r camera y tro hwn? Nid ffotograffydd proffesiynol mae'n siwr, yn wahanol i bron bob llun arall sydd gennym ohono. Efallai mai dyna pam fod golwg mwy siriol arno! Nid 'mod i eisiau swnio'n feirniadol ohono am beidio gwenu mewn llun – dyna ffasiwn yr oes wedi'r cyfan. Serch hynny, mae'n anodd osgoi'r casgliad nad oedd Dafydd yn un am ddangos ei deimladau. Mae ei gyfaill coleg T. Ifor Davies yn sôn am ei 'apparently indifferent countenance' – ond fel mae'r llythyrau'n tystio, os nad oedd yn amlygu'i emosiynau, roedd yn gallu bod yn ddigon sensitif...

Pwy bynnag oedd yn cadw cwmni iddo ar y daith i'r gwaith mwyn yn y Bont, cafwyd sawl cyfle arall i grwydro'r ardal yn ystod tymor yr haf, am fod cynifer o ddyddiau gwyliau'n cael eu rhoi gan y prifathro. Weithiau byddai'n eu rhoi am resymau swyddogol, fel coroni Sior V ym mis Mehefin ac Arwisgo ei fab yng Nghaernarfon ym mis Gorffennaf; ond ar adegau eraill, synhwyrwn fod y prifathro'n derbyn mai gwell cau'r ysgol yn hytrach na mynnu aros ar agor a bod hanner y plant yn absennol. Er enghraifft:

> *Funeral ceremonies in connection with the burial of Rev. W.R.James, a leading Baptist Missionary in India, and a native of this place to be held at C.M. Chapel at 12.30PM (...)School closed in the afternoon.*
>
> (24.2.11)
>
> *Annual Fair and Trotting Matches*
>
> (27.4.11)
>
> *Half Holiday. Funeral of an old pupil taking place in the village.*
>
> (24.5.11)

* * *

Dros ganrif yn ddiweddarach, er bod cymaint o ysgolion bach y wlad wedi'u cau yn ystod y degawdau diwethaf, mae'n braf nodi fod ysgol y Bont dal ar agor – er bod y brifathrawes bresennol yn gyfrifol hefyd am ysgolion Pontarfynach a Phonterwyd. Roeddwn i wedi trefnu ymweld ag Ysgol y Bont ond wrth gerdded i fyny'r allt tuag ati, cefais deimlad rhyfedd wrth sylweddoli'n sydyn mai fi yw'r cyntaf mewn pedair cenhedlaeth i **beidio** â mynychu'r lle. Ar ôl Evan a William Idris, daeth Glyn fy nhad yma am flwyddyn hefyd pan oedd y *blitz* yn Llundain yn ei anterth.

Roedd plant yr ysgol newydd eistedd yn y neuadd ar gyfer eu cinio; a chyd-adroddwyd 'O Dad, yn deulu dedwydd...' yn fendith ar y bwyd. Tra bod y plant yn bwyta, cefais ganiatâd i grwydro drwy'r stafelloedd dosbarth gwag gan geisio dyfalu ym mha un y bu Dafydd yn dysgu.

Dwi'n siwr nad oedd y waliau mor gyffrous o liwgar yn ei gyfnod o. Cymraeg oedd bron bopeth oedd i'w weld ar y waliau ac roeddwn i'n edmygu rhes o bosteri bach yn esbonio ymadroddion fel 'mêl ar ei fysedd' a 'diwrnod i'r brenin', pan ddaeth un o'r athrawon mewn i 'gynnig dishgled'. Wrth ei dilyn i'r ystafell athrawon, wnes i ganmol yr hyn roeddwn i newydd ei weld. 'Mae'n ddigon rhwydd cael y walie'n Gymrâg,' meddai, 'cael yr un effeth ar yr iard yw'r gamp. Mae'r plant i gyd yn gallu'r iaith – ond smo pobun am ei defnyddio hi. A gyda bod saith arall newydd ddechre 'da ni ers y gwylie dwetha, mae 'na bwyse arnon ni o hyd'. Gofynnais i un o'r lleill sut roedd hi'n meddwl eu bod nhw'n ymdopi â'r her:

> *Go lew, ond dyw Cymry'r pentre ddim yn helpu weithie. Maen nhw'n siarad Saesneg â'r plant am bod nhw'n gwbod bod eu rhieni'n Saeson. Ni sydd ar fai yn aml iawn.*

Diddorol oedd clywed barn un arall wedyn mai teledu oedd y drwg, yn chwalu'r hen batrymau cymdeithasol:

> *'Slawer dydd bydde pobl yn galw ar ei gilydd dros y Sul, gweud storis ac yn y bla'n. Wedyn da'th y teledu a 'na'i diwedd hi wedyn – "sdim iws i ni alw 'da Data heno, bydd e isie gweld Dixon of Dock Green" ac yn y bla'n.*

Teledu ai peidio, roedd y plant gefais i siarad â nhw wedyn ar yr iard

yn ddigon parod eu Cymraeg, er i un rannu'r gyfrinach annisgwyl hon: 'ŷ'n ni fod siarad Cymrâg heddi'! 'Heddiw a bob dydd,' awgrymais dan wenu. Siaradais â thair merch – un â'i mam yn medru'r iaith, un a'i thad yn siarad yr iaith, a'r drydedd â dau riant di-Gymraeg – ond faswn i ddim callach petawn i heb holi, gan fod y tair yn parablu'n ddigon hyderus wrth drafod eu watsus ac yn gofyn pam nad oedd gen i un!

Canodd y gloch. Wnaeth y plant dawelu wrth ffurfio llinellau a diflannu fesul dosbarth yn ôl mewn i'r ysgol.

* * *

Cytundeb blwyddyn oedd gan Dafydd, felly daeth yn ôl i ysgol y Bont am dair wythnos ar ôl gwyliau'r haf 1911, cyn symud i'r National School yn Nhregaron. Dyma'r cofnod cyntaf amdano yn Log Book ysgol Tregaron:

2.10.11

Dan Jones Assistant Master at this school left on Friday last Sept 29th & David Jones, transferred from Bont school takes his place and commenced duties at the School today (...) The attendance of the Upper school was good but that of the infants was only fair. Many of the infants suffer from colds. David Jones last of Bont School took charge of Stds III & IV

Yn anffodus, nid oes sôn am Dafydd ar ôl hynny, tan ddiwedd ei gyfnod yn Nhregaron; ac mae'r cofnod cyntaf hwn yn dadlennu obsesiwn mawr David Thomas, prifathro Tregaron, sef 'attendance'. Mae ei gofnodion wythnosol yn dechrau'n amlach na pheidio hefo'r geiriau, 'The attendance this week was...' ac yna esboniad am unrhyw ddiffygion. Nid oes sôn am fawr ddim arall ond mae'r esgusodion, os ddim byd arall, yn rhoi golwg diddorol ar galendr amaethyddol yr ardal ar y pryd:

The potato harvest is in full swing & the attendance of the upper class is affected thereby. (20.10.11)

No school last Tuesday 14th, the hiring fair being held in Town. (17.11.11)

The attendance this week was very poor indeed. The sheep-shearing is in full swing & many of the bigger boys have gone to the mountain to assist. The local sheep-shearings also attract many of the smaller children, & they are encouraged by their parents, as it means a day's outing. (5.7.12)

The girls attend well but many of the boys are irregular being kept at home to help at the hay. (19.7.12)

Roedd llyfr cofnodion yr ysgol hefyd yn ddrych i galendr crefyddol yr ardal. Yn ystod Mai a Mehefin caewyd yr ysgol deirgwaith am y diwrnod; y tro cyntaf ar gyfer y gymanfa ysgolion; yna ar gyfer trip ysgol Sul y Methodistiaid i Aberaeron; ac wedyn ar gyfer Cymanfa Ganu'r ardal ym Mhontrhydfendigaid. Ond mae ambell gyfeiriad prin at waith academaidd yr ysgol. Ar ôl ymweliad yr arolygydd ysgolion, dyfynnodd y prifathro o'i adroddiad:

This school has been conducted since it was last reported on with much zeal & earnestness (...) The ground covered in English & Welsh Recitation during recent years is highly creditable & the subject is taught most thoroughly and intelligently. Oral composition & oral translation are also very well advanced; the children readily translate their English Readers into Welsh & their Welsh Readers into English in all the Standards.

Needlework is evidently well cared for, while much darning & mending of a practical kind is done.

Teimlwn rywsut fod yr arolygydd yn crafu am rywbeth positif i'w ddweud! Does dim sôn am hanes, daearyddiaeth, mathemateg ac yn y blaen – ond o leiaf roedd y plant yn medru adrodd, cyfieithu a gwnïo! Ar ddiwrnod olaf Medi 1912, nododd y prifathro:

David Jones Uncertificated Teacher terminated his engagement at this school today.

Roedd Dafydd yn barod i symud ymlaen i'r coleg yn Aberystwyth. Ac rydym ninnau'n barod i symud ymlaen ac ailafael yn ei hanes hefo'r Gatrawd Gymreig yn y Rhyl.

Ceir manylion am ffynonellau pob dyfyniad yn y bennod hon, a phob un sy'n dilyn, ar wefan Gwasg Carreg Gwalch:
https://files.ekmcdn.com/92a6b5/resources/other/anwyl-fam-nodiadau.pdf

7

'Yn y camp yw'r gân o hyd'

(*Rhyl: Mehefin – Gorffennaf 1915*)

Ar ddechrau Mehefin 1915, roedd yr haul yn tywynnu'n braf yn y Rhyl a thôn digon bodlon i'w glywed yn llythyr cyntaf Dafydd y mis hwnnw:

> Anwyl Fam
>
> Dim ond gair er hysbysu fy mod yn berffaith iach o hyd, a chan fod yr hin yn berffaith yma ar hyn o bryd yn teimlo yn bur hapus.
>
> Sunny Rhyl gelwir y lle ac y mae yn hawdd genyf gredu fod hynny yn wir erbyn hyn. Nid oes yma ond tywydd teg yn ddiderfyn.

Mae'r slogan 'Sunny Rhyl' wedi parhau hyd heddiw, ac ar lafar gwlad, mae'r ddau air wedi cydio yn ei gilydd fel 'Bangor Aye' a 'Rhos, uffe'n!' Roedd y dywediad hwn wedi ennill ei blwyf cryn amser cyn arhosiad Dafydd yn y dref; mae'n ymddangos gyntaf yn y *Rhyl Journal* yn 1900 ac mae'n britho tudalennau'r papur wedyn. Cyhoeddwyd ystadegau'n rheolaidd hefyd, i atgyfnerthu'r syniad ym meddyliau'r cyhoedd, e.e.

> *'Sunny Rhyl! Nearly 1809 hours' sunshine during 1906'*
>
> *'Sunny Rhyl... during six days of the Easter holidays, Rhyl enjoyed... a daily average of 9 hours 43 minutes.'*

Mewn erthygl yn 1907, honnwyd fod 'correspondent from the south of France' yn ystyried symud i fyw i'r Rhyl 'in order to benefit by its warmth'! Ac roedd hyd yn oed gweinidogion yr efengyl yn ailadrodd y mantra cyfarwydd, fel yn yr adroddiad hwn am gynhadledd yr Annibynwyr yn haf 1914:

> *Gelwir hi* Sunny Rhyl, *a llawn deilynga yr enw o herwydd caiff fwy o wenau haul, a llai o darth a niwl na'r un dref arall yn Nghymru.*

Ond er bod yr heulwen yr un mor ddibynadwy i Dafydd flwyddyn yn ddiweddarach, roedd pethau eraill ar fin newid:

> Yr ydwyf ar adael yr hotel ac yn myned i campo eto am ychydig ddyddiau cyn symud i Winchester. Yr oeddem oll wedi cael digon ar fyw yn yr hotel felly yr ydym yn falch ein bod yn symud
>
> Address y camp yw
>
> Voryd Camp
> Abergele

Er bod pum milltir rhwng Rhyl a thref Abergele ei hun, roedd gwersyllfa'r Foryd ar ochr arall Afon Clwyd ryw filltir yn unig tu allan i'r Rhyl. Roedd y Foryd wedi bod yn gyrchfan flynyddol ar gyfer gwahanol gyrff o wirfoddolwyr milwrol ers diwedd yr 1880au, fel y gwelwn o'r cyfeiriad hwn o 1910:

> *The Voryd Camp. This year there will be no encampment of Yeomanry on the Foryd Fawr ground but it will be the rendezvous of three boys' brigades, one of which, in August, will consist of over 2,000 members.*

Roedd tipyn o le yng ngwersyll y Foryd felly; ond ddim digon o le yn y babell i Dafydd fynd â phob dim gyda fe yr oedd wedi'i hel dros y chwe mis diwethaf:

> Yr wyf wedi danfon crys a jersey a macynon adref gyda'r un post, hyny yw bydd y llythr a'r parcel yn cyrhaedd adref yr un pryd ond yr oeddwn yn credu pan yn paco na chewn amser i ysgrifenu ond erbyn hyn y mae munud o seibiant ac felly yr wyf yn ysgrifenu.

Roedd Dafydd yn amlwg dan bwysau! Ac mae angen darllen y paragraff diwethaf ddwy waith i ddeall ei esboniad dryslyd pam ei fod e'n anfon llythyr *ar wahân* i'r parsel – yn lle ei lapio gyda'r dillad fel Cardi da!

> Yr ydym yn brysur heddyw am fod pob peth yn cael ei glirio allan. Paco. Paco. Paco ymhob ystafell. Nid oes eisiau i chwi anfon y pethau yn ol hyd yr af i Winchester am nad wyf yn gwybod pa bryd y byddwn yn symud. Nid oes mo'u heisiau yn arw ar hyn o bryd.

Roedd Dafydd wedi bod yn lletya yn y Queen's Hotel ers chwe mis, ac ymhlith ei bapurau mae'r bil am chwe noson olaf ei arhosiad yno, o'r 8fed i'r 14eg o Fehefin. Roedd yn talu pum swllt y diwrnod am ei lety a'i fwyd, ac felly roedd punt a chweugain yn ddyledus.

735

Telegraphic Address: "Queen's, Rhyl." Telephone No. 174.
Garage
Billiards (5 tables).

QUEEN'S HOTEL,
CENTRAL PROMENADE, RHYL.

Proprietors: The Rhyl Palace Arcade and Hotel Co., Limited.
Secretary & General Manager: Mr. Samuel Thornley.

Accounts rendered Weekly. Cheques not received in payment except by previous arrangement.

No. of Order   M   Room No.

191
Brought forward
Board, inclusive ...
Apartments & Attendance

Mae'n cloi ei lythyr drwy ymateb i ryw bwt o newyddion yr oedd wedi ei ddarllen yn y *Cambrian News* y penwythnos hwnnw:

Nid oes yna newydd neullduol yw gyhoeddi heddyw ond gallwn feddwl fod ambell ddigwyddiad rhamantus yn cymeryd lle gyda chwi. Soniaf yn awr am briodas Dianah Brynmeinog.

Mae'r woncs sydd efo chwi yn mynd i briodi i gyd credaf.

Dim rhagor heno ond cofion cynhesaf atoch oll

Oddiwrth Dafydd

Roedd fferm Brynmeinog ryw dair milltir i'r de o Lanio, a Dianah dros ei deg ar hugain pan briododd â John Morgan Jones yn swyddfa gofrestru Aberystwyth. 'After partaking of an excellent dinner at Owens, North Parade, the happy pair left by motor car for North Wales, where the honeymoon is being spent.' Oes rhyw dinc o eiddigedd gan Dafydd yma? Fod hyd yn oed Dianah wedi cael cymar? Holais sawl un yn ardal Llanddewi Brefi am y gair hyfryd 'wonc', ac ymddengys nad yw'n cael ei arfer mwyach yn lleol, ond mae'n debyg mai amrywiad ar y gair 'ionc' sydd yma, sef 'ffŵl, rhywun hurt, neu wirion'.

Yn ôl y *Rhyl Recorder and Advertiser* aeth bataliwn Dafydd i'w cartref newydd dan ganfas ar y 15fed o Fehefin, er bod Dafydd wedi gadael y Queen's Hotel ddiwrnod ynghynt. Sut bynnag, wythnos yn ddiweddarach, anfonodd lythyr arall adref i'w deulu yn y Wern (ar bapur pennawd y Queen's Hotel – rhaid ei fod wedi mynd â chyflenwad gydag e!). Roedd priodas arall wedi bod yn yr ardal:

Anwyl Fam

Derbyniais eich llythyr caredig Sul diweddaf yn ei amser arferol a mawr oedd fy syndod wrth weld fod Mary Anne Ty mawr wedi priodi. Nid oedd genyf [syniad] hyd yn ôd fod y wonc yn caru, ond dyna fel y mae yn y byd yma. Syndod ar bob llaw.

Dyma'r gair wonc eto! Roeddwn i wedi cyfarfod ag Eirwen James Tŷ Mawr ar fy ymweliad cyntaf ag ardal Llanddewi – ac erbyn deall, chwaer ei thad-cu oedd Mary Anne. Roedd teulu Tŷ Mawr yn gymdogion agos i deulu'r Wern: 'dim ond pedwar lled ca' sy rynto ni!' ys dywedodd Eirwen. Gan fod Mary Anne ryw bedair blynedd yn hŷn na Dafydd, gellid meddwl y byddai hi wedi cadw golwg arno efallai pan oedd yn iau, wrth i blant Llanio gerdded i ysgol Llanddewi bob bore. Perchennog chwarel oedd ei gŵr newydd hi, J.D. Owen, Penrallt, Tregaron 'ond chafodd hi fawr o oes, druan' yn ôl Eirwen James. Cafodd bedwar o blant, ond bu farw dau yn fabanod – a bu farw hithau'n 35 oed yn 1924.

Mae Dafydd yn sôn wedyn am ryw rialtwch arall sydd wedi cael ei ddisgrifio yn llythyr ei fam:

Hefyd yr oedd yn dda genyf glywed fod y te addawodd Joseph i chwi pan oeddwn adref wedi troi allan mor llwyddianus. Ai fe oedd y cadeirydd a phwy oedd y grub-shifter goreu. Will Tymawr yr wyf yn sicr os oedd yno. Fe fydd yntau wedi priodi yn bur fuan.

Nid yw'n sicr pwy oedd Joseph, na beth oedd y rheswm am yr achlysur. Roedd 'na Joseph o fferm Cefn Llanio oedd yn gymydog i deulu'r Wern; ac roedd hi'n draddodiad, yn ôl Eirwen James, i arolygwr yr Ysgol Sul yn Llanio roi te bob Nadolig, ond beth bynnag yr achlysur y Mehefin hwnnw, tad-cu Eirwen oedd Wil, y 'grub-shifter goreu'!

Troi ei feddwl yn ôl at ei amgylchiadau newydd wna Dafydd wedyn:

Bum am wythnos yma yn byw o dan ganfas – mewn cae y tu allan i'r dref ac yr oedd yn llawer iawn gwell na bod mewn hotel. Nid oeddem ni, yr officers, yn cael dim cam. Dim ond dau ymhob pabell, tra yr oedd y dynion yn gorfod cysgu ddeuddeg a tri ar ddeg mewn tent.

(Tybed a oedd yn well ganddo mewn gwirionedd fod mewn pabell? Ynteu a oedd Dafydd unwaith eto yn ceisio lleddfu pryderon ei fam?)

Nid ydym wedi symud eto i unrywfan fel y gwelwch, er syndod mawr i bawb: ond yr ydym yn mynd i Winchester yr wythnos nesaf tua un mil ar bymtheg ohonom; milwyr Llandudno, Colwyn Bay a Rhyl. Nid oes neb yn gwybod pwy ddiwrnod eto, mae pobeth yn cael ei gadw yn bur ddistaw. Dyna arfer y war office.

Gyda'r disgwyl eu bod nhw am symud yn fuan, roedd yn anodd i swyddogion y fyddin gynllunio hyfforddiant a gweithgareddau i'r dynion. Cawn yr argraff fod Dafydd yn troi'i fodiau braidd! Ond fel bachgen o'r wlad, roedd gwersyll y Foryd wedi ei ddwyn yn ôl i'w gynefin. Er nad oedd byth yn bell o'r wlad yn ystod ei gyfnod yn y Rhyl, bellach roedd nôl ynghanol y caeau ar lan Afon Clwyd:

Ydych chi wedi dechrau lladd gwair i lawr yna eto. Mae yma un cae wedi ei dorri eisioes, felly gwelwch fod y cynhaeaf yn bur gynnar yma. Nid oes cropiau trymion er hynny. Yr unig gropiau da welir yma ydyw 'beans'. Mae gan bob ffarm ei chae o 'feans' i gadw ceffylau i fynd, am wn i.

Roedd rhai o'r bataliynau eraill fu yn y Rhyl wedi cael eu symud dros dro i Barc Kinmel, y wersyllfa anferth oedd yn dal i dyfu ryw bedair milltir i'r gorllewin. Yn ôl adroddiad ym mhapur y Llan, bedwar mis ynghynt:

GWERSYLL PARC KINIMEL. Mae yn agos i 200 o weithwyr yn brysur baratoi y gwersyll yma. Saif y Parc rhwng Llanelwy ac Abergele.

Mae'r ffyrdd mewn cyflwr go ddrwg yn y cylch oherwydd llwythi trymion a gludir gan y 'traction engines.' Ond bellach y mae rheilffordd wedi ei gwneyd o'r Foryd (ar linell y North Western) i fyny dros y Morfa i'r Parc, a bydd hyn yn lleihau trafnidiaeth ar y ffyrdd. Dywedir y bydd 20,000 o filwyr yn gwersyllu yma.

Cabanau pren oedd i'r milwyr yn Kinmel, ac erbyn canol y rhyfel byddai ganddo gytiau YMCA, eglwysi a siopau hefyd i'w cadw nhw'n ddiddig – ac roedd ffosydd yno hefyd i'w paratoi ar gyfer ymladd yn Ffrainc. O fewn y flwyddyn byddai Charles, brawd Dafydd, yn cael ei hyfforddi yno.

Ond er mai yng ngwersyll mwy cyntefig y Foryd yr oedd bataliwn y Rhondda, un fantais oedd fod Dafydd yn dal yn ddigon agos at y Rhyl i fynd yno am dro gyda'r hwyr yng nghwmni ei gyd-swyddogion, ar ôl gorffen dyletswyddau'r diwrnod:

y mae yma lawer iawn o visitors, mynwed [=*menywod*] a henafgwyr ymron bob un ond nid yw Rhyl wrth bob tebyg o gryn dipyn mor llawn eleni ag arfer.

Wel nid oes rhagor heno ond cofion cynhesaf attoch oll.

Dafydd

Roedd papur lleol y *Denbighshire Free Press* yn fwy optimistaidd ynglŷn â niferoedd yr ymwelwyr â'r ardal. Ac ymddengys fod bandiau'r fyddin newydd yn gwneud eu rhan i'w denu nhw yno:

Rhyl is getting a good share of the early July visitors to the Welsh coast, they having so far come in gratifying numbers (...) This week the music in the Gardens has been supplied each afternoon by one of the splendid regimental bands, and good audiences have been attracted.

Mae'n anodd dyddio llythyr nesaf Dafydd yn union, ond mae'r tôn o ddiflastod tawel yn awgrymu canol neu ddiwedd Gorffennaf. 'Ychydig ddyddiau' yr oedd yn disgwyl bod yng ngwersyll y Foryd yn wreiddiol, pan ysgrifennodd adre ganol Mehefin. Erbyn hyn roedd 'ychydig ddyddiau' wedi troi yn fis a mwy:

Anwyl Fam

Wele fi yn anfon gair unwaith eto attoch gan fawr obeithio eich bod y tro hwn eto yn mwynhau iechyd o'r radd oreu. Nid oes yr un newydd neullduol heddyw ond dweud ein bod yn ardal Rhyl o hyd. Yn y camp yw'r gân o hyd ac y mae yn hynod iach yn y tywydd goreu possibl.

Ni fyddwn yn symud am wythnos eto felly gallwch fentro anfon y dillad anfonais adref yn ol i mi yma fe wna yr address uchod y tro.

A phetai hynny ddim yn ddigon o dreth ar ei amynedd, roedd wedi cael siom arall:

Ni dderbynnais y papur heddyw. Ni wn a'i hanfoned neu peidio; yr oeddwn wedi arfer ei gael bob Sul felly teimlaf yn bur siomedig.

Rhaid bod Dafydd wedi sylweddoli'n syth fod tôn y frawddeg ddiwethaf yn swnio braidd yn biwis ac yn ormod fel cerydd – ac nid fel'na yr oedd bachgen i fod i siarad â'i fam! Mae'n newid trywydd yn slic iawn:

Nid am fy mod heb gael y papur ond am na chefeis y llythr arferol yn cynnwys newyddion rhyfedd yr ardal. Nid oes yr un peth rhyfedd wedi digwydd er pan ysgrifenais diweddaf felly terfynaf yn awr gyda dymuniadau goreu i chwi ar teulu oll
Cofion cynhesaf oddiwrth
Dafydd

Ysgrifennodd un llythyr olaf cyn ymadael â'r Rhyl, a hynny ar bapur pennawd y Rhyl and County Club.

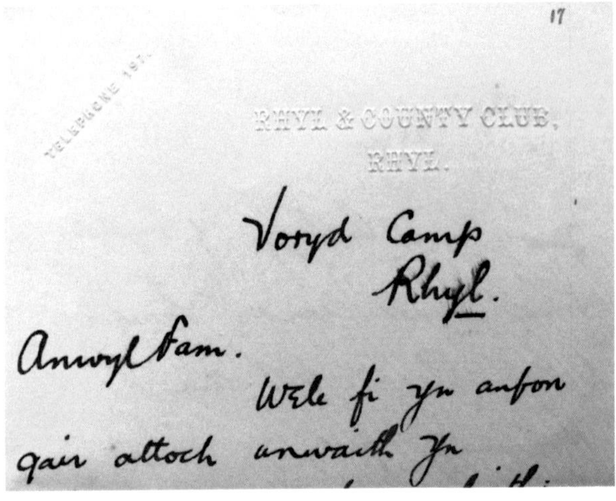

17

TELEPHONE 197

RHYL & COUNTY CLUB,
RHYL.

Voryd Camp
Rhyl.

Anwyl Fam.
Wele fi yn anfon
gair attoch unwaith yn

Sefydlwyd y clwb hwnnw yn Stryd y Farchnad yn 1891, ac erbyn 1910 roedd ganddo 73 o aelodau. Roedd modd i ymwelwyr â'r dre ymaelodi dros dro: 'Visitors, properly introduced, can become members for three months on payment of 10s.' Tybed a oedd pwyllgor y clwb wedi llacio'r rheolau yn ystod y rhyfel i ganiatáu i swyddogion y fyddin newydd hamddena yn eu clwb? Ynteu oedd Dafydd efallai wedi gofyn am gael menthyg papur ysgrifennu gan un o'i gyd-swyddogion oedd wedi ymaelodi â'r Clwb yn ystod eu cyfnod yn y Dre?

Sut bynnag am hynny, byrdwn llythyr Dafydd oedd fod cyfnod y fataliwn yn y Rhyl bron ar ben. Ar ôl yr holl ddryswch a newid meddwl a fu ynglŷn â phryd roedden nhw am gychwyn am Gaerwynt, roedden nhw wedi cael dyddiad pendant i ymadael o'r diwedd.

Voryd Camp
Rhyl.

Annwyl Fam.

...Nid oes gennyf newydd heddyw (...) ond y byddwn yn symud i Winchester dydd Mawrth nesaf yn cychwyn oddiyma ynghylch haner awr wedi wyth ac yn cyrraedd yno neb wyr pryd. Buasai yn well gennyf gael trafaelu'r dydd er mwyn gweled mwy o'r wlad – canolbarth Lloegr. Credaf y byddwn yn mynd trwy Lundain.

Yr ydym yn cael tywydd twym dros ben yma yn awr ac y mae'r lle yn burion llawn o visitors ar hyn o bryd.

Mwy na thebyg y bydd yma lawer iawn rhagor dydd Llun sef Bank Holiday – felly yr ydym yn tybied ar hyn o bryd pa fodd bynag.

Ar Awst yr 2il oedd Gŵyl Banc Awst yn 1915 (dim ond yn 1965 y dechreuwyd ei chynnal ar ddydd Llun olaf Awst). Roedd y fataliwn felly yn cychwyn ar eu taith trên i Gaerwynt ar Awst y 3ydd. Mae Dafydd yn cloi ei lythyr gydag ateb i gwestiwn a gafwyd yn llythyr ei fam, gellid tybio, yn holi tybed a oedd e wedi dod ar draws unrhyw un o ardal Llanddewi Brefi:

Nid wyf wedi gweld ond Twm Ty Mawr yma o gwbl, mae ef yn dod i'r cwrdd bob Sul. Mae rhyw gyfnewidiad wedi dod drosto credaf, er pan oedd yn Llanddewi.

Nid oes gennyf ychwaneg yw ysgrifennu heno ond anfon cofion cynesaf attoch oll.

Dafydd

Nid yr un Tŷ Mawr ag a grybwyllwyd gynt oedd hwn. Tŷ Mawr **Llanio** oedd cartre'r briodferch Mary Anne a'i brawd Wil, y 'grubshifter'! Ond roedd yna 'Tŷ Mawr' yn Llanddewi Brefi hefyd ac roedd Twm Davies yn un o bedwar o feibion. Roedd yn gweithio yng ngorsaf Pont Llanio cyn y rhyfel, ac ymunodd wedyn â'r 15fed fataliwn o'r Gatrawd Gymreig a oedd hefyd yn cael eu hyfforddi yn y Rhyl.

Mae Dafydd yn awgrymu fod Twm yn fwy awyddus nag y bu gynt i fynychu oedfaon y Sul – ond nid efe oedd yr unig un i brofi 'rhyw gyfnewidiad' felly ar ôl mynd i'r fyddin. Dyma eiriau'r Parchedig Havard o'r Rhyl, mewn llythyr at y *Goleuad* ychydig wythnosau ynghynt:

Llanddewibrefi Heroes.

CORPORAL TOM DAVIES and PRIVATE J. DAVIES, Sons of Mr. and Mrs. Davies Tymawr

Twm Tŷ Mawr a'i frawd

Mae amser ymadawiad y milwyr sydd yma ers rhai misoedd yn agoshau, a trwm yw ein calon wrth feddwl am eu gollwng. Yr unig gysur sydd gennym yw eu bod wrth ymadael oddi wrthym yn tystiolaethu mor gyffredinol mai y cyfeillion goreu gawsent oddi cartref oedd "pobl y capel", chwedl hwythau.

Cynhaliwyd gwasanaethau arbennig i ffarwelio â'r milwyr ym Mhafiliwn y Rhyl, ac yn un o'r rhain daeth John Williams Brynsiencyn draw i bregethu, fel Caplan y Fyddin Gymreig, yn ei wisg filwrol. Yn nes ymlaen yr un diwrnod...

pregethodd y Caplan drachefn yn nghapel Clwyd Street, (...) Roedd y capel eang yn orlawn, ac eneiniad amlwg ar y gwasanaeth. Dygodd y Caplan dystiolaeth i ymddygiad rhagorol y milwyr yn ystod y dydd, a'r astudrwydd gyda pha un y gwrandawent ar y genadwri boreu a hwyr.

Dyddorol yw deall fod ym mwriad y Caplan fyned allan i Ffrainc, i gynrychioli diddordeb di-orphwys yr Ymneilltuaeth yn ei chynrychiolwyr hithau, ar faes y frwydr, hyd yn nod yn y "trenches" gwaedlyd.

Roedd y Parchedig Havard wedi'i gynhyrfu'n lân gan y si hwn!

> *Pwy all fesur y dylanwad gaiff 'act' o'r fath ar ein milwyr—gweled y gweinidog amlycaf fedd Ymneilltuaeth Gymreig heddyw yn cysylltu ei hun mor llwyr ac hunanymwadol a'n milwyr, nes myned fel Esgob Llundain i'w dyddanu a'u calonogi ar faes y frwydr ei hun.*

Tybed a fyddai'r milwyr wedi teimlo'r un fath? Chawn ni byth wybod – si yn unig oedd hyn.

Er i ambell weinidog Cymraeg wasanaethu fel caplan yn y ffosydd (er enghraifft, D. Cynddelw Williams o Aberystwyth) nid oedd ef, John Williams, yn eu plith. Ac er i Havard derfynu ei lythyr at y *Goleuad* gyda bendith ar y milwyr 'pa le bynnag yr elont', ysywaeth, fyddai honno ddim yn ddigon i gadw Twm Tŷ Mawr yn ddiogel chwaith; byddai yntau'n cael ei ladd ym mrwydr Coed Mametz, a 'Cpl. Thos J Davies, Ty Mawr' yw'r enw sy'n rhagflaenu eiddo Dafydd ar gofgolofn Llanddewi Brefi.

* * *

Ond ar ddiwedd Gorffennaf 1915, yn haul y Rhyl, roedd bechgyn y Fyddin Gymreig yn dal yn ddiogel ac wrthi'n clirio'u pebyll wrth baratoi ar gyfer y daith trên araf o'r Rhyl i Dde Lloegr. Roedden nhw ar fin mynd sawl cam yn nes at Ffrainc; ond heb ormod o reswm eto, i feddwl am yr hyn fyddai'n eu hwynebu yno.

Gorsaf drenau'r Rhyl o'r un cyfnod

Sefais dan ganopi gorsaf y Rhyl drannoeth, gan ddisgwyl fy nhrên innau ar blatfform wag a cheisio dychmygu'r lle'n orlawn gan ddynion ifainc mewn gwisgoedd khaki. Roedden nhw wedi cyrraedd y Rhyl blith draphlith yn eu dillad eu hunain; ond roedden nhw ar fin stwffio mewn i drenau arbennig fesul cwmni a bataliwn, a phob un â'i bac ar ei gefn, a'i wn yn ei law. Cyrhaeddodd fy nhrên innau ac es i'w canlyn, ar gymal nesaf fy mhererindod.

Ceir manylion am ffynonellau pob dyfyniad yn y bennod hon, a phob un sy'n dilyn, ar wefan Gwasg Carreg Gwalch:
https://files.ekmcdn.com/92a6b5/resources/other/anwyl-fam-nodiadau.pdf

8

'Ni chlywodd trigolion hen ddinas enwog Caerwynt ddim hafal iddo'

(*Caerwynt: Awst – Hydref 1915*)

Roedd hi'n daith hir o'r Rhyl i Gaerwynt, ac ar noson boeth o haf mae'n siwr y byddai'r siwrnai'n teimlo'n hirach fyth. Roedd fy nhaith innau yn fyrrach o lawer, gan imi aros dros nos yn Llundain. Cychwynnais wedyn o Waterloo, ac ymgolli mewn llyfr nes sylweddoli fod y trên hwn i Gaerwynt yn mynd trwy Woking. Pan oeddwn i yr un oed â Dafydd, roeddwn i'n ffan mawr o'r band a ddaeth o'r sybyrb hwn ar gyrion Llundain, sef The Jam. A fedrwn ni ddim peidio meddwl am un o ganeuon mwya deifiol y band, Little Boy Soldiers, protest cignoeth yn erbyn imperialaeth a gwastraff rhyfel.

They send you home in a pine overcoat
with a letter for your mum,
saying, 'find enclosed
one son, one medal
and a note to say he won'

Lai nag awr yn ddiweddarach, roeddwn i yn stesion Caerwynt; lle digon hen ffasiwn hefo brics melyn a canopi pren.

Dim ond dau blatfform sydd yna, a sgriniau pren a gwydr yn ymestyn allan o waliau'r platfform i roi lloches i'r teithwyr rhag y gwynt. (Welais i 'rioed mo hynny o'r blaen!)

Ond nid i fa'ma y base Dafydd wedi dod. Roedd ail stesion yn y ddinas erstalwm ar gyfer trenau'r Great Western. Anodd dychmygu'r lle hwnnw bellach yng nghesail y bryn ar ochr ddwyreiniol y ddinas; mae 'na faes parcio aml lawr yn gorchuddio'r rhan fwyaf o'r safle, a dim ond enw'r lôn, Old Station Approach, i ddangos be oedd yma gynt. Hynny, a'r hen dwnnel oedd yn cario'r lein allan o'r ddinas o dan y bryn, a'i geg wedi ei gau hefo dwy ddôr enfawr.

O'r stesion hon byddai'r milwyr wedi troi i'r dde heibio'r Rising Sun ac i fyny St Giles' Hill cyn martsio rhyw ddwy filltir i wersyll Morn Hill ar y Downs uwchben y dre. Roedd W.O. Hughes, milwr cyffredin o Ddeiniolen, wedi cyrraedd Caerwynt ddiwrnod neu ddau cyn Dafydd, ar ôl teithio drwy'r nos i gyrraedd. Dyma'i argraffiadau cyntaf:

> Cawsom ein hunain yn Winchester tua 10 munud i chwech bore Llun. Yr oedd pawb ohonom yn awchu am gychwyn ar ein taith o'r orsaf i'r gwersyll, gan mor finiog oedd y tarth oedd yn gorchuddio pobman. Cyrhaeddwyd ein gwersyllfan tua 7 o'r gloch, a buan y daeth brenin y dydd i symud ymaith y tarth. Yn ôl yr hen arfer Cymreig, disgwyliem gael cwpanaid o de cynes ar ôl y noson ddigwsg, ond siomwyd ni pan wnaeth y "jippo" (hyny yw, broth cynwysedig o gig, pytatw, pys, ffa, wynwyn. moron, etc) ei ymddangosiad. Anghofiodd pawb ei awydd am yr "hen panad," a gwnaed cyfiawnder perffaith a'r gymysgfa flasus.

Cerddais innau i gyfeiriad yr hen wersyll gan ddiolch nad oeddwn i wedi gorfod teithio drwy'r nos i gyrraedd Caerwynt!

Wrth ddringo allt serth St Giles allan o'r ddinas hon ym mherfeddion Lloegr, syndod oedd gweld mai The Bryn oedd enw un o'r tai cyntaf i mi fynd heibio iddo – enw addas os annisgwyl! Ar ôl weindio i fyny i ben y bryn, mae'r lôn, Alresford Road, yn un syth hollol wedyn. Hen lôn Rufeinig yw hon a lôn oedd wedi hen arfer clywed traed milwyr arni ganrifoedd cyn amser Dafydd.

Caerwynt oedd un o'r trefi pwysicaf yng nghyfnod y Rhufeiniaid, ac os yw'r enw'n swnio'n ddigon tebyg i'n Caerwent ni yn sir Fynwy, mae 'na gysylltiad. Mae'r '-wynt' a'r '-went' yn y ddau enw wedi deillio o'r un gair yn y Frythoneg, sef 'venta'. Ystyr 'venta' oedd 'lle i fasnachu'. Venta Silurum oedd yr hen enw ar Gaerwent Cymru, a Venta Belgarum oedd Caerwynt. Roedd y naill yn gyrchfan i lwyth y Silwriaid yng Nghymru a'r llall yn gyrchfan i'r Belgiaid yn Ne Lloegr.

Roedd y Belgiaid mewn gwirionedd yn llwyth lluosog iawn; roedd sawl llwyth yn perthyn iddynt, a'r rhan fwyaf o'r rheini yn byw dros y dŵr yng Ngogledd Ffrainc a Fflandrys. Dyna sydd wrth wraidd yr enw 'Gwlad Belg'. Lle eironig o addas felly i hyfforddi milwyr fyddai'n mynd gan mwyaf draw i Ogledd Ffrainc a Gwlad Belg.

Dyw'r lôn ddim wedi newid llawer yn ystod y can mlynedd a aeth heibio – heblaw lle mae'n croesi traffordd yr M3 sy'n cysylltu Llundain a Southampton, a honno'n torri hafn ddofn drwy Morn Hill er mwyn osgoi dinas Caerwynt.

Ar ôl croesi'r afon draffig gyfoes honno, tir fferm at ei gilydd sydd o boptu'r lôn heddiw o hyd, megis can mlynedd yn ôl.

Roeddwn i'n cerdded y lôn ar ddechrau Ionawr, a'r gwrychoedd yn sgerbydau a'r caeau'n ddigon llwm – ond daeth Dafydd yma yng nghanol gwres Awst, a'r cynhaeaf yn ei anterth. Ac fel mab fferm, roedd yn ymddiddori'n fawr yng ngwaith y ffermwyr lleol yn y caeau o gwmpas y gwersyll:

> Y mae yn llawer mwy poeth yma na yn Rhyl er hynny cymmaint a all y ffermwyr yw torri eu llafuriau mewn pryd – neu fe wna fynd yn rhy aeddfed. Maent yn lladd heddyw ymhob ffarm. Binders i gyd. Gwenith yw mwy na hanner yr yd welir yma. Mae llawer wedi ei gasglu, arall yn ei stacan, a'r gweddill fwyaf fel y dywedais yn cael cosfa heddyw gan ei bod yn ddiwrnod golew.

Caeau Morn Hill, Ionawr 2020

Yn ei lythyr cyntaf o Gaerwynt yng nghanol mis Awst, roedd y fyddin yn dal yn y broses o drawsffurfio'r Downs o gwmpas Morn Hill yn wersyll milwrol anferth:

> Nid oes gennyf yr un newydd neullduol yw anfon heddyw – dim ond ein bod yn dechreu settlo lawr in lle newydd fel y gallsid disgwyl ar ol bod yma wythnos. Y mae yma lawer iawn o waith yw

wneud i ddod ar camp i drefn ac y mae'r soldiers bob dydd yn gweithio'n bur galed. Yr ydym ni yn officers yn cael amser pur hamddenol.

Yn ôl llythyr a 'sgrifennodd Preifat Ben Nicholas i'r *Rhondda Leader*:

Fatigue parties of soldiers may be seen, any day of the week. laying roads in and around the camps and how strange it would seem to friends at home to see the Rhonddas, for example, navvy-ing away, as if to the manner born. (...) Everywhere workmen may be seen constructing new huts, but the troops have been pouring in much faster than the huts have been growing. Small wonder!

O ganlyniad roedd y rhan fwyaf o'r milwyr Cymraeg yn cysgu dan ganfas i ddechrau. Yn ôl hunangofiant W. J. Jones Edwards, milwr cyffredin o Ffair Rhos:

Cysgem mewn pebyll, tua phedwar ar ddeg ymhob pabell, a'n pennau yn gorffwys ar y pac caled (a gymerai le gobennydd) o gylch y polyn yn y canol.

Yn ôl W.O. Hughes o Ddeiniolen:

Yr oedd yn gynes, gan fod deuddeg ohonom yn mhob un. Nid oedd eisieu awrlais na oriawr i ddweyd yr amser, gan ein bod bob awr bron yn newid ochor (gydag ochenaid) ar y gwely coed.

Erbyn diwedd y rhyfel disodlwyd y pebyll gan y cytiau pren, ac roedd gwersyll Morn Hill yn gallu dal cymaint â 50 mil o ddynion – rhif anhygoel o gofio mai 22 mil oedd poblogaeth tref Caerwynt ar y pryd. Erbyn 1918, roedd adeilad brics wedi'i godi fel mess i'r swyddogion – a dyna'r unig adeilad o gyfnod y gwersyll sy'n dal i sefyll, ar fin yr hen lôn Rufeinig.

Adeilad mess y swyddogion (ar ôl cyfnod Dafydd)

Mewn ymgais i ganfod olion eraill o gyfnod y gwersyll, mentrais i fynwent Magdalen Hill dros y ffordd. Milwyr o'r gwersyll oedd y cyntaf i gael eu claddu yma yn 1916, ac ar ôl y rhyfel mi wnaeth awdurdodau'r ddinas gymryd y lle drosodd a bellach mae'n un o brif fynwentydd y ddinas gydag adrannau gwahanol o gwmpas y cnewyllyn milwrol gwreiddiol. Wrth grwydro'r fynwent ac oglau pridd tamp yn llenwi'r ffroenau, gwelais fod llawer o'r cerrig beddi cyfoes yn y fynwent mewn siapiau mwy anturus na'r hyn a welwn fel arfer ym mynwentydd Cymru. Roedd rhai ar ffurf llyfrau, rhai ar ffurf powlenni, ac roedd cerrig siâp calon i weld yn boblogaidd iawn.

Wrth ddynesu at yr adran filwrol, roedd dynion cyngor mewn siwtiau oren llachar yn strimio'r glaswellt o gwmpas un grŵp o feddi. Milwyr o'r Royal Newfoundland Regiment oedd y rhain, a laddwyd gan y flu ym mis ola'r rhyfel. Wedi teithio mor bell, ac heb gyrraedd maes y gad – ond roedden nhw wedi teithio'n rhy bell i'w cyrff gael eu cyrchu nôl dros yr Iwerydd. Mor wahanol oedd tynged dros 500 o filwyr Americanaidd a fu farw o'r un aflwydd. Codwyd eu cyrff ar ôl y rhyfel a'u hail-gladdu yn yr Unol Daleithiau.

Wrth droi allan o'r fynwent, yn ymyl y brif fynedfa, roedd gweithdy saer maen a dyn gwallt hir mewn masg yn torri gwenithfaen â llif gron, a'r llwch yn codi'n gwmwl o'i gwmpas. Cymerais y cyfle i'w holi os oedd unrhyw olion eraill o'r gwersyll. 'Nac oes,' meddai, 'ond base'n werth cerdded i ben yr allt wrth ymyl y fynwent am fod 'na arwyddion yno sy'n rhoi mwy o hanes y lle.'

Diolchais iddo, ac i fyny â fi felly ar hyd lôn drol nes cyrraedd giât. Es i drwodd a chael fy mod i bellach ar dir gwarchodfa natur Magdalen Hill Down. Yma, yn ôl yr arwydd cyntaf a welais, mae'r pridd yn denau ac o'r herwydd yn cynhesu'n sydyn yn yr haul, sy'n creu cynefin ar gyfer nifer o blanhigion prin fel Dark Mullen a Horseshoe Vetch. Roedd Dafydd yntau wedi sylwi ar natur y pridd dan draed:

> Achwyn oeddech fod y tywydd yn wlyb, nid yw fawr gwell yma ychwaith, cawodydd yn fwy na gwlaw cyson, ac ambell decyn tes dros ben yn canlyn. Ond y mae'r oll yn sychu i fyny yma yn fuan dros ben gan mae chalk land yw y[r] oll yma. Mae'r dwr yn cael ei dynnu i fewn yn hynod gyflym.

Os yw'r tir yn creu cynefin ar gyfer planhigion prin, mae'r rheini yn eu tro yn cynnal nifer o loÿnnod byw prin fel y Brown Argus a'r Chalkhill Blue. Dyna un o'r prif atynfeydd i'r warchodfa natur – ac ar fwrdd du yn ymyl yr arwydd croeso, mae ymwelwyr yn cael eu hannog i nodi unrhyw rywogaethau prin maen nhw wedi eu gweld tra'n cerdded yno. 'For verification purposes, please date and initial your sightings' A hithau'n fis Ionawr, doedd dim sôn am loÿnnod byw – ond roedd un cerddwr craff wedi gweld cnocell y coed.

Yn ôl yn 1915, pan edrychai Dafydd i fyny i'r awyr, nid adar oedd yn mynd â'i fryd ond:

> yr aeroplanes sydd yn hedfan oddiamgylch yma y ddyddiau yma; maent mor aml bron ag adar ac y maent yn edrych yn odidog dros ben i fynny yn yr awyr. Maent yn berffaith up to date hefyd. Machine guns arnynt bob un. Beth am fight yn yr awyr tua dwy fil o droedfeddi i fyny? Real living picture eh…

Tybed oedd ei fam wedi bod yn y 'living pictures' hefo Dafydd, ar ymweliad ag Aberystwyth efallai? Anodd i ni heddiw lawn werthfawrogi pa mor gyfoes y gallai'r awyrennau cynnar hyn o bren a chanfas ymddangos i ddyn ifanc fel Dafydd. Wedi'r cyfan roedd e'n ddeg oed cyn i'r brodyr Wright fentro i'r awyr am y tro cyntaf erioed mewn awyren.

Pan oedd Dafydd ar ei ail flwyddyn yn y coleg ger y lli, roedd tipyn o gynnwrf pan ymwelodd 'flying machine' â'r dref am y tro cyntaf. Stynt cyhoeddusrwydd gan y *Daily Mail* oedd hyn, ac roedd un o gyd-fyfyrwyr Dafydd, O.R. Howell o Arberth, wedi ennill yr hawl i gael hedfan yn rhad ac am ddim hefo'r peilot, Mr. Salmet. Glaniodd yr awyren ar gae criced y coleg wedyn a mynnodd y myfyrwyr fod Howell yn gwneud araith ar ei sefyll yn yr awyren, cyn iddyn nhw ei gludo o'na ar eu hysgwyddau. Cafodd myfyriwr arall, C. G. Rumsey, fynd i fyny ar ôl hynny, ac yn ôl yr adroddiad yn y Welsh Gazette, dywedodd fod y trip wedi ei atgoffa o'i blentyndod pan fyddai'n chwarae 'with a Noah's ark. The people seen from above, looked so small – just like the toys of childhood.'

* * *

Es innau yn fy mlaen i geisio cael hyd i'r hysbys fyrddau oedd yn rhoi hanes gwersyll Morn Hill. Roedd yr arwydd nesa a welais yn nodi'n smala, 'We have just taken delivery of our new conservation lawnmowers' – sef pump o ferlod Exmoor! Mi wnân nhw bori ar blanhigion fel eithin a rhedyn a allai ddisodli'r rhywogaethau prinnach – ond roedd yr arwydd yn siarsio'r cerddwyr i beidio â'u bwydo, rhag iddyn nhw fagu arferion drwg.

Trois gornel heibio gyr o wartheg gwynion ym mhen pella'r cae, a dyna lle roedd dwy arwydd yn sôn am wersylloedd Morn Hill. O'r fan hyn roeddwn i'n edrych allan dros y caeau gwag lle safai'r pebyll a'r cytiau gynt ac yn y pellter gallwn glywed grŵn y draffordd.

Ar y ddwy arwydd roedd nifer o luniau o'r pebyll a'r cytiau, rhesi ar resi o filwyr yn syllu ar y camera, a'r ceffylau a cherbydau a ddefnyddid i gludo anghenion y milwyr o gwmpas y lle. Roedd un o'r lluniau'n dangos ysbyty'r gwersyll. Yn ei lythyr i'r *Rhondda Leader*, roedd Ben Nicholas wedi nodi fod y fyddin Gymreig yn rhoi blaenoriaeth i lendid o gwmpas y gwersyll: 'There is one feature of the Welsh Army worthy of special mention, for it is unique.' Aeth yn ei flaen i esbonio fod 'na gwmni o 32 o ddynion oedd yn goruchwylio'r 'sanitary arrangements' yn y gwersyll, ac yn ôl Ben Nicholas, dyma'r uned gyntaf o'i bath i gael ei sefydlu yn y 'Regular Army'. Athro oedd

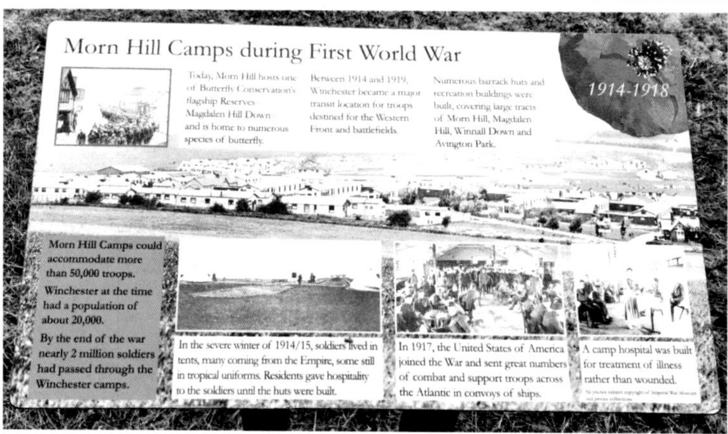

Ben cyn ymuno â'r fyddin (a llywydd yr NUT yn ardal y Rhondda a Phontypridd) ac roedd yn ddigon cyfarwydd â'i hanes i fentro aralleirio un o gadfridogion enwoca'r byd:

> *'Napoleon used to say, "the soldier fights on his belly," but we have moved on since then, and now we know that efficiency comes with the full belly and sanitation. (...) Soldiers cannot remain healthy, however well-fed, in insanitary conditions.'*

Nid adeiladu toiledau oedd yr unig faes lle oedd y Cymry'n arloesi yn ôl Ben:

> *Another interesting presentation to the Welsh Army is that of Lady Lynn Thomas, viz., a Bacteriological Car, which is in charge of Captain and Professor Emrys Roberts, Cardiff. In this car, fitted up as a Bacteriological Laboratory, the water supplied to the troops, sputum, vaccines and serums are examined by Captain Roberts, and the presence of injurious germs at once detected.*

Tybed faint o ddefnydd gafodd hwnnw ym mwd y ffosydd yn Ffrainc?

* * *

Yng nghanol tawelwch gwarchodfa natur roedd yn anodd dychmygu'r prysurdeb gynt. Ac wrth geisio ail-greu cyfnod Dafydd yma yng Nghaerwynt, dyw ei lythyrau ddim yn gymaint o gymorth inni ag y gallen nhw fod. Mi fuodd yng ngwersyll Morn Hill o ddechrau Awst tan ddechrau Rhagfyr 1915, gyda mis yn y Staff College yn Camberley a phythefnos o *leave* ym mis Tachwedd. Hyd yn oed ar ôl tynnu'r 6 wythnos y bu allan o'r gwersyll, mae hyn yn gyfnod o 12 wythnos yn Morn Hill – ond yn anffodus dim ond 4 llythyr sydd wedi goroesi ganddo o'i gyfnod ym Morn Hill.

Diolch i'r drefn mae digon o ffynonellau eraill sydd yn ein galluogi ni i roi darlun mwy cyflawn o'i hanes yng Nghaerwynt. Dyma W.O. Hughes o Ddeiniolen eto, yn disgrifio diwrnod nodweddiadol yn y gwersyll:

> *Haner awr wedi pump daeth oerlef y "rouse" a chyn pen ychydig fynudau yr oedd pawb am y prysuraf o dan "y tap" cyn mynd am y "physical drill," am 6.30. (...) Credaf fod y bywyd milwrol yn dygymod a phawb ohonom. Wrth gwrs, rhaid mynd "ar y sick" rai prydiau, pe ond i arbed y "long route marches," ond waeth heb gwyno, mae golwg rhy dda ar y bechgyn i gyd, i unrhyw un feddwl fod yr ymborth heb fod i fyny a'r hyn ddylai fod. Weithiau mae lle i gredu fod yr anifail sydd yn gyfrifol am gig mewn cryn oedran, ond at ei gilydd, mae y trefniant gystal ag y gellid disgwyl.*

Roedd Howard Ll. Roberts o'r Borth hefyd wedi sylwi fod y cig yng Nghaerwynt yn gallu bod yn wydn weithiau ond nid mewn llythyr y rhannodd ei sylwadau ond ar ffurf cartŵn.

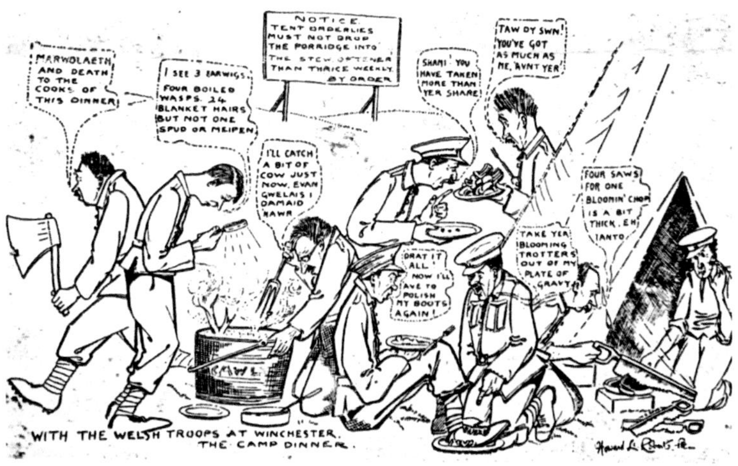

Mae dau filwr yn trio'n ofer torri seigen o gig. Mae un wrthi'n chwys i gyd hefo'i li. Gwelwn iddo falu sawl lli arall yn barod. 'Four saws for one bloomin chop is a bit thick, eh Ianto?' meddai'r capsiwn. Mae milwr arall wrth ymyl crochan o gawl a'i fforch yn yr awyr yn barod i drywanu tamaid o gig; 'I'll catch a bit of cow just now Evan. Gwelais i damaid 'nawr.' I bwysleisio pa mor brin yw'r cynhwysion maethlon a ddisgwylid mewn cawl, mae ei gyfaill Evan yn craffu arno gyda chymorth chwyddwydr. Meddai hwnnw: 'I see 3 earwigs, four boiled wasps, 24 blanket hairs but not one spud or meipen.'

Borth Cartoonist.

CORPORAL HOWARD LL. ROBERTS, The Crib, R.A.M.C., on active service, a well-known black and white artist and cartoonist.

Roedd Howard Ll. Roberts yn gwasanaethu hefo'r Corfflu Meddygol. Cyn y rhyfel, bu'n gynghorydd plwyf, yn ysgrifennydd carnifal y pentref ac yn actor mewn dramâu amatur lleol. Ond roedd hefyd yn gartwnydd medrus a bu galw am ei waith yn yr wythnosolyn Liberal Opinion ac ym mhapur newydd y Cymry yn Llundain, ymhlith eraill. Yn un o'r amryfal eisteddfodau a gynhaliwyd yng Nghaerwynt, roedd cystadleuaeth greu cartwnau. Pedwar a ymgeisiodd ond Howard Ll. Roberts aeth â hi, gyda chwe chartŵn yn darlunio ac yn dychanu gwahanol agweddau ar fywyd y gwersyll; y cook house, ablutions, pa mor llawn oedd y pebyll lle roeddynt yn cysgu ac yn y blaen.

Mewn un cartŵn mae'n tynnu sylw at y ffaith nad oedd y pebyll yn dal dŵr yn y glaw, a dyma o bosib ei ddarlun mwya abswrd. Mae cymaint o ddŵr yn y babell nes bod un milwr yn boddi; mae un arall wedi dringo'r polyn canol ac yn gweiddi am y 'camp lifeboat', tra bod milwr arall yn cysuro'i hun 'o leia fydd ddim rhaid imi 'molchi y bore 'ma'! Smala iawn.

Nid Howard Roberts oedd yr unig un i ganfod testunau hiwmor yn y gwersyll yng Nghaerwynt. Yn ôl erthygl yn y Flintshire Observer, roedd un o filwyr y Ffiwsilwyr Cymreig yn chwyrnu cymaint nes i rai o'r milwyr yn ei babell benderfynu dial arno. Deffrodd y chwyrnwr o'i drwmgwsg un bore a chael fod ei wely wedi diflannu oddi tano. Hynny yw, roedd y gwellt wedi diflannu o'i fatres ac roedd gorchudd honno'n galed ac yn wag o dan ei gorff. Neidiodd i'w draed a chyhuddo'i gymdogion. "Na, na!" meddai'r ddau filwr hynny, "un o fulod yr Army Service Corps ddaeth mewn i'r babell yn ystod y nos, a byta'r gwellt o dy wely di, tra dy fod ti'n cysgu."

"Mul meddech chi? Rhaid ei fod o'n ful clyfar y diawl – achos nid yn unig mae o wedi dwyn y gwellt i gyd o 'ngwely i, ond mae o wedi'i stwffio fo'n dwt i mewn i'ch matresi chi'ch dau hefyd!"

A dyma'r ffrwgwd yn ail-gychwyn! Stori ddigon diniwed ond hawdd gweld sut y gallai'r chwarae droi'n chwerw, hefo cynifer o ddynion ifainc egnïol yn byw ar ben ei gilydd.

* * *

Her i swyddogion fel Dafydd oedd cadw rheolaeth ar holl ddynion y fyddin newydd anferth hon. Roedd Morn Hill ymhellach o demtasiynau'r tafarnau nag oedd y Rhyl, ond gyda llu o ddynion ifainc yn cael eu hyfforddi beunydd i ymladd, pa ryfedd os oedd yr egni yna yn berwi drosodd weithiau? Yn ôl y *Gwyliedydd*, yn fuan ar ôl i'r milwyr gyrraedd Caerwynt:

Aeth si fod helynt wedi bod yn Winchester rhwng y 1st Rhondda Battalion a Bataliwn o Pals o Landudno. Y mae Cyrnol Holloway wedi dywedyd na fu dim o'r fath beth.

Colonel Holloway oedd prif swyddog bataliwn y Rhondda. Nid oes sôn wedyn am yr helynt honedig hon, ond tybed oes cysylltiad rhyngddi â'r nifer o gyfarfodydd athletau a drefnwyd yn ystod mis Awst? Dyma ffordd fwy cymeradwy, yn sicr, o gyfeirio unrhyw awydd gystadleuol rhwng y gwahanol fataliynau.

Ar yr 21ain o Awst, yn ôl y North Wales Chronicle, cynhaliwyd prynhawn o athletau gan fataliwn "Pals" Gogledd Cymru. Roedd 'na rai rasus ar gyfer dynion y fataliwn yn unig, ac eraill oedd yn agored i ddynion y South Wales Borderers a'r Gatrawd Gymreig hefyd; ac yn y rhain mi wnaeth Sgt. Pope o fataliwn y Rhondda ragori drwy ennill y ras chwarter milltir a dod yn ail yn y ras ganllath.

Tybed oedd swyddogion bataliwn y Rhondda yn bresennol? Os oeddent, tebyg y byddai Dafydd a'i gyfaill Talfryn wedi bod yn cymharu nodiadau ynglŷn â chyflymder Sgt Pope. Roedd Talfryn wedi ennill y ras ganllath ryng-golegol y flwyddyn gynt, gydag amser digon anrhydeddus o 10.2 eiliad (9.6 eiliad oedd record y byd ar y pryd). Ond er nad oedd swyddogion yn aml yn cystadlu yn erbyn eu dynion, roedden nhw'n cael cystadlu yn erbyn ei gilydd. Cynhaliwyd gornestau paffio hefyd yn ystod mis Awst – a dyma gyfle i un arall o gyd-swyddogion Dafydd ddisgleirio. Dyma'r hanes fel y'i hadroddwyd gan y Carmarthen Journal:

Captain Huntingdon, Army champion 1914–1915, was unexpectedly beaten in the officers' heavy-weight class final, his opponent being Lieut. D. Gordon Davies, 10th Welsh Regiment, who won a hard-fought contest on points. Lieut. D. Gordon Davies, an old Cambridge Blue, is the son of the Rev. D.M. Davies, vicar of Nantcwnlle. He was trained by Jim Driscoll, who is in his regiment.

Mae Nantcwnlle yn ddigon agos i Dregaron, ac er i Gordon fynd i ysgol yr eglwys yn Ystrad Meurig ac ymlaen i goleg Downing yng Nghaergrawnt, mae'n debyg y byddai Dafydd wedi ei adnabod yn dda. Roedd wedi ennill 'blue' dwbwl yng Nghaergrawnt, gan iddo ennill y ras chwarter milltir ddwywaith yn erbyn Rhydychen, yn 1913 a 1914, ond prin y byddai hynny wedi ei wneud o'n ffefryn i guro pencampwr pwysau trwm y fyddin. Ond gan iddo gael ei hyfforddi gan 'Peerless Jim Driscoll' roedd ganddo gryn fantais – dyma un o'r paffwyr gorau o Gymru erioed, pencampwr pwysau plu Prydain ac un a oedd wedi ymladd am deitl y byd.

Mae 'na lun ymhlith llythyrau Dafydd sy'n ei ddangos yn sefyll hefo Gordon Davies a 3 arall o'i gyd-swyddogion gyda phebyll Morn Hill yn y cefndir – mae'n debyg i'r llun gael ei dynnu'n fuan ar ôl buddugoliaeth Davies yn y cylch paffio. Davies sydd nesaf at Dafydd, a'i fenig paffio yn ei ddwylo, ac ar y glaswellt o'u blaenau mae'r cwpan arian a enillodd. Mae'n werth edrych yn fanylach ar Dafydd hefyd, gan mai hwn yw'r unig lun sydd wedi goroesi ohono yn ystod ei gyfnod hyfforddi ar ôl y dyddiau cyntaf yn y Rhyl.

Erbyn hyn, wyth mis yn ddiweddarach, mae'n amlwg iddo gynefino â'r lifrai amdano. Mae'r ffon yn dal ganddo, ond mae heb ei felt ac mae pocedi'i siaced yn bochio. Mae ei gap ar fymryn o ongl, ac mae 'na drwch parchus o fwstash dan ei drwyn. Dyma ddyn sydd wedi perchnogi'i lifrai bellach. Mae'n prysur droi'n swyddog go iawn.

* * *

Un o'i ddyletswyddau fel swyddog oedd sicrhau fod ei ddynion yn ymarfer saethu. Ar gyfer hyn, eid â nhw i safle pwrpasol ar Salisbury Plain. Dyma ddisgrifiad W. O. Hughes, Deiniolen o'r profiad:

> *Taranai y "field guns" o un cyfeiriad, tra ugeiniau o'r bwledau yn chwibianu dros y ranges o'r cyfeiriad arall. Yr oedd pawb ohonom yn awyddus neillduol am wneyd marc, a dyma yr hyn a glywid bob yn ail munyd, "Be gest ti mate?" "Dau fwl-outar a dau wash-out; be gest ti?" "Bwl inar a dau fagpipe."*

Ar ranges y fyddin, y 'bull' oedd y cylch canol; o gwmpas hwnnw roedd y 'bull inner'; yna'r magpie; yna'r 'bull outer' – ond i glustiau'r Cymro mae'n amlwg fod 'magpie' wedi troi'n 'fagpipe'! Does rhyfedd fod William Owen Hughes wedi ymhyfrydu yng nghywirdeb ei lygad – yn Ffrainc wedyn, byddai'n gwasanaethu hefo adran peirian-ddryll nes gael ei anafu ar ddechrau brwydr Mametz.

* * *

Gan fod W.O. Hughes yn is-swyddog gyda'r Ffiwsilwyr Cymreig, mae'n annhebygol y byddai Dafydd wedi dod ar ei draws, ond gyda chynifer o Gymry eraill wedi'u crynhoi mewn un man, roedd mwy o gyfle nag yr oedd yn y Rhyl i Dafydd daro ar bobl yr oedd yn eu hadnabod; ac roedd ei fam wedi deall hynny. Mae'n amlwg ei bod hi wedi holi am ambell un o'r ardal yn ei llythyrau at ei mab, a dyma ateb Dafydd iddi mewn llythyr o ganol mis Awst:

> Nid wyf wedi gweld Edmund Llangeitho eto ond y mae Twm Felin Lanio a Arthur Mam yma, gwelais hwy yma yn ystod y dyddiau diweddaf ond ni fum yn siarad a hwy. Y maent hwy ei dau yn perthyn i'r Army Service Stores, eu gwaith wrth hyny yn gofalu am y bwyd dynion a cheffylau, a gallwn feddwl fod ganddynt ddigon o

waith. Maent wrthi o fore tan nos. Nid wyf wedi gweld neb arall yma o'r ardal yna.

(Roedd teulu Felin Lanio yn gymdogion i deulu'r Wern Isa, ac Arthur Mam yn dod o Lambed. Roedd Edmund Jones o Dymelyn, Llangeitho yn un o ffrindiau gorau Charles, brawd Dafydd; buon nhw yn yr Ysgol Sir yn Nhregaron hefo'i gilydd, ac yn rhannu *digs* wedyn yn y coleg yn Aberystwyth. Roedd Edmund bellach yn rhingyll gyda'r Ffiwsilwyr Cymreig.)

Drwy grynhoi'r brigadau o'r Rhyl, Bae Colwyn a Llandudno mewn un lle, roedd y Cymry'n bresenoldeb yn Lloegr nas gwelwyd o'r blaen. Mi wnaeth un o newyddiadurwyr y *Star*, sef papur lleol Caerwynt, eu disgrifio fel hyn:

Around Winchester are the legions of Wales. Like the unseen armies of Elisha's time, they compass the city about. With Celtic zeal they are preparing themselves against the time when they will take their places in the great war.

Delwedd Feiblaidd ddigon apocalyptaidd; roedd byddinoedd Eliseus (neu Elisha) 'yn llawn meirch a cherbydau tanllyd'. Tybed a wnaeth un o gaplaniaid y fyddin bregethu i'r milwyr ar y testun hwn yn ystod eu cyfnod yng Nghaerwynt? Yn sicr, roedd disgwyl iddynt fynychu gwasanaeth ar y Sul, ac mae Preifat Ben Nicholas yn disgrifio fel y byddai Anghydffurfwyr bataliwn y Rhondda yn cyd-addoli hefo Anghydffurfwyr y Corfflu Meddygol (R.A.M.C.), y magnelwyr a'r peirianwyr brenhinol (RFA a'r RE). Bob Sul bydden nhw'n cael eu martsio i ymuno â'r lleill gan ffurfio rhengoedd o gwmpas sgwâr drilio. Dyma Ben Nicholas eto:

The Chaplain approaches. "Parade, 'Shun!" Chattering ceases. 'Fe ganwn emyn 12 'Craig yr oesoedd, ynot Ti, Holltwyd drosof, cuddier fi,' &c."

Roedd taflenni emynau wedi cael eu paratoi a'u rhannu o flaen llaw. Yna, dyma un o filwyr yr R.A.M.C. a oedd yn sefyll wrth ymyl y Caplan yn ledio'r emyn a phawb yn ymuno.

And oh what singing! We know that Welsh boys can sing, but to appreciate hymn singing one must hear these lads from the hills and valleys of Wales singing here in Winchester. A short lesson is read, the soldiers meanwhile sitting down on the greensward. In loud and resonant voice the Chaplain proclaims, "Canys fel y dyrchafodd Moses y sarff yn y diffaethwch, felly y mae yn rhaid dyrchafu Mab y Dyn," &c. How familiar it sounds, and how lovely!

Wrth iddo wrando roedd Ben Nicholas yn ymwybodol fod

gwasanaethau enwadau eraill yn digwydd yn y pellter. Roedd band gan yr eglwyswyr i arwain y canu. Doedd dim angen un ar y Cymry. Ar ôl gweddi ac emyn arall, dyma'r milwyr yn eistedd eto.

We lounge carelessly on the Downs again, while the Chaplain gives a short address. His theme is, The place of the altar in the life of a nation. A casual observer is not impressed perhaps. No grand sacred building here, no railed altar, (...) the blue heaven is our dome, the ground our seats, a mound our pulpit; but the sun shines down upon us, and the fresh air is all around us. A simple service, but solemn, grand, impressive.

Roedd nifer o gaplaniaid Cymraeg yn gweinidogaethu gyda'r milwyr yng Nghaerwynt. Ac yn ogystal â'u hymdrechion i gynnal oedfaon ac ysgolion Sul ymhlith y milwyr, roedd yr Y.M.C.A. – yr Young Men's Christian Association – yn weithgar hefyd. Roedd ganddynt gwt sylweddol yn y gwersyll a hwnnw'n darparu diodydd dirwestol a bwydydd am brisiau rhesymol. Roedden nhw hyd yn oed yn gwerthu baco Amlwch – a hynny'n sicr wedi lleddfu rhyw faint ar hiraeth ambell un o Ynys Môn. Roedd y gweinidog D.C. Herbert, yn hael ei ganmoliaeth i'r "Y.M." fel y gelwid y lle gan y milwyr.

Mae'r gymdeithas yma yn gwneud gwaith ardderchog yn eu plith. (...) *Darperir papur ysgrifennu i'r milwyr yn rhad; y mae'r gymdeithas yn gwario tua dwy fil o bunnau yr wythnos am bapur ysgrifennu yn unig.* (...) *A buasai llawer i fam a theulu heb air byth gan eu hanwyliaid onibai am ddarpariadau hwylus y "Y.M."*

Roedd yr "Y.M." yn rhoi lle i'r milwyr dreulio eu horiau hamdden o fewn y gwersyll, yn lle'u bod nhw'n cael eu hudo lawr i ddinas Caerwynt. Yn ôl D.C. Herbert: 'Mae y "Y.M." wedi bod yn foddion i gadw llawer i fachgen o Gymru ar ei draed rhag cwympo ohono ar lwybr llithrig y gwersyllfaoedd.'

Ond pan fyddai'r milwyr yn mynd i'r ddinas, nid mynd yno i hel tafarnau fydden nhw o reidrwydd, fel y cawn weld.

Es innau yn ôl i ganol Caerwynt a chrwydro'i strydoedd i geisio cael gwell argraff o'r lle. Mae'n ddinas ddigon llewyrchus heddiw yn sicr. Mae hyd yn oed y siop ffish a tjips ar y stryd fawr yn cael ei redeg gan y *chef* teledu, Rick Stein!

Dotiais o weld arwydd yn fy nghyfeirio at 'Winchester's only self-service wine bar' ond roedd hi'n rhy gynnar yn y pnawn i ymchwilio ymhellach. Mae llawer o'r hen adeiladau fyddai wedi bod yn gyfarwydd i Dafydd a'i gyd-filwyr wedi cael eu hail-wampio at ddibenion masnachol; yr hen lyfrgell yn dŷ bwyta, yr hen farchnad ffrwythau'n gwerthu dillad crand i ferched.

Anelais at stryd Broadway yng ngwaelod y ddinas. Yma mae'r lôn yn ymledu'n sylweddol ac ar lain o laswellt yn y canol mae cerflun efydd anferth o'r brenin Alfred yn sefyll ar blocyn sylweddol o wenithfaen. Mae'n dal ei gleddyf yn yr awyr ac mae hi tua hanner can troedfedd o'r llawr at frig y cerflun.

Mae efydd y cerflun wedi troi'n ddu gan effaith y tywydd a mwg y ddinas, a phan aeth W.O. Hughes a'i ffrindiau i'w weld o gyntaf, daeth nifer o blant atynt a dechrau dweud hanes y brenin yn y gobaith o gael cildwrn. Roedd mwy o ffansi nag o ffaith yn yr hyn oedden nhw'n ei ddweud, ac wrth synhwyro nad oedden nhw'n cael gwrandawiad mor frwd â'r hyn roedden nhw wedi gobeithio amdano, dyma blentyn llais main yn rhoi un cynnig olaf arni; 'E's the one wot burnt the cakes'. 'O,' meddai un o'r Cymry'n ddireidus, 'dyna pam fod golwg mor ddu arno fe.'

Hel o gwmpas y cerflun hwn fyddai'r milwyr Cymreig ar nos Sul, er mwyn canu emynau. Dyma sut y darluniwyd yr olygfa gan y *Flintshire Observer*:

> [B]*eneath the shadow of the statue of the great Anglo-Saxon Alfred, a crowd of khaki-clad Welsh. On the kerb of the statue a non-com. Using his swagger-cane as a baton, he leads off with a fine tenor in such a composition as "All the Night", or "Bryn Calfaria", or "Hyfrydol". Instantly the whole mass spring to the tune, taking parts by memory, singing the loved Welsh words. No sooner is one song finished than another is begun. If one particular tune is omitted, sooner or later it will be called for on all sides. "Aberystwyth next, corporal"; "Let's have Aberystwyth, corporal," until with a smile the leader leads off with that weird melody.*

Dwi ddim yn siwr os dwi'n cytuno fod Aberystwyth yn dôn 'weird' (!) – ond yn sicr roedd yr hen emyn-donau yn denu'r milwyr Cymreig yn eu cannoedd. Yn ôl un adroddiad o'r cyfnod, '[b]ron nad yw y gwersyll yn wag nos Suliau,' cymaint oedd y dynfa lawr at y cerflun. Mi welodd y caplan P. Jones Roberts ei gyfle a gofynnodd ganiatâd gan y Chief Constable i gynnal oedfaon awyr agored i'r milwyr ar y Broadway. Dyma'i ddisgrifiad o'r rhai cyntaf, ym mhapur y *Cymro*:

> *Yr oedfa gyntaf daeth dros dair mil ynghyd, a chafwyd adeg hyfryd.* (...) *Nos Sul diweddaf yr oedd torf aruthrol wedi dod ynghyd – dros bum' mil rhwng y milwyr a'r bobl.* (...) *Mae'r bechgyn wedi cymryd at yr oedfa, ac y mae eu clywed yn canu hen emynau annwyl a chysegredig Cymru yn wledd a bendith. Ni chlywodd trigolion hen ddinas enwog Caer*[*wynt*] *ddim hafal iddo, ac nid rhyfedd fod y bobl yn cyrchu yno.*

O'r cerflun, ymlaen â fi i gyfeiriad y gadeirlan, gan gerdded heibio hanner dwsin o dryciau oedd yn paratoi i oleuo'r hen adeilad ar gyfer ei ffilmio. Gofynnais i un o'r trydanwyr be oedd enw'r cynhyrchiad dan sylw: "Not sure mate". Troes at ei gyfaill yn rigio sgaffald i gario ceblau trydan dros y llwybr ac i mewn i'r gadeirlan heb i neb faglu.

"Oi, Dave! Geezer wants to know what we're filmin."

"The Crown, Season 4," meddai hwnnw.

Wnes i ddim holi ymhellach, ond erbyn deall mae sawl un o frenhinoedd cynnar Lloegr wedi'u claddu yma. Heb anghofio Jane Austen; ac Isaak Walton, awdur y 'Compleat Angler'. Ond roeddwn i yno ar berwyl gwahanol.

Ar nos Sul ym mis Medi 1915, tyrrodd milwyr Cymru i'r adeilad godidog hwn ac eistedd o dan asennau cain y to ymhell uwch eu pennau. Dyma'r hanes fel y'i cofnodwyd gan Tommy Hughes o Gwmyglo, mewn llythyr at bapur y *Dinesydd*:

> [*Cyn*] *amser dechreu yr oedd yr adeilad anferth yn orlawn. Cymerwyd y wasanaeth gan Esgob Bangor ac amryw o gaplaniaid y fyddin, a bu yn llwyddiannus iawn. Agorwyd y cyfarfod trwy ganu "Marchog Iesu yn llwyddiannus," a daeth allan yn orfoleddus; ac ymhlith eraill yr oedd "Aberystwyth" a "Huddersfield," nes codi hiraeth am y Cymanfaoedd melus a dreuliasom yng Nghymru amser yn ol. Ac wedi pregeth loyw a gwresog fe gododd y dorf eto i ganu "Rhagom filwyr Iesu" a "Duw Gadwo'r Brenin," a rhwydd y cydnebydd pob Cymro gyda mi, fe gredaf, mai gwledd fawr a gawsom, ac mai "da oedd i ni fod yno".*

Eisteddais ar un o'r meinciau pren. Roedd un o'r tywysyddion yn hebrwng criw o ymwelwyr a'i llais yn atseinio'n dawel wrth iddi roi hanes codi'r gadeirlan.

Ceisiais ddychmygu'r canu Cymraeg yn meddiannu'r lle ganrif yn ôl. Ac eithrio rhai sylwadau yn y Saesneg i esbonio'r hyn a oedd yn mynd ymlaen i rai o bobl y ddinas oedd wedi dod i wrando, roedd y cyfan yn Gymraeg, hyd yn oed y bregeth. Testun y bregeth y noson honno oedd geiriau Paul at y Galatiaid: "yn ei iawn bryd y medwn, oni ddiffygiwn." Byddai sawl un yn cael ei fedi yn hytrach na medi eraill yn y misoedd nesaf ar ôl gadael Caerwynt.

Wrth fyfyrio ar hyn ynghanol y cofebau i esgobion a saint y gorffennol, sylwais ar gofeb bres i'r milwyr a syrthiodd mewn rhyfel cynharach, yn Afghanistan yn 1878–9.

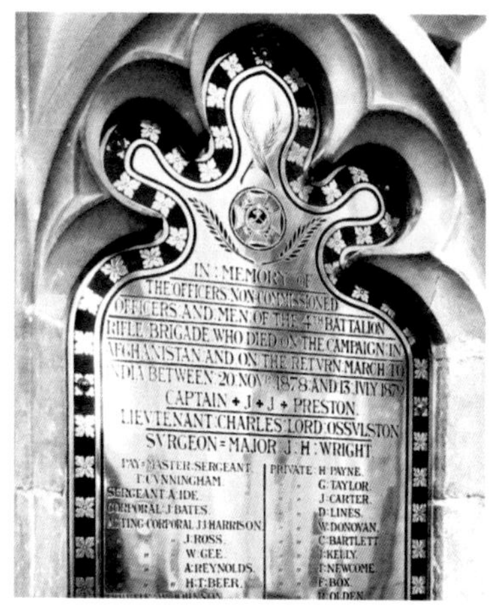

Codais ac edrych yn nes. Mae pres y gofeb fel drych. Tybed fyddai Dafydd a'i gyfeillion wedi oedi fel y gwnes innau, er mwyn darllen enwau'r dynion na ddaeth yn ôl o'r rhyfel hwnnw? Ac yna newid ffocws, fel y gwnes innau, a sylweddoli mod i'n gweld fy hun wedi f'adlewyrchu rhwng yr enwau hynny...

Pa ryfedd fod canu'r milwyr mor angerddol nôl yn 1915. Ond nid yr oedfaon a'r gymanfa answyddogol o gwmpas y cerflun oedd eu hunig gyfleon i ymgolli mewn cân. Cynhaliwyd sawl eisteddfod i'r milwyr yng Nghaerwynt hefyd. Roedd y ddwy gyntaf ym mis Awst mewn pabell fawr a godwyd gan y YMCA, gyda thros fil dau gant yn bresennol. Roedd 'na gystadlaethau ysgrifennu ac adrodd, ond y cystadlaethau canu oedd y prif atyniad. Fel y nododd un papur:

> *Almost every battalion has its male voice choir, and every company its quartettes and its madrigal singers, while soloists are as plentiful as blackberries.*

Arweiniwyd yr eisteddfodau hyn gan Lance Corporal Gomer Evans o Dreherbert, ac er bod nifer o uwch-swyddogion yn bresennol, enillodd galonnau'r milwyr cyffredin hefo'i sylwadau direidus a ffraeth. Er cystal yr ymateb i'r eisteddfod yn y gwersyll, meddai, roedd yr awdurdodau wedi colli cyfle i ddenu mwy o gystadleuwyr. Er enghraifft, fel gwobr gyntaf ar gyfer yr unawd tenor, gellid cynnig deg diwrnod o *leave*; ar gyfer yr unawd bas gellid cynnig wythnos o beidio

Guildhall, Caerwynt

gorfod gwneud *kit inspection*, ac yn y blaen. Roedd y gynulleidfa yn rholio chwerthin!

Cymaint oedd llwyddiant yr eisteddfodau yn y gwersyll, penderfynwyd cynnal eisteddfod fawreddog ym mis Hydref, lawr yn y Guildhall yng nghanol y ddinas, dafliad carreg o gerflun Alfred yn y Broadway. Adeilad cymharol newydd oedd hwn ar y pryd – rhyw ddeugain oed – ond gan ei fod wedi'i gynllunio yn arddull y Gothic Revival, gellid meddwl yn hawdd ei fod yn hŷn o dipyn.

Cerddais drwy bileri'r fynedfa grand ac i mewn i'r brif neuadd gyda'r drysau mawr pren yn atseinio y tu ôl i mi. Roedd y lle wedi'i osod allan hefo byrddau ar gyfer cyfrif pleidleisiau etholiad lleol. Ond roedd y llwyfan, a'r oriel hefo'i ganllaw haearn hardd, heb

newid ers canrif, ac oedais yno am funud i ddychmygu'r rhesi khaki yn mwynhau'r eisteddfod yno, yn ôl ym mis Hydref 1915.

Roedd hi'n eisteddfod a lwyddodd i ddenu cryn nifer o gystadleuwyr ac aeth yn ei blaen am dros bum awr. Roedd yna feirniaid o safon hefyd: Elfed ymhlith y beirniaid llenyddol, a Dr. Prendergast, organydd y gadeirlan, yn beirniadu'r gerddoriaeth.

Ond doedd Dafydd ddim yno. Ar ddiwedd Medi roedd wedi cyhoeddi wrth ei fam ei fod ar fin mynd i Camberley:

> Yr ydwyf yn disgwyl bob dydd am orders i symud i Staff College am fis er cael mynd trwy gwrs ac erbyn hyn credaf mai Llun nesaf y byddaf yn cychwyn yno. Pedwar o honom yn mynd o'n lot ni Talfryn, Ivor, minnau, ag un arall, felly os a yr oll fel yr ydwyf yn disgwyl nis gallaf ddod adref am fis eto. Mwy nag oeddwn yn tybio rhaid dweud y gwir.

Roedd Dafydd wedi gobeithio cael dod adre ar *leave* ond byddai'n rhaid i hynny aros tan fis Tachwedd, ar ôl iddo gwblhau'i gwrs. Erbyn dydd Sadwrn cyntaf Hydref roedd wedi cyrraedd y Staff College yn Camberley ac mi anfonodd deligram at ei rieni i'w hysbysu fod o wedi cael ei wneud yn gapten yn swyddogol.

> Received Captain today.
> Dai.

Roedd y broses o droi'r myfyriwr ifanc yn swyddog yn y fyddin yn tynnu at ei derfyn.

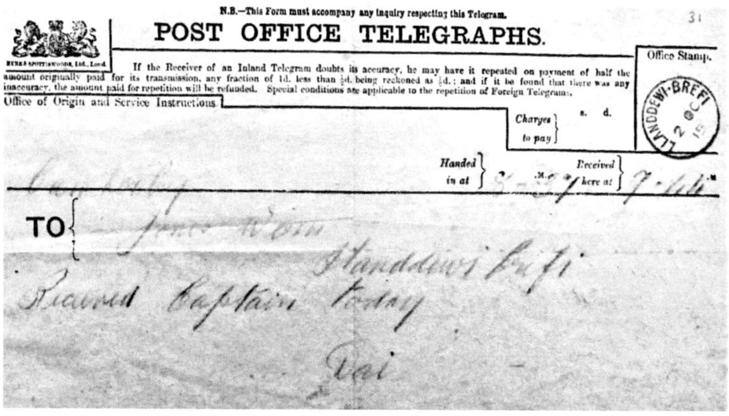

N.B.—This Form must accompany any inquiry respecting this Telegram.

POST OFFICE TELEGRAPHS.

Office Stamp. LLANDDEWI-BREFI

If the Receiver of an Inland Telegram doubts its accuracy, he may have it repeated on payment of half the amount originally paid for its transmission, any fraction of 1d. less than ½d. being reckoned as ½d.; and if it be found that there was any inaccuracy, the amount paid for repetition will be refunded. Special conditions are applicable to the repetition of Foreign Telegrams.

Office of Origin and Service Instructions

Charges to pay s. d.

Handed in at Camberley — Received here at

TO Llanddewi Brefi

Received Captain today

Dai

Ceir manylion am ffynonellau pob dyfyniad yn y bennod hon, a phob un sy'n dilyn, ar wefan Gwasg Carreg Gwalch:
https://files.ekmcdn.com/92a6b5/resources/other/anwyl-fam-nodiadau.pdf

9

'Yr oeddwn yn disgwyl gweld palasau'

(*Camberley, Llundain – ac yn ôl i Gaerwynt: Hydref – Tachwedd 1915*)

Camberley

Ar ddechrau ei yrfa yn y fyddin, byddai Dafydd wedi bod yn gyfrifol am *platoon* o ddynion (tua 50 o filwyr), a'i gyflog dyddiol yn 7/6 fel 2nd Lieutenant, ac yn codi i 8/6 fel Lieutenant llawn. Ond fel capten roedd Dafydd yn gyfrifol am gwmni o fewn ei fataliwn, sef pedwar platoon, a dros 200 o filwyr. Roedd yn dipyn o gam i fyny o ran cyfrifoldeb, ac roedd y cyflog dyddiol yn adlewyrchu hynny, sef 12/6 y diwrnod. Yn y Staff College yn Camberley felly, roedd 'na lawer i'w feistroli a dim ond mis i wneud hynny. O ganlyniad, byddai'r swyddogion ifanc wrthi o 6.30 yn y bore, hyd 10 o'r gloch yn y nos; roedd gofyn iddynt ddeall popeth, o garthffosiaeth yn y ffosydd, i sut i drefnu sneipars.

Roedd hogi'i sgiliau *reconnaissance* yn rhan bwysig o'r maes llafur:

> *The would-be officer (...) was sent to reduce the topography of a strange country to paper. He must be a perfect judge of distances, must, with the aid of his compass, be able to trace the direction of roads and the character of railways, must set down, so that his chief to whom he communicated his report would be able to read without any risk of mistake, the presence of swamps, woods and defensive positions scribbled on the roughly-made map. The instructor did not spare him, and he must make long marches and endure the discomforts which he would be asked to endure when he was attached to a regiment and had to handle men.*

Roedd gofyn iddo ymgyfarwyddo â phob trosedd bosib o dan y gyfraith filwrol, o 'talking in the ranks' a 'pheidio siafio', i 'absence without leave' a 'llwfrdra yng ngŵydd y gelyn'; ac roedd yn rhaid iddo ddysgu sut i ddelio â nhw i gyd. Unwaith eto, rhoddwyd pwyslais ar bwysigrwydd cadw pellter oddi wrth y dynion, a dyma ddyfyniad o un o'r darlithiau a draddodwyd yn Camberley:

> *Remember also that the soldier's highest term of praise is: 'Mr. So-and-so is a gentleman'; and let that always be in your mind when you are*

on leave and you are meeting soldiers of every kind at the corner of every street. When the soldier salutes you, will you please remember that he is not saluting Mr. Johnson or Mr. Brown, nor is he saluting the well-cut uniform you wear, but he is saluting the King's commission which, in theory, is neatly folded up in your breast-pocket.

Ers ei ddiwrnod cyntaf yn y fyddin, byddai Dafydd wedi bod yn ymwybodol o'r gagendor hwn rhwng y swyddogion â'r dynion. Roedd yn gwisgo lifrai gwahanol, roedd mewn llety gwahanol, roedd y mab fferm o Lanio i fod i siarad fel 'officer and a gentleman'. A dyna'i uchelgais efallai wrth ymuno â'r OTC yn y coleg. Fel dywedodd yn ei lythyr cyntaf at ei fam o'r Rhyl:

> Nid ydwyf wedi gwneud dim er dianrhydeddu chwi fel mam a thad a theulu ond yn hytrach credaf fy mod wedi codi parch i chwi. Ni wnawn fynd fel soldiwr cyf[f]redin; fel officer yr wyf yma ac yn derbyn y parch mwyaf gan bawb

(Ac wrth ddefnyddio ymadroddion fel 'di-anrhydeddu' – sef 'dishonour', yn lle dweud rhywbeth mwy Cymreigaidd fel 'codi cywilydd' – gwelwn fod Dafydd yn dechrau arfer â siarad fel 'bonheddwr a swyddog', ac yn meddwl yn Saesneg weithiau.) Dysgodd yn awr yn Camberley am fân wahaniaethau eraill oedd yn cynnal y pellter rhwng swyddog a'i ddynion. Gwaherddid swyddogion yn Llundain rhag cario parseli! Doedden nhw ddim i fod i deithio ar fws!

Rhwng yr ymarferol a'r ymddangosiadol ddibwys, roedd 'na lawer iawn i'w ddysgu yn y coleg, a'r amser, fel y nodwyd eisoes, yn brin. Ar y noson cyn iddo ddychwelyd i Gaerwynt, mae Dafydd yn ymesgusodi am beidio ysgrifennu adre yn amlach, tra buodd yn Camberley:

> Yr ydym wedi cael amser pur gysurus yma, gweithio efallai yn fwy caled na phe buasem yn Winchester ond yr oedd yr oll yn rhoi cyfnewidiad, felly yr oeddem yn mwynhau. Ni chefais lawer o gyfle i ysgrifennu attoch ynghynt am ein bod yn gweithio mor galed – nid caled, ond yr amser oddiar pan godem tan yr elem i'r gwely yn llawn o rywbeth o hyd.

Dau lythyr sydd wedi goroesi o'i gyfnod yn Staff College, Camberley. Ond pan gafodd Dafydd gyfle i roi pin ar bapur, nid sôn am yr hyfforddiant yr oedden nhw'n ei gael a wnaeth, ond sôn yn hytrach am ei ymweliadau â Llundain.

Roedd Camberley ar gyrion y ddinas fawr, ac felly'n cynnig cyfle i Dafydd ymweld ag aelodau o'i deulu oedd yn byw yno – ac roedd sawl un, fel y cawn weld. Roedd ei fam wedi bod yn pwyso arno i wneud hyn ers pan oedd ei fataliwn wedi cyrraedd Caerwynt. Dyma ymateb Dafydd i gais gan ei fam yn ôl ym mis Awst:

> Nid wyf wedi bod fyny yn Llundain eto, nid wyf yn gwybod addresses neb ond 60 College Rd. Efallai y gallwch chwi anfon rhai ohonynt i fyny fel y gallaf gael cyfle i roi tro amdanynt oll.

Erbyn hyn roedd wedi cael y cyfeiriadau ac felly doedd 'na ddim esgus bellach; ac un Sadwrn ym mis Hydref, aeth Dafydd ar y trên i Waterloo, i ganol Llundain.

> Bum yn Llundain ddoe (...) a bum gyda llawer o bobl yr ardal. Aethum i edrych am Ewyrth Herbert yn gyntaf am mae ef oedd yr agosaf i Waterloo

Southwark... a Lambeth

Herbert oedd brawd ei dad ac roedd ganddo fusnes laeth yn Globe Street yn Llundain. Roedd llawer iawn o Geredigion wedi mentro i'r maes hwn, yn ystod ail hanner y bedwaredd ganrif ar bymtheg.

Gyda phoblogaeth Llundain yn tyfu'n gyflym, daeth mwy a mwy o alw am laeth ffres. Un ffordd o gyflenwi'r angen oedd trwy gadw buchesi godro yng nghyffiniau'r ddinas neu hyd yn oed yn y ddinas ei hun. Yn 1861 yn ôl un amcangyfrif, roedd 72 y cant o laeth Llundain yn dod o feudai'r ddinas, a chynifer â 24 mil o wartheg yn cael eu cadw ynddynt. Dros yr hanner can mlynedd nesaf fodd bynnag, lleihau wnaeth y niferoedd oedd yn cadw gwartheg eu hunain a'u godro; roedd perchnogion y busnesau llaeth yn prynu'u cyflenwad yn

Siop Herbert Jones yn Globe Street. Herbert sydd ar y chwith.

hytrach, gan ffermwyr tu allan i Lundain, a'i gasglu a'i ddosbarthu o'r gorsafoedd trên.

Ond roedd Ewyrth Herbert wedi glynu at yr hen drefn. Er bod 514 o fusnesau gwerthu llaeth wedi'u cofrestru o fewn bwrdeistref Southwark yn 1915, roedd Herbert yn un o dri yn unig oedd wedi'u cofrestru fel '*dairyman **and** registered cowkeeper*'. Roedd yn rhaid iddo adnewyddu ei drwydded bob blwyddyn ac roedd swyddogion y cyngor yn ymweld bob rhyw bum wythnos i jecio nad oedd gormod o dail o gwmpas y lle a bod y beudy'n cael ei wyngalchu'n rheolaidd. Yn ôl Megan Hayes, prif hanesydd y diwydiant llaeth ymhlith y Cymry yn Llundain:

> *Câi'r gwartheg eu bwydo â grawn o'r bragdai cyfagos. Caent hefyd wair, gwellt a llysiau dros ben o'r marchnadoedd.*

Roedd busnes llaeth tebyg gan un o gefndryd fy nhad-cu yn Willesden, a'm rhieni yn ei gofio yn dangos yr hen feudy iddynt yn ystod parti yn y 1950au (!), felly roeddwn i'n awyddus iawn i weld sut le oedd gan Ewyrth Herbert.

Es innau hefyd i Waterloo, ac anelu i gyfeiriad siop Herbert yn Globe Street; heibio'r man lle bu un o'r Great Train Robbers, Buster Edwards, yn rhedeg stondin flodau ar ôl iddo ddod allan o'r carchar yn y 1970au; a heibio theatr yr Old Vic, oedd newydd stopio dangos ffilmiau yn 1915 pan ddaeth Dafydd heibio, gan ddechrau ar eu polisi o lwyfannu dramâu Shakespeare.

Ymlaen â fi heibio siop drin gwallt Rwsiaidd oedd yn cynnig "man cut from £6"; a thŷ bwyta o'r enw Laughing Gravy. Gwelais wal ar gongol Kings Bench Street oedd heb newid ers cyn cyfnod Dafydd, hefo siwrwd poteli wedi'u smentio ar ei chopa i nadu neb rhag dringo drosti. A gwelais y Shard yn ymgodi yn y pellter y tu ôl iddi.

Ond y peth rhyfeddaf o ddigon a welais i wrth anelu am Globe Street, oedd pellen o wlân oedd wedi disgyn o ffenest ar y trydydd llawr mewn bloc o fflatiau, ac yn gorwedd ar y pafin islaw. Dwi'n gwybod mai o'r trydydd llawr y daeth hi, am fod yr edau yn dirwyn yn ôl i'r fflat uwch ben a rhywun o bosib yn dal wrthi'n gweu siwmper yno!

Roeddwn i'n agosáu at Globe Street, ond nid felly Dafydd ar ei daith yntau nôl yn Hydref 1915!

> Aethum i edrych am Ewyrth Herbert yn gyntaf am mae ef oedd yr agosaf i Waterloo ond erbyn cyraedd yr address gefais gennych, nis gallwn ddod ar ei draws, ond gwelais J. Williams ar un o'r siopiau a cyn bo hir gwelais Dai mab Joseph Rhattal yn y siop ac

> wrth reswm aethum i siarad ag ef ac oddiwrtho cefais wybod ychydig o'r cyfeiriadau oeddym i gymeryd.

Mae fferm y Rattal heb fod ymhell o Wern Isa, ar heol Llangeitho. Enw'r tad, Joseph Williams, oedd uwchben y siop hon ar y South Lambeth Road, ond ei fab Dai oedd yn rhedeg y lle, gyda'i frawd a dau arall o Geredigion. Roedd Dafydd wedi crwydro'n reit bell o'r llwybr y dylai fod wedi'i gymryd, i gyrraedd siop Dai Rattal; ac roedd bellach dros ddwy filltir o siop ei ewyrth Herbert yn Globe Street. Ond nid yw'n syndod iddo ddod ar draws Cymry o'r hen ardal wrth fynd ar gyfeiliorn.

Roedd llawer o ardal Llanddewi Brefi ymhlith y Cardis a fentrodd i fyd llaeth yn Llundain. Roedd y pentre ar un o brif-ffyrdd y porthmyn a phan ddaeth y fasnach yna i ben gyda dyfodiad y rheilffyrdd, roedd Llundain yn denu o hyd ac mi wnaeth llawer o'r genhedlaeth nesa fentro i'r busnes llaeth. Os cerddwch drwy fynwent Llanddewi Brefi heddiw, mae fel troi tudalennau A-Z Llundain, gyda'r cerrig beddi yn nodi lle y treuliodd llawer o blant y pentre y rhan fwyaf o'u bywydau; 212 Battersea Park Road, Llundain; 34 Chipstead Street, Fulham, Llundain; 13 White Conduit St, Llundain N1; ac yn y blaen. Ond er iddynt fyw gyhyd yn Llundain, mynnent ddychwelyd i'w henfro i gael eu claddu gyda'u cyndadau, a byddai gwasanaeth ar y platfform yn Paddington i ffarwelio â nhw, cyn iddyn nhw gychwyn ar eu taith olaf adref. Dwi'n cofio fy nhad yn sôn am fynd i un o'r gwasanaethau olaf a gynhaliwyd ar y platfform, a hynny ar ddechrau'r 1960au.

Gyda Dai Rattal yn dangos y ffordd, buan y daeth Dafydd o hyd i Globe Street:

> Aeth Dai a mi wedyn i edrych am le Herbert. Deuom ar ei draws ac felly deuais o hyd i Ewyrth Herbert a Johnny. Yr oedd Jos allan ar ei round rywle ond yr oedd i alw amdanaf yn nhy Dai yn y prynhawn. Aethum yn ol i dy Dai i gael cinio.

Jos neu Joseph oedd mab Herbert ac felly'n gefnder i Dafydd. Dyw hi ddim yn swnio fel bod Dafydd wedi cael llawer o groeso gan ei ewyrth, gan iddo fynd nôl i dŷ Dai Rattal i gael cinio – ond ar y llaw arall, doedd e ddim wedi trefnu galw o flaen llaw ac o'r herwydd, efallai iddo landio ar adeg anghyfleus? Fodd bynnag, efallai fod hynny wedi lliwio ychydig ar yr hyn oedd ganddo i'w ddweud am y siopau llaeth a welodd!

> Nid oes gennyf lawer i ddweud am y llefydd. Purion common oent. Yr oeddwn yn disgwyl gweld palasau ond yn lle hynny bron ni ellid

symyd o'i mewn yn enwedig lle Herbert. Yr oedd yn fach dros ben ac nid oes ganddo forwyn ac felly pethau braidd yn anlben.

Gallwn esgusodi rhywfaint ar y snobyddiaeth 'ma gan Dafydd. Roedd yn hyfforddi yn Camberley hefo dynion a oedd, ar y cyfan, o ddosbarth cymdeithasol uwch. Roeddynt yn cael eu hannog i bellhau eu hunain oddi wrth eu dynion. Ond ydi e'n pellhau ei hun oddi wrth ei deulu yma? Oedd e'n dweud be oedd ei fam isio'i glywed, tybed?

Roedd peth eiddigedd tuag at y rhai oedd wedi mynd i Lundain, yng nghyfnod Dafydd, ac ers hynny hefyd. Efallai fod ambell Gymro Llundain wedi bod yn euog o'i lordio hi braidd wrth ddychwelyd i'w hardaloedd genedigol, yn ceisio 'torri cỳt'. Neu'n waeth byth, yn esgus eu bod nhw'n gwneud yn well yn Llundain nag oedden nhw go iawn. Fel y dywedodd un cyfaill ffraeth mewn tafarn yn Llanddewi Brefi:

ro'dd na sawl un o'dd yn magu'u plant mewn bocs orenjis dan gownter y siop yn Llunden, ond o'n nhw'n gofalu rhoi marmor ar fedd y teulu nôl gytre.

Nid bywyd hawdd oedd rhedeg busnes llaeth yn Llundain, fel mae hanesydd y diwydiant, Megan Hayes, wedi'i gofnodi:

Roedd yn rhaid i'r llaeth gyrraedd carreg y drws cyn saith o'r gloch y bore, mewn pryd i frecwast. Ceid bob amser ail rownd yn hwyrach, a gâi ei hadnabod gan rai fel 'y cyflenwad pwdin', ac mewn rhai achosion drydydd cyflenwad. Câi'r llaeth ei gyflenwi ar 'bramiau' neu gerti a wthid neu a dynnid â nerth bôn braich.

Roedd yn fywyd caled ac roedd rhaid gweithio oriau hir i fodloni disgwyliadau'r cwsmeriaid a chadw deupen y llinyn ynghyd. Roedd rhai yn dechrau aniddigo dan yr iau, fel mae'r erthygl hon, a gyhoeddwyd yn y *Welsh Gazette* ym mis Mai 1914, yn awgrymu:

On Sunday about 30,000 London dairymen met in Hyde Park to protest against the long hours of labour and low rates of wages. The demonstration was held under the National Union of Dairy Employees. Speakers stated that some of the men worked 90 hours a week for 22s. The men also advocated that their number of dairy rounds be reduced from three to two on week days and one on Sundays.

Byddai canran sylweddol ohonynt yn Gymry wrth gwrs; ac o dan y fath bwysau does rhyfedd fod ambell un wedi cael ei demtio i helpu'i fusnes drwy ddulliau 'amgen'; hynny yw, drwy ychwanegu ychydig o ddŵr i'r llaeth, er mwyn ei ymestyn. Mae stori boblogaidd gan Charles Dickens am 'The Cow with an Iron Tail'; a chafwyd sawl cyfeiriad cellweirus dros y blynyddoedd at 'sut y gwnaeth Cardis Llundain eu harian' – ond yn ôl yr hanesydd Megan Hayes, 'does iddo ddim unrhyw sail, o leiaf ddim yn ystod yr ugeinfed ganrif'. Aeth ymhellach gan ddweud: 'i mi, mae cysylltu glastwreiddio llaeth â'r Cymry yn Llundain yn sen, fel y byddai cysylltu pobl o hil arbennig ag osgoi talu'r dreth incwm.' Ond yn anffodus, mae cofnodion Swyddog Meddygol Cyngor Southwark am ddegawdau cynta'r ugeinfed ganrif yn awgrymu fel arall.

Yn 1910 cafodd llaeth Herbert Jones ei brofi ddwywaith gan swyddog y Cyngor, a'i gael 6% yn brin o fraster y tro cyntaf, ac yna bod 4% o ddŵr wedi'i ychwanegu yr ail waith; ond cafodd y wŷs yn ei erbyn ei gollwng y ddwy waith. Yn 1917 cafodd Herbert ei gyhuddo eto, o ychwanegu 5% o ddŵr y tro hwn, ond unwaith eto, cafodd yr achos ei ollwng. Oedd o'n glastwreiddio'i laeth go iawn? Ynteu a oedd rhywun â'i gyllell yn ei gefn efallai? Ond mi gafodd ei erlyn yn llwyddiannus yn 1923 am werthu margarîn mewn 'unmarked wrappers', ac eto yn 1924 am ychwanegu colouring matter i'w laeth. Cafodd ddirwy o £1 ar y ddwy achlysur a'i orchymyn i dalu costau. Ac yn anffodus, nid enw Herbert yw'r unig enw Cymreig o bell ffordd sy'n ymddangos yng nghofnodion Southwark am achosion fel hyn.

* * *

Trois y gornel i mewn i Globe Street a theimlo 'mod i wedi camu nôl mewn amser. Ar wal frics hynafol, roedd arwydd o'r oes o'r blaen yn hysbysebu, 'G. Wallin & Co. Ltd. Tin-Box Makers. Globe St. Works'.

Roedd drws 45a yn sicr yn edrych fel un nad oedd wedi newid ers cyfnod Dafydd, ond am siom pan es i chwilio am rif 21, sef cartref Herbert. Mae'r cyfan wedi mynd. Fflatiau sy'n sefyll bellach lle byddai Ewyrth Herbert wedi cadw ei fuches odro tu ôl i'w siop. Cafodd ei chwalu gan fomiau'r Blitz yn yr Ail Ryfel Byd.

Es i dafarn gyfagos, y Royal Oak, ar gongl Nebraska St. Holais y barman barfog tybed a wyddai unrhyw beth am hanes yr ardal, ac am Globe Street yn benodol? Suddodd fy nghalon pan atebodd mewn acen Albanaidd cryf – ond ces fy siomi ar yr ochr orau, oherwydd estynnodd lyfr roedd yn ei gadw o dan y bar, sef *The Story of the Borough* gan Leonard Reilly. Er nad oedd sôn am Globe Street yn y llyfr, mi ddysgais sawl ffaith ddiddorol am yr ardal. Roedd hon yn ardal fwy poblog o lawer yng nghyfnod Herbert, gyda 37 mil yn byw yno, o'i gymharu â'r 20 mil sy'n byw yno yn awr. Ac wrth yfed fy mheint o gwrw Harveys, deallais fod ardal y Borough yn bwysig gynt fel canolfan farchnata hopys ar gyfer bragwyr Llundain – gymaint felly, fel mai 'HOP' oedd cod y gyfnewidfa ffôn. Roedd pob cyfnewidfa yn Llundain erstalwm a'i god ei hun a'r rheini fel arfer yn defnyddio talfyriad o enw'r lle, er enghraifft 'EUS' am Euston, neu 'PIN' am Pinner, lle roedd ein teulu ninnau'n byw. Ond roedd ambell eithriad arall fel 'HOP' – er enghraifft 'ABB' (Abbey) am Westminster, neu fy ffefryn i, 'GIB' am Putney – oherwydd fod yr hanesydd Edward Gibbon wedi byw yno!

Wrth orffen fy mheint ar ôl rhoi'r llyfr yn ôl i'r barman, edrychais ar y map ar fy ffôn, a sylweddoli nad oeddwn i ond tafliad carreg o gapel Falmouth Road, lle fues i mewn eisteddfod plant bron i hanner can mlynedd yn ôl. A dyma gofio am stori arall o gyfnod Dafydd – sef mai Miss Katie Jones, aelod blaenllaw yn Falmouth Road, oedd un o'r rhai a gafodd ei lladd gan Zeppelin yn ystod Blitz y Rhyfel Mawr. Dyma adroddiad *Y Celt a'r Cymro Llundain* ar 23 Hydref 1915:

> ***FALMOUTH ROAD – MARWOLAETH MISS KATIE JONES***
> *Brawychwyd Cymry'r ddinas y dydd ar ôl ymweliad yr awyr-longau Ellmynig gan y newydd fod y foneddiges ifanc, Miss Katie Jones un o aelodau'r eglwys, yn mysg y lladdedigion. Merch oedd i Mr. John Jones (gynt Dawlish Street) blaenor ffyddlon yn yr eglwys, a chydymdeimlir yn fawr a'i rhieni ac a'i dau frawd yn yr amgylchiad a'i goddiweddodd a'r fath sydynrwydd ofnadwy. Yn marwolaeth Miss Jones cyll eglwys Falmouth Road un o'i chymeriadau prydferthaf a gweithiwr ffyddlon ynglyn a phob adran o'r achos. Llafuriodd lawer gyda'r Gymdeithas Ddiwylliadol, ac ar ol gweithredu am rai blynyddau fel un o'r ysgrifenyddion, etholwyd hi i'r is-lywyddiaeth am y tymor presennol.*

Ac yn unol â'r traddodiad, anfonwyd ei chorff yn ôl i Gymru i'w chladdu:

> *Daeth torf fawr i orsaf Paddington nos Lun diweddaf, pryd yr aethpwyd a'r gweddillion i Aberystwyth, ac amlygwyd y cydymdeimlad dyfnaf a'r teulu galarus, gyda'r rhai y cyd-deithiai gweinidog eglwys Falmouth Road (y Parch. M. H. Edwards, M.A.)*

Rhyw 1,200 a laddwyd gan y Zeppelins yn ystod y Rhyfel Mawr, nifer fechan o'i gymharu â'r miloedd a gollwyd yn y Blitz, genhedlaeth yn ddiweddarach; ond am y tro cyntaf roedd gwerin Prydain yn cael eu brawychu drwy gael eu targedu ar eu haelwydydd eu hunain gan y gelyn. Cafodd sawl busnes llaeth ei ddifrodi yn ystod y cyrch hwn hefyd, yn ôl *Y Celt a'r Cymro Llundain* ond Katie Jones oedd yr unig un i golli'i bywyd. Edrychais eto ar ddyddiad y cyrch – nos Fercher y 13eg o Hydref. Aeth Dafydd i Lundain ar ddau benwythnos olynol yn ystod mis Hydref – ac er nad yw'n hollol glir pryd yn union yr aeth, os nad oedd y cyrch Zeppelin wedi bod cyn iddo fynd i Lundain y tro cyntaf, roedd yn sicr wedi digwydd erbyn ei ail ymweliad.

Rhyfedd i Dafydd beidio cyfeirio at hyn yn ei lythyrau at ei fam. Roedd wedi cyfeirio mewn llythyr blaenorol at sut yr oedd llynges yr Almaen wedi tanio o'r môr ar drefi Scarborough, Whitby a Hartlepool yn 1914. Byddai cyrch y Zeppelins yn Hydref 1915 wedi bod yn destun sgwrs hefo'i berthnasau yn Llundain yn sicr, ond efallai dyna'r gwahaniaeth – doedd mam Dafydd ddim yn adnabod neb ar arfordir Dwyrain Lloegr, ond fyddai sôn am y peryglon newydd yn Llundain lle roedd cymaint o'i theulu yn byw, ddim ond yn gwneud iddi boeni'n ddi-angen – felly taw oedd piau hi.

Ymlwybrais o'r Royal Oak i gyfeiriad stesion London Bridge, â 'mhen yn llawn hanes trist Katie Jones a'r gwasanaeth ar blatfform Paddington. Galwais yn yr Old Kings Head oddi ar Borough High Street, a 'nghael fy hun ynghanol c'nebrwng arall. Roedd llond bwrdd o gig a brechdanau tu mewn, ond roedd llawer o'r galarwyr y tu allan.

Disgynnodd un o'r galarwyr ifanc yn lluddedig i gadair wrth fy ymyl, gyda'i ben yn ei ddwylo. Roedd pawb oedd yn mynd heibio yn stopio i ddweud rhywbeth wrth y dyn ifanc hwn – ei dad, erbyn deall, oedd yr ymadawedig.

"y'all right mate?"

"o'n ni'n gweithio mewn warws hefo'n gilydd pan o'n ni'n 16"

"Sorry 'bout yer old man"

ac yn y blaen, cyn rhoi llaw ar ei ysgwydd a symud o'na. Ar ôl tipyn o hyn, cododd y dyn ifanc a cherdded tua'r bar yn benisel a'i ddwylo yn ei bocedi. Roedd ei siwt yn edrych fel siwt llys amdano, lifrai rhyw orchwyl y byddai'n well ganddo beidio â'i chyflawni.

* * *

Kensal Rise

Roedd Dafydd yn barod i symud ymlaen ar ei daith Lundeinig, a minnau hefyd.

> Daeth Jos i fynny tua phedwar ac yna awd i edrych am Bili. Cyrhaeddwyd yn ddiogel er fod [f]fordd bell a chafwyd croesaw mawr yno a the. Ni ceid ymadael a'r lle tan amser tr[ê]n

Jos ei gefnder aeth â Dafydd i gyfarfod ag un arall o frodyr ei dad, sef Bili. Roedd Bili dipyn yn iau, dim ond tair blynedd ar ddeg yn hŷn na Dafydd, a dyna pam, efallai, nad oedd yn cyfeirio ato fel 'Ewyrth Bili'. Roedd Bili wedi gwneud ei brentisiaeth yn y busnes llaeth hefo Herbert ei frawd yn Globe Street, ond erbyn hyn roedd wedi ymsefydlu ar ei liwt ei hun yn 60 College Road, Kensal Rise, ryw saith milltir i ffwrdd, yng ngogledd-orllewin Llundain, taith o ryw dri chwarter awr ar y tiwb. Roedd Bili'n prynu'i laeth, yn hytrach na chadw buches odro fel ei frawd, a byddai'r llaeth yn cyrraedd Llundain mewn caniau mawr 17 galwyn ar y trên. Roedd y caniau yn lletach yn y gwaelod i'w hatal rhag troi'n hawdd ac roedd ganddynt gapiau siâp madarch.

Os oedd Dafydd wedi bod yn feirniadol o siopau Ewyrth Herbert a Dai Rattal yng nghanol Llundain, roedd yn fwy caredig am le Bili yn Kensal Rise:

> ...gan Bili oedd y lle goreu o ddigon. Nid oeddynt (*h.y. llefydd Dai Rattal a Herbert*) yn yr un class o gwbl a'r oll yn llawer fwy trefnus ac y mae ardal Kensal Rise hefyd yn llawer glanach ac iachach na ardal Herbert a Dafydd.

Ardal gymharol newydd yn Llundain oedd Kensal Rise gan mlynedd yn ôl. Roedd llawer o'r strydoedd yn ardal College Rd wedi eu codi yn ystod y tri deg mlynedd ers 1880. Roedd yn ardal breswyl fwy agored a deiliog na'r Borough – ac mae wedi aros felly. Er mai tai teras yw'r tai yn y strydoedd hyn, maen nhw'n dai teras posh; yn Clifford Gardens er enghraifft, lle byddai rhai o gwsmeriaid Bili'n byw, mae 'na dalcen crand ar bob tŷ a balconi bach.

Roedd yn ardal i bobl oedd eisiau codi mewn cymdeithas. Agorwyd llyfrgell Kensal Rise yn 1901 gan neb llai na Mark Twain, ac os ewch i fynwent Kensal Green gerllaw, fe welwch ei bod hi'n llawn enwogion o Isambard Kingdom Brunel i Freddie Mercury, ac o Charles Babbage i Harold Pinter.

Yr ail siop mewn rhes o bump yw 60 College Road, yn ymyl pont dros y lein brysur o Willesden Junction. Erbyn heddiw mae'n gartref i gwmni gwerthu tai – ac ar ddiwrnod f'ymweliad i roedd y siop ar gau, a sgaffaldiau drosti.

Drws nesa yn rhif 62 roedd siop gornel Mr Khan o Mumbai. Roedd yn byw yno ers 18 mlynedd, meddai, ond mae'n rhaid fod rhif 60 wedi peidio â bod yn *dairy* ymhell cyn ei amser o. Roedd siop Mr Khan fel ffair pan gyrhaeddais i; prin y medrwn i fynd mewn, gan fod y lle'n orlawn o blant Ysgol Princess Frederica ar ochr arall y rheilffordd. 'It's like this every Friday,' meddai, 'they get to buy sweets for the weekend.' Dros y ffordd wedyn, cefais latte yn y Sonora Cafe and Kitchen a gwrando ar y perchennog a'i gyfaill yn siarad Arabeg â'i gilydd. Erbyn deall, roedd y tecawê drws nesa a'r *dry cleaners* yr ochr arall i gyd yn eiddo i bobl o Libanus. Os yw'r Gymraeg wedi cilio o'r rhan hon o Lundain, mae ieithoedd newydd yn dal i yrru'r busnesau lleol yn eu blaen.

* * *

Acton

Roedd Dafydd hefyd wedi bwriadu ymweld ag Wncwl John, brawd ei fam, yn ystod ei ymweliad cyntaf â Llundain; ond gan iddo aros hefo Bili 'tan amser trên' doedd ganddo ddim amser ar ôl. Serch hynny, fe addawodd y base'n 'mynd fyny dydd Sadwrn nesaf i edrych amdano ef' – a dyna a wnaeth, gan roi'r hanes yn ei lythyr nesaf at ei fam:

> Annwyl Fam...
>
> Bum yn Lundain Sul cyn y diweddaf a bum gyda Uncle John yn Acton. Yr oedd pawb gadref ac yn hynod roesawgar. Ni allwn ddymuno gwell.
>
> Y maent yn byw mewn lle bur dda a iach. Mae Mrs Jones wedi

> heneiddio er pan welais hi o'r blaen ac y mae Wncle John yn dioddef gan rheumatic ac y mae y plant oll yn hynod fyw.

Roedd John yn 63 ar y pryd, ddeng mlynedd yn hŷn na mam Dafydd. Yn ôl cyfrifiad 1911, roedd yn 'receiving clerk' o ran ei alwedigaeth. Nid yw'n hysbys hefo pa gwmni yr oedd o'n gweithio, ond byddai'r gwaith wedi cynnwys goruchwylio'r 'deliveries' i'w gyflogwr, tjecio fod popeth wedi cyrraedd mewn cyflwr da, a mynd ar ôl unrhyw gyflenwr oedd ar ei hôl hi. Swydd gyfrifol felly – ac un oedd yn talu'n eitha, mi dybiwn, er mwyn ei alluogi i fyw mewn 'lle bur dda ac iach' fel Acton.

Roedd yn byw hefo'i deulu mewn tŷ o'r enw 'Egerton' ar Horn Lane, ac er imi chwilio'n ofer amdano, a'r ddau dŷ oedd ar bob ochr iddo, deallais fod y tri thŷ hyn wedi'u dymchwel a'u disodli gan res o *townhouses* cyfoes. Ond mae'r rhes o siopau yn Grafton Parade y byddai Dafydd wedi'u pasio i gyrraedd tŷ ei ewythr dal yno – plumbers merchants, siop gwrw a siop bapurau newydd bellach. Tybed beth oedd yno yn 1915?

Roedd tair o ferched yn byw gartre hefo Wncwl John a'i wraig pan alwodd Dafydd, sef Nellie, oedd yn 30, Jennie oedd yn 29 ac Annie oedd yn 18. Athrawesau mewn ysgolion cynradd oedd y ddwy hynaf ac Annie'n fyfyrwraig. Ond bu bron iddyn nhw wrthod i Dafydd ddod mewn i'r tŷ!

> Nid oedd neb o deulu John yn fy adnabod. Annie ddaeth i'r drws a thorodd syndod drosti wrth weld Captain wrth y drws. Gofynais iddi a oedd yn fy adnabod. Atebodd nad oedd. Dywedais fy mod yn gefnder iddi yna ac yna galwodd fi wrth fy enw.

A bod yn deg, mae'n debyg nad oedd Ann wedi gweld Dafydd ers blynyddoedd – ac ni fase mwstásh na lifrai ganddo yr adeg honno! Ond unwaith iddyn nhw sylweddoli pwy oedd e, cafodd dipyn o groeso gan ei gyfnitherod:

> Bu Nellie ac Annie yn dangos yr ardal i mi yn y prynhawn tra yr oedd Jennie yn paratoi te ac yn y blaen.

Ar Jennie yr oedd Dafydd wedi gwneud yr argraff fwyaf mae'n debyg, ac mae'n nodi iddo dderbyn llythyr ganddi ar ôl ei ymweliad – ac ambell barsel wedyn, pan oedd e allan yn Ffrainc. Ond doedd hi ddim yn bryd i Dafydd fynd dros y môr eto.

> 'Yr ydym yn gorffen ar y cwrs yma heno ac yn mynd yn ol i Winchester yfori' meddai, cyn cloi ei lythyr fel hyn:
>
> Nid oes gennyf ychwaneg heno efallai y dof adref cyn pen pethefnos felly terfynaf yn awr gyda chofion cynesaf.
>
> Dafydd.

Caerwynt
Daeth Dafydd nôl o Camberley tua dechrau mis Tachwedd ac mae un llythyr yn perthyn i'r cyfnod olaf hwn yng Nghaerwynt, cyn iddo fynd ar *leave* ac yna cychwyn am Ffrainc. Gan mai hwn oedd ei lythyr olaf o Brydain, fe'i ddyfynnwn i gyd:

10th Service Battalion Welch Regiment
(1st Rhondda)
Morn Hill Camp
Winchester

Annwyl Fam,
Derbyniais y papurau yr wythnos hon ar diweddaf yn ddiogel a gallwn feddwl fod yr oll gyda chwi yn hynod dawel fel gyda ninnau. Nid oes yr un peth rhyfedd i'w gyhoeddu heddyw eto. Yr oll yn mynd ymlaen yn hynod iawn fel arfer. Yr unig achwyn yma ar hyn o bryd yw fod y tywydd braidd yn wlyb ac oer ond mwy na debyg ei bod felly gyda chwithau. Mae ambell fynud yma yn burion cynnes er hynny. Yr oedd Sul diweddaf yn first class o wlyb, eithriadol.

Erbyn Hydref a Tachwedd 1915 roedd y rhan fwyaf o'r dynion bellach yn cysgu mewn cytiau, felly nid oedd y tywydd garw y cyfeiriai Dafydd ato mor ddiflas â phetaent yn dal mewn pebyll. Roedd W.O. Hughes o Ddeiniolen yn canmol y cytiau hyn:

Yr ydym yn awr mewn "huts", ac y mae yn gredyd i'r llywodraeth fod cystal trefniant wedi ei wneyd. Maent yn fodel o ddestlusrwydd, a gall 30 ohonom fod yn hollol gomfforddus yn y tywydd oeraf a garwaf.

Mae Dafydd yn cyfeirio wedyn at achos llys yn erbyn tri potsiwr o Landdewi Brefi. Roedd wedi darllen yr adroddiad amdano yn y rhifyn diweddaraf o'r *Cambrian News* yr oedd ei fam yn anfon ato bob wythnos:

Cafodd y trespassers ddod off yn bur ysgafn. Cefais syndod wrth weld fine mor ysgafn, yr oeddwn yn disgwyl fine o ddwy bunt o leiaf yn enwedig gan eu bod o flaen fainc mor [D]orïaidd a Llambedr. Y oeddent wedi gwneud stori go lew ond gallwn feddwl heb fod yn ddigon cryf er ateb eu gwell.

Tresmasu 'in search of game' oedd y cyhuddiad yn erbyn John Jones o Dewi House, a David a John Davies, Pant, yn y llys yn Llambed. Roedden nhw wedi bod yn saethu petris yn anghyfreithlon ar dir y Wenallt yn gynnar un bore, pan welodd y cipar Charles Edwards nhw a'u hadnabod, er iddynt redeg o'na. Yn y llys wedyn, roedd y tri wedi pledio'n ddi-euog a chyflwyno sawl tyst oedd yn taeru nad oedden nhw wedi bod ar gyfyl tir y Wenallt y bore hwnnw – roedd y brodyr Davies, meddai'r tystion hyn, wedi bod yn helpu cario glo o orsaf Pont Llanio, ac wedi mynd â cheffylau i gael eu pedoli, tra bod John Dewi House wrthi'n brysur yn torri'r berth yn ei ardd – ond doedd y fainc ddim yn eu credu. Dyma oedd y 'stori go lew' chwedl Dafydd, ond 'heb fod yn ddigon cryf er ateb eu gwell.' Cawsant ddirwy o ddecswllt yr un – ac roedd Dafydd o'r farn fod hynny'n gosb reit ysgafn o ystyried pa mor Doriaidd (ac felly pa mor gefnogol i fuddiannau'r tirfeddianwyr) oedd ynadon Llambed. (Dyma, gyda llaw, yr unig gyfeiriad yn y llythyrau i gyd sy'n awgrymu mai Rhyddfrydwr oedd Dafydd o ran ei wleidyddiaeth – nid bod hynny'n syndod o ystyried ei gefndir!)

Dau sylw digon di-gyswllt sy'n dilyn:

> Cefais llythr oddiwrth Jennie merch Uncle John tua diwedd yr wythnos a dywedasant fel teulu gofio atoch oll yn gynnes.
>
> Bum yn siarad â Edmund yr wythnos diweddaf ac y mae ef yn teimlo yn berffaith iach. Gwelais Twm Tymawr hefyd ryw ddiwrnod yma ond ni fum yn siarad ag ef. Yr oedd ar y march felly yr oedd yr oll yn amhosibl.

Edmwnd o Langeitho, ffrind coleg ei frawd oedd hwn; ac un o fechgyn Llanddewi Brefi oedd Twm Tŷ Mawr. Byddai Edmund yn goroesi'r rhyfel, ond nid felly Twm, fel y clywsom eisoes.

Roedd llythyrau Dafydd yn gallu bod yn ddigon pytiog weithiau. Synhwyrwn yma ei fod yn trio meddwl beth all ei ddweud nesa. Ond yna mae o'n cael ysbrydoliaeth o rywle ac mae'r ysgrifennu'n llifo unwaith yn rhagor, wrth iddo sôn am ei gyfyrder John Dolfelin:

> Clywais oddiwrth John Dolfelin rhywbryd yr wythnos ddiweddaf. Gallwn feddwl ei fod wedi bod yn rhy ddiwyd yn ystod ei holidays [-] beth ar wyneb daear las allsai fod yn wneud nis gwn, os nad oedd yn cadw yn agos at Miss Gwen. Hadyn diogel yw John[!] Nis gallir trystio fawr ohono. Anghofia i byth or noswaith pan fu ei dad yn ty ni. Daeth John adref o rywle yn go hwyr a gofynodd ei Dad iddo. 'Lle buest ti John'. 'Am walk gyda Dai Wern', atebodd John. Wyddai John ddim y pryd hyny fod ei dad wedi bod yn siarad a mi yn y ty.

Ni wn pwy oedd Miss Gwen na beth roedd John wedi bod yn ei wneud yn ystod ei wyliau – ond does dim amheuaeth mai beirniadol yw'r sôn gan Dafydd amdano – a bydd John Dolfelin yn destun beirniadaeth yn llythyrau Dafydd eto, ar ôl iddo gyrraedd Ffrainc. Tybed beth oedd John wedi'i wneud i bechu? Roedd wedi mynd i'r coleg yn

Aberystwyth, fel Dafydd – ond roedd John, yn wahanol i Dafydd, wedi penderfynu aros yno yn lle ymuno. A'r ffaith yna, mae'n debyg, sy'n ysgogi'r sylw olaf yn ei lythyr:

> A yw pobl ifanc yr ardal dim yn dechreu cael ofn llythyron Iarll Derby? Mae pobl y trefi yn cael ei startio'n ddiogel y dyddiau hyn ac y mae yr recruits yn dod i fewn wrth y cannoedd.
>
> Nid oes gennyf ychwaneg heddyw ond cofion cynnesaf attoch oll fel teulu.
>
> Dafydd.

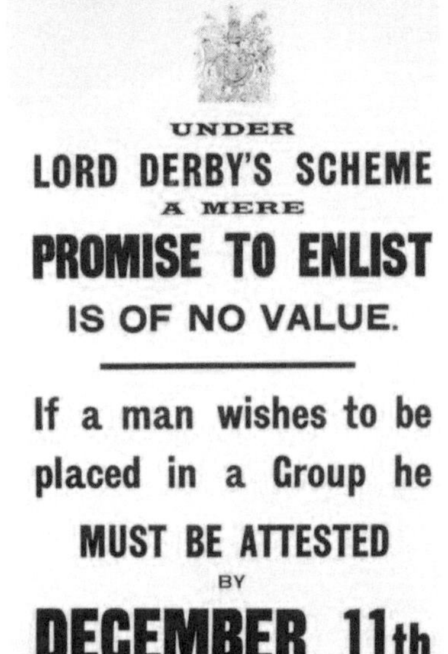

Un o bosteri cynllun Derby

Cafodd Edward Stanley, Iarll Derby, ei benodi'n Director General of Recruiting gan Kitchener ym mis Hydref 1915, ac mewn ymdrech i godi'r nifer o recriwtiaid newydd heb orfod troi at orfodaeth filwrol, cyflwynodd gynllun newydd lle gallai dynion ymrwymo i wasanaethu yn y lluoedd arfog heb orfod ymuno'n syth.

Dyma oedd tu ôl i'r llythyron oedd yn 'startio' pobl y trefi'n 'ddiogel' neu yn eu dychryn nhw go iawn. Cafwyd ymateb go lew i'r cynllun ond dim digon – ac felly bu'n rhaid cyflwyno gorfodaeth filwrol o ddechrau Mawrth 1916.

* * *

Es i am un tro olaf o gwmpas Caerwynt cyn i minnau hefyd ffarwelio â'r lle. Mae traddodiad milwrol hir yn perthyn i'r ddinas a bu'n gartref i sawl catrawd, o'r ddeunawfed ganrif hyd yn ddiweddar.

Mae sawl barics helaeth o gwmpas sgwâr yn rhan ucha'r dre – ond doedden nhw ddim yn ddigon mawr i gynnwys y miloedd o ddynion a ddaeth yma o Gymru yn 1915. Bellach mae'r adeiladau hyn wedi'u troi'n fflatiau, ond mae 6 amgueddfa yma o hyd, i gofio'r gwahanol

gatrodau fu'n ymarfer yma gynt, fel y Royal Green Jackets a'r Kings Royal Hussars. Tybed fyddai gan un o'r amgueddfeydd hyn wybodaeth am y milwyr oedd yn gwersylla tu allan i'r dre yn ystod y Rhyfel Mawr?

Yn anffodus i mi, am ei bod hi'n ddydd Llun yn y gaea, roedden nhw i gyd ar gau, heblaw amgueddfa'r Ghurkas.

Mentrais drwy'r drws mawr gwyrdd a dechrau siarad hefo Mekh, cyn-filwr o Nepal oedd yn gweithio ar y dderbynfa. Roedd wedi gwasanaethu hefo'r Gurkhas ac am gyfnod bu'n hyfforddwr yn y barics yn Aberhonddu – ond yn anffodus roedd yn methu fy ngoleuo ynglŷn â'r Cymry fu yma yn 1915.

Serch hynny, mi wnaeth fy nghyfeirio at gofeb i'r holl filwyr a fu'n hyfforddi yng ngwersyll Morn Hill yn ystod y Rhyfel Mawr. Roedd Maer Caerwynt, meddai, wedi gwneud araith yn 1919, yn nodi fod dwy filiwn o filwyr wedi mynd drwy wersyll Morn Hill yn ystod blynyddoedd y rhyfel, ac y byddai'r ddinas yn codi cerflun i gofio amdanynt. Cymerodd bron i ganrif cyn iddynt anrhydeddu'r addewid honno a chomisiynwyd Simon Smith yn 2014 i greu cofeb syml, sydd wedi'i gosod tu allan i'r Great Hall yng nghanol Caerwynt. Diolchais i

Mekh am y gwybodaeth ac es i draw i gael golwg arni.

Mae'r gofeb ar ffurf mainc – ac mewn pentwr ar un pen, mae offer milwr, ei blanced, ei sach gefn, ei raw, ei botel ddŵr a'i helmed ar ben y cwbwl – ond mae'r cyfan wedi'i gerfio o'r un garreg wen â'r fainc. Mae'n ffordd hynod effeithiol o gofio'r miloedd lawer ddaeth trwy'r dre, gollwng eu pac dros dro ac yna symud ymlaen. Mae'r offer sy'n diffinio'r dyn fel milwr yma – ond nid y dyn ei hun. Mae wedi mynd i rywle.

A ddaw yn ôl i hawlio'r offer hyn? Wel na, mae'r genhedlaeth a gariodd yr offer hyn gan mlynedd yn ôl i gyd wedi'n gadael ni bellach – ond mae'r cerflunydd wedi llwyddo dal moment mewn amser er mwyn cofio amdanynt. 'A promise honoured' yn wir.

Ar ddechrau Rhagfyr 1915, roedd Dafydd hefyd yn hel ei bac yma yng Nghaerwynt, yn barod ar gyfer y daith i Ffrainc. Yn ystod ei gyfnod hyfforddi, mae'n debyg iddo hel mwy o drugareddau nag y medrai fynd gydag e, felly gadawodd siec wag hefo un o'i ffrindiau o

Aberystwyth oedd yn aros ymlaen yng Nghaerwynt, gan ofyn iddo bostio'r pethau adre ar ei ran. Roedd llond tri pharsel ac mi gostiodd chwe swllt. Rhyfedd na fyddai wedi meddwl cario peth ohono adre gydag e, pan aeth ar *leave* ym mis Tachwedd – ond wrth gwrs, rhaid oedd ufuddhau i'r rheol oedd yn gwahardd swyddogion rhag cario parseli!

* * *

Ryw bythefnos cyn i Dafydd gychwyn am Ffrainc, digwyddodd rhywbeth rhyfedd i rai o filwyr ei fataliwn – digwyddiad digon symbolaidd o gofio ble oedden nhw ar fin mynd. Dyma'r adroddiad o'r *Flintshire Observer*:

> ***WinchesterThunderbolt.***
> *Sergeant-Major Kendall, of the 1st Rhondda Battalion, who was billeted during the battalion's stay in Rhyl, has sent to his billeting hostess a piece of a thunderbolt which recently dropped amongst a number of soldiers in camp at Winchester, penetrating the ground to a considerable depth, but fortunately injuring nobody.*

Roedd y milwyr yn ffodus y tro hwnnw – ond gwyddent pan fyddai pethau'n disgyn o'r awyr y tro nesa, tebyg y byddai rhai o'u plith yn siwr o ddioddef.

Ceir manylion am ffynonellau pob dyfyniad yn y bennod hon, a phob un sy'n dilyn, ar wefan Gwasg Carreg Gwalch:
https://files.ekmcdn.com/92a6b5/resources/other/anwyl-fam-nodiadau.pdf

10

'Aethom i'r trenches yn gynt nag oedd neb yn tybied'

(*Marthes – St Florys: Rhagfyr 1915*)

Milwyr America yn martsio drwy Gaerwynt, ar eu ffordd i'r ffrynt, 1918. Byddai Dafydd a'i fataliwn wedi dilyn yr un ffordd yn 1915.

Am 6 o'r gloch, ar fore'r 2il o Ragfyr, martsiodd 10fed fataliwn y Gatrawd Gymreig o Gaerwynt i Southampton. Ond nid Dafydd sy'n dweud hynny wrthym. Am weddill ei fywyd byr mae gennym lais arall i'n goleuo ynglŷn â'i symudiadau, sef Capten M.A. Francis. Fe oedd *adjutant* y fataliwn ac un o'i ddyletswyddau oedd ysgrifennu'r *Battalion War Diary*, sydd bellach yn cael ei gadw gyda holl gofnodion y Swyddfa Ryfel yn yr Archif Cenedlaethol yn Kew. Dyma ddyfyniad o'r tudalen cyntaf:

Winchester	2.12.15 6am	The Bn. marched out of Winchester for S'hampton. Embarked at S'hampton for Havre.
Havre	3.12.15	The Bn. disembarked at 7am & marched to no.5 Rest Camp. Entrained at 9pm at Gare des Merchandises
Aire	5.12.15	Arrived at Aire. Marched to village of Marthes & the Bn. was billeted there about 4 am.

Am daith ofnadwy! Rhyw 15 milltir oedd hi i gyrraedd porthladd Southampton, a gyda bron i fil o ddynion yn martsio, bydden nhw'n ymestyn yn ôl ar yr heol am ryw hanner milltir. Roedd angen dwsin o wagenni i gario'u holl offer. Roedden nhw'n hwylio dros nos wedyn i gyrraedd Le Havre. Yn ôl tywyslyfr o'r cyfnod, sef *Handbook for Travellers* (1909) gan Karl Baedeker,

> *Le Havre, (...) is a handsome town with broad streets, but it contains few special points of interest. Its situation at the mouth of the Seine is extremely advantageous, and next to Marseilles, it is the most important seaport in France. The buildings and the commercial prosperity of the town, which is mainly derived from its ship-building yards and sugar refineries, are of very recent origin.*

Ond go brin y byddai milwyr y fataliwn wedi sylwi ar ddim o'r atyniadau uchod wrth fartsio drwy lwyd y wawr am 'No.5 Rest Camp'. Ac ychydig o orffwys a gawson nhw'n fanno wedyn, cyn treulio bron i dri-deg awr mewn trên, er mwyn teithio'r 150 o filltiroedd o Le Havre, i Aire sur la Lys; ac yna martsio'r pedair milltir olaf drwy oriau mân y bore i gyrraedd eu gwersyll ym Marthes.

(Trwy ryw gyd-ddigwyddiad rhyfedd, un o'r llefydd cyntaf iddyn nhw ei basio, wrth fartsio drwy'r tywyllwch y noson honno, oedd Mametz (Pas de Calais). Fyddai'r enw'n golygu dim iddyn nhw ar y pryd wrth gwrs, hyd yn oed petai 'na olau i'w weld. Ond saith mis yn ddiweddarach, byddai llawer o'r dynion hyn yn cyrraedd diwedd eu taith ddaearol ger Mametz arall, yn ardal y Somme...)

Ar ôl cyrraedd Marthes, roedd y broses o hyfforddi'r dynion ar gyfer rhyfel yn parhau:

MARTHES 5-12.12.15

(...) This period was spent in completing equipment, perfecting organisation & training the Bn.: Grenadiers received some instruction with live bombs, M.G. sections fired, & every man also fired. A Headquarters Company was organised here, strength 173, officers & O.R. The Coy. was rationed separately & members of it treated as being apart from their Companies for all purposes except pay & drawing of equipment & clothing. (...)

Mae cofnodion yr *adjutant* o weithgareddau'r fataliwn yn Ffrainc yn ddigon moel, ac mae ganddo'i iaith ei hun, sy'n frith o dalfyriadau er hwyluso'r broses feichus o gofnodi pethau digon tebyg, ddydd ar ôl ddydd. 'Bn.' yw'r fataliwn, 'M.G.' yw 'machine gun' a 'Coy.' yw 'company'. Yn ôl yr holwyddoreg ers talwm, dau fath o blant oedd, 'plant da a phlant drwg'. Ac yn ôl holwyddoreg y fyddin, dau fath o blant dynion oedd yn gwasanaethu'u gwlad, sef 'officers' ac 'O.R.' – 'other ranks'. Mae'n derm rhyfeddol o ddibris o'r mwyafrif o'r milwyr – 'other ranks'!

Nodir gan yr *adjutant* fod rhai milwyr o'r fataliwn wedi'u cael eu neilltuo i ffurfio'r 'headquarters company'. O fewn y cwmni hwn y byddai'r milwyr hefo rôl mwy arbenigol, er enghraifft y signallers, gyrwyr ar gyfer y ceffylau, stretcher bearers, a'r batmen oedd yn gweithredu fel gweision i'r swyddogion. Arhosodd Dafydd yn gapten ar un o'r cwmnïau cyffredin, y cwmnïau fyddai'n ymladd yn y ffosydd.

Roedd hi'n fyd newydd ar y milwyr yn Ffrainc – a llais newydd a glywn ni gan Dafydd yn ei lythyr cyntaf adref, am ei fod yn ei ysgrifennu yn y Saesneg! Rhaid bod rhywun wedi bod yn ei ben yn dweud wrtho na châi ddefnyddio'r Gymraeg yn ei lythyrau o Ffrainc.

I am very sorry I cannot write to you in Welsh. I am afraid the people in authority are not too willing because they can read all letters if they like to. Of course they do not read letters coming out so you can go on writing in Welsh.

Anwiredd oedd y darn cyntaf serch hynny; ym mis Mai 1916, cyhoeddwyd yn ddigon clir yn San Steffan 'it is certainly not the case that there is a prohibition against letters being written in Welsh.' Buan y deallodd Dafydd hynny hefyd, am fod yr ohebiaeth hefo'i fam yn parhau wedyn yn y Gymraeg – a diolch am hynny er ein mwyn ninnau, ac er ei mwyn hithau.

Hyd yn oed os oedd milwr fel Dafydd yn medru troi'n ddigon hawdd at y Saesneg er mwyn ysgrifennu'i lythyr adre, doedd hynny ddim yn golygu y base ei rieni yn medru ei ddarllen; yn ôl Cyfrifiad

1911, Cymraeg oedd unig iaith Margaret a Thomas ei rieni, a hefyd y plant oedd yn dal i fyw gartre gyda nhw yn y Wern Isa. Ond erbyn Rhagfyr 1915, pan dderbyniwyd y llythyr hwn yn y Wern, a Blodwen ac Idris bellach wedi cyrraedd Ysgol y Sir yn Nhregaron, tebyg y bydden nhwthau'n ddigon rhugl eu Saesneg i gyfieithu llythyr Dafydd ar gyfer pawb arall ar yr aelwyd.

10th Welsh Regt
114th Inf Brigade
38th Division
B E F

My Dear Mother

I am somewhere in France but I am not allowed to tell you where. Things are going on quite alright here however being in quite comfortable billets we have a lot of fun here trying to talk French to the inhabitants. They do not understand a word of English so the little French I did at school comes in quite handy. The houses here look quite common from the outside but from the inside they are quite nice and cosy.

Un o baradocsau rhyfel oedd gwneud Cymry cyffredin yn dwristiaid mewn gwledydd na fasen nhw fel arall wedi ymweld â nhw byth. Ac roedd angen iaith arall er mwyn cyfathrebu yno, fel yr oedd Baedeker wedi rhybuddio yn ei dywyslyfr cyn y rhyfel:

A slight acquaintance with French is indispensable for those who desire to explore the more remote districts of Northern France (...) If however they are entirely ignorant of the French language, they must be prepared occasionally to submit to the extortions practised by porters, cab-drivers and others of a like class.

Serch hynny, prin iawn oedd y milwyr oedd yn medru hyd yn oed ychydig o Ffrangeg fel Dafydd. Gwelodd ambell gyhoeddwr ei gyfle; roedd yr *Handy Black Cat English-French Dictionary* (1915) yn cael ei rannu am ddim hefo pob paced o sigaréts 'Black Cat'; tra bod *French for the Front* (1914) yn grwpio ymadroddion Ffrangeg mewn cwpledi, er mwyn helpu'r milwyr i'w cofio. Er enghraifft:

De la viande / du pain;
des legumes / et du vin
(*'Cig a bara; gwin a llysia'*)

Tra bod Dafydd yn ceisio ymdopi â gwlad newydd â'i hiaith anghyfarwydd, roedd ei fam yn amlwg yn awyddus i sicrhau nad oedd yn brin o unrhyw beth. Mae'n ei hateb fel hyn:

I am quite complete in clothing and other necessaries but if you could send me some of the small cakes you used to do I should be very thankful. The address I have given you will find me anywhere whilst I am in this district, whilst I am in France as a matter of fact. We have no trouble with parcels (..) anyhow, as Johnny Frondewi put it in the Welsh Gazette.

Roedd Johnny Frondewi (neu Lieutenant J.L.T. Davies) yn fab i ficar Llanddewi Brefi. Mewn llythyr a gyhoeddwyd yn y papur lleol ryw fis ynghynt, roedd wedi esbonio: "Parcels sent from England cause no bother or expense this side." Mae Dafydd yn cloi'i lythyr fel hyn:

I have nothing more to add at present but if you could send me some plain envelopes I cannot use the ones with the crest on at present.

Cofion cynesaf at bawb.

Dai

* * *

Roedd hi'n bryd i minnau anelu draw am Ffrainc er mwyn dilyn Dafydd ar ei daith; nid ar long ond ar y trên drwy'r twnnel dan y môr. Wrth fynd am yr Eurostar yn St Pancras, clywais rywun yn galw f'enw – Meira a Huw, o'r stryd nesa yng Nghaernarfon, a nhwthau ar eu ffordd yn ôl o Paris!

Tybed oedd Dafydd wedi cael profiadau tebyg o daro ar ffrindiau wrth iddo groesi gorsafoedd prysur Paddington a Waterloo, gan mlynedd yn ôl?

Roedd hi'n ddiwrnod diflas gaeafol ac wrth ymbellhau o St Pancras roedd y trên yn gwibio heibio peilons a thraffyrdd a thai pâr diddiwedd o'r cyfnod rhwng y rhyfeloedd – ond ceid hefyd ambell i villa Edwardaidd, tai teras, hen *gas holder*. Cyn diflannu i geg y twnnel, derbyniais neges gan fy merch hynaf, a sylweddoli'n sydyn ei bod hi, a'i thri brawd, eisoes wedi byw'n hirach na'r dyn ifanc o Wern Isa a chynifer o'i gyfoedion. Ennyd sobreiddiol...

* * *

Ar ochr arall y sianel roedd y caeau'n lletach, a'r cloddiau a'r gwrychoedd yn brinnach. Roedd peilonau Ffrainc yn f'atgoffa i o dylluanod o ran eu siâp. Gallwn weld tyrau eglwysi anghyfarwydd ar y gorwel, a sgerbydau tal y coed ochr lôn. Mae'r Ffrancwyr i weld yn fwy hoff o linellau syth wrth blannu coed. Yma hefyd roedd hi'n aeafol o lwm.

Yn Lille, es i lawr o'r trên a llogi car. Roeddwn i wedi penderfynu aros yn Béthune ond wrth yrru tua'r gorllewin, mae'n debyg 'mod i wedi troi oddi ar yr autoroute yn rhy fuan ac felly bu'n rhaid dilyn y lôn drwy'r hen faes glo yng nghyffiniau Loos, lle bu brwydro ffyrnig yn hydref 1915. Roedd yn f'atgoffa o'r cymoedd, i'r graddau fod un pentre yn toddi mewn i'r nesa, a dim ond arwydd i nodi hynny – ond yn wahanol i faes glo De Cymru, roedd y lle'n hollol wastad oni bai am ambell domen anferth. Roedd golwg eitha tlawd ôl-ddiwydiannol ar y cyfan – ac yna cefais gryn strach i ddod o hyd i 'ngwesty, mewn stad ddiwydiannol ar gyrion y dre.

Roedd dynes y lle newydd ddiffodd goleuadau'r arwydd 'Accueil' ('derbynfa') wrth i mi barcio ac roedd hi i weld ar fin mynd adre. Rhoes yr allwedd i mi, ond cynnig rhoi llofft arall i mi 'os nad oedd hon yn plesio' – a minnau felly'n dechrau amau'n syth fod 'na rywbeth mawr o'i le! Aros mewn motel oeddwn i, a'm stafell i ym mhen y rhes. Oedd hi'n oerach oherwydd hynny? Oedd 'na fwy o sŵn wrth i bobl gerdded heibio? Pan es i mewn i'r ystafell deallais yn syth mai'r 'broblem' oedd yr oglau smocio yn y llofft, er gwaetha'r arwyddion 'Défense de fumer' ymhob man. Yn ôl â fi yn syth at y dderbynfa, ond rhy hwyr – erbyn hyn roedd y drws wedi'i gloi.

Ochneidiais. Base'n rhaid i'r stafell wneud y tro, felly cerddais am ganol y dre i gael tamaid i fwyta. Roedd mopeds tu allan i'r tafarnau a phobl yn ysgwyd llaw â'r *patron* neu'r perchennog wrth fynd mewn. Ar y Grande Place, deallais fod llawer o'r 'hen' adeiladau o gwmpas y sgwâr wedi'u hail-godi mewn gwirionedd ar ôl y sielio adeg y Rhyfel Mawr – ond mae Le Belfroi, neu'r clochdy, wedi goroesi ers 1388.

Archebais *Flammekueche*, sef math o bitsa lleol, wrth edrych allan ar y clochdy ynghanol y sgwâr; a chan anwybyddu tueddiadau dirwestol Dafydd, mi gymerais gwrw Leffe hefo 'mhryd.

* * *

Yn ôl yn 1915, roedd Dafydd yn dal ugain milltir i ffwrdd yn Marthes, ac ar y 10fed o Ragfyr, ysgrifennodd at ei fam o'r lle hwnnw eto, ond yn Gymraeg y tro hwn:

> Anwyl Fam
>
> Nid oes gennyf ddim neullduol i anfon attoch ond anfon gair er hysbysu fy mod yn berffaith iach a diogel. Teimlo ychydig yn flinedig rhaid cyfaddef wedi bod allan drwy y dydd yn edrych dros y wlad lle yr ydym yn aros. Wrth reswm yr oeddwn ar fy ngheffyl ond gan nad oeddwn wedi bod yn trotian ddim llawer er pan gyrhaeddais y wlad hon y mae y coesau braidd yn stiff heno. Byddaf yn mynd allan yfori eto.

Yn ogystal â sicrhau fod 'na tua hanner cant o geffylau gan bob bataliwn i dynnu'r wagenni offer, darparwyd ceffylau ar gyfer swyddogion fel Dafydd. Roedd e wedi cyfeirio at y ceffyl hwn yn ei lythyr blaenorol yn y Saesneg, ac mae'n ymddangos fod 'na waith ei drin e:

> My new horse is a great animal – if he sees a motor car or a tract[ion] engine he jumps about and does all sorts of tricks but he has not yet managed to chuck me off. It will take him quite a lot to get me off too.

Ar ôl ychydig o ddyddiau i ddod i arfer â'i geffyl newydd, roedd Dafydd yn dechrau mwynhau bod ar ei gefn:

> Ni wyddwn y gallai y brute galampo cystal hyd heno – gadewais iddo ryddid am chwarter milldir wrth ddod adref; fe wneuthai un da iawn mewn flat race credaf. Fe ga ragor o'r calampo yna yn y dyfodol coeliwch fi. Ni fydd pobl yr ardal yna yn fy adnabod pan ddof adref mewn llegins a spurs yn mynd fel y gwynt trwy'r ardal gallwch fentro.

Rai misoedd ynghynt, wrth ymweld â Dafydd Jenkins, nai Dafydd Jones, ar ei fferm yn Llanfihangel y Creuddyn, roeddwn i wedi deall fod cariad at geffylau yn rhywbeth sydd wedi parhau yn y teulu hyd heddiw. Er bod Mr Jenkins wedi gorfod rhoi'r gorau i ffermio oherwydd trafferthion hefo'i gefn, mae'n dal i gadw ceffylau – ac mae'r sbardunau fuodd gan ei wncwl yn y fyddin yn dal yn ei feddiant hefyd. Estynnodd nhw o'r cwpwrdd a'u gosod o 'mlaen i ar fwrdd isel;

'rhein fydde am ei dra'd i hala'r ceffyl i 'galampo' ys gwedodd Dafydd!'

Ond wrth i Dafydd a'i fataliwn gael eu symud i gyfeiriad y llinell flaen, fyddai dim angen ceffyl arno ym mwd y ffosydd, a dim diben i'r sbardunau hyn. Does dim sôn am farchogaeth yn 'run o'i lythyrau

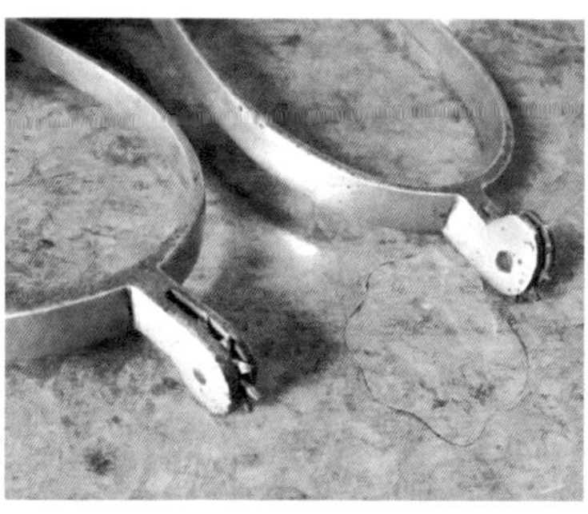

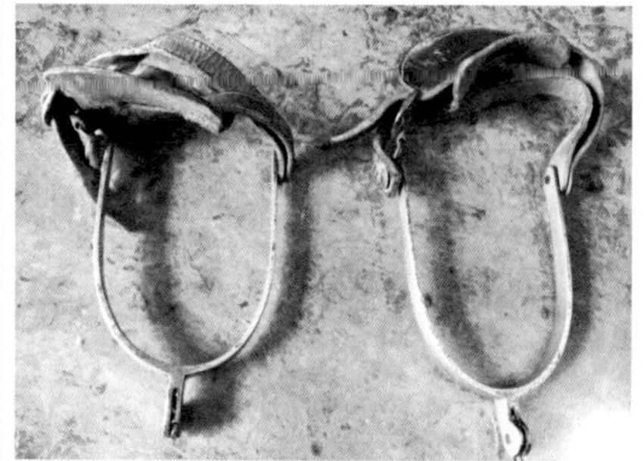

wedyn. Roedd ar fin cael ei brofiad cyntaf o'r rhyfel y bu'n paratoi ers blwyddyn gron ar ei gyfer:

> Y mae yr oll yma yn awr yn hynod dawel, swn y magnelau wrth reswm yn ein clyw yn rhuo ddydd a nos ond [y maent] wedi dod mor gyf[f]redin i ni fel nad ydym yn hidio taten am neb.

Ar y 13eg o Ragfyr am 8 o'r gloch y bore, aeth bataliwn Dafydd i gyfeiriad y llinell flaen, neu yng ngeiriau'r *adjutant*:

> *The Bn proceeded by Motor bus & motor lorry to ZELOBES and thence marched to CROIX BARBEE*

Mae Dyddiadur Rhyfel y Fataliwn wastad yn nodi enwau lleoedd mewn llythrennau breision fel petai'r ynganiad cywir yn cael ei bwysleisio. Roedd hi'n daith 24 milltir i Zelobes ac yn daith dipyn cynt o gael mynd mewn bysus a loriau. Roedd llawer o'r bysus hyn wedi

cael eu hawlio gan y llywodraeth at ddibenion milwrol a'u hanfon draw i Ffrainc yn ystod misoedd cynta'r rhyfel. Roedd rhai'n dal yn eu lliwiau gwreiddiol, gan atgoffa'r milwyr o ba mor agos oedd eu cartrefi dros y dŵr, a dan yr haenau o lwch a mwd heolydd Ffrainc, gellid gweld hysbysebion o hyd am Crosse and Blackwell neu gwrw Bass.

Bysus Llundain a dinasoedd Lloegr oedd y rhan fwyaf, ond roedd Cwmni White Rose Motors yn y Rhyl wedi ildio'u bysus i'r Swyddfa Ryfel rai misoedd ynghynt, felly mae'n bosib fod rhai o filwyr Dafydd yn teithio mewn cerbydau cyfarwydd.

'Croes Aberth', ger Ieper

Nid yw Zelobes yn lle amlwg ar y map, ond ces i hyd iddo ar gyrion pentref La Couture. Yr unig le hyd y gwelwn i sy'n dal i arddel yr enw 'Zelobes' yw'r fynwent filwrol – a'r safle bws gyferbyn.

Roedd hi'n fore gwlyb ond roedd yn werth ymweld â'r fynwent am ei bod hi'n un anghyffredin. O blith y tair mil a mwy o fynwentydd milwrol Prydeinig sydd yn Ffrainc, dyma un o'r ychydig rai sydd heb 'Groes Aberth' ynddi.

Yn 1918 dyluniodd y pensaer Syr Reginald Blomfield

groes garreg 20 troedfedd hefo cleddyf pres yn sownd ynddi, croes fyddai'n cael ei hadeiladu mewn miloedd o fynwentydd milwrol Prydeinig ar ôl y Rhyfel Mawr. Cafodd ei alw'n 'Groes Aberth' – ond does 'na'm un yn Zelobes am mai milwyr o India yw'r rhai sydd wedi'u claddu yma, a'r rheini'n arddel y ffydd Hindw, Sikh neu Islam.

Bedd ym mynwent Zelobes

O Zelobes, martsiodd y milwyr bedair milltir i Croix Barbee; ac yn fanno ymunon nhw dros dro â'r 56th Infantry Brigade. Yn ôl Dyddiadur y Fataliwn:

> *The object of this attachment was the instruction of all ranks in trench warfare and with this object in view each of our own platoons was attached to one Company of the 56th Bde. (...) The 56th Bde were holding trenches in neighbourhood of NEUVE CHAPELLE. Each of our Coys. spent 4 days in the trenches & 4 days out.*

Bu brwydro mawr yng nghyffiniau Neuve Chapelle yng ngwanwyn 1915, ond erbyn hyn roedd yn cael ei weld fel lle addas i'r milwyr newydd o Gymru ddysgu'u crefft yn y ffosydd; sut i ddefnyddio bagiau tywod a choed i gynnal ochrau'r ffos, a sut i'w draenio (er mai gwaith amhosib oedd hynny'n aml). Cawson nhw eu trwytho yn amserlen y ffosydd hefyd: 'stand-to-arms' ddwywaith bob dydd, gyda'r wawr a gyda'r hwyr, rhag ofn fod y gelyn yn ymosod. Ond ar adegau eraill yn ystod y dydd, byddai'r ffosydd blaen yn ddigon tawel, heblaw am ambell *sentry* yn gwylio tir-neb gyda'i berisgop, neu ambell sneipar yn gwylio'i gyfle.

Byddai'r rhan fwyaf yn ceisio gorffwys, oherwydd unwaith iddi nosi, byddai'r ffosydd yn ferw o ddynion yn manteisio ar y tywyllwch i wneud eu gwaith heb beryg i'r gelyn eu gweld; draenio, cloddio, trwsio'r weiar; ac o'r ffosydd cefn, deuai milwyr yn cario rations, dŵr, bwledi, bagiau tywod, duckboards – unrhyw beth oedd ei angen yn y llinell flaen. Ac y tu ôl iddyn nhwthau, byddai'r lonydd oedd yn arwain at y ffosydd yn llawn wagenni a cheffylau er mwyn cyflenwi'r milwyr hyn. Yna, wrth iddi wawrio, byddai'n 'stand-to' yn y llinell flaen a'r cyfan yn ymdawelu eto, tra'i bod hi'n olau dydd.

Yn syth ar ôl i Dafydd ddod allan o'r ffosydd, ysgrifennodd at ei fam. Ymddengys ei bod hi'n dal i wrthod credu fod rhoi enw ei mab a'i fataliwn yn unig, yn ddigon o gyfeiriad i sicrhau fod llythyr ganddi yn cyrraedd pen ei daith, felly gorchwyl cyntaf Dafydd oedd ei darbwyllo ynglŷn â hynny – a hefyd i ddiolch iddi am y danteithion oedd newydd ddod i law:

> 10th Welsh Regt
> BEF
> Sadwrn
>
> Anwyl Fam
> Mae yr address uchod yn ddigon i anfon unryw beth i mi. Nid oes eisiau ysgrifenu yr hen address yn llawn. Derbyniais y Cambrian News yn ddiogel, yr un cyntaf, a daeth y parcel i law hefyd yn ddiogel. Diolch yn fawr iawn amdano. Peidiwch anfon rhagor o wyau na hynny. Gallwn gael faint fyd fynwn o honynt yma.

(Rhyfedd meddwl am neb yn anfon wyau drwy'r post heddiw! Efallai eu bod nhw wedi'u berwi!)

Dim ond wedyn y mae Dafydd yn gallu troi at ei newyddion mawr:

> Aethom i'r trenches yn gynt nag oedd neb yn tybied, a dweud y gwir ni wnes ond dod allan neithiwr wedi bod fewn am ymron wythnos. Yr ydym yn mynd allan tua chwech i wyth milldir o'r trenches i aros hyd tua diwedd Ionawr. Mawr oedd llawenydd y bechgyn pan glywsant y byddent allan Nadolig. Da gennyf hefyd gyhoeddi fy mod wedi dod [â] fy nghwmni, dau cant a hanner o ddynion, allan heb golli un dyn. Yr oeddwn wedi dweud wrthynt yn glir na faddeuwn hwynt am byth os dangosent eu hunain yn ormodol. Llwyddodd y bygwth yn dda ac heddyw mae y bechgyn yn ysgrifenu adref rywbeth tebyg i hyn – Mae ein officers yn rhai da ac yn ofalus iawn amdanom!

Roedd Dafydd yn amlwg yn awyddus i drio lleddfu pryderon ei fam ynglŷn â pheryglon y ffosydd, ond temtio ffawd oedd siarad fel hyn. Oedd, roedd ei gwmni yntau wedi dod drwy'u bedydd tân heb golli neb – ond roedd 'na bedwar cwmni arall yn y fataliwn, a fuon nhw ddim i gyd mor ffodus.

Lt. Wilfred Webster Tait oedd y cyntaf o'r fataliwn i gael ei ladd. Cafodd ei saethu drwy'i ben gan un o sneipars y gelyn ar ei ail

Will.

151a

Not to be opened until
I am reported Dead.

D. Jones.

Signed and acknowledged by the said David Jones, the same having been previously been read over to him for his last Will, in the presence of us present at the same time time, who, in his presence, at his request, and in the presence of each other, have hereunto subscribed our names as witnesses

Albert Green 2nd Lt 10th Bn
Welsh Regt.

W. W. Tait Lieut 10th Welsh Regt

Hywel Williams Lieut
10th Welsh Regt

On the 12th day of December 1916.
Probate of this Will was granted at Carmarthen to

ddiwrnod yn y ffosydd. Roedd yn bedair ar ugain oed a newydd briodi â merch ifanc yr oedd wedi bod yn ei chanlyn yn y Rhyl. Ychydig ddyddiau cyn i fataliwn Dafydd hwylio am Ffrainc, mae'n debyg eu bod nhw wedi cael cyfarwyddyd i wneud eu hewyllysiau.

Mae ewyllys Dafydd yn ddyddiedig 30ain o Dachwedd 1915 ac mae o'n gadael popeth i'w rhannu'n gyfartal rhwng ei frawd ieuengaf, Idris, a'i chwaer ieuengaf, Megan. Ond yn dystion i'r ewyllys mae tri o'i gyd-swyddogion, ac yn eu plith, Lieutenant Tait. Prin y byddai Dafydd wedi meddwl, wrth wylio Tait yn llofnodi'r ddogfen honno, y byddai Tait ei hun wedi marw cyn pen tair wythnos.

Sefais wrth fedd Tait ym mynwent Vieille Chapelle. Tybed wnaeth Dafydd sefyll yma yn Rhagfyr 1915? A thybed sawl un arall o'i gyd-filwyr a welodd yn cael eu claddu ym mynwentydd Ffrainc? Ond ceisio'r cywair llon yn hytrach na'r lleddf wnaeth Dafydd wrth adrodd am ei brofiadau cyntaf yn y ffosydd; ceisio rhoi gwedd bositif ar sefyllfa ddigon heriol:

> Nid oedd y trenches yn lle cymffyrddus iawn – cerdded mewn lle fel pe baem yn cerdded yn nhrenches cae garw ni. Yr oedd genym waders er hyny, felly yr oeddem yn berffaith sych.

Holais rai o gymdogion Wern Isa am y Cae Garw 'ma. Tir ar lan afon Teifi ydyw, ac yn ôl Dai Evans, Llanio Fawr, sef un o'r ffermydd cyfagos:

> *'na'r ca' gwlypa s'da nhw... odd Tomos Jones y Wern yn hala lot o amser i glau'r transhys 'no. Ond o'n nhw'n tyfu pob math o bethe 'no – gwenith a chwbwl – ma' priddyn da 'no.*

Ymddengys felly, fod Dafydd wedi dod yn gyfarwydd â gwaith draenio cyn iddo fynd ar gyfyl ffosydd Ffrainc! Ond unwaith eto, efallai nad oedd o'n datgelu pa mor wlyb oedd y lle go iawn, rhag peri gofid i'w fam. Yn ôl un o filwyr cyffredin ei fataliwn Pte. Pateman, mewn llythyr i'r *Barry Dock News*: "I was in the trenches last week, and (...) the water in the trenches is very deep, in some places up to our waists."

Yn Nyddiadur Rhyfel y Fataliwn wnaeth yr adjutant gwyno nad oedden nhw wedi cael digon o rybudd ynglŷn â'r angen am 'trench boots', neu 'waders' chwedl Dafydd:

> *Sufficient warning of our necessary use of trench boots belonging to 56th Bde was not given, which resulted in changing from marching to trench boots without previous organisation or forethought. This had serious consequences, as many of our men lost their marching boots. This could have been avoided by due organisation before hand, but on the whole the period of attachment for instructional purposes was satisfactory.*

Ar ôl eu cyfnod cyntaf yn y llinell flaen, symudodd y fataliwn yn ôl i bentre o'r enw Saint-Floris, ac yno buon nhw dros y Nadolig. Roedd hi'n hwyr yn y prynhawn pan gyrhaeddais i'r pentref, a'r awyr yn fwy dramatig nag y mae'n ymddangos yn y llun hwn!

Pentre amaethyddol yw hwn o hyd – roedd 'na arwydd i rybuddio gyrwyr am bresenoldeb gwartheg wrth gyrraedd cyrion y pentre – ac fel sy'n nodweddiadol yn y rhan yma o'r wlad, mae'r ffermydd yng nghanol y pentref – felly roedd na ddigonedd o dai allan i gynnig llety i'r milwyr.

Erbyn heddiw, mae rhai o'r ffermydd hyn wedi cael eu troi yn dai annedd, efo ceir crand ar y buarth lle roedd y troliau neu'r tractorau gynt. Ond mae rhai yn adeiladau amaethyddol o hyd.

Yma bu'r milwyr o Gymru yn glanhau'u hunain ar ôl bod yn y lein, ac yn parhau â chynllun hyfforddiant y frigâd. Ond ar ddiwrnod Nadolig 1915, cawsant ddiwrnod i'r brenin:

25.12.15

No work was done beyond the ordinary work necessary for carrying on routine. Provision was made for good Xmas dinners. Plum pudding had been obtained from England. Small entertainments organised in barns etc.

Rhyfedd meddwl am ysguboriau St Floris yn diasbedain efo canu Cymraeg, dros gan mlynedd yn ôl. A pha ffordd well i gofio genedigaeth Iesu mewn stabal, na gwneud hynny mewn ysgubor? Y diwrnod wedyn ar Ŵyl San Steffan, anfonodd Dafydd lythyr adre:

Anwyl Fam.

Dim ond gair neu ddau er hysbysu fy mod yn iach fel arferol. Nid oes gennyf newydd neullduol heddyw. Yr ydym yn awr tua pymtheg milldir y tu ol i'r firing line ac yn hynod iawn o cymffyrddus.

Pasiom Nadolig llawen ac gobeithiaf eich bod chwithau wedi mwynhau Nadolig Llawen. Derbyniais barcel oddiwrth Ewythr William nos cyn y Nadolig yn cynnwys ymhlith pethau eraill cacen a plum pudding. Felly nid oedd prinder melysion.

Ymddengys hefyd fod Dafydd wedi derbyn cyfrol o gerddi y Nadolig hwnnw, llyfryn bychan ryw dair modfedd wrth ddwy, ac fe'i cafwyd ymhlith yr eiddo a ddychwelwyd i'r teulu ar ôl iddo farw.

Poems of Hope gan Ella Wheeler Wilcox (1850–1919) yw'r llyfr, gwaith bardd o'r Unol Daleithiau oedd yn reit boblogaidd yn y cyfnod – hi biau'r geiriau adnabyddus: 'Laugh and the world laughs with you, weep and you weep alone'.

Clawr *'Poems of Hope'*

Ar y tudalen cyntaf, mae'r geiriau hyn wedi'u hysgrifennu mewn inc:

Dorothy Beckett
Bawtry
Xmas 1915

Wel, roedd rhaid olrhain hanes Dorothy felly, yn'doedd? Tybed ai cariad i Dafydd oedd hon? Deallais o Gyfrifiad 1911 fod

Dorothy Beckett yn *milliner* ac yn byw hefo'i rhieni yn Bawtry, tre fach yn Ne Swydd Efrog. Roedd ei thad Tom yn fragwr ac roedd Dorothy'n un o bump o blant, gydag un brawd Frank oedd ddwy flynedd yn hŷn na hi. Ond gan na fu Dafydd erioed yng nghyffiniau Bawtry, a chan nad oes dim i awgrymu iddi hi fod yng Ngheredigion nac yn y coleg yn Aberystwyth, mae'r rhodd yn ddirgelwch. Does dim i awgrymu chwaith fod Dafydd wedi dod ar draws Frank ei brawd yn y coleg nac yn y fyddin.

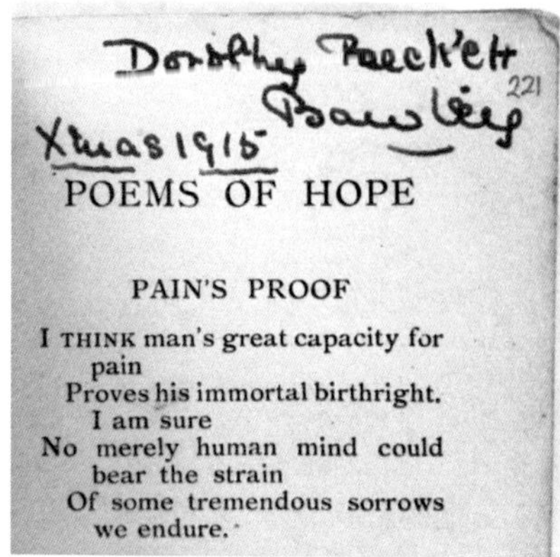

Dorothy Beckett
Bawtry 221
Xmas 1915

POEMS OF HOPE

PAIN'S PROOF

I THINK man's great capacity for
  pain
Proves his immortal birthright.
  I am sure
No merely human mind could
  bear the strain
Of some tremendous sorrows
  we endure.

Credaf mai rhodd gyffredinol oedd hon, rhywbeth i fod yn gysur i filwr anhysbys yn y ffosydd, yn yr un modd ag yr oedd pobl yn anfon sigaréts neu'n gweu sgarffiau. Efallai fod Dorothy wedi rhoi'i henw a'i chyfeiriad yn y gobaith y byddai'r sawl a dderbyniodd y llyfr yn ysgrifennu i ddiolch, ac efallai fod Dafydd wedi gwneud. Petai'n rhodd fwy personol, tebyg y byddai Dorothy wedi gwneud hynny'n gliriach, gyda geiriau fel 'To my dearest...' er enghraifft, yn hytrach na nodi'i henw'n foel a'r adeg o'r flwyddyn.

Mae un dirgelwch pellach ynghylch y llyfr. O fewn i'w dudalennau, mae dau flodyn wedi'u gwasgu, a'r ddau erbyn hyn yn chwalu fel adenydd brau glöyn byw.

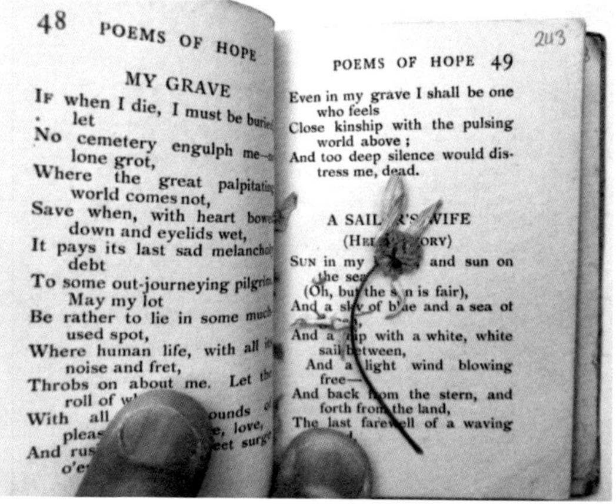

48 POEMS OF HOPE

MY GRAVE

IF when I die, I must be buried
  let
No cemetery engulph me—
  lone grot,
Where the great palpitating
  world comes not,
Save when, with heart bowed
  down and eyelids wet,
It pays its last sad melancholy
  debt
To some out-journeying pilgrim.
  May my lot
Be rather to lie in some much
  used spot,
Where human life, with all its
  noise and fret,
Throbs on about me. Let the
  roll of w
With all
  plea
And ru
  o'e

2u3

POEMS OF HOPE 49

Even in my grave I shall be one
  who feels
Close kinship with the pulsing
  world above;
And too deep silence would dis-
  tress me, dead.

A SAIL R'S WIFE
(HE ORY)

SUN in my and sun on
  the se
(Oh, but the n is fair),
And a sky of blue and a sea of
And a ship with a white, white
  sail between,
And a light wind blowing
  free—
And back from the stern, and
  forth from the land,
The last farewell of a waving

A ddaethant gyda'r llyfr gan Dorothy? Ynteu'u hychwanegu wedyn gan Dafydd? Neu'i fam efallai ar ôl i'r llyfr gael ei anfon nôl ati? Ni chawn fyth wybod, ond gobeithiaf fod Dafydd wedi cael rhyw bleser o ddarllen geiriau Ella Wilcox yn ei oriau hamdden y Nadolig hwnnw – neu ba bryd bynnag y daeth y llyfr i'w feddiant.

* * *

Ac yntau mewn sgubor ddigysur yn St Floris, roedd pleser i'w gael hefyd o ddychmygu hwyl y Nadolig adref a doedd Dafydd ddim yn brin o gwestiynau i'w fam:

> Sut aeth te parti Llanddewi eleni? A oedd JW Edwards yn brif fos ar bobpeth? Leciwn glywed ei swn. Tybed a wnai swyddog golew? Mae arnaf [ofn] y cadwai ormod o swn fel y gwnâi anfon Germaniaid byd ar ffo – choeliai fawr! Gwelais yn y papur fod gan blant ysgol Tregaron goncert eleni fel arfer, faint o fynd oedd arno, tybed?

Ond yn Ffrainc roedd y Nadolig drosodd yn barod i Dafydd, a'r milwyr yn ôl wrth eu gwaith, fel y nodwyd yn Nyddiadur Rhyfel y Fataliwn:

> *26–31.12.15*
> *The period was spent in training at St FLORYS. Programme of work for week ending 1.1.16 drawn up including musketry practice on range, bombing practice, field engineering by day & night, night patrolling, snipers etc. Great effort was made to advance training of Grenadiers. Standard aimed at was that every man should have thrown 2 live bombs whilst 128 men were to be trained as expert Bn. bombers*

Ar ôl blwyddyn o ymladd yn y ffosydd, roedd y fyddin wedi deall fod lluchio bom i mewn i linell flaen y gelyn yn fwy effeithiol na disgwyl iddynt ddangos eu pennau fesul un, fel y gellid saethu atynt; a dyna'r rheswm am y fath bwyslais ar hyfforddi 'grenadiers' neu daflwyr bomiau. Yn ei lyfr *In Parenthesis*, mae'r bardd David Jones, o'r Ffiwsilwyr Cymreig, yn disgrifio darlith a gafodd yn ystod y cyfnod hwn, gan swyddog bomio ei fataliwn yntau:

> *he sat in the straw, a mild young man, who told them lightly of the efficacy of his trade; he predicted an important future for the new Mills Mk.IV grenade, just on the market; he discussed the improvised jam-tins of the veterans, of the bombs of after the Marne, grenades of Loos and Laventie – he compared these elementary, amateurish, inefficiencies with the compact and supremely satisfactory invention of*

this Mr Mills, to whom his country was so greatly indebted.

He took the names of all those men professing efficiency on the cricket field – more particularly those who claimed to bowl effectively – and brushing away with his hand pieces of straw from his breeches, he sauntered off with his sections of grenades and fuses and explanatory diagrams of their mechanism stuffed into the pockets of his raincoat, like a departing commercial traveller.

(Tybed a fuodd Dafydd â rhan yn y wedd hon ar hyfforddi'r milwyr? Roedd yn ŵr ifanc cydnerth ac roedd wedi ennill ddwy flynedd yn olynol ar daflu pwysau, ac ar daflu pêl griced ym mabolgampau'r coleg yn Aberystwyth. Gallai daflu pêl griced dros 82 o lathenni!)

Roedd un peth arall yr oedd gofyn i'r milwyr newydd ymgyfarwyddo ag ef, ac ar ddiwrnod olaf y flwyddyn, martsiodd y fataliwn dair milltir i'r dwyrain, i Calonne sur la Lys, er mwyn dysgu beth i'w wneud petai'r gelyn yn ymosod efo nwy.

Yn fanno roedd y fyddin wedi trefnu llenwi stafell efo nwy (yn yr hen felin flawd o bosib), ac yna gyrrwyd y dynion i mewn, un grŵp ar y tro, er mwyn iddyn nhw gael profi'u 'tube helmets'.

Peth digon cyntefig oedd y 'tube helmet' – rhyw fath o sach i wisgo dros y pen, efo dau wydr crwn ynddo fe i'r milwyr gael edrych drwyddyn nhw, a thiwb metal (oedd yn rhoi ei enw iddo) er mwyn anadlu drwyddi. Wyth mis ynghynt ger Ypres, roedd yr Almaenwyr wedi brawychu milwyr Ffrainc hefo'u defnydd cyntaf o'r nwy clorin. Ers hynny roedd y fyddin Brydeinig wedi bod yn gweithio'n galed i ddatblygu masgiau effeithiol – ac ar sut i ddefnyddio nwy yn erbyn yr Almaenwyr hefyd.

Yn ei lythyr adre y noson honno, efallai nad yw'n syndod fod Dafydd heb sôn wrth ei fam am eu hyfforddiant hefo nwy gwenwynig.

> Nid oes gennyf unryw newydd neullduol heddyw – carwn er hynny gael gwybod a ddaeth y bag adref yn ddiogel o Winchester. Dylai fod wedi cyrraedd yna erbyn hyn ynghyd ar parcel yn cynnwys blancedi a rhyw bethau bach neu gilydd.

Masgiau nwy o'r math oedd yn cael eu defnyddio gan filwyr Prydain ar ddiwedd 1915

Y rhain oedd y parseli a gostiodd chwe swllt i'w gyfaill eu postio nôl ar ei ran ar ddechrau Rhagfyr. Roedd yn hen bryd iddyn nhw fod wedi cyrraedd erbyn hyn – ac felly hefyd barsel Nadolig ei fam!

> Wn i ddim ai anfonasoch barcel i mi fel yr addawsoch ai peidio; beth bynnag nid ydyw wedi dod i law eto felly raid ei roi i fyny, tybiaf fel "missing", probably 'Prisoner of War'.

Dyna ffordd eitha ffraeth i wneud yn ysgafn o'r ffaith nad oedd wedi cyrraedd.

Mae Dafydd yn troi'r stori wedyn i holi am rai o'i ffrindiau o ardal Llanddewi Brefi:

> Carwn wybod beth mae Jack Manarafon a Jack Dolfelin yn wneud y dyddiau hyn a ydynt wedi gorfod mynd erbyn hyn? Neu a ydynt wedi enlistio o dan y group system. Nid ydwyf wedi clywed gair o'u hanes o un man. Hefyd beth mae Charles yn wneud?

Enw arall ar y Derby scheme oedd y 'group system', sef yr ymgais i gofrestru pob dyn o oed milwrol a hybu'r niferoedd oedd yn gwirfoddoli. Roedd John Williams Dolfelin yn gyfyrder ac yn gymydog i Dafydd – ac wedi aros yn y coleg yn Aberystwyth. Roedd John Jenkins Manarafon yn fab fferm oedd ychydig yn hŷn na Dafydd, tra bod Charles ei frawd yn athro ysgol – ond gyda gorfodaeth filwrol ar y gorwel ymddangosai y bydden nhw i gyd yn gorfod ymuno â'r fyddin yn hwyr neu'n hwyrach.

Felly, wrth edrych yn ôl ar ei flwyddyn lawn gyntaf yn y fyddin, mae Dafydd yn cloi'i lythyr fel hyn:

> Erbyn [hyn] credaf mae y goreu o ddau ddrwg oedd ymuno pan wnes i. Ni allaf fi achwyn am ddim ond cymeryd yr oll fel y daw.
>
> Wel, nid oes gennyf ragor heddyw ond unwaith eto anfon cofion cynesaf attoch oll fel teulu ac ardal.
>
> Oddiwrth
>
> Dafydd

Roedd ar drothwy blwyddyn newydd, ac ar fin ymadael â St Floris am y ffosydd unwaith eto. Ond cyn ail-afael yn hanes Dafydd, gadewch i ni droi ein sylw yn ôl at ei fam, i gael ychydig mwy o'i hanes hi.

Ceir manylion am ffynonellau pob dyfyniad yn y bennod hon, a phob un sy'n dilyn, ar wefan Gwasg Carreg Gwalch:
https://files.ekmcdn.com/92a6b5/resources/other/anwyl-fam-nodiadau.pdf

11

'Y mae y plant yn dod yn heidie i nol calenig heddyw'

(*Mwy am Margaret Jones*)

Ar fy ffordd i Ffrainc, roeddwn i wedi torri'r siwrnai er mwyn cael peint hefo dau hen ffrind o 'nghyfnod yn yr ysgol yn Llundain, sef Steve a'i wraig Julia. Yn y Somertown Tavern oedden ni, dafliad carreg o'r orsaf Eurostar yn St Pancras, ac roeddwn i wedi dechrau sôn am bwrpas fy nhaith a siarad yn frwdfrydig am Dafydd Jones.

Gwrandawon nhw'n amyneddgar nes imi sylweddoli 'mod i'n swnio fel dyn ag obsesiwn, ac oedi i gymryd llymaid o 'mheint. Ond er syndod imi nid achub ar y cyfle i newid trywydd y sgwrs a wnaethon nhw, ond holi mwy. Roedd Julia'n ysu i wybod mwy am hanes y fam – be wyddwn i am ei phrofiadau hi? Roedd rhaid imi gyfaddef mai 'chydig iawn' oedd yr ateb; ond dyma f'ysgogi wedyn i gysylltu eto hefo'r teulu, rhag ofn fod rhywbeth arall wedi dod i'r golwg ers i mi ymweld â Cheredigion y tro diwethaf.

Ffoniais Sarah Evans yn Llangeitho; roedd hi wedi bod yn holi ar fy rhan, a dywedodd iddi ddeall fod llun o Margaret Jones gan gyfyrderes iddi, Margaret Hammonds; ac yn fwy na hynny, roedd neges i Dafydd gan ei fam ar gefn y llun. Cynigiodd ebostio copi ata'i yn Ffrainc, a chyn hir ro'n i'n edrych ar y llun hwn o Margaret Jones.

Yn ôl traddodiad y teulu, hwn oedd y llun yr oedd Dafydd yn ei gario gydag e allan yn Ffrainc, wedi'i blygu er mwyn ei ffitio yn ei waled. Ar y cefn mae'i fam wedi ysgrifennu neges iddo, ac yna torri'i henw:

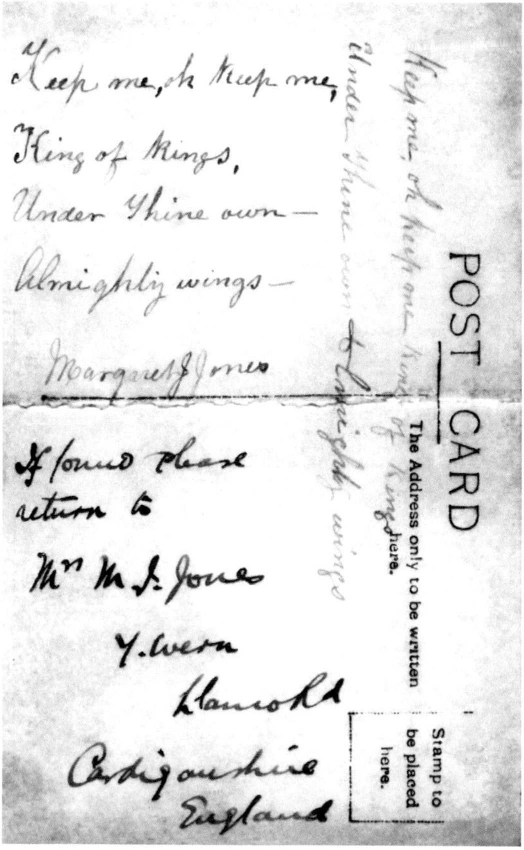

Rhaid bod Dafydd yn trysori'r llun – wrth ymyl geiriau'i fam, mae Dafydd wedi ychwanegu:

If found please return to Mrs M.J. Jones
Y Wern
Llanio Rd.
Cardiganshire
England

(Tebyg fod Dafydd yn dilyn arferion rhai o'i gyd-swyddogion yma, drwy ddefnyddio 'England' fel gair arall am 'Brydain'.) Dyfyniad o hen emyn eglwysig yw'r geiriau gan ei fam, 'Keep me, oh keep me, / King of kings / Under thine own /Almighty wings'. Thomas Ken (1637-1711) oedd awdur yr emyn a hawdd dychmygu Dafydd yn edrych ar lun ei fam cyn noswylio ac efallai'n adrodd geiriau'r emyn fel pader:

All praise to thee, my god, this night
For all the blessings of the light.
Keep me, oh, keep me, King of kings,
Beneath thine own almighty wings.
Forgive me, Lord, for thy dear Son,
The ill that I this day have done;
That with the world, myself, and thee,
I, ere I sleep, at peace may be.

Mae'n rhyfedd fod ei fam wedi dewis dyfyniad o emyn Saesneg; yn enwedig o gofio nad oedd hi, yn ôl Cyfrifiad 1911, yn medru'r iaith fain! Rhaid ei bod hi'n deall ac yn darllen Saesneg serch hynny; wedi'r cyfan, roedd y teulu'n derbyn papurau Saesneg y *Cambrian News* a'r *Welsh Gazette* yn wythnosol. Efallai ei bod hi'n teimlo y byddai pennill yn y Saesneg yn fwy gweddus i swyddog yn y fyddin; roedd hi'n uchelgeisiol dros ei phlant ac fel cynifer o'i chenhedlaeth, tebyg y byddai'n gweld y Saesneg fel 'iaith dod mla'n yn y byd'.

Yn y llun cyntaf hwnnw (t. 188), mae Margaret yn gwisgo ffrog ddu sy'n cau o gwmpas ei gwddf a broetsh crwn yn cau'r coler. Mae'n syllu'n hunanfeddiannol i'r ochr, ei gwallt i fyny ac yn dywyll o hyd. Os tynnwyd y llun yn benodol i'w roi'n anrheg i'w mab yn y fyddin, byddai hi wedi bod yn ei phumdegau cynnar.

Ond yn yr ebost gan Sarah Evans, roedd dau lun arall o fam Dafydd yn ogystal. Lluniau mwy diweddar a mwy naturiol oedd y rhain, nid portreadau stiwdio, ac fe'u tynnwyd yn ôl amcan y teulu, ar ddechrau'r 1930au. Eistedd yn yr ardd y mae hi, ac er ei bod hi'n ddiwrnod o haf, mae Margaret yn dal i wisgo ffrog sy'n cau at ei gwddf. Mae'n ffrog ddiweddarach o ran ei steil, ac mae wedi'i thorri'n llacach amdani.

Yn un llun, mae'n edrych i lawr ar lyfr. Mae tipyn o ôl traul arno ac mae ambell ddarn papur i'w weld rhwng ei dudalennau, yn cadw lle. Llyfr emynau efallai, neu Feibl? Mae'i gwallt hi wedi gwynnu erbyn hyn ac wrth ddarllen, mae golwg digon tawel a bodlon arni.

Yn yr ail lun, mae'n edrych tuag at y camera, a'i cheg fymryn ar agor fel petai ar fin dweud rhywbeth. Gwelwn bod ei breichiau'n gydnerth o hyd a'i bysedd wedi chwyddo ychydig o gwmpas ei modrwy briodas. Yn y 1930au, byddai o gwmpas oed yr addewid, ac mae cadernid a thristwch yn gymysg yn ei threm.

Wrth edrych arni yn syllu allan o'r llun, yn syllu arnom o'r gorffennol, fedrwn i ddim llai na gofyn i mi fy hun, tybed am beth mae hi'n meddwl? Rhywun o'r teulu mae'n debyg, sy'n dal y camera – efallai taw eisiau gwybod oedd hi faint rhagor mae am fod wrthi! Maen nhw'n ddau lun pwerus sy'n cyfleu tipyn mwy o'i phersonoliaeth na'r llun stiwdio cynharach a fu ym meddiant Dafydd; ond er bod 'llun cyfwerth â mil o eiriau' chwedl y Sais, ei **geiriau** hi oedd yn dal ar goll. Roeddwn i'n dyheu am glywed ei llais hi wedi'i gyfryngu drwy lythyr, er mwyn cael rhyw argraff o'r fenyw y bu Dafydd yn llythyru mor gydwybodol â hi.

Roedd y llythyrau hynny gan Dafydd i gyd ar fy laptop yn y gwesty yn Béthune, a dechreuais edrych arnynt eto, yn chwilio am unrhyw beth oedd yn dweud rhywbeth am ei fam. Gwelwn fod llythyrau Dafydd yn aml yn ateb rhyw gwestiwn gan ei fam, a gwaith bach wedyn oedd ceisio dychmygu beth yn union oedd y cwestiwn hwnnw; a thrwy hynny gellid creu rhyw sgwrs rithiol rhwng mam a mab:

Mam: *Cofia ddiolch yn iawn i Ysgoldy Llanio am y parsel gest di.*

Dafydd: Fel y dywedwch, ysgrifenaf i Ysgol Llanio i'w diolch am eu cynnes galon yn cofio un o'i haelodau ymhell o gartref. Twyma y galon yn fawr at bob caredigrwydd.

Mam: *Da machgen i. Oes gobaith inni dy weld ti cyn bo hir?*

Dafydd: Y mae pob leave wedi ei gau eto. Credaf fod pwys ar ein transports ar hyn o bryd felly nid oes neb yn cael dod adref tan tua hanner Mai.

Mam: *Druan ohonot. Wyt ti wedi gweld unrhyw un ti'n adnabod mas yn Ffrainc yn ddiweddar?*

Dafydd: Gwelais lot o fechgyn yr ardal yma cyn mynd i'r trenches ac yn ei plith yr oedd Jack Llanio neu Jack ddaeth o'r workhouse. Nid oeddwn wedi ei weld o'r blaen. Rhyfedd fel y daw hen wynebau i'r golwg yma.

Ond chwarae gemau oedd hyn. Dyfalu geiriau, mewn ymgais i glywed llais a gollwyd. Mor braf fyddai clywed ei llais go iawn.

Soniais am hyn mewn ebost at Sarah Evans, wrth ddiolch iddi am anfon y lluniau – a chefais fy synnu pan ddywedodd ei bod hi'n meddwl **fod** llythyr gan Margaret Jones wedi goroesi, ond nid llythyr at Dafydd mohono, ond yn hytrach at Tommy, ei hŵyr. Roedd y llythyr hwnnw hefyd ym meddiant Margaret Hammonds ac esboniodd Sarah sut roedden nhw i gyd yn perthyn. Mam-gu Margaret Hammonds oedd Eleanor (1898–1978), un o chwiorydd Dafydd, a'r cyntaf o blant y Wern Isa i briodi yn 1917. Roedd ei gŵr John Owen Jones yn gweithio ar y rheilffordd yn ardal Llanelli, ond pan anwyd ei mab cyntaf, Tommy, yn 1918, bu Eleanor yn sâl am gyfnod ar ôl yr enedigaeth a chafodd Tommy ei fagu gan ei fam-gu yn y Wern Isa. Ganwyd dau fab arall i Eleanor yn fuan wedyn, ac arhosodd Tommy yn y Wern, gan fynd i'r ysgol yn Llanddewi Brefi a Thregaron. Cafodd ei fagu fel brawd bach i blant y Wern – dim ond wyth mlynedd oedd rhyngddo â Megan, merch ieuengaf Thomas a Margaret Jones.

Gofynnais a fyddai modd i mi weld y llythyr, a thoc daeth llun ohono drwy ebost. Dyma 'lais' Margaret Jones o'r diwedd, mewn llythyr at ei hŵyr. Er nad oes dyddiad arno, gallwn fod yn eithaf sicr mai ar ddiwrnod cynta'r flwyddyn 1939 y cafodd ei ysgrifennu; cyfeirir at blant yn 'dod yn heldie' i hel calennig, a chyfeirir at farwolaeth Daniel Dolyfelin, sef cefnder Margaret Jones, a fu farw ar ddiwrnod Nadolig, 1938. Felly mae'n llythyr o gyfnod tipyn yn ddiweddarach na'r Rhyfel Mawr, a llawysgrifen Margaret wedi mynd yn fwy sigledig mi dybiwn, a hithau erbyn hynny yn ei 70au hwyr.

Erbyn cyfnod y llythyr roedd Tommy'n ugain oed ac wedi mynd i

Wern
Llanio Road
Anwyl Tommy Bach
Gair heddyw attat gan obeithio dy fod yn iawn
a dy fod yn fachgen da. Yr wyt ti yn dechreu blwyddyn
newydd eto ac yr ydwyt ti yn myned yn fachgen mawr
bron a bod yn y man gorau y daw i byth a minnau
druan yn myned i lawr yn gyflym iawn erbyn hyn.
Drwg iawn yw genyf hysbysu fod, fel y gwelwch-
wch yn y W.G fod Daniel Dolfelyn wedi marw
ac wedi ei gladdu hefyd erbyn hyn, Daeth Ewan
lawr o Lundain yw gladdu. Cafodd gladdedigaeth
barchus dros ben, chwith iawn ydyw ar ei ol.

weithio ym musnes llaeth ei fodryb Jane yn 41 Abbey Road, Wimbledon. Jane (1896–1965) oedd merch hynaf teulu'r Wern ac aeth i Lundain yn fuan ar ôl i Dafydd fynd i Ffrainc i weithio hefo'i hewythr yn y Boro.

Cyfeirir yn y llythyr hefyd at ddwy o ferched eraill teulu'r Wern, sef Polly a Megan.

Mary Anne (Polly)

Megan

Roedd Polly (1905–1990), neu Mary Anne a rhoi iddi ei henw bedydd, wedi priodi ac yn cadw Siop y Plas gyda'i gŵr yn Llangeitho; roedd Megan (1910–98) yn athrawes gynradd yn Ysgol Cwrtnewydd ger Llambed. Ond er bod Tommy yn byw bellach yn Llundain, mae'n amlwg yn dipyn o ffefryn o hyd gan ei fam-gu, fel mae'r llythyr yn ei ddatgelu:

Wern
Llanio Road

Anwyl Tommy Bach
Gair heddyw attat gan obeithio dy fod yn iawn a dy fod yn fachgen da. Yr wyt yn dechreu blwyddyn newydd eto ac yr ydwyt yn myned yn fachgen mawr, bron a bod yn y man gorau y deui byth, a minau druan yn myned i lawr yn gyflym iawn erbyn hyn.

Drwg iawn yw genyf hysbysi fod, fel y gwelwch yn y W. G [=Welsh *Gazette*] *fod Daniel Dolfelyn wedi marw ac wedi ei gladdu hefyd erbyn hyn. Daeth Evan lawr o Lyndain i'w gladdu. Cafodd gladdedigaeth barchus dros ben, chwith iawn ydyw ar ei ol.*

Wel, gyda golwg ar y Nadolig nid anfones ddim un carden i neb, felly peidiwch digio, nid oeddwn yn gallu myned i'w nôl. Eto gyda golwg ychwanegol, derbynies barsel o rywle, nis gwn o ble, tebyg iawn mae ti sydd wedi ei anfon gan nad oedd neb arall i'w anfon i mi, ond druan ohonot, bu yn hir iawn cyn cyraedd, er y mae yn debyg na daeth ei haner yma. Yr oedd wedi ei racso yn yfflon a'r pethau tyner wedi cael ei stwmpo i'w gilydd, nis gweles y fath peth erioed. Ond paid a becso ddim, yr ydwyf fi mor ddiolchgar i ti a phe byddent wedi dod yn iawn, diolch yn fawr iawn i ti am gofio am danaf, gwnest fwy nag un or bechgyn arall sydd genyf, nid wyf wedi cael gair ers llawer dydd oddi wrth yr un ohonynt. Diolch yn fawr iawn i ti.

Nid oes genyf ddim llawer i'w anfon attat, y mae Megan yma dros ei gwylie ac y mae wedi dod a Weiarles yma gyda hi. Mae hi a Polly wedi penderfyni ei rhoddi yn anreg i Tadcu, gan nad oeddwn i ddim am dani.

Bu dy fam yma yn ein helpi i blio ac yr oedd yn dyweid ei bod yn dod eto tua yr wythnos nesaf.

Yr wyf yn anfon dau bar o sane i ti, cofia ei gwesgo, y mae yn oer iawn yn awr ac y mae Megan yn anfon pulover i ti yn bresant Nadolig. Gwisg hono hefyd i fod yn gynes. Byd[d]af yn disgwyl llythyr mawr iawn oddi wrthit yn fuan iawn a dy hanes i gyd, y da ar drwg.
Y mae fy llygaid yn ddrwg iawn heddyw, methu gweled fawr iawn, y

mae gwaed wedi drochi y papur o fy mraich, dim niwed.

Y mae y plant yn dod yn heidie i nol calenig heddyw, tebyg nid ydwyt tithau wedi anghofio hyni. Cofia anfon llythyr yn ol, i ti gael arfer ysgrifeni llythyron. Diolch yn fawr i ti Tommy bach, dim ond ti sydd genyf yn awr i gofio am danaf.

Mamgu

Mae'n llythyr eitha trist ar sawl cyfrif; mae Margaret newydd golli ei chefnder, mae'n gweld eisiau Tommy, ac mae'n rhwystredig am na all wneud mwy drosti ei hun. Mae'n 'myned i lawr yn gyflym erbyn hyn'. Ni all godi allan i nôl cardiau Nadolig, mae'i golwg hi'n dirywio ac mae ganddi ryw fath o friw ar ei braich. Mae ei byd hi yn lleihau; dyw hi ddim hyd yn oed yn rheoli'i haelwyd ei hunan mwyach. Daeth Eleanor, mam Tommy, i fyny o Lanelli i helpu hefo'r pluo cyn y Nadolig, ac mae am ddod eto yn fuan. Mae Megan a Polly wedi rhoi'r weiarles i'w gŵr hi er nad oedd hi, Margaret 'ddim amdani' – ond dyna fe, mae wedi dod i'r tŷ 'run fath.

Mae ganddi ei barn ei hun o hyd, ond dyw'r farn honno ddim yn cyfri cymaint yn awr. Er ei bod hi'n teimlo'i hun yn llithro i'r cyrion o fewn y teulu, mae ganddi Tommy o hyd. Mae e'n oedolyn bellach ond mae'i famgu yn mwynhau ffysian yn famol drosto, yn ei atgoffa i wisgo'i sanau a'i siwmper i gadw'n gynnes ar y wâc laeth. Mae ganddi ddylanwad drosto o hyd: 'Cofia anfon llythyr yn ôl, i ti gael arfer ysgrifeni llythyron' (er bod 'na awgrym cynnil yma nad yw Tommy Bach ddim yn ysgrifennu mor aml ag yr hoffai hi!). Mae'n ceisio'i gymell bob sut er mwyn cadw'r berthynas i fynd, yn diolch iddo am y parsel a ddaeth (er nad yw'n hollol eglur mai efe a'i anfonodd). Mae hi'n ei ganmol ar draul ei gefndryd eraill sydd ddim mor gydwybodol, meddai hi, am gysylltu hefo'u mam-gu.

Cofia anfon llythyr yn ol i ti gael arfer ysgrifeni
llythyron diolch yn fawr i ti Tommy bach
dim ond ti sydd genyf yn awr i gofio
am danaf Mamgu

Mae 'na fymryn o flacmel emosiynol hyd yn oed – 'Diolch yn fawr i ti Tommy bach, dim ond ti sydd genyf yn awr i gofio am danaf' – er bod ei merched a'i gŵr yn dal i ofalu amdani!

Tybed oedd hi genhedlaeth yn gynt, wedi chwarae Dafydd yn erbyn Charles yn yr un modd? Er mwyn cadw'r ddau at y marc, o ran ysgrifennu at eu mam?

Ond annheg yw casglu gormod o un llythyr, a hwnnw wedi ei ysgrifennu chwarter canrif yn ddiweddarach na'r llythyron at Dafydd. O fewn blwyddyn byddai Tommy wedi dilyn yr un trywydd â'i wncwl Dafydd a mynd i'r fyddin. Pan dorrodd yr Ail Ryfel Byd, roedd Tommy yn un o'r rhai cyntaf i ymrestru gan wasanaethu hefo'r East Surrey Regiment; dyma lun ohono yn ei lifrai.

Goroesodd yr ymgyrch yn Ffrainc yn 1940 a dychwelodd yn ddiogel o Dunkirk. Cafodd ei ddyrchafu'n Lance Sergeant, ac yn 1942 roedd ei fataliwn ymhlith y rhai gafodd eu hanfon i Diwnisia er mwyn ymosod ar luoedd Rommel o'r dwyrain, yn dilyn buddugoliaeth Montgomery yn El Alamein.

Ond yn Ebrill 1943, yn ystod yr ymgyrch i gipio'r heol rhwng Béja a Medjez, clwyfwyd Tommy yn angheuol ac fe'i claddwyd yn y fynwent filwrol yn Béja. Oherwydd yr amser a dreuliodd yn y Wern pan oedd yn tyfu fyny, mae ei enw i'w weld ar yr un gofeb â Dafydd ym mhentref Llanddewi Brefi:

L.SGT THOMAS JONES, WERN,
E. SURREY REGT.
TUNISIA, EBR.13, 1943, YN 24 OED

Blwyddyn yn hŷn na Dafydd oedd Tommy. Diolchwn o leia, na fu raid i'w fam-gu dorri'i chalon dros ei hŵyr fel y gwnaeth dros ei mab, genhedlaeth yn gynt.

Roedd Margaret wedi marw cyn hynny, ym mis Mawrth 1940, ac mae'r cofnod o'i marwolaeth ym mhapur y *Welsh Gazette* yn nodweddiadol ddi-lol:

JONES. – March 3rd, Margaret, wife of Mr. Thomas Jones, Wern, Llanio Road, Tregaron. Funeral (private) Friday. No flowers.

Deunaw gair. O na fyddai erthygl deyrnged yn y papur hefyd i'n goleuo ymhellach amdani a beth roedd hi wedi'i gyflawni yn yr hen fyd 'ma! Ond gadawodd waddol ar ffurf ei phlant a'i hwyrion – ac mae gohebiaeth gydwybodol Dafydd yn fath o gofeb iddi hefyd. Mae'n bryd i ni droi nôl at lythyrau'i mab, a throi nôl o Galan 1939 at Galan 1916.

12

‘Os bydd y captain yn drist, â’r dynion felly ar unwaith’

(*Riez Bailleul – Croix Barbée: Ionawr 1916*)

Ar gyfartaledd, roedd Dafydd yn ysgrifennu adre unwaith bob wythnos tra buodd yn Ffrainc, ond yn ystod wythnos gyntaf Ionawr 1916, bu’n rhaid torri’r patrwm er mwyn ysgrifennu ail lythyr at ei fam – roedd ei pharsel hir-ddisgwyliedig wedi cyrraedd o’r diwedd!

10th Welsh Regt
B.E.F.
Llun.

Anwyl Fam.
Derbyniais eich llythr yn ddiogel ynghyd a’r parcel anfonasoch cyn y Nadolig. Aeth y parcel i fataliwn 10th Royal Welsh Fusiliers ac felly y rheswm am ei fod yn ddiweddar yn dod i law. Er hyny yr oedd y cynnwys yn dra derbyniol. Gyda llawenydd yr agorwyd ef. Mae parcel yn cynnwys danteithion bob amser yn dderbyniol dros ben.

Mae’n eironig i’r parsel fynd ar gyfeiliorn, ar ôl i Dafydd bwysleisio fwy nag unwaith mai ei enw a’i fataliwn oedd yr unig bethau angenrheidiol i gyfeirio llythyrau a pharseli ato! Ond eithriad oedd hyn – ar y cyfan, roedd y gwasanaeth post adeg y Rhyfel Mawr yn hynod effeithiol. Pan oedd y Rhyfel Mawr yn ei anterth, roedd y post yn trafod 12 miliwn o lythyrau yn ôl a mlaen o’r Ffrynt bob wythnos, a miliwn o barseli – ac ar gyfartaledd, dim ond deuddydd roedd hi’n ei gymryd i lythyr gyrraedd pen ei daith.

Roedd diolch am barseli a llythyrau yn elfen gyson yng ngohebiaeth Dafydd. Dyma ychydig enghreifftiau o fis Ionawr yn unig:

Derbyniais y parcel yn ddiogel. Credaf ni all ei gynnwys fod yn well. Yr oedd y [f]fowlyn yn hynod o dda.
(13.1.16)

Derbyniais y ddau barcel yn ddiogel a pharcel oddiwrth Mary

Llanio hefyd. Daethant oll i lawr cyn fy mhen blwydd. Anfonaf llythr o ddiolchgarwch i Mary Anne pan gaf amser.

(24.1.16)

Derbyniais llythr a pharcel oddiwrth Ewythr William ac hefyd un oddiwrth Jane. Cefais syndod mawr wrth dderbyn un oddiwrthi hi ac yr oeddynt yn ddau barcel da dros ben.

(28.1.16)

Fel mae'r ail ddyfyniad yn awgrymu, efallai fod Ionawr wedi bod yn fis gwell nag arfer iddo, am fod ei ben blwydd yn disgyn ar 21.1.16. Derbyniodd Dafydd o leiaf 6 o barseli yn ystod y mis – ac anrheg oddi wrth Ysgoldy Llanio ar ben hynny. Roedd haelioni pobl gartref yn galondid cyson i'r milwyr yn y ffosydd, ac yn thema y byddwn yn ail-ymweld â hi yn y penodau nesaf.

* * *

Ar y 5ed Ionawr, martsiodd Dafydd naw milltir hefo'i fataliwn i Riez Bailleul. Erbyn heddiw dim ond ffermdy sydd yno ynghanol caeau eang, digon llwm, ac roedd JCB wedi bod yn pentyrru clai yn ei ymyl, cyn gadael y job ar ei hanner, a'r peiriant yn segur gerllaw.

Roedd rhaid gwenu ar enw'r heol oedd yn arwain at lôn Riez Bailleul:

'Rue de cul tout nu' – 'y lôn din-noeth lwyr'! Roedd yr enw yn amlwg wedi apelio fel souvenir at rywun hefo dwylo blewog, gan fod yr arwydd swyddogol wedi ei ddwyn a rhywun arall wedi gorfod ail-ysgrifennu'r enw ar y garreg. Pan oedd y gyfres Little Britain yn ei anterth, a Matt Lucas yn portreadu 'Daffyd, the only gay in the village', cafodd arwyddion Llanddewi Brefi eu dwyn droeon, hefyd.

O Riez Bailleul, aeth y fataliwn ymlaen i'r ffosydd yn ymyl Rouge Croix.

> *This was the first time the Bn. occupied trenches independently of any other Bn. The Bn. carried on the routine of the units of the Guards division which had been learned before hand by visits of C.O, O.C Coys & Coy. S.M.*
>
> (sef *Commanding Officer, Officers commanding Companies* a *Sergeant Major* pob cwmni).

Byddai Dafydd fel Capten '*A Company*' wedi bod ymhlith y rhai dethol hyn oedd wedi cael ymweld o flaen llaw â'r sector o'r llinell flaen yr oedd y fataliwn ar fin cymryd cyfrifoldeb amdano. Roedden nhw wedi pasio'u prentisiaeth fer, a'r pencadlys yn ymddiried ynddynt i ddal y lein, heb rai mwy profiadol yn 'dal eu llaw' fel petai.

Heddiw, mae Rouge Croix yn bentre bach ar y lôn syth rhwng La Bassée a La Gorgue, a phawb yn gwibio drwodd heb feddwl stopio. Mae 'na hen gaffi ar y groesffordd ond roedd hwnnw wedi cau pan alwais i yno.

Wrth edrych o gwmpas heddiw, mae'n anodd iawn dychmygu'r gyflafan a fu yma ryw gan mlynedd yn ôl. Lle bu adfeilion, mae pentrefi taclus wedi cael eu codi yn eu hôl. Lle bu ffosydd a thir diffaith wedi'i bantio gan ffrwydradau *shells*, mae popeth wedi cael ei lenwi yn ôl, ac mae caeau llyfn a gwastad yn ymestyn i bob cyfeiriad o gwmpas y pentrefi.

Ond gyferbyn â hen gaffi Rouge Croix ar ochr arall y lôn, mae arwyddion ar gyfer rhai o'r mynwentydd milwrol lle mae bechgyn gwledydd Prydain a'r Ymerodraeth wedi'u claddu:

Rhain yn anad dim sy'n helpu'r ymwelydd o Gymru i olrhain yr hen linell flaen; ac mae tua mil o'r mynwentydd hyn yn rhedeg fel rhyw fath o fwclis, o'r gogledd i'r de, rhwng Ypres a'r Somme. Y ddwy ardal yna sydd fwyaf hysbys mae'n debyg i rai sy'n ceisio olrhain hanes eu cyndadau yn y Rhyfel Mawr; Ypres yn y gogledd, jest dros y ffin yng Ngwlad Belg; ac yna, ryw 70 milltir i'r de yn Ffrainc, y mae ardal y Somme.

Ond rhwng y ddau, mae 'na ardal rhwng Armentières ac Arras sy'n cael ei hadnabod gan rai fel '*The Forgotten Front*'. Yma bu'r rhan fwyaf o'r brwydro gan fyddin Prydain yn ystod 1915, ym mrwydrau Neuve Chapelle, Cefn Aubers, Festubert, a Loos. Ond roedd pethau wedi tawelu rhyw fymryn yno erbyn Rhagfyr 1915, ac yn yr ardal honno y bu Dafydd Jones a'i fataliwn yn gwasanaethu tan ddechrau Mehefin 1916.

* * *

Ar ôl dod allan o'r llinell flaen y tro hwn, a mynd yn ôl i Riez Bailleul, y peth cyntaf wnaeth Dafydd oedd ateb llythyr diweddaraf ei fam. Ar ôl iddo gyfaddef mewn llythyr blaenorol '[nad] oedd y trenches yn lle cymffyrddus iawn', roedd hi'n amlwg wedi poeni a oedd e'n llwyddo cael digon o gwsg, yn enwedig a hithau mor oer. Dyma fe'n ceisio lliniaru ei gofidiau hi;

> Yr oeddech yn ofni nad oeddwn yn medru cysgu. Mae genyf ddigon i fod yn gysurus, dau flanced a sleeping bag. Ni allwn fynd ar oll i'r trenches, dim ond un blanced. Er hynny, nid yw yn oer.
>
> Yr ydym yn byw fel cwningod o dan y ddaear, yn ein Dug-outs fel eu gelwir. Palasau bach o dan y ddaear. Rhyfedd mor gysurus y gallwn wneud ein hunain, er o dan amgylchiadau anhawdd. Wrth reswm, nid yw y private yn cael yr un chware teg. Rhaid iddo ef gysgu yn ei got fawr a'i got flew ar y firing step, pan nad yw yn gweithio er gwneud y trench yn saf[f].

Milwyr yn eu cotiau blew

Y 'got flew' oedd y siaced o groen dafad a gafodd pob milwr cyn mynd i'r ffosydd am y tro cyntaf; (yn anffodus, wrth iddyn nhw hel mwd, roedden nhw'n mynd yn drwm iawn – ac roedd y gwlân yn lloches ar gyfer llau a phryfetach eraill).

Mae Dafydd yn ceisio egluro wrth ei fam am amserlen 'tu chwith' y ffosydd:

> Rhaid gweithio llawer yn y nos wrth reswm, er gwneud y lle yn saf[f]. Mae yn fai marwol i unryw un ddangos ei hun yn y dydd am ychydig amser, neu ei lle ni edwyn ddim ohono mwyach. Mae'r Germans a ninau fel ciryll yn gwylio am ysbail.

'Ciryll' yw gair Ceredigion am gudyll; ac mae Dafydd yn dangos nad yw wedi anghofio'i Feibl, hefo'i gyfeiriad at yr adnodau adnabyddus o'r Salmau:

> *Dyddiau dyn sydd fel glaswelltyn: megis blodeuyn y maes, felly y blodeua efe.*
>
> *Canys y gwynt a â drosto, ac ni bydd mwy ohono;* ***a'i le nid edwyn ddim ohono ef mwy.***

Seibiant byr gafodd Dafydd y tro hwn ac o fewn ychydig ddyddiau roedd y fataliwn yn ôl yn y llinell flaen. Ac ar y 12fed o Ionawr buon nhw'n rhan o 'demonstration' neu 'ymosodiad ffug'. Dyma'r hanes gan Ddyddiadur Rhyfel y Fataliwn:

> *The Bn took part in a demonstration (commonly known as a 'show') (...) The object was, by rapid fire & demonstration with dummies to make the Germans man their parapet & inflict losses on them by artillery fire. (...)*
>
> *At Zero, about 4.35 p.m. a red rocket was sent up, followed by a green rocket. At this signal the Infantry in our front line (...) made a demonstration with 200 dummies as if getting over the parapet. (...) immediately after this a heavy rifle and machine gun fire was delivered*

on the left of the dummies, and at the same time our artillery opened fire on the German front line, while our Howitzers formed a barrage in rear. During this, the dummies simulated a second line going over the parapet.

Dummies 2D oedd rhain, wedi eu gwneud o *plywood* gan adran arbennig o'r Royal Engineers. Er bod yr ystryw hon yn swnio'n rhy syml i dwyllo neb, roedd ymateb yr Almaenwyr yn cael ei gyfrif gan yr uwch-swyddogion fel prawf fod y twyll wedi gweithio. Ond roedd eu hymateb yn un drud i'r fataliwn.

Retaliation by enemy caused us 3 killed & 2 wounded, the 3 killed being signallers in a dugout hit by a shell.

Yn ôl y *Cambria Daily Leader*, enwau'r tri oedd H. C. Watts, E. Thomas a D.G. Watkins o Onllwyn. Mae dau ohonynt wedi'u claddu ym mynwent filwrol Pont du Hem; perllan coed afalau oedd hon yn wreiddiol yn 1915, ond erbyn diwedd y rhyfel roedd 900 o feddau milwyr yno.

Peth prin yw cael manylion yn y Dyddiadur Rhyfel ynglŷn â sut y lladdwyd y milwyr. Roedd yr *adjutant* gan amlaf yn ceisio cadw ei gofnodion mor syml ag y gallai. Er enghraifft, mae'r ymadrodd 'normal routine in trenches' yn dipyn o ffefryn ganddo. Ond weithiau yn ei ymdrech i fod yn gryno, mae'n gallu dweud pethau lletchwith fel:

TRENCHES 23.1.16

Uneventful day. 2nd Lt. McEwan accidentally killed practising firing rifle grenades at Bde. H.Q.

Wel, doedd hi ddim yn 'uneventful' i McEwan druan, nagoedd?! Dyw'r *adjutant* ddim hyd yn oed yn nodi bob tro faint o ddynion a gollwyd yn ystod eu hymweliadau â'r llinell flaen. Ond mae'n gydwybodol iawn ynglŷn â phob symudiad gan y fataliwn, ac ar yr 21ain o Ionawr (diwrnod pen blwydd Dafydd) mae'n nodi:

The Bn proceeded by route march to CROIX BARBÉE, to billets.

Fel Zélobes, doedd hwn ddim yn lle hawdd i gael hyd iddo ar fapiau cyfoes.

Wrth ddilyn map o gyfnod y Rhyfel Mawr, cefais fy arwain at groesffordd hefo rhyw ddwsin o dai ac adeiladau fferm o'i chwmpas; ond roedd y map ar fy ffôn, ac arwydd y pentre, yn mynnu 'mod i yn *Richebourg-Saint-Vaast*. Roedd hi'n ddiwrnod braf, a holais hen ddynes oedd yn digwydd bod ar garreg ei drws wrth ymyl y groesffordd: tybed ai fa'ma oedd Croix Barbée (er mai Richebourg oedd yr enw ar yr arwydd gerllaw)? 'Ie, ie', meddai, '*Croix Barbée, c'est*

le nom ancien' – dyna oedd yr hen enw. Dywedodd hi fod yr hen enw i'w weld rownd y gornel – a dyna ble roedd o, gyferbyn â chlamp o le gwerthu tractors, gyda baneri John Deere yn cyhwfan ymhob man.

Doedd dim siop arall i'w gweld, ond roedd y pentre bach hwn yn ymddangos yn lle digon prysur, o ran y nifer o dractorau sylweddol a aeth heibio wrth imi edrych o gwmpas. Ces fy nenu at sgubor sinc wrth ochr y lôn. Mae'n debyg fod hon, fel pob adeilad arall yn y pentre, wedi'i hail-godi ar ôl dinistr y Rhyfel Mawr – ond tybed fyddai milwyr bataliwn Dafydd wedi lletya yn rhagflaenydd y sied hon? Roedd wedi'i pheintio'n goch a hwnnw'n cyferbynnu'n hyfryd â glas yr awyr ar y bore gaeafol hwnnw; felly estynnais fy ffôn a dechrau tynnu lluniau.

Ymddangosodd ffermwr ifanc o rywle a gofyn be o'n i'n meddwl o'n i'n neud? Y geiriau cynta a ddaeth i'm meddwl oedd 'J'aime les couleurs' – oedd yn hollol wir, roeddwn i yn hoff o'r lliwiau – ond doedd hynny ddim yn dechrau cyfleu stori Dafydd a sut roedd hynny wedi dod â fi yma ar fy mhererindod. Cyn imi gael cyfle i gynnig esboniad amgenach, crychodd ei drwyn, gwnaeth ryw ebychiad oedd yn swnio'n debyg i '*boff*' – ac i ffwrdd â fe.

Rywle'n agos i'r fan hon y byddai Dafydd wedi agor ei barseli ar ddiwrnod ei ben blwydd. Roedd yn dair ar hugain oed. Wrth gwrs, yn ei luniau mae'n edrych ychydig yn hŷn – dyna oedd yr arfer tan ryw hanner can mlynedd yn ôl, dynion ifainc yn gwisgo fel eu tadau, yn ceisio edrych yn hŷn. (Mor wahanol i heddiw lle rhown gymaint o fri ar ieuenctid, nes bod taid mewn crys T, a nain mewn daps a throwsus jogio!)

Ond yn dair ar hugain oed, roedd e'n dal yn ifanc i fod â chyfrifoldeb am 250 o ddynion (a nifer ohonyn nhw'n dipyn hŷn nag yntau). Mewn llythyr at ei fam ychydig ddyddiau cyn ei ben blwydd, mae'n sôn ychydig am sut mae'r cyfrifoldeb yna'n pwyso arno:

> Y mae pob peth yn mynd ymlaen fel arfer; magnelau'n rhuo o bob tu, er hynny oll yr ydym oll yn hynod gartrefol. Rhaid cadw'r ysbryd i fyny yma, neu fe â yr oll yn hynod o wael arnom.
>
> Y mae gorfodrwydd arnaf fi fod yn hynod o hapus, pa un bynnag ai ydwyf yn teimlo felly ai peidio. Os bydd y captain yn drist, â'r dynion felly ar unwaith. Nid oes angen er hynny fod yn drist; os temtir ni gan y Germans, telephonwn yn ôl at ein artillery ar unwaith ac yna distawa'r German ar unwaith.
>
> Nid oes ragor heddyw, ond unwaith eto anfonaf gofion cynesaf attoch oll fel teulu ac ardal oddiwrth eich mab
> Dafydd

Mae'n creu darlun digon cartrefol rhag dychryn ei fam, ac mae'n gwneud i bethau swnio'n hawdd; os bydd yr Almaenwyr yn eu 'temtio' nhw (hynny yw, eu 'gosod nhw ar brawf'), y mae ffonio'r artillery mor hawdd â ffonio am bitsa heddiw, pan fo awydd bwyd! Ond mae rhwyddineb y dweud, ac ymadroddion lled farddonol fel 'magnelau'n rhuo', yn cuddio realiti gwahanol iawn. Fel y dywedodd Pte Pateman, un o filwyr cyffredin bataliwn Dafydd, am ei ymweliad cyntaf â'r ffosydd:

> *it is not so bad as long as you keep your head well down, and if the "Aliman" (as the French call the Germans) do not send over too many 'whizz-bangs'. If they do, you have got to get well under cover, or you will soon 'go down for coke'.*

Roedd Sgt J. Davies, a fu hefo'r Ffiwsilwyr Cymreig yn yr un sector yn ystod Ionawr 1916, yn fwy di-flewyn ar dafod:

the horrors of a modern bombardment are overwhelming.

Roedd cael dy ladd gan siel yn fwy tebygol na chael dy ladd gan fwled. Yn ôl ymchwil gan Robert Whalen i golledion byddin yr Almaen, roedd 58.3% o'u marwolaethau nhwthau wedi'u hachosi gan fagnelau; tebyg fod y stadegau rhywbeth yn debyg ar yr ochr arall yn ffosydd byddin Prydain. Ac roedd hynny'n creu straen aruthrol ar ddynion y ddwy ochr.

Roedd pob tanbeleniad yn arswydo ddwywaith drosodd; y tro cyntaf ym mhrofiad enbyd y foment – y twrw fel ergyd corfforol, y ddaear yn cael ei hyrddio i bob man a'r shrapnel yn hedfan – ac yna, wrth ddisgwyl am y siel nesaf...

A doedd hi ddim bob tro mor hawdd i 'telephonio yn ôl at ein artillery', chwedl Dafydd; roedd weiars y *signallers* yn cael eu torri o hyd, wrth i'r gelyn danbelennu'r ffosydd blaen, ac weithiau roedd 'na brinder teliffonau, fel y nodwyd yn Nyddiadur Rhyfel y Fataliwn:

CROIX BARBEE 26.1.16

During this time in trenches Bn. communication was seriously inconvenienced by shortage of telephone instruments, an inconvenience which might too easily have become a serious danger.

(Dwi'n dotio at y cyfeiriad at 'telephone instruments' – mae'n awgrymu rhywbeth y dylid ei drin gyda pharch a gofal, yr un fath â 'musical instruments' neu 'surgical instruments'!)

The 7 instruments allowed by establishment are not sufficient. With 4 Coy H Qs, 3 garrisons or keeps, Bn H.Q. & a spare instrument for testing lines a minimum of 9 instruments should be provided.

Again – the signalling staff was seriously handicapped by the parsimonious manner in which 'Supply' deals out candles. Urgent messages might easily have been hung up through the signaller having no light whereby to write. 'Dug outs' require lighting and candles are the most convenient form of lighting for dug outs, and an increase of at least 50% on the present scale of issue is essential for efficient work.

This matter is urgent and shall be represented to Bde (sef 'Brigade')

Er mor newydd a defnyddiol oedd y *telephone instruments* hyn, heb dechnoleg mwy traddodiadol, (sef digonedd o ganhwyllau) roedd peryg i bethau gael eu dal nôl – neu 'hung up', chwedl yr *adjutant*. Mae hwnnw'n ymadrodd anghyfarwydd i ni yn y cyswllt yma heddiw – ond delwedd gyfarwydd i filwyr y cyfnod fyddai gweld eu cyd-filwyr yn 'hung up' ar weiren y gelyn ar ôl ceisio ymosod.

Mae rhywbeth yn braf mewn clywed yr *adjutant* yn rhoi tinc mwy

Trwsio weiar y teliffon, 1917

personol (os piwis!) i gofnodion moel y Dyddiadur – a thra bod hwnnw'n cwyno am ddiffyg teliffonau yn ystod y tro hwn yn y ffosydd, roedd Dafydd wedi achub ar y cyfle i ysgrifennu nodyn sydyn at ei fam (24.1.16):

> Anwyl Fam.
>
> Dim ond gair byr er hysbysu fy mod yn iach a diogel.

Ar ôl diolch am y parseli oedd wedi cyrraedd erbyn ei ben blwydd, mae'n diolch i'w fam am anfon y *Cambrian News* neu'r *Welsh Gazette* iddo bob wythnos:

> Diolchaf [i] chwi yn awr. Yr wyf hefyd yn derbyn y papur bob wythnos yn ddiogel rywle o Lun i Iau. Nid yw nemawr un amser yn dod yn ei amser priodol. Dylai ddod tua Llun.
>
> Ysgrifenaf lythyr mwy ymhen diwrnod neu ddau pan dof allan o'r trenches. Byddaf yn dod allan nos Fercher.
>
> Cofion cynesaf
>
> Dafydd

O'r ffosydd, aethon nhw nôl i Croix Barbée, ac o fan'no ar ddiwedd yr wythnos, ysgrifennodd eto at ei fam.

> Fel yr addewais, wele fi yn anfon gair neu ddau attoch, gan fawr obeithio eich bod oll yn iach a hapus fel finnau ar hyn o bryd. Deuais allan o'r trenches dydd neu yn hytrach nos Fercher yn ddiogel ac yr wyf allan yn awr am tua deg i ddeuddeg niwrnod.

Unwaith eto, gwelwn yn y llythyr hwn gyfuniad o onestrwydd a'r awydd i roi'r ogwydd mwyaf cadarnhaol ar bethau, rhag peri pryder i'w fam:

> Yr ydym yn gorfod gweithio dydd a nos pan yn y trenches. Mae tair awr [o gwsg] yn fendith, er hynny oll, gweithio yr ydym er gwneud ein hunain yn gymffyrddus a diogel. Mae yn rhyfedd pa mor ddiogel y gall dyn wneud ei hun yma, ymhlith shells a bullets. Deuais ar draws rhai o'm hen ffryndiau yn y trenches pan oeddwn i fewn a mawr oedd y balchder oherwydd hynny.
>
> Nid oes gennyf ychwaneg heddyw eto, ond unwaith eto anfon cofion cynesaf attoch oll.
>
> Oddiwrth eich mab
> Dafydd

Mewn llythyrau eraill o fis Ionawr, mae'n rhestru rhai o'r cyfeillion hyn – rhai o'r coleg yn Aberystwyth:

> Cwrddais â Dai Powell yma y dydd o'r blaen. Y mae ef yn 2nd Lieut yn y South Wales Borderers ac yr oedd yn edrych yn bur dda. Mwy nimble nag oedd yn Aberystwyth.
>
> (8.1.16)

...a rhai o ardal Llanddewi Brefi:

> Nid wyf wedi gweled Tom Felin yma eto. Nis gwn lle mae ychwaith. Gwelais Meia Tymawr yma er hynny er nad oeddwn wedi ei weld yn Rhyl na Winchester.
>
> (8.1.16)

Ond yn ogystal â mwynhau taro ar hen ffrindiau yn y ffosydd, roedd Dafydd yr un mor daer i wybod beth oedd hynt ei gyfeillion gartref oedd wedi dewis peidio ymrestru yn ystod misoedd cyntaf y rhyfel – yn wahanol i'r hyn a wnaethai yntau. Erbyn hyn, wrth gwrs, gyda gorfodaeth filwrol ar y gorwel, roedd llawer yn dewis ymuno cyn cael eu gorfodi.

> Ac y mae John Dolfelin wedi mynd ydy e? Credaf fod llawer iawn o fechgyn Aberystwyth wedi gorfod mynd ag y bydd ond ychydig iawn o fech[g]yn yn y coleg y term nesaf.
>
> (8.1.16)

Roedd yn warcheidiol hefyd o'i statws ei hun fel swyddog! Roedd yn amlwg fod rhai wedi bod yn brolio y caen nhw eu gwneud yn swyddogion, heb fod unrhyw sail i hynny:

> Lle mae comisiwn John Jenkins yn yr artillery yn awr? Welais i neb erioed yn dweud yn fwy croyw ei fod wedi cael commission ac yna heb un yn y diwedd. Beth oedd ei amcan tybed?
>
> (8.1.16)

> Yr oeddwn yn meddwl fod John Manarafon wedi cael commission ond gallwn feddwl erbyn hyn nad yw. Dywedodd wrthyf ei hun ei fod wedi cael commission. Ni allaf amgyffred ei amcan yn dweud celwydd clir. Ychydig iawn ga gomissions y dyddiau hyn heb fod wedi bod rhyw gymmaint yn y fyddin yn flaenorol, a doedd gan John yr un fantais o gwbl i gael commission.
>
> (3.1.16)

Roedd rhyw faint o fantais wedi bod gan Dafydd wrth gwrs, oherwydd ei gyfnod gyda'r *Officer Training Corps* yn Aberystwyth. Ond gyda'r angen di-ddiwedd am ddynion a swyddogion, efallai iddo synhwyro fod pethau'n dechrau newid?

* * *

Es yn ôl i'm llety yn Béthune i fyfyrio ar hyn. Yn ôl yr arwydd neon pedair troedfedd sgwâr y tu allan i'm llofft, roedd pris y gwesty wedi gostwng 2 euro ers neithiwr. A oeddwn innau hefyd wedi 'ymuno' yn rhy gynnar?!

Es i fyny i ganol y ddinas i gael rhywbeth i'w fwyta, ac er ei bod hi'n noson oer, roedd 'na ddyn yn ei fest yn syllu allan ar y stryd drwy ffenest ail lawr. Roedd yn smygu, ac yn edrych i'r awyr heb wneud unrhyw sylw o adynod fel fi yn y stryd wag oddi tano. Edrychais innau i'r awyr hefyd a rhyfeddu meddwl mai'r un lleuad gewin a welais ddwy noson yn ôl yng Nghaernarfon oedd hwn a welwn yma yn Béthune heno. Roeddwn i ymhell o Gymru – ac eto ddim...

Ceir manylion am ffynonellau pob dyfyniad yn y bennod hon, a phob un sy'n dilyn, ar wefan Gwasg Carreg Gwalch:
https://files.ekmcdn.com/92a6b5/resources/other/anwyl-fam-nodiadau.pdf

13

'Mae colli un o honynt yn fy nharaw fel colli brawd'

(*Locon – Festubert: Chwefror 1916*)

Y diwrnod wedyn, roedd ychydig o eira wedi disgyn dros nos, ond roedd hwnnw'n prysur ddiflannu yn haul y bore.

Brathais fy mhen rownd drws y dderbynfa i holi am yr hen dram lo oedd wedi ei gosod fel rhyw fath o gofeb yng nghanol y maes parcio – pa mor agos oedd y gwesty tybed, i'r maes glo o gwmpas Lens a Loos? Roedd hwnnw, meddai'r ferch ar y dderbynfa, yn ymestyn hyd at filltir neu ddwy i'r gwesty. Yn *Noeux les Mines* roedd y pwll agosa erstalwm, meddai, ac roedd 'les crassiers' neu'r tomennydd gwastraff i'w gweld yn y pellter o'r maes parcio.

Edrychais ar y map wedyn a gweld sawl enw lle hefo '*les Mines*' yn elfen ynddo, er enghraifft Auchy les Mines, Bully les Mines a Marles les Mines. Ond roedd y pentrefi glofaol hyn i gyd i'r de o Béthune, lle roeddwn i'n aros; treuliodd Dafydd fisoedd cyntaf 1916 mewn cymunedau mwy amaethyddol, ychydig filltiroedd i'r gogledd ac i'r gorllewin.

Ar ddiwrnod cyntaf Chwefror, roedd bataliwn Dafydd newydd gyrraedd eu cartref newydd yn nhref fach Locon; felly i fanno yr es innau hefyd. Rhyfeddais eto at y patrwm anheddiad gwahanol sydd i'w weld mor gyffredin yn llawer o'r trefi bach a'r pentrefi hyn, gydag adeiladau fferm a sguboriau a'u llond o wair reit ynghanol y dref – a thai preswyl sybyrbaidd eu golwg yn llenwi'r bylchau rhyngddynt. Roedd gwaith brics diddorol ar dalcen ambell dŷ.

Ond y peth rhyfeddaf oedd fod ambell i gae amaethyddol i'w weld ynghanol y dref – roedd 'na un cae oedd wedi ei droi, o fewn 300 llath i'r eglwys. Ond pan ddaeth y milwyr Cymreig yma yn 1916, y ffaith fod y dref yn dal heb gael ei heffeithio'n ormodol gan y rhyfel a drawodd Dafydd gyntaf:

> Yr ydym ni allan yn awr am ychydig ddiwrnodau mewn tref tu ôl ir firing line. Lle weddol cysurus ar y cyfan. Lle beth bynag lle nad oes shell wedi disgyn eto. Mae hynny yn dipyn yn yr ardal hyn yn

awr. Gwlad amaethyddol oddiamgylch heb glawdd na ffin i'w gweld am filldiroedd. Gwastad dros ben. Ca y tir ei aredig yma bob modfedd. Nid wyf wedi gweld ond un cae hadau er pan gyrhaeddais Ffrainc.

Syndod arall imi yn Locon heddiw oedd gweld hysbysfwrdd cymunedol trydan yn ymyl yr eglwys – y math o arwydd y baset ti'n disgwyl ei weld mewn gorsaf neu faes awyr. Roedd hwn yn nodi fod 'entrainement' i'r 'jogging club Loconois' am 9:45 yn y bore; ac yna newidiodd i ddatgelu fod y clwb pêl-droed yn chwarae dydd Sul yn y 'coupe d'Artois'; cyn datgan wedyn fod cofrestru wedi agor ar gyfer 'l'ecole maternelle' a bod 'changement de date de ramassage des déchets verts' (newid i ddyddiad casglu'r gwastraff gwyrdd). Roedd hyn yn dipyn mwy hi-tech na thaflen a phinnau bawd ar hysbysfwrdd tu allan i neuadd y pentre! Ac roedd yn medru dweud wrthyf hefyd bod hi'n 1 gradd Celsius.

Es i ar fy mhen i'r caffi gyferbyn er mwyn cynhesu – a dewisais yn ddoeth, gan fod 'na glamp o ffwrn grand yn ymyl y bar.

Dechreuais siarad hefo *le patron* – dyn y lle – a gwneud sylw am y gwresogydd nobl. Roedd hynny'n ei blesio a dechreuodd frolio ei bod hi'n cymryd 'du bois, du charbon, c'est comme vous voulez' (coed neu lo, fel y dymunwch chi). Daeth cwsmer arall mewn, yn ei ddillad gwaith glas, a synnais pan ysgwydodd fy llaw! – ond roedd e wedi fy ngweld i'n siarad hefo *le patron*. Eisteddais wedyn hefo fy nghoffi ac edrych allan ar y stryd wrth ystyried pa bethau eraill oedd gan Dafydd i'w ddweud, wrth ysgrifennu adref o Locon:

Y ffwrn yng nghaffi Locon

Fy Anwyl Fam,

Dyma fi unwaith eto yn cymeryd hamdden i ysgrifennu gair attoch mewn atebiad ich parcel Cambrian News a'ch llythr. Yr oedd yr oll o'r uchod yn dderbyniol dros ben.

Fel y gwyddom, roedd y swyddfa bost yn cario miliwn o barseli bob wythnos allan i'r milwyr – ond weithiau yn eu brys yr oedd pethau'n cael eu difetha. Rhaid bod Dafydd wedi sôn am hyn mewn llythyr blaenorol sydd wedi mynd ar goll, ac mae'n ymddangos fod ei fam wedi cymryd y peth o chwith. Wrth sipian fy nghoffi yn Locon, darllenais gyda gwên sut y bu Dafydd yn ceisio dilyn cyngor Eirwyn Pontshân – 'os byddi di mewn twll, tria ddod mas ohoni'! Mae'n dechrau trwy seboni'i fam yn gyntaf:

Nid wyf yn achwyn dim am gynnwys eich parceli; na, ymhell oddiwrth hynny. Gwir efallai fod bechgyn o glass uchel yn aros gyda mi, ond gwir hefyd eu bod yn neidio am eich caceni! Rhyfedd mor ddiolchgar y mae pawb am danynt, a [f]fowlyn, wel yr unig beth ddywed pawb yma yw 'ripping'. Beef gwddyn yw ein tamaid ni yn gyffredin, felly gellwch weld fod [f]fowlyn yn dra chymeradwy.

Diddorol yw gweld y cyfuniad o ffurfiau llithrig o dafodieithol fel 'gwddyn' (gwydn) ac 'achwyn' (cwyno) hefo ymadroddion mwy cloff, wedi'u cyfieithu'n syth o'r Saesneg, er enghraifft, 'na, ymhell oddi wrth hynny' (no, far from it). Dylanwad y bechgyn 'o glass uchel' efallai! Ar ôl rhoi digon o siwgwr, mae'n hen bryd iddo ddod (yn hynod ddiplomatig!) at y bilsen:

Yr unig beth yw fod y caceni a tuedd ynddynt i dori yn friwsion wrth gael eu twmlo yn y Post Office. Buasai rhoi ystyllen fach tu fewn i'r box yn gwneud gwahaniaeth mawr. Y mae'n bity mawr fod un o'r caceni yn briwsionu. Gobeithio y caf fantais i'ch talu yn ôl ryw ddiwrnod.

Bron y gallwn ei ddychmygu yn dal ei wynt wrth roi'r llythyr yn yr amlen, gan obeithio na fydd o'n peri ffrwydrad arall draw yn y Wern Isa! Ac mae'n debyg iddo lwyddo i dawelu unrhyw fân anniddigrwydd a fu rhyngddynt – does dim byd yn yr ohebiaeth wedyn lle teimlwn (fel y gwnawn yma) ei fod yn gorfod trin ei fam hefo cyllell a fforc. Roedden nhw'n ffrindiau unwaith eto.

* * *

Ar yr 8fed o Chwefror, martsiodd y fataliwn chwe milltir o Locon i'r ffosydd yn ymyl Quinque Rue, sector a oedd ychydig ymhellach i'r de na'r rhannau o'r llinell lle buon nhw ers y Nadolig. Roedd cyrraedd y rhan gywir o'r llinell flaen yn dipyn o her bob tro, gan fod y fataliwn fel arfer yn gwneud y daith ar ôl iddi nosi. Roedd *Notes for Infantry Officers on Trench Warfare* yn cynnig pob math o gynghorion buddiol i swyddogion newydd. Dyma'i arweiniad ar gyfer 'carrying out a relief', sef cymryd drosodd gan fataliwn arall:

All parties must be kept closed up while moving to and from the trenches; the pace in front must be very slow. An officer should always be in rear. On dark nights it is often advisable for each man of a party to hold the bayonet scabbard of the man in front. Nothing causes confusion, unnecessary fatigue, and loss of morale so much as men getting lost from their parties while moving up to the trenches. Reliefs will be carried out as quietly as possible; no lights or smoking are allowed after reaching a point to be decided on by the battalion commander.

Mae'n anodd amgyffred pa mor hawdd oedd hi i fynd ar goll yn y ffosydd. Yn Ffrainc a Gwlad Belg yn unig, roedd 400 milltir o'r llinell flaen, yn rhedeg o Fôr y Gogledd at ffin y Swistir. Ond ar y ddwy ochr ymhob man, roedd 'na linell flaen, ail a thrydydd linell (neu *fire trench*, *support trench* a *reserve line*), heb sôn am ffosydd eraill i'w cysylltu â'i gilydd, sef y *communication trenches*. Mae un arbenigwr wedi amcangyfrif fod y ffrynt i gyd yn cynnwys cymaint â 25,000 o filltiroedd o ffosydd – byddai hynny'n ddigon i greu un ffos fase'n mynd yr holl ffordd o gwmpas y byd!

Ar ôl cyrraedd y lle iawn, byddai pob cwmni yn gyfrifol am ryw 300 llath o'r llinell flaen. Llefydd cyfyng oedd y ffosydd; 2 droedfedd ar draws yn y gwaelod, hefo'r firing step yn ychwanegu troedfedd a hanner arall.

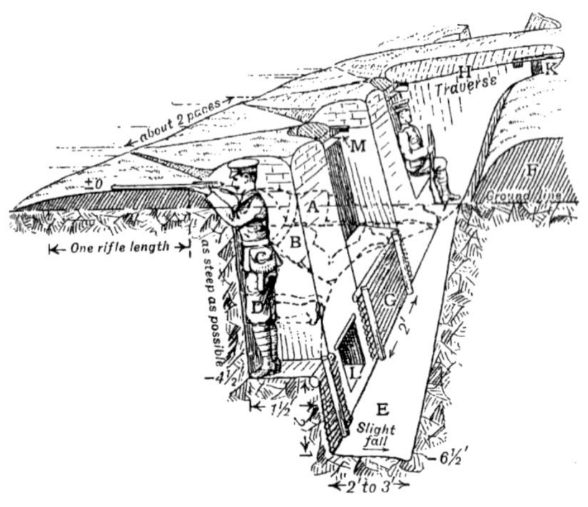

Ac er mwyn cael *platoon* newydd mewn, a'r hen un allan, roedd angen system:

The platoon being relieved gets on the firing step. The relieving platoon files in behind and halts. On the word "Pass," (...) the relieved and relieving platoons change places (...) and the relieved platoon will file out.

Pan gyrhaeddodd Dafydd y ffosydd newydd yn Quinque Rue, ger Festubert, ysgrifennodd lythyr arall at ei fam:

Yr wyf yn ysgrifenu y llythr hwn o'r trenches; y tro hwn yr wyf fewn yn y lle mwyaf tawel wyf wedi gael eto, er pan ddeuthum i

Ffrainc. Mae yr Ellmyn tua tair can llath oddiwrthym ac y maent mor dawel a chathod. Credaf eu bod yn dechreu blino ar ryfel. Pa un oreu y rhoddant fyny y goreu. Yr wyf yn sicr na wnawn ni roddi fyny hyd y diwedd. Er hynny ein cân yw –

O na wawriodd

Boreu na fydd rhyfel mwy

Roedd 'na reswm pam fod yr 'Ellmyn' neu'r Almaenwyr yn dawel. Roedd y tir yn y sector hwn yn gors i gyd. Yn ôl Llywelyn Wyn Griffith o'r Ffiwsilwyr Cymreig, a fu'n gwasanaethu yn yr un rhan o'r lein yn ystod y cyfnod hwn:

We were quiet enough in Festubert. Water had triumphed over man, and there was no front line to hold. The greater part of the battalion lived in a well-made breastwork some hundreds of yards away from the enemy.

Lle nad oedd modd cloddio'n rhy ddyfn am fod y ddaear yn rhy wlyb, byddai'r milwyr yn pentyrru clawdd o dir o flaen y ffos i greu amddiffynfa, neu 'breastwork'. Ond doedd hyd yn oed hynny ddim yn bosib gyda'r 'llinell flaen' yma, nad oedd yn ddim amgenach na chyfres o ynysoedd bach, a'r *firing trench* rhyngddynt wedi diflannu i'r gors. Doedd dim ffosydd yn arwain at y *posts* hyn chwaith, felly roedd y milwyr yn gwbl gaeth iddynt yn ystod oriau dydd. Doedd pethau fawr gwell i'r Almaenwyr, felly nid oes rhyfedd fod y ddwy ochr yn dawel – roedd ceisio draenio'r tir yn mynd â mwy o'u hamser na meddwl am ymladd. Roedd bod yn y lein dan y fath amgylchiadau hyd yn oed am bedwar diwrnod (sef y cyfnod arferol i'w dreulio yn y ffosydd blaen) yn dreth ar y milwyr a'u swyddogion fel ei gilydd. Mae Dafydd yn cyfeirio'n gynnil at hyn yn ei lythyr, wrth sôn fod chwaer fawr ei fam wedi ysgrifennu ato:

Cefais lythr oddiwrth Auntie Mary Anne ychydig ddyddiau yn ol. Nid wyf wedi cael amser i ateb eto, ond gwnaf hyny mor fuan ag y gallaf. Nid i mi fy hun yw fy amser yn awr ac yr wyf yn gorfod colli awr o'm cwsg yn awr, er ysgrifenu. Gwnaf hyny gyda phleser er hyny, canys credaf eich bod chwi yn colli aml awr o gwsg drwy ofidio o'm rhan. Erfynaf unwaith eto – na fydded i chwi wneud hyny. Gwnaf fy ngoreu i ofalu amdanaf fy hun er eich mwyn.

Nid oes rhagor heno. Anfonaf gofion cynesaf attoch oll fel teulu a chymydogaeth.

Oddiwrth eich mab,

Dafydd

Mewn brawddegau fel hyn y gwelwn ba mor sensitif y gallai Dafydd fod fel llythyrwr. Mae wrthi'n disgrifio realiti ei sefyllfa, sef mai'r unig ffordd y gall neilltuo amser i ohebu ydi trwy aberthu rhywfaint o'i gwsg – ond wrth ddweud hynny, sylweddola y gallai swnio fel petai'n gwarafun rhoi o'i amser yn y fath fodd. Ac yna, yn gyfrwys iawn, mae'n troi'r peth ar ei ben – beth yw colli cwsg iddo yntau, ochr yn ochr â phryder ei fam? Hyfryd o ddiplomatig!

Ond er iddo geisio gwneud yn ysgafn o ba mor flinderus oedd ei gyfrifoldebau yn y ffosydd, roedden nhw'n wirioneddol llethol – cylch di-ddiwedd o *stand-to*, gwylio'r nos, *wiring parties*, ceisio cysgu'r dydd, a hynny yng nghwmni mwd, dŵr a llygod mawr – gyda'r gelyn yn gallu saethu atoch neu'ch sielio ar unrhyw adeg. Dyna'r rheswm am symud y milwyr mewn ac allan o'r llinell flaen, bob yn bedwar diwrnod, i roi cyfle iddynt ddod atynt eu hunain. Fel y dywedodd Llewelyn Wyn Griffith, oedd yn gapten hefo'r Ffiwsilwyr Cymreig:

> *Four days in the line can be written down as a rapid fall along the slope of vitality into a stupor of weariness; on the path, some sharp crests of fear, but the end was overwhelming fatigue.*

'Gwnaf fy ngoreu i ofalu amdanaf fy hun, er eich mwyn' meddai Dafydd. Tybed oedd marwolaeth un o'i gyd-swyddogion yn chwarae ar ei feddwl? Y diwrnod cyn iddo ysgrifennu'r llythyr hwn, roedd yr *adjutant* wedi gwneud y cofnod canlynol yn Nyddiadur Rhyfel y Fataliwn:

> *TRENCHES 9.2.16*
>
> *Capt. J. Gordon Davies O.C. 'D' Coy. killed near centre of left Coy.*

Nid hwn oedd y Gordon Davies o Nantcwnlle oedd wedi rhagori yn y cylch paffio yng Nghaerwynt ond y musketry instructor o Brighton. Roedd y Gordon Davies hwn wedi bod yng Nghaergrawnt hefyd, ac yn fachgen yr un mor ddisglair. Dyma'r adroddiad am ei farwolaeth ym mhapur *Y Llan*:

> *CENHADWR CYMREIG WEDI EI LADD.*
>
> *Lladdwyd Cadben James Gordon Davies (10th (1st Rhondda) Welsh Regiment), yn 24 oed. Addysgwyd ef yn Ngholeg Trent, Swydd Derby, a graddiodd yn Ngholeg Emmanuel, Caergrawnt (Tripos). Wedi hyny aeth i Goleg Ridley, lle yr oedd yn paratoi am ei ordeiniad, er mwyn myned allan yn genhadwr i'r meusydd pellenig. Dyma fachgen ieuanc wedi ei drwytho mewn addysg, wedi gwneyd marc mewn coleg ac yn y fyddin, ac yn barod i aberthu ei holl alluoedd i waith Iesu Grist, ond yn ei fedd yn 24ain oed. 'O Arglwydd, pa hyd?'*

Am na chollwyd neb arall yr un pryd ag e, mae'n debyg mai cêl-saethwr neu sneipar, a'i lladdodd.

Roedd yr Almaenwyr yn rhagori ar y gamp ddieflig hon, gan fentro allan i dir neb yn y nos ac aros yno wedyn drwy'r dydd, er mwyn saethu unrhyw un oedd yn ddigon ffôl i ddangos ei hun. Byddai cêl-saethwr yn aros yn yr un sector am wythnosau ar y tro, er mwyn cynefino hefo pob man gwan yn y ffosydd gyferbyn – a'u gwylio nes deuai cyfle. Ond buan y dechreuodd byddin Prydain hyfforddi cêl-saethwyr i dalu'r pwyth yn ôl; roedd nifer ym mataliwn Dafydd, ac anfonodd un ohonynt y llythyr hwn at y *Glamorgan Gazette*:

> *A LOCAL ANGLER*
>
> *To the Editor. Sir,—Will you kindly allow me a small space in your valuable paper to say a few words to the members of the Ogmore Angling Association? I have thought of the many happy hours we have spent together on the Ogmore and the Ewenny. I am getting a bit of sport out here, but not with rod and line, but with a rifle waiting for a German to put his head up, and then over he goes. Being a sniper, I am watching for about 14 hours a day, and I am proud to say I have had a few of the Huns, but they got a few of our boys. I have met a few of the Bridgend boys out here, and they all look well.*
>
> *– Sniper C. BURROWS (16722), C Co., 10th Welsh Regt., B.E.F., France.*

Mae rhywbeth arswydus o ddi-deimlad yn y llythyr hwn – a rywsut, dyw'r pennawd cartrefol 'A Local Angler' yn hytrach nag 'A Local Sniper', ddim ond yn normaleiddio'r lladd. Ond nid amynedd pysgotwr a'r gallu i daro targed o bell oedd yr unig gymwysterau ar gyfer cêl-saethwr, yn ôl y llawlyfr a roddwyd i swyddogion yn y ffosydd:

> *Selection and Training of Snipers.—Men selected must be intelligent and well educated, besides being good shots. Observation and the ability to describe what he has seen are most important qualifications in a sniper.*

Roedd disgwyl iddo adrodd yn ôl ynglŷn â'r hyn yr oedd wedi sylwi arno wrth chwilio am ei brae; oedd y gelyn wedi gwneud unrhyw waith newydd dros nos? Oedd e wedi sylwi ar unrhyw batrwm i'w symudiadau yn ystod y dydd? Ac wrth gwrs, os oedd e wedi tanio ergyd, oedd 'na dystiolaeth iddo daro'i darged? Ond roedd yr annibyniaeth a ganiateid i'r cêl-saethwyr wrth dreulio oriau bwygilydd yn gwylio ffosydd y gelyn yn gallu bod yn beryg, rhybuddia'r llyfr:

> *The battalion snipers are apt to develop into "scallywags" in habit and appearance, unless good discipline is strictly enforced.*

Tybed faint roedd Dafydd yn poeni am bethau felly, yn enwedig a'i gwmni mewn lle mor fwdlyd a gwlyb?! Aeth y fataliwn allan o'r llinell flaen ar y 12fed a buon nhw yn y reserve line am bedwar diwrnod gan ddarparu dynion bob nos ar gyfer working parties i gario offer i fyny i'r llinell flaen a helpu gyda'r gwaith o geisio draenio, llenwi bagiau tywod ac yn y blaen. Ar yr 16eg o Chwefror, aethon nhw nôl i'r un sector o'r llinell flaen, ond y tro hwn roedd Dafydd wedi cael gwell llety iddo'i hun:

> Yr wyf yn ysgrifenu y llythr yma o'r trenches ond gallaf ddywedyd fy mod mewn Dug out cymffyrddus dros ben. Yr un goreu wyf wedi bod ynddo er pan deuthum allan. Bord, gweliau a chadeiriau, felly nid yw yn ddrwg arnom. Y mae pawb yma yn burion ddistaw heddyw, German a Sais, ond ar yr un pryd y mae y ddwy ochr ar eu goreu yn gwylio am gyfleusdra i daro. Na hidiwch am danaf; cymeraf bob gofal rhesymol am danaf fy hun...

Er bod Dafydd yma yn dweud yr hyn y mae'n tybio y byddai ei fam am ei glywed, mae e hefyd yn ail-adrodd y cyngor swyddogol a roddwyd iddynt, fel swyddogion dan hyfforddiant. Doedd agwedd 'gung-ho' yn dda i ddim yn y ffosydd. Dyma gofnod Edgar Wallace o un o'r darlithoedd a roddwyd i'r swyddogion ifainc yn y coleg yn Camberley, cyn dod draw i Ffrainc:

> *One other point I would make, and that has reference to your behaviour in the field. It is expected of you that you will be brave under all circumstances; but you have also to remember that the Government has taken a lot of trouble with you, and will be paying you a much larger salary than it pays to the private soldier in order that you should carry out certain duties. Unnecessary exposure is not heroic but foolish. Always remember that once you are dead you are no use in the Army. A famous French General of the Napoleonic war spoke of an officer who had lost his life in a particularly foolhardy expedition, that he had 'deserted to heaven.' I would like you to keep that in your minds.*

Roedd Dafydd yr un mor ymwybodol fod milwyr cyffredin ei gwmni yn fwy defnyddiol i'r fyddin petai e'n medru eu cadw nhw'n fyw:

> ....gofal y dynion odditanaf ddaw i'm meddwl gyntaf. Mae colli un o honynt yn fy nharaw fel colli brawd. Diolch nid wyf wedi colli ond dau wedi eu lladd er pan ddeuthum allan. Gwn ein bod ni wedi anfon mwy i dragwyddoldeb na hynny.

Ac yn y frawddeg olaf yna y cawn un o'r ychydig gyfeiriadau yn ei lythyrau at ei fam sy'n peri inni ddal ein gwynt. Er iddo ei fynegi mewn iaith grefyddol ('anfon...i dragwyddoldeb') ystyr hynny yw lladd. A chan ei fod yn sylw wrth fynd heibio fel petai, mae'n fwy oeraidd rywsut, o'r herwydd.

> Yr oeddech yn gofyn am ragor o'm hanes. Bywyd go ddihanes wyf yn byw ar hyn o bryd, pob dydd fel y llall ac erbyn hyn, rhaid i mi gyfaddef fy mod yn dechrau edrych ymlaen i ddod adref am dro. Daw leave oddiamgylch i mi bob tua tri mis, felly gwelwch fod fy nhri mis heb fod ymhell iawn yn awr.

Byddai dros chwe mis cyn i Dafydd gael ei *leave* gyntaf o Ffrainc, ond dyma'r awgrym cyntaf fod y nôl-a-mlaen di-ddiwedd i'r ffosydd yn dechrau dweud arno. Ac er na chyfeiriodd ato, **roedd** un peth anghyffredin wedi digwydd yn ystod yr ymweliad hwn â'r ffosydd, fel y nodwyd yn Nyddiadur Rhyfel y Fataliwn:

> *18.2.16*
> *Normal routine in trenches. ZEPPS heard over line for first time.*
> *19.2.16*
> *10.40pm – midnight ZEPPS cruised over our lines and dropped white lights.*

Ceisiais ddarganfod mwy am y defnydd o'r awyrlongau hyn uwchben y ffosydd. Dysgais sawl ffaith annisgwyl. Mae'n debyg fod yr Almaenwyr yn defnyddio coluddion gwartheg ar gyfer y bagiau oedd yn dal y nwy o dan groen allanol y Zeppelin. Roedd angen gwerth 250 mil o wartheg i lenwi un awyrlong – ac oherwydd hyn, bu'n rhaid gwahardd gwneud selsig yn yr Almaen am gyfnod, am nad oedd digon o goluddion ar ôl i ddarparu'r crwyn ar eu cyfer! Dysgais lawer hefyd am sut y defnyddiwyd Zeppelins yn erbyn dinasoedd Lloegr – ond methais yn lân â chodi'r un cyfeiriad atynt mewn perthynas â'r ffosydd.

Serch hynny, roedd lluoedd awyr y ddwy ochr wedi dechrau arbrofi fwyfwy hefo hedfan yn y nos yn ystod y cyfnod hwn. Gyda'r nos, roedd gobaith gwell o fwrw'r targed wrth fomio, am fod modd hedfan yn is. Roedd yr Almaenwyr hyd yn oed wedi datblygu *Nachtflugzeuge* – awyrennau'r nos – oedd yn gallu codi i'r awyr yn gynt a chludo llwythau trymach. Tybed ai awyrennau felly a glywyd gan filwyr bataliwn Dafydd?

Rhywbeth arall a glywyd fwy nag unwaith yn ystod y mis hwn oedd y larwm nwy; fel arfer, hen siel wag yn hongian ar linyn, er mwyn ffurfio cloch gyntefig:

> *20.2.16*
> *Bn. 'stood to' at 10pm. on account of gas alarm, which subsequently proved to be false.*

Er nad oes cofnod fod bataliwn Dafydd wedi profi ymosodiad nwy yn ystod misoedd cyntaf 1916, roedd y bygythiad yno'n gyson, a hynny bron cyn waethed â'r peth ei hun, wrth greu straen barhaol arall ar y milwyr. Ar ôl hoe arall yn y *reserve line*, daeth Dafydd nôl ar ddiwedd Chwefror am y trydydd tro i'r un hen sector o'r llinell flaen, ac anfonodd lythyr adre unwaith eto o'r ffosydd.

Weithiau wrth ysgrifennu llythyr, mae'n anodd meddwl beth i'w ddweud nesaf, ac mae dyn yn troi at ymadroddion parod er mwyn helpu llenwi'r ddalen – brawddegau llanw fel petai. Un o hoff ymadroddion Dafydd yn ei lythyrau yw:

Nid oes yr un newydd neullduol yma

neu

Nid oes gennyf yr un newydd neullduol heno eto

(gyda 'neilltuol' yn yr ystyr o 'arbennig') ac mae'n digwydd gydag amrywiadau, ryw 25 o weithiau ganddo – bob yn ail lythyr! Efallai fod hwn yn ymadrodd teuluol wrth ohebu – mae un llythyr gan Jane ei chwaer wedi'i gadw ynghanol casgliad llythyrau Dafydd, ac mae hithau hefyd yn ei ddefnyddio wrth ysgrifennu at ei mam:

Nid oes genyf yr un newydd neillduol i'w rhoddi i chwi.

Ond yn y llythyr arbennig hwn at ei fam, ar ôl y cyfarchiad arferol iddi, mae ar fin llithro i'w hoff ymadrodd-llenwi-llythyr, pan mae'n cofio ar hanner y frawddeg fod ganddo rhywbeth 'neilltuol' i'w rannu:

Nid oes heddyw eto ddim rhyfedd i'w grybwyll ond ei bod yn fyd gwyn arnom oll heddyw. Ymladd mewn eira. Bu arnom chwant neithiwr fynd yn croes i drenches y Germans a'u peltio ag eira. Tipyn o *fun* fuasai hyny.

Dyma un o'm hoff ddarnau o'r ohebiaeth i gyd – eiliad o hwyl bachgennaidd sy'n ein hatgoffa o ba mor ifanc oedd Dafydd o hyd. Ac er bod y gair *fun* yn edrych yn chwithig yn fanno, ac yn dangos eto fod ei gyd-swyddogion Saesneg yn dylanwadu weithiau ar ei iaith, pwy fase'n gwarafun i Dafydd a'i gyd-filwyr y gollyngdod diniwed o gael chwarae yn yr eira? Ond bron yn syth, mae'n sylweddoli nad yw'n weddus i swyddog siarad fel hyn ac mae'n dechrau bod yn sobor o ymarferol unwaith eto:

Wrth reswm nid yw eira yn caniatau i ni ymadael o'n trenches. Dyw eira ddim yn cuddio ein dillad ac y mae mor anawdd rhedeg byddai y German yn ein trackio fel ysgyfarnogod ac yn dod i wybod felly ein tricks; felly aroswn oll yn ein trenches [a] stampio i gadw ein traed yn gynnes.

Mae'n ddarlun hyfryd yntydi?

* * *

Roedd yr eira i gyd wedi dadmer wrth i mi anelu nôl i'r gwesty, ond roedd hi'n dal yn oer iawn, felly stopiais yn y *Café de Centre* yn Neuve Chapelle i gael coffi arall.

Wrth gynhesu fy nwylo o gwmpas y cwpan, edrychais o gwmpas y caffi distaw a gweld eu bod nhw'n gwerthu papurau newydd hefyd. Gwelais o bennawd y *Voix du Nord* ei bod hi'n ben blwydd dechrau brwydr Verdun.

Mi gyfeiriodd Dafydd at Verdun yn un o'i lythyrau o'r cyfnod hwn (ac at Ypres hefyd – mae'n rhyfeddol na chafodd y ddau enw hyn eu chwalu allan gan y Sensor!):

> Y mae yr oll yma yn hynod dawel, mor dawel ag y gall amgylchiadau ei gwneud ond nid felly rhaid i mi gyfaddef ar y chwith a'r [dde –] y Sais yn ymladd yn ardal Ypres tua pymtheg milldir oddiyma a Ffrancod yn ardal Verdun. Credaf y gwnawn orchfygu y German ymhob lle, y mae ein defence yn ormod i'r Ell[m]yn dorri trwyddynt.

Roedd *defence* y Cynghreiriaid yn ymgryfhau fesul diwrnod ar ddechrau 1916, wrth i fataliynau newydd byddin Kitchener gyrraedd Ffrainc. Wrth fwrdd y caffi, estynnais fy llun-gopi o Ddyddiadur Rhyfel y Fataliwn a gweld y canlynol ymhlith cofnodion Chwefror:

> *20.2.16*
>
> *A Coy, 23rd Manchester Rgt, 104th Bde, 35th Div attached to Bn this day for instruction. One platoon to each Coy.*

Y geiriau allweddol yw: 'attached ... for instruction'. Hynny yw, er mai dim ond saith gwaith roedd bataliwn Dafydd eu hunain wedi bod yn y llinell flaen, erbyn hyn roedd milwyr o gatrawd arall yn cael eu hanfon atynt, er mwyn cael eu hyfforddi. Cwta ddau fis yn ôl, cyn y

Nadolig, roedd y milwyr Cymreig wedi bod yn ddisgyblion eu hunain. Bellach, nhw oedd yr athrawon.

Gyda brwydr Verdun wedi cychwyn, ac ymgyrch fawr y Somme ryw bedwar mis i ffwrdd, roedd byddinoedd y Cynghreiriaid yn dal i fod angen mwy a mwy o ddynion newydd – ac yn ystod y mis hwn deallodd Dafydd fod ei frawd ei hun wedi ymrestru hefyd. Gan mai Charles oedd yr unig un o'i deulu yr oedd Dafydd yn cyfeirio ato'n lled-reolaidd yn ei ohebiaeth hefo'i fam, a gan fod sawl cyfeiriad ato yn llythyrau Dafydd yn ystod y 'mis bach', mae'n werth edrych yn fanylach ar hynny.

Ceir manylion am ffynonellau pob dyfyniad yn y bennod hon, a phob un sy'n dilyn, ar wefan Gwasg Carreg Gwalch:
https://files.ekmcdn.com/92a6b5/resources/other/anwyl-fam-nodiadau.pdf

14

'Beth mae Charles yn gwneud yn awr?'

(*Mwy am Dafydd a'i frawd mawr*)

Ar ddechrau Chwefror 1916, roedd Charles wedi ymuno â'r fyddin ond sut berthynas oedd rhwng Dafydd a'i frawd mawr, tybed?

Charles oedd plentyn cynta'r teulu. Fe'i anwyd yn 1891 ac er ei fod ddwy flynedd yn hŷn na Dafydd, ymddengys eu bod nhw'n ddau ddigon tebyg – y ddau wedi gwneud yn dda yn yr ysgol, a'r ddau'n gerddorol; ymhen amser byddai Dafydd yn ennill ar yr unawd bariton mewn eisteddfodau, tra bod galw am wasanaeth Charles fel beirniad. Roedd y ddau wedi arfer helpu ar y fferm gartre; ar ôl mynd i'r fyddin, roedd Dafydd yn dal i ymddiddori yn y dulliau ffermio gwahanol a welai yn y Rhyl, yng Nghaerwynt ac yng Ngogledd Ffrainc; roedd Charles yntau, yn ôl y teyrnged a luniwyd ar ôl iddo farw, yn 'lover of the countryside', yn cadw gwenyn, ac yn bysgotwr brwd.

Er i Dafydd fynd i'r fyddin dros flwyddyn o flaen ei frawd, Charles oedd wedi wynebu marwolaeth gyntaf – a hynny nôl yn 1905, pan nad oedd ond yn 14 oed.

Roedd hi'n ddiwrnod olaf tymor yr haf, ac ar eu ffordd adref o Ysgol Tregaron, roedd Charles wedi mynd i nofio hefo Evan Jones Evans, Coedgleision a David Williams, Glandulas. Aethon nhw lawr at afon Teifi drwy gaeau fferm Pantyblawd; aeth Charles a David i nofio ond bodlonodd Evan ar dynnu'i sgidiau a'i 'sanau, ac eistedd ar y lan gyda'i draed yn yr afon. Mae'n debyg nad oedd 'run o'r tri'n nofiwr cryf ond honnai David Glandulas ei fod e'n medru nofio'n iawn. Er bod yr afon yn y rhan hon yn ymddangos fel petai'n llifo'n ddigon hamddenol, roedd ambell bwll twyllodrus o ddwfn ynddi. Nofiodd David Glandulas draw at yr ochr ddofn – ac yna, mwya sydyn, fe ddiflannodd.

Tybiai y ddau arall mai plymio o dan y dŵr yr oedd wedi ei wneud; ond pan na ddaeth yn ôl i'r golwg fe redodd y ddau i fferm Tyndomen i gael help – ond roedd hi'n rhy hwyr. Cafwyd corff David o'r afon ddwy awr a hanner yn ddiweddarach, a bu'n rhaid i Charles a'i gyfaill roi tystiolaeth yn y cwest drannoeth. Dyma lun o Charles o'r cyfnod yna:

Roedd Charles yn un o naw oedd wedi cael ysgoloriaeth yn 1903 i fynd i Ysgol Tregaron, ac ar ôl pasio'i arholiadau terfynol yn 1907, aeth i weithio fel 'uncertificated teacher' am ddwy flynedd yn Llanddewi Brefi. Pan aeth Charles i Aberystwyth i drio'r arholiad mynediad i'r Brifysgol, trefnodd i'w frawd iau weithredu fel dirprwy ar ei ran, fel y clywsom eisoes.

Roedd Dafydd erbyn hynny ar ei flwyddyn olaf yn Ysgol Tregaron ond wedi cael maddeuant am y diwrnod, mae'n debyg, am ei fod â'i fryd ar ddilyn ei frawd mawr i fyd addysg. Roedd Charles yn llwyddiannus yn yr arholiad hwnnw, ac felly, ddeng niwrnod yn ddiweddarach cychwynodd ar ei gwrs yn Aberystwyth.

Yn ystod ei gyfnod yn y coleg, ni wnaeth Charles gymaint o farc ag y byddai Dafydd yn ei wneud maes o law; hynny yw, nid oes sôn amdano yng nghylchgrawn y coleg *The Dragon*. Pan oedd Charles ar ei flwyddyn olaf, yn 1912–13, dechreuodd Dafydd ar ei flwyddyn gyntaf yn Aberystwyth ac yn syth cafodd y brawd bach ei le yn nhîm pêl-droed y coleg. Roedd Charles yn hoff o'i bêl-droed hefyd, ac ar ôl y Rhyfel Mawr byddai galw am ei wasanaeth fel dyfarnwr – ond tybed sut roedd yn teimlo wrth weld Dafydd yn rhagori arno yn nhîm y coleg? Hyd y pwynt yna, Charles oedd wedi arwain, a Dafydd wedi dilyn; yn ysgol Tregaron gynta; fel 'uncertificated teacher' wedyn; ac yna ymlaen i'r coleg yn Aberystwyth. Ond yn awr, roedd Dafydd yn dechrau torri'i gŵys ei hun.

Graddiodd Charles yn 1913, ac mi gafodd waith yn dysgu, yn ardal Machynlleth fe ymddengys. O fanno aeth i Hwlffordd, ac yna ar y 30ain o Hydref 1914, cafodd ei benodi'n brifathro ar ysgol 'Whitechurch' neu Eglwyswen, ger Crymych. Fel prifathro, byddai wedi ennill o gwmpas £120 y flwyddyn, ac mae Dafydd yn un o'i lythyrau o'r Rhyl yn 1915 yn cyfeirio at y 'motor' oedd gan Charles (ond tebyg mai beic yn hytrach na char fase hynny'n ei olygu):

> Faint o profit wnaeth Charles ar ei motor tybed? Nid ryw llawer yr wyf yn sicr. Argol go ddrwg yw fod y bwystfil wedi bod gyda'r meddyg am gymmaint o amser.
>
> *(hynny yw, dan law mecanic yn y garej!)*

Beic neu beidio, ymddengys fod Charles yn cael trafferth cadw'r peth ar yr heol hyd yn oed ar gyflog prifathro, ac wedi gorfod ei werthu!

Oni bai am y rhyfel, tebyg y byddai Dafydd wedi dilyn ei frawd unwaith yn rhagor, a mynd yn athro ei hun – ond aeth i'r fyddin. Ar ddechrau 1916 roedd hi'n ymddangos fod Charles, am y tro cyntaf erioed, yn mynd i orfod dilyn trywydd ei frawd iau drwy ymrestru hefyd. Roedd bron i bum miliwn o ddynion o oedran filwrol a oedd heb wirfoddoli, a chlywsom eisoes am Iarll Derby, a'r *Group Scheme* a gyflwynwyd ganddo ym mis Hydref 1915, i hybu recriwtio. Roedd dynion yn gallu parhau i wirfoddoli'n syth; neu wirfoddoli ar y ddealltwriaeth y basen nhw'n cael eu galw i'r fyddin rywbryd yn y dyfodol. Roedden nhw'n cael eu dosbarthu i grwpiau gwahanol yn ôl eu hoedran, a'u statws briodasol, gyda'r rhai ieuenga'n cael eu galw gynta, a'r rhai priod olaf.

Roedd Dafydd wedi bod yn holi'i fam ynghylch bwriad ei frawd, mewn llythyr adre yn Rhagfyr 1915:

> Beth mae Charles yn gwneud yn awr, a yw wedi gorfod ymuno neu a yw wedi ymuno a'r group class? Gyda llaw, pwy yw y rhai yn yr ardal yna sydd wedi joino â'r group classes?

Erbyn dechrau Chwefror, roedd Dafydd wedi cael ateb i'w gwestiwn; roedd Charles **wedi** ymuno â'r group scheme, ac roedd yn grŵp 7, sef dynion sengl wedi'u geni yn 1891. Cafodd y grŵp yna eu galw i'r fyddin ar ddechrau Chwefror 1916:

> Felly y mae Charles wedi mynd a yw, ac yn dechreu yn Liverpool ar y 7ed? A yw yn mynd am gwrs i Freshfield neu joinio yn straight off tybed? Credaf mae y South Wales Borderers sydd yn campo yn Liverpool yn awr.

Mae Dafydd, fel un sydd wedi bod trwy felin y fyddin yn barod, yn awyddus i geisio ychwanegu at yr hyn mae ei fam yn gwybod yn barod (a dangos ei wybodaeth ei hun hefyd, efallai!). Ond erbyn ei lythyr nesaf at ei fam, mae'n gorfod cywiro'i hun:

> Derbyniais lythr oddiwrth Charles ddoe. Gallwn feddwl mae 12th RWF yw, sicr bod ef, ac felly i Kinmel Park y ca fynd cyn bo hir. Bydd iddo aros yn Formby am tua pum wythnos ac yna fynd i Kinmel.

Mae 'na awgrym yma nad oedd Charles wedi nodi yn ei lythyr hefo pa gatrawd yr oedd e! Ond tynnwyd llun o Charles (isod) yn ei lifrai newydd yn Lerpwl ac roedd Dafydd wedi dyfalu'n gywir.

Mae'n ymddangos fod ei fam wedi gwneud rhyw sylw fod 'golwg digon sych' ar Charles wrth ffarwelio â nhw yn y Wern, ac anelu am Lerpwl. Mae Dafydd yn bachu'n syth ar y sylw hwn:

> Os oedd yn sych ei olwg yn ymadael â chwi, credaf y bydd wedi sychu mwy pan wêl Kinmel Park.

Ond ar ôl y sweip fach yna, mae'n troi at gywair mwy positif. Mae'n ceisio porthi balchder ei fam, am fod ail fab iddi wedi ei dderbyn i'r fyddin fel swyddog (yn wahanol i rai o fechgyn eraill yr ardal), ac mae'n dymuno'n dda i'w frawd:

> Druan â John Dolfelin a John Manarafon yn gorfod saliwtio Charles pan welant ef yn Kinmel a Rhyl. Credaf fod un neu ddau o'i hen gyfeillion yn y 12 RWF. Yno mae mab Blaentwrch [yn] Captain, ac hefyd Bil Beddoes o Aberystwyth, ac o'i hen gyfeillion mwyaf, [yn] 2nd Lieut fel efe ei hun. Gobeithiaf y gwna fwynhau ei hun ac hefyd gael iechyd da fel fy hun tra yn y fyddin. Mwy na thebyg y caf ei weld cyn bo hir. Credaf y caf ddod adref am ychydig ddyddiau ymhen tua mis os â pob peth yn iawn.

Erbyn y llythyr nesa, wythnos yn ddiweddarach, ymddengys fod Margaret wedi rhannu rhyw sylw gan Charles ei fod e'n cael ei orchwylion newydd fel swyddog yn anodd. Nid yw Dafydd yn achub cam ei frawd y tro hwn – wedi'r cyfan, mae yntau newydd ddod allan o'r ffosydd, ac mae ei ymateb yn reit siarp:

> Yr oedd Charles yn achwyn am y gwaith. Gwêl hi yn galetach, mwy

na thebyg; y mae ef yn cael gwely i gysgu ynddo – ni chawn ni yma hydynod hynny, ond yr ydym yn dechreu edrych ymlaen at yr amser y cawn ni hynny.

O leia mae'n rhoi tro mwy positif ar y diwedd! Tybed oedd Dafydd yn teimlo yng nghysgod ei frawd wrth dyfu fyny? Mae rhyw dinc o hynny yn ei gyfeiriadau ato yn ei lythyrau at ei fam – fel petai'n dal i gystadlu am ei sylw hi. Ymddengys nad oedd Dafydd a Charles yn llythyru â'i gilydd mor aml â hynny – a bron bod Dafydd am atgoffa ei fam o hynny, gyda sylwadau fel hyn:

> Lle mae Charles yn awr?
>
> (18.12.15)
>
> Nid wyf wedi clywed gair oddiwrth Charles. Ysgrifenais ato tua pythefnos yn ol i Whitechurch felly mwy na thebyg y clywaf oddiwrtho cyn bo hir.
>
> (27.2.16)
>
> Nid wyf wedi clywed oddiwrth Charles ers tro yn awr. Ni wn beth sydd wedi digwydd iddo.
>
> (25.3.16)

Ond ar ddechrau Ebrill:

> Cefais lythr neithiwr oddiwrth Charles a gallwn gredi ei fod yn mwynhau Kinmel yn o lew.

Arhosodd Charles yng ngwersyll Kinmel tan haf 1916; ac yn gymysg â llythyrau Dafydd yn y Llyfrgell Genedlaethol, mae rhannau o bum llythyr gan Charles at ei fam. Yn un o'r rhain, wythnosau yn unig ar ôl marwolaeth ei frawd, deallwn iddo gael gwaith yn goruchwylio gwaith miwnisiwn:

> Mae yma o ddwy i dair mil o bobl yn gweithio bob dydd, y rhan fwyaf yn ferched a'u prif waith yw symud shells allan, ac i'r trucks, a cario boxes gweigion.
>
> Gwaith y soldiwrs yw helpu y dynion sydd yn profi y shells. Mae pob dyn sy'n profi yn cael soldiwr i'w dendo, a minnau i edrych ar eu hôl. Mae'r soldiwrs sydd danof fi ag sydd yn aros yma, bob amser yn byw yn y tai oddiamgylch y gwaith. Felly finnau. (...)

Nid yw'n glir ble yn union oedd y gwaith miwnisiwn hwn, ond roedd rywle o fewn maes glo Cymru – ym Mhen-bre o bosib:

> Mae pwll glo o fewn can llath i'r ty. Mae'n syndod gymaint o Gymry sy'n byw yn y lle. Mae clywed y Gymraeg yn beth digon cyffredin yn y stryd. Mae amryw o'r teuluoedd lle mae'r soldiwrs yn aros yn Gymry. Dyma job sydd gennyf bob dydd Gwener yw ei talu hwy. Cân 2/6 y dydd am bob soldier.

Tybed beth fyddai Dafydd wedi'i feddwl o hynny? Chawn ni byth wybod. Ac efallai na chafodd Dafydd fyth wybod fod ei frawd wedi cael gwaith mor hawdd yn haf 1916 yn goruchwylio gwaith miwnisiwn. Os oedd milwyr Charles yn 'helpu y dynion sydd yn profi y shells', roedd milwyr Dafydd yn byw a bod yng nghlyw'r shells hynny ac yn ceisio osgoi'r rhai roedd y gelyn yn eu tanio nôl. Mae'n amser i ni fynd nôl at ddechrau Mawrth 1916, a gohebiaeth Dafydd hefo'i fam.

Ceir manylion am ffynonellau pob dyfyniad yn y bennod hon, a phob un sy'n dilyn, ar wefan Gwasg Carreg Gwalch:
https://files.ekmcdn.com/92a6b5/resources/other/anwyl-fam-nodiadau.pdf

15

'Rhaid i mi ddweud nad wyf yn credu llawer mewn cachgwn'

(Les Chocquaux – Hingette: Mawrth 1916)

Ar ddechrau'r mis newydd, roedd Dafydd ar dramp unwaith eto:

1.3.16

Battalion marched to LES CHOCQUAUX and took over billets from 16th Cheshires

Roeddwn i wedi deall fod Les Chocquaux yng nghyffiniau Locon, rhywle i'r gogledd-orllewin o'r dre, felly cymerais Rue Victor Genel allan o'r canol ac yna troi i'r dde i Rue de la Tombe Williot. Mae'n debyg mai'r tai fferm ar ochr y lôn hon a'u tai allan fyddai wedi bod yn gartref i'r fataliwn. Neu yn hytrach, rhagflaenwyr y tai hyn. Er bod Locon heb weld gormod o effaith rhyfel pan fu Dafydd yno ar ddechrau 1916, ysgubodd yr ymladd drwy'r ardal hon yn ystod gwanwyn 1918 ac o ganlyniad mae pob adeilad, bron, wedi'i godi o'r newydd ers hynny.

Stopiais y car ac edrych o nghwmpas. Mor wahanol oedd y tywydd heddiw. Bore ddoe, rhimyn o eira oedd yn dwyn allan siâp pob cwys yn y caeau ochr lôn. Heddiw roedd haul braf yn peri i bob cwys fwrw'i gysgod ar ei gymydog, a'r caeau yn edrych fel melfaréd trwm.

Roedd y tywydd braf wedi tynnu helwyr allan o'u tai hefyd. Clywn sŵn saethu o'r coed yn y pellter, a chŵn y ffermydd yn ymateb, wedi'u cynhyrfu.

Ysgrifennodd Dafydd ddau lythyr adre o fan hyn, ar y 1af a'r 5ed o Fawrth. Dyma'r un cyntaf:

Anwyl Fam.

Derbyniais y papur a'r llythr yn ddiogel a[c] yr roeddent yn dra derbyniol. Nid oes gennyf ddim rhyfedd i'w anfon, dim ond dweud fy mod yn iach ac yn weddol hapus, mor hapus ag y gall dyn fod o dan yr amodau.

Y mae pobpeth yn mynd ymlaen yn awr yn hynod fel arfer. Yn ôl mewn billets yn awr eto. Nid oes amheuaeth ein bod yn cael digon o rest yma ar hyn o bryd.

(Doedd y fataliwn ddim yn mynd nôl i'r lein am wythnos arall.)

> Nid yw y billets mor gymffyrddus efallai [â] Rhyl, eto credaf ein bod yn eu mwynhau yn llawer gwell.

Roedd 'na ddoethineb newydd yn y frawddeg honno. Roedd Dafydd wedi dysgu bellach mai mater o bersbectif oedd beth oedd yn 'gymffyrddus'. Efallai fod llety Dafydd yn Les Chocquaux gyda'r mwyaf distadl, ond ar ôl bod mewn dug-out gwlyb yn y lein, a'i ddillad yn hongian yn drwm ar ei ysgwyddau, a'r to mor isel fel bod rhaid symud o gwmpas yn gefn grwm o hyd, roedd cael sefyll yn syth wrth dwymo o flaen lle tân, gyda llawr cerrig sych dan draed, yn fendith fawr.

Roedd teuluoedd y milwyr wrth gwrs, yn gwneud yr hyn allen nhw i estyn rhyw fân gysuron i'r dynion yn y ffosydd, drwy anfon papur newydd, sigaréts, ac ambell barsel fwyd. Ond roedd pob math o gronfeydd swyddogol wedi'u sefydlu hefyd, er mwyn hel arian i ddarparu *comforts* ar raddfa fwy. A dyna, mae'n debyg, sydd y tu ôl i'r darn nesaf o lythyr Dafydd:

> Gyda golwg ar lythr gwraig Major Coath, peidiwch gwneud unrhyw sylw iddo. Dyna i gyd sydd gennyf i'w ddweud. Dylai hi ofyn i ddynion sydd yn dal dim cysylltiad â'r Battalion, ac nid rhieni officers. Mae hi fel yn dweud nad ydym ni ddim yn medru edrych ar ôl gofyniadau ein dynion. Anfonaf attoch os bydd eisiau rhywbeth ar y dynion fy hun.
>
> Dim rhagor heddyw ond cofion cynesaf attoch oll.
>
> Dafydd

Roedd Major F. C. Coath o Ben-y-bont ar Ogwr yn un o'r uwch-swyddogion ym mataliwn Dafydd, ac roedd ei wraig, Jessie, wedi bod yn weithgar iawn yn hel cyfraniadau ar ran dynion y fataliwn. Mi wnaeth apêl drwy dudalennau'r *Glamorgan Gazette* cyn Nadolig 1915:

> *May I, through the medium of your paper, beg for comforts for the men, whom, I believe, have been recruited entirely from Glamorgan, and who all joined at the beginning of the war? All woollen goods, cigarettes, tobacco, etc. sent to me will be forwarded, and money spent on things most needed, or added to the Regimental Fund until wanted. I shall be most deeply grateful for anything sent, however small.*
>
> *—Yours, etc., JESSIE R. COATH. The Hut, Bridgend. Glam.* 6791

Roedd hi wedi helpu trefnu cyngerdd ym Mhen-y-bont ym mis Chwefror, i godi arian ar gyfer y milwyr; ond yn awr wrth ysgrifennu'n uniongyrchol at rieni swyddogion fel Dafydd, er mwyn ceisio cyfraniadau, roedd hi wedi mynd yn rhy bell. Doedd Dafydd ond yn rhy ymwybodol pa mor anodd oedd hi i'w fam fod mor gyson hael tuag ato, a hithau'n anfon cacennau ac ambell ffowlyn, heb iddi deimlo y dylai fod yn cyfrannu at gronfa Mrs Coath ar ben hynny. Efallai fod rhieni rhai o'i gyd-swyddogion yn ddigon da eu byd i fedru cynorthwyo yn y fath fodd – ond nid teulu'r Wern, lle roedd pedwar o blant yn dal i fyw gartre.

* * *

Yn ei ail lythyr o Les Chocquaux, roedd Dafydd newydd dderbyn parsel arall o gartre:

> Anwyl Fam,
>
> Derbyniais eich caredig llythr yn ddiogel, hefyd eich parcel, llawer diolch am dano. Nid wyf wedi treio ei gynnwys eto ond gwn y gwna ei gynnwys fod yn dderbyniol dros ben. Y mae y Post yn gweithio llawer gwell yn awr na phan ddechreuasom a thrwy hynny yr ydym yn cael pob peth allan mewn cyflwr da.

(Tybed oedd ei fam wedi dilyn cyngor blaenorol ei mab a rhoi styllen yn y pecyn er mwyn ei gryfhau?) Yna, mae Dafydd yn defnyddio'r geiriau cyfarwydd 'Nid oes gennyf newydd neullduol heno eto' – a'r tro hwn, mae'n debyg fod hynny'n ddigon gwir. Ar ôl rhoi cyfle i'r dynion lanhau ar ôl bod yn y ffosydd, eu cadw nhw'n brysur ag ymarferion a wnaed:

> *LES CHOCQUAUX*
>
> *3.3.16 – 6.3.16*
>
> *Training comprising physical drill, arm drill, grenade practice with live grenades, training of reserve stretcher bearers and reserve machine gun sections.*

Ond yn ystod y cyfnod tawelach hwn, roedd cyfle i Dafydd ateb llythyrau gan sawl un o'i deulu a'i ffrindiau yn ogystal â'i fam. Roedd wedi derbyn llythyr arall gan ei gyfnither Jennie, yn Acton, Lundain; ac un gan ei gyfyrder John Dolfelin, oedd yn hyfforddi fel milwr yng ngwersyll Cinmel ger y Rhyl. Ond roedd hefyd wedi derbyn newyddion trist gan ei fam ynglŷn ag un o'u cymdogion gartref.

> Drwg oedd gennyf glywed am farwolaeth Mrs Davies gwraig y Station Master. Y mae yn llawer mwy caled arno ef ai blant bach nag yw arnom ni, ac y mae ei cholli hi yn fwy o golled na cholli un o honom. Rhyfedd yw Rhagluniaeth.
>
> Nid oes gennyf ragor heno ond unwaith etto yr hen ystori – cofion cynesaf at bawb
>
> Dafydd

Doedd gorsaf Pont Llanio ond rywhanner milltir o'r Wern, ac roedd Thomas Davies y gorsaf-feistr, a'i wraig Frances, wedi dod i'r cylch o Clarbeston Road, yn ne Penfro. Dim ond 42 oedd Mrs Davies yn marw, gan adael teulu ifanc heb eu mam – doedd y plentyn hynaf ddim ond yn wyth oed. Mae'n dweud rhywbeth am Dafydd ei fod e'n medru ymdeimlo mor ddidwyll â'r teulu bach hwnnw, ac yntau'n wynebu angau mor gyson ei hun.

* * *

Ar yr 8fed o Fawrth aeth y fataliwn yn ôl i'r lein, ond nid i'r tir corsiog o flaen Festubert. Y tro hwn roedden nhw ryw filltir ymhellach i'r de, yn ardal Givenchy ar lan camlas La Bassée.

Cerddais i lawr at y gamlas, sy'n lletach o dipyn na'r rhan fwyaf sydd i'w cael yng Nghymru a Lloegr, a rhyfeddu gweld dau gwch 120 troedfedd o ran hyd ar fin cychwyn o'r cei – dim ond pan aethon nhw y sylwais eu bod nhw'n sownd drwyn wrth din, ac mai'r un cefn oedd yn gwthio'r ddau!

Roedd hwnnw mor fawr, roedd ganddo gwch bach a char ar ei do; a chraen pwrpasol i naill ai godi'r cwch a'i ostwng i'r dŵr, neu i godi'r car a'i ostwng ar y cei.

Trois i fyny am y pentref, a chanllath o'r gamlas roedd bar hefo enw digon Cymreigaidd: Chez Dylan. Roedd hwn yn gartref i'r clwb pêl-droed lleol, Cuinchy – ond roedd ar gau ar y pryd.

Mentrais i ganol Givenchy, ond heb weld dim byd mwy, dim ond ysgol ac eglwys newydd, un *tabac* oedd wedi cau a dynes mewn lycra oren yn loncian. Lle digon tawel – ond roedd hi'n unrhyw beth ond tawel yn ôl ym mis Mawrth 1916. Yng ngeiriau Llewelyn Wyn Griffith:

> *Givenchy had a bad reputation. There were parts of the line that seemed to possess some quality of bitter enmity (...) A mile to the north stood Festubert, where man fought more with water than with his fellow men; a mile or two to the south the trenches were dry, but on the Givenchy hill there was no respite from fire or flood, nor from that devil's volcano of a sprung mine.*

A.F.A. 2042
114 Gen. No. 5248

FIELD SERVICE
POST CARD

The address only to be written on this side. If anything else is added, the post card will be destroyed.

Mrs M. J. Jones
Y Wern.
Llanio Road
Cardiganshire

FIELD POST OFFICE A 12 MR

NOTHING is to be written on this side except the date and signature of the sender. Sentences not required may be erased. If anything else is added the post card will be destroyed.

I am quite well.

~~*I have been admitted into hospital*~~
~~*sick*~~ ~~*and am going on well.*~~
~~*wounded*~~ ~~*and hope to be discharged soon.*~~

~~*I am being sent down to the base.*~~

I have received your *letter dated* ___ / *telegram* " ___ / *parcel* " ___

Letter follows at first opportunity.

~~*I have received no letter from you*~~
~~*lately.*~~
~~*for a long time.*~~

Signature only.

Date 11/3/16

[Postage must be prepaid on any letter or post card addressed to the sender of this card.]

(92688) Wt. W3497-293 2,000m. 1/16 J. J. K. & Co., Ltd.

Ar yr 11eg o Fawrth, anfonodd Dafydd Field Service Post Card adre o'r ffosydd ger Givenchy. Roedd y cardiau hyn yn ffordd i filwyr anfon neges syml i'w hanwyliaid heb fod rhaid iddi gael ei sensro.

Gellid dileu y cymalau amherthnasol ac roeddent yn boblogaidd fel ffordd o roi gwybod fod milwr wedi dod drwy frwydr arall yn groeniach, cyn iddo gael llonydd i lunio llythyr iawn. '*I am quite well*'; '*Letter follows at first opportunity*' oedd swm a sylwedd neges Dafydd ar ei gerdyn yntau – ond gwyddom ei fod e wedi medru dod o hyd i amser yn y ffosydd er mwyn ysgrifennu adre cyn hyn, felly pam dewis peidio y tro hwn?

Roedd yr ateb yng nghofnod Dyddiadur Rhyfel y Fataliwn ar gyfer y nawfed o Fawrth:

9.3.16
Hostile mine exploded opposite left front Coy. at about 1.40 pm. Casualties caused by same were 2 killed, 6 wounded. Slight damage was done to our parapet and saps. Crater was not occupied by us nor by the enemy.

Lladdwyd dau yn syth, a bu farw dau arall o'u clwyfau'n fuan wedyn. Roedd Dafydd yn gapten ar 'A' Company, a'r diwrnod hwnnw, nhw oedd yn gyfrifol am ddal y sector *left front*; felly taniwyd y *mine* gyferbyn â'i ddynion ef. Bythefnos ynghynt roedd Dafydd wedi brolio mewn llythyr nad oedd ond wedi colli dau ddyn ers cyrraedd Ffrainc. Roedd newydd golli dwbl hynny mewn un diwrnod – ac roedd eraill wedi'u hanafu – ac fel oedd e wedi nodi yn yr un llythyr, 'mae colli un o honynt yn fy nharaw fel colli brawd.' Tebyg nad oedd amser ganddo i ysgrifennu llythyr llawnach adre, am fod ganddo flaenoriaethau llai dymunol; trefnu claddu'r pedwar; ac fel eu capten, arno ef y byddai'r cyfrifoldeb am ysgrifennu at eu teuluoedd nhw hefyd.

Roedd twnelu yn hen dechneg mewn rhyfel. Mewn gwarchae canoloesol, defnyddid twnelau i danseilio muriau castell, fel y gwnaed er enghraifft yng nghastell Dwfr yn 1216. Saith can mlynedd yn ddiweddarach, roedd natur statig yr ymladd yn y Rhyfel Mawr yn golygu unwaith eto fod mantais i dwnelu dan linell y gelyn, gosod ffrwydron, ac ar ôl chwythu twll yn eu ffosydd, rhuthro ymlaen i'w cipio nhw. Chwythwyd 750 o *mines* gan y Prydeinwyr a 696 gan yr Almaenwyr yn ystod 1916 yn unig, a phob un wedi golygu misoedd o waith cloddio o flaen llaw. Roedd hynny ar gyfartaledd tua phedwar *mine* bob diwrnod! Ac roedd y tir sychach yng nghyffiniau Givenchy yn ddelfrydol ar gyfer twnelu – yn wahanol i dir corslyd Festubert, ryw filltir i'r gogledd.

* * *

Daeth bataliwn Dafydd allan o'r lein ar nos Sul y 12fed a martsio i Gorre. Erbyn heddiw, er fod enw'r lle hwnnw'n dal i hawlio'i le ar y map, mae Gorre yn cael ei gyfri'n rhan o gymdogaeth Beuvry, a dyna'r enw sy'n eich croesawu i mewn o'r caeau o'i amgylch. Ond mae'r enw 'Gorre' ar y safle bysus o flaen yr eglwys o leia – a gwelais ar hysbysfwrdd mai'r Prévôté de Gorre, neu awdurdod lleol y gymuned, oedd yn gyfrifol am drefnu cyngerdd roc Cristnogol ymhen rhai dyddiau.

Ac yma yn Gorre roedd Dafydd, pan fedrodd sôn rai ddyddiau'n ddiweddarach am yr hyn oedd newydd ddigwydd iddo yn ffosydd Givenchy:

10th Welsh regt
BEF
Llun

Anwyl Fam
Dyma fi yn gymeryd hamdden i ysgrifenu gair attoch, gan fawr obeithio eich bod oll yn mwynhau iechyd fel ag yr wyf finnau ar hyn o bryd. Da gennyf ddywedyd fy mod wedi dod drwodd ar ôl pedwar diwrnod o weithio caled. Y pedwar diwrnod caletaf wyf wedi gael, er pan allan yma. Yr oeddwn yn yr ardal fwyaf poeth yn y British Lines, ac erbyn hyn yr wyf wedi cael profiad helaeth o ymladd allan yma. Taniwyd mine odditanom a hyrddiwyd rhai ar unwaith i dragwyddoldeb, eraill eu clwyfo ac eraill yn dioddef oddiwrth shock. Ni chefais i ddim anaf.

Roedd y digwyddiad yn dal i chwarae ar ei feddwl wythnos yn ddiweddarach, pan ysgrifennodd ei lythyr nesaf adre:

Ni wn a ddywedais wrthych pan oeddwn yn y trenches y tro diwethaf, cafodd un o Blaenpenal ei ladd gan y mine a explododd yn ein trenches. Ei enw oedd D.T. Evans; ni wn a oeddech yn ei adnabod. Nid oeddwn ond ymron gorffen siarad a[g] ef dim ond awr neu ddwy cyn iddo gael ei ladd.

Roedd Daniel Thomas Evans yn un mlynedd ar ddeg yn hŷn na Dafydd, a pheth braf oedd cael cyfle am sgwrs hefo rhywun o'r un ardal. Nid oes ond chwe milltir rhwng Blaenpennal a Llanio; ond petai Dafydd wedi ymweld â'r rhan yna o'r ffos flaen ychydig yn hwyrach, byddai'r sgwrs yna hefo Pte. Evans wedi bod yn un angheuol. Fis yn ddiweddarach, cafodd Dafydd ei atgoffa unwaith eto o'r diwrnod hwnnw ger Givenchy:

Derbyniais y papyr yn ddiogel a [...g]welais darlun D T Evans o Blaen [Pennal] ynddo, fel y dywedais o'r blaen cafodd ef ei ladd pan aeth y mine i fyny tanom. Yr oedd yn ddarlun go dda hefyd ohono.

Es i draw i weld bedd Daniel Evans mewn mynwent filwrol o'r enw Windy Corner. Dyw hi ddim yn lle neilltuol o wyntog, ond roedd croesffordd gerllaw a oedd yn cael ei dargedu'n aml gan fagnelau'r Almaenwyr. O ganlyniad byddai oedi yn y cyffiniau yn peri i ddyn deimlo'n ofnus; neu yn iaith y milwr cyffredin, 'get the wind up'; ac felly y cafodd ei enw gan y milwyr.

Mae dros dair mil o filwyr wedi'u claddu yma, ac yn ymyl bedd Daniel Thomas o Flaenpennal claddwyd y tri arall a fu farw yn sgîl yr un ffrwydrad: L/Cpl. J. Hughes; Pte. G.H. Trask; a Pte. Llewelyn Jones, o Aberafan.

Wrth grwydro'r rhesi yn chwilio amdanyn nhw, sylwais ar ferch nobl tua 12 oed, hefo plethen, oedd yn cerdded yn araf o gwmpas y fynwent, â bocs dan ei braich. Roedd hi'n siarad hefo'i hun, gan roi rhyw gyffyrddiad ysgafn i bob carreg wrth fynd heibio – a phan welodd fi, daeth draw i sgwrsio. Roedd hi'n byw yn y tŷ gyferbyn â'r fynwent, meddai; ac erbyn deall, nid siarad â hi'i hun oedd hi, ond hefo'i chi bach, oedd yn y bocs dan ei braich. Roedd ei brawd mawr yn byw yn Grenoble, meddai, ac fel anrheg pen blwydd, roedd hi a'i rhieni yn cael mynd draw i edrych amdano. Felly, roedd rhaid i'r ci arfer â bod *en bôite* ar gyfer y daith. Ymatebais mor gwrtais ag y medrwn i'r rhyferthwy o stori, ac wedi dymuno 'Bon voyage' iddi, mi ddiflannais o'r fynwent yn reit handi!

* * *

Ar ôl tanio'r *mine* yn ymyl ffosydd bataliwn Dafydd, mae'n debyg y byddai awydd am ddial. Roedd yn rhan o athrawiaeth gyffredinol uwch-swyddogion y fyddin Brydeinig ei bod hi'n hanfodol 'dangos ysbryd ymosodol', 'to maintain ascendancy in no-man's land' a dominyddu'r gelyn yn gyffredinol. (Er bod cyrchoedd o'r fath yn erbyn y gelyn hefyd yn ei orfodi i gryfhau ei amddiffynfeydd.) Felly, byddai'r *mine* wedi tynnu blewyn o drwyn yr uwch-swyddogion a byddai awydd naturiol i dalu'r pwyth yn ôl mewn rhyw fodd. Mae'n ymddangos fod Dafydd wedi bod yn rhan o ryw gyrch felly, noson neu ddwy ar ôl y ffrwydrad, oherwydd ymhlith ei bapurau yn y Llyfrgell Genedlaethol mae neges gan Cyrnol Ricketts, prif swyddog y fataliwn; gyda'r cyfeiriad at y crater, mae'r neges yn dyddio, yn ôl pob tebyg, o'r *tour* hwn yn y ffosydd, pan daniwyd y *mine*:

> *Dear Jones,*
>
> *Would any of your fellows, or D Coy fellows, officers & men who are so conversant with the geography care to attempt tonight to round up any of these Hun patrols which have been seen now no less than 3 times. (Roberts saw one last night on your sector which was the reason of the delay in putting out the tripods) If so, you are very welcome to arrange a bit of patrol work which may be some small recompense for your disappointment last night. I think it is evident the Hun patrols the crater neighbourhood fairly regularly & he may give us a last opportunity. Of course it does not matter [in the] event [of] the relief taking place. It can take place just the same, & the 13th. Coys fully instructed about what we are doing. There need[s] to be [a] limit as to time.*
>
> *Please say if you would care to, but do not do so unless you think any of them would be keen on it.*
>
> *Ricketts*
>
> *Telephone me saying yes or no.*

Y *13th* oedd trydydd fataliwn ar ddeg y Gatrawd Gymreig, neu'r 2nd Rhondda. Nhw oedd am gymeryd lle bataliwn Dafydd ar noson y 12fed. Tybed beth oedd y 'siom' a gafodd Dafydd y noson gynt? A oedd cyrch liw nos wedi cael ei gynllunio i ddial am y *mine*, ond wedi cael ei ohirio ar y munud olaf, efallai?

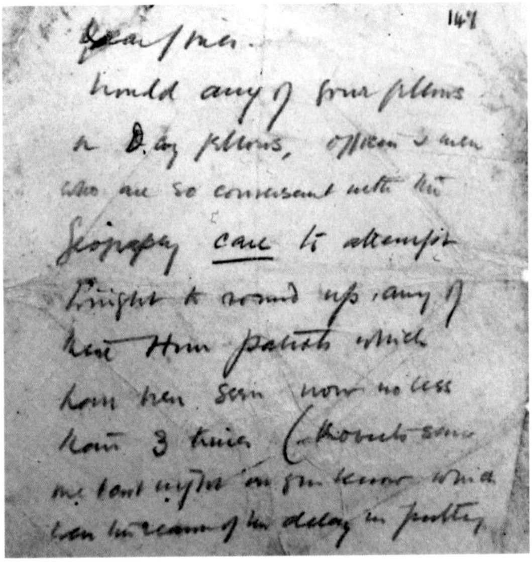

Rhan gyntaf y nodyn gan Colonel Ricketts

Mae'r neges ar dri darn bach sgwâr o bapur, tua 2 fodfedd ar draws, a byddai negeseuon fel hyn yn cael eu cario yn gyson rhwng swyddogion gwahanol yn y ffosydd. Tebyg fod Dafydd wedi derbyn degau o negeseuon o'r fath yn ystod ei gyfnod yn y ffosydd, ond does wybod pam fod hwn wedi goroesi ymhlith ei bethau, ar ôl iddo farw – oedd rhyw arwyddocâd iddo? Ynteu ai cyd-digwyddiad oedd hi, a bod y neges wedi cael ei gwthio i ryw gongol o'i boced a mynd yn angof yno?

Chawn ni fyth wybod. Os aeth Dafydd allan ar batrôl ar noson y 12fed o Fawrth, wnaeth o ddim rhannu'r manylion hefo'i fam. Doedd Dyddiadur Rhyfel y Fataliwn ddim fel arfer yn cofnodi gweithgarwch o'r fath, oni bai fod colledion yn ei sgîl, felly os aeth Dafydd â'i ddynion allan i dir neb, rhaid eu bod nhw wedi cyflawni gofynion y cyrnol yn llwyddiannus, heb golled.

* * *

Ddeuddydd yn ddiweddarach, wrth ysgrifennu adre o'r billets yn Gorre, ar ôl sôn am brofedigaeth y *mine*, roedd Dafydd yn gorfod ymateb i anffawd un o'i gyfoedion o Landdewi Brefi:

Gwelais yn y papur heddyw fod Johnny Frondewi wedi ei glwyfo.

Mab hynaf ficar Llanddewi Brefi oedd Johnny Frondewi, neu Lieut. J.L.T. Davies. Roedd e ddwy flynedd yn hŷn na Dafydd ac wedi gwneud gradd yn Rhydychen cyn ymuno â'r Ffiwsilwyr Cymreig ar ddechrau'r rhyfel. Cafodd ei anafu ar yr 2il o Fawrth 1916 yn ystod yr ymladd o gwmpas Ypres i geisio adennill peth o'r tir a gollwyd yno y flwyddyn gynt. Ymddengys fod mam Dafydd wedi gofyn pam nad oedd y ficar yn cael dod allan i Ffrainc i weld ei fab yn yr ysbyty:

> Nis gwn er hynny pam na cha ei dad ddod drosodd iw weld, gwn y ca y gwyr uchaf ddod drosodd. Efallai nad yw ei glwyfo mor dost ag y tyb ei dad. Mae ef ychydig yn wyllt bob amser ac yn barod i godi ei gloch.

Roedd Johnny (neu Jack fel y cyfeirid ato weithiau) wedi cael ei daro gan shrapnel yn ei ben-glin dde, ac er i Dafydd awgrymu efallai nad oedd mor wael â hynny, erbyn ei lythyr nesaf adre, roedd rhaid cydnabod fod Jack **wedi** cael ei 'glwyfo'n dost':

> Drwg gennyf glywed am Jack Frondewi, ei fod wedi colli ei goes. Er hynny y mae ganddo ei fywyd ac y mae hynny yn llawer ac y mae, erbyn hyn hefyd, ymhell o swn magnelau heb obaith eu clywed mwy. Y mae hynny yn llawer iawn.

Cafodd Jack Frondewi 17 o driniaethau dros y misoedd nesa, ond cafodd waith wedyn fel *adjutant*; yng Ngwersyll Kinmel i ddechrau, ac yna hefo'r R.F.C. yn Llundain. Ond, ys dywedodd Dafydd, roedd 'ganddo ei fywyd'...

* * *

Ar ddiwedd ei lythyr adre o bentre Gorre, mae Dafydd yn troi ei sylw at y wlad o'i gwmpas:

> Y mae yn ddiwrnod braf lle yr wyf yn aros heddyw. Diwrnod o wanwyn, blodau yn y caeau, prielli cochion yn llawn, adar yn canu, etto nid wyf o swn ein gynnau.
>
> Da gennyf glywed fod John Dolfelin wedi cael commisiwn yn y RFA. Y mae wedi cael job go lew. Nid oes gennyf ragor heno. Unwaith eto anfonaf cynesaf attoch oll.
>
> Dafydd

Arwydd o densiwn yw meddwl sy'n methu ymlacio, yn methu aros yn y foment a mwynhau'r heulwen a'r blodau gwanwynol, fel y 'prielli' neu'r briallu cochion. Roedd Dafydd wedi arfer ers misoedd bellach â'r rheidrwydd i fod yn fythol effro i bob peryg ac yn ei lythyrau hefyd mae'n neidio'n sydyn o un peth i'r llall. Mae'r llythyr hwn hefyd yn ymddangos yn ddi-gyswllt – ond o leiaf yma, gallwn olrhain llwybr ei feddwl ryw faint; mae 'sŵn ein gynnau' yn gwneud i Dafydd feddwl am y magnelwyr sy'n gofalu am y gynnau hyn – ac mae hynny'n ei atgoffa fod ei gyfyrder wedi cael comisiwn hefo'r *Royal Field Artillery*. 'Job go lew' yw honno ym marn Dafydd. Yn sicr, byddai John yn gwasanaethu ymhellach yn ôl na'r milwyr traed yn y llinell flaen, ac o'r herwydd byddai'i debygrwydd o oroesi'r rhyfel yn uwch. Roedd sawl adran i'r fyddin wrth gwrs, y marchfilwyr, y magnelwyr a'r peirianwyr, heb sôn am y corfflu meddygol, yr *Army Service Corps* ac yn y blaen – ond y milwyr traed oedd yn wynebu'r colledion trymaf. Yn 1916, er mai 43 y cant yn unig o'r rhai oedd yn y fyddin oedd yn gwasanaethu hefo'r milwyr traed, nhw oedd yn dioddef 85 y cant o holl farwolaethau ac anafiadau'r fyddin.

* * *

Roedd hi'n brynhawn digon gwanwynol pan gerddais nôl o fynwent Windy Corner at fy nghar yng nghanol Givenchy. Yn yr awyr uwch fy mhen, roedd haid o adar yn troi a throsi mewn undod llac. Gan fod eu boliau o liw goleuach na'u hadenydd, wrth iddyn nhw droi, ymddangosai fel petaent yn newid lliw, neu'n pefrio yn yr haul. Rhyfeddais at eu prydferthwch a chofio fod Llewelyn Wyn Griffith wedi cael profiad digon tebyg yn ôl yn 1916, pan ddaeth yma i Givenchy, ryw wythnos neu ddwy ar ôl Dafydd:

> *One afternoon I was standing in a trench on the hill, looking westward over the parados towards Béthune and watching an enormous flock of starlings swaying back and fro in their peculiar mass formations. They were some miles away, black against a glowing sky, so like a half deflated airship blown about by a gentle breeze, that I did not laugh when a sentry asked me if that was a Zeppelin. I handed him my glasses and believed him when he said that he 'Ain't never seed anythink like that before.'*

Ynghanol peryglon Givenchy, roedd 'na brydferthwch achlysurol hefyd. A'r tro nesaf y daeth Dafydd yn ôl i'r rhan hon o'r lein, roedd ganddo fwy o hamdden i werthfawrogi hynny. Ar y 18fed o Fawrth pan ddaeth y fataliwn yn ôl i Givenchy, penderfynwyd mai tro *'A' Company* oedd hi i fod wrth gefn, felly roedd hi'n dipyn brafiach ar Dafydd a'i ddynion:

10th Welsh Regt
BEF
Sadwrn

Anwyl Fam

Gair heddyw eto, gan fawr obeithio eich bod oll yn iach a hapus, fel ag wyf finnau ar hyn o bryd. Yr ydwyf ar hyn o bryd yn cael yr amser goreu wyf wedi gael er pan ddeuais allan o Loegr. Fy company a minnau yn cael rest, tra y mae y gweddill o'r battalion yn y front line. Cysgu am y goreu yw ein gwaith yn awr ac nid wyf ymhell o gymeryd y wobr am y cysgwr goreu. Yr ydym yn ddigon agos i'r ffront line er hynny i'n dyhuno gan shells os deuant yn agos, ond erbyn hyn nid ydym yn hidio taten am shells, yr ydym mor gyfarwydd a hwy.

Ond er nad oedd Dafydd yn y llinell flaen, roedd yn aros mewn lle digon cyfyng:

Yr ydwyf yn aros yn awr mewn lle oedd unwaith yn Bost Office. Un room yn awr sydd yn gorfod bod yn Barlwr, Kitchen, sitting room, study, sleeping room ac felly yn y blaen, y mae y room arall yn hospital – first aid post fel ei gelwir.

Camp oedd cael hyd i dai yn agos i'r llinell flaen oedd heb adfeilio'n rhannol neu'n llwyr erbyn 1916, oherwydd tanbelennau'r gelyn. Tybed oedd Dafydd yn meddwl weithiau am y rhai oedd wedi bod yn byw yn y tai hyn, cyn gorfod ffoi ac ildio'u lle i'r milwyr?

* * *

Er mwyn ceisio deall effaith y chwalfa hyn ar y ffermdai a'r pentrefi a oedd yng nghyffiniau'r llinell flaen, trois at waith y bardd Albert-Paul Granier (1888–1917) a oedd hefyd yn filwr hefo byddin Ffrainc. Dyma ŵr a allai ymdeimlo'n haws efallai â cholledion ei gydwladwyr, a chyhoeddodd gyfrol o gerddi am y rhyfel yn 1916 o'r enw *Les Coqs et les Vautours* (Y ceiliogod a'r fulturiaid). Yn ei gerdd 'L'exode' (yr ecsodus) roedd wedi disgrifio'i gydwladwyr yn ffoi yn Awst 1914:

Par les chemins gluants qui viennent
du fond des plaines,
les gens s'en vont, comme des fous,
comme des fous qui seraient sages
les gens s'en vont vers n'importe où...

Ar hyd y lonydd gludiog sy'n arwain
o bellafoedd y gwastatiroedd
mae pobl fel ynfytiaid yn gadael,
fel ynfytiaid sy'n ddoethion efallai
mae pobl yn gadael, 'sdim ots i ble...

Flwyddyn yn ddiweddarach, llwyddodd Granier gyfleu'r chwalfa a fu ar gartrefi'r bobl hyn, drwy ysgrifennu o safbwynt yr anifeiliaid a adawyd ar ôl ganddynt, yn ei gerdd 'Les Bêtes'. Mae'n creu darlun hynod deimladwy ohonynt yn gorfod ymorol am eu hunain ynghanol yr adfeilion, heb fedru rhesymu be sydd wedi digwydd i'w cynefin:

Par les villages pitoyables,
par les hameaux incendiés,
les chiens, les pauvres chiens perdus,
taciturnes, errant parmi les trous d'obus,
cherchent le seuil de leur maison,
cherchent dans les plâtras épars
et les toitures effondrées,
et flairent avec incertitude
en enjambant les poutres calcinées.

Trwy'r pentrefi truenus,
a'r tai a losgwyd yn ulw
mae'r cŵn yn crwydro'n dawel, ar goll,
druan ohonynt, rhwng tyllau'r siels
yn chwilio cerrig trothwy eu tai,
yn chwilio drwy'r rwbel gwasgaredig,
a'r toeau sydd wedi dymchwel,
yn snwffian yn ansicr
wrth gamu dros ddistiau a ddarnlosgwyd.

A dyma gynefin Dafydd hefyd bellach – ond wrth i'r fataliwn symud mewn ac allan o'u *billets* gwahanol roedden nhw'n fwy tebygol o feddwl am y milwyr a fu yno'n syth o'u blaen (oedden nhw wedi gadael y billets yn lân ar eu hôl?) yn hytrach na hel meddyliau am y cyn berchnogion a'u dewis o liw paent i'r drws, neu weddillion y bleinds ar y ffenestri. Roedd pethau felly megis atseiniau o ryw oes arall, rhyw gyfnod anhraethol bell.

* * *

Tra oedd Dafydd a'i gwmni'n gorffwys yng nghyffiniau Givenchy, i weddill y fataliwn yn y llinell flaen, 'normal routine in the trenches' oedd piau hi, yn ôl cofnod yr *adjutant* yn Nyddiadur Rhyfel y Fataliwn. Ond fel yr ydym wedi sylwi cyn hyn, digon mympwyol weithiau oedd ei gofnodion o'r colledion yn y llinell flaen. Wrth chwilio am feddau'r rhai a gollwyd yn ffrwydrad y *mine*, gwelais fedd Sgt. T.J. Lee, glöwr o'r Naval Collieries ym Mhen-y-graig. Cafodd Sgt. Lee ei ladd ar yr 16eg o Fawrth sef y noson gyntaf pan oedd Dafydd yn cynefino â'i lety newydd mewn hen swyddfa bost – ond am ryw reswm nid oes sôn amdano yn Nyddiadur Rhyfel y Fataliwn. Un arall a anafwyd heb i'r *adjutant* feddwl ei gofnodi oedd cyfaill mawr Dafydd, Talfryn James o Dreforys, a oedd yn gapten ar 'D' Company. Dyma'r hanes o'r *Herald of Wales*:

> *OFFICER'S FIVE WOUNDS.*
>
> *News reached Swansea on Wednesday that Captain Talfryn James, son of Mr. and Mrs. James, 127, Woodfield-street, Morriston, has been wounded in action. A brother officer writing to the parents stated that Captain James received five wounds. Captain James, who is 22 years of age, is well known in Welsh athletic circles. When war broke out he was at Aberystwyth University, and had passed his Inter-B.Sc. examination, and had intended taking his final in July of 1915. He was the champion athlete of his college in 1914, and was also captain of the hockey team. The gallant young officer is attached to the 10th Battalion (lst Rhondda) Welsh Regiment.*

Tybed ai Dafydd oedd y *brother officer* a ysgrifennodd at rieni Talfryn? Roedden nhw'n dipyn o lawiau ac wedi rhannu ystafell yn y coleg gynt. Dafydd oedd yn ail i Talfryn yn y bencampwriaeth athletau honno yn 1914 ac roedd y ddau wedi ymuno â'r fyddin yr un pryd. Cofiai Talfryn yn iawn am gonsyrn Dafydd pan gafodd ei glwyfo, a rhannodd yr hanes yn y llythyr cydymdeimlad a ysgrifennodd at ei fam ar ôl iddo farw:

OFFICER'S FIVE WOUNDS.

News reached Swansea on Wednesday that Captain Talfryn James, son of Mr. and Mrs. James, 127, Woodfield-street, Morriston, has been wounded in action. A brother officer writing to the parents stated that Captain James received five

wounds. Captain James, who is 22 years of age, is well known in Welsh athletic circles. When ware broke out, he was at

Then came the day I was wounded & carried out on the stretcher. Dai was behind the line in support & when he heard, he came down to meet me, took one end of the stretcher, gave me some cigarettes & carted me to the doctor, & I'm sure it hurt him as much as it did me to see his old friend lying helpless on a stretcher, yet he was pleased I think that I was going back to England[.]

Hyd yn oed pan oedd Dafydd ei hun yn ddiogel, roedd yn methu osgoi canlyniadau'r rhyfel. O fewn y mis, roedd Talfryn yn gwella nôl yn Nhreforys:

Captain Talfryn James, son of Mr. James, tailor, Woodfield Street, Morriston, returned home on Monday afternoon, and was accorded a most hearty reception. Captain James is most popular in the town, and a large number of his friends awaited his return, whilst the street was gaily decorated with flags.

Ond i Dafydd roedd trefn lethol y trenshys yn parhau. Ar yr 20fed o Fawrth, daeth gweddill y fataliwn allan o'r lein, ac ar ôl tair noson mewn billets yn Festubert, martsion nhw chwe milltir i Hingette, yr ochr arall i'r gamlas. O'r fan yma, cafodd dynion eu hanfon bob nos fel wiring parties i drwsio'r weiren bigog yn nhir neb.

Ar y paith yn yr Unol Daleithiau y daeth weiren bigog i'r amlwg go iawn – ond cafodd ei dyfeisio gyntaf yn Ffrainc. Ac erbyn 1916, roedd 'na ddigon ohoni yn y wlad honno unwaith yn rhagor:

Good strong wire entanglements, fixed to well-driven posts, should be constructed wherever it is possible. (...) The iron posts now issued, which screw into the ground, can be placed in position without noise and strengthen the entanglement.

Roedd y pyst hyn yn debyg i dynnwr corcyn ac roedd modd eu troi'n dawel i'w sgriwio mewn i'r ddaear. Cyn hynny bu'n rhaid defnyddio stanciau cyffredin i ddal y weiren – a phan oedd rheini'n cael eu bwrw i'r ddaear ganol nos yn nhir neb, collwyd llawer o filwyr wrth i'r gelyn anelu eu gynnau at y sŵn.

Roedd weiars yn cael eu gosod digon pell oddi wrth y ffos flaen er mwyn rhwystro'r gelyn rhag taflu bomiau llaw i mewn. Yn ogystal â rhwystro'r gelyn yn gyffredinol, weithiau roedd bylchau'n cael eu gadael i gyfeirio unrhyw ymosodiad gan y gelyn at fannau lle gellid eu saethu'n haws hefo peirianddrylliau.

* * *

I'r milwyr o'r fataliwn oedd heb gael eu dewis ar gyfer y wiring parties, cafodd ymarfer newydd ei gyflwyno gan y swyddogion i'w cadw nhw'n brysur:

> *During the stay in billets at HINGETTE practice alarms were held by day and by night. On the alarm being raised by day the Bn was ready to move in 50 minutes. By night the Bn was ready in 35 mins.*

Ac ar eu dau ddiwrnod olaf yn Hingette, cafodd y fataliwn ddau archwiliad; un gan gadfridog y 1st Army ac un gan gadfridog yr 114th Infantry Brigade 'who subsequently congratulated the Battn on their satisfactory turnout'. Cryn gamp i'r milwyr, ar ôl cyfnod mor hir i mewn ac allan o'r ffosydd – ac roedd disgwyl i'r swyddogion fod yn esiampl i'r dynion dan eu gofal wrth eu cadw at y nod.

Pan aethwn i weld Dafydd Jenkins, nai Dafydd Jones, ar ei fferm yn Llanfihangel y Creuddyn, yn ogystal â'r sbardunau a drafodwyd eisoes roedd ganddo grair arall fu'n eiddo i'w wncwl.

Estynnodd ddrych siafio wedi'i wneud o ddur i mi. 'Bydde fe'n edrych mewn i hwn yn ddyddiol,' meddai Dafydd Jenkins, 'achos pob llun ohono fe sydd wedi'i gymeryd, o'dd ei wyneb e'n lân, heblaw'r mwstásh, felly bydde fe'n defnyddio fe'n ddyddiol.' Wrth edrych i mewn i'r drych metel, roedd yn dal yn bosib i mi weld fy wyneb fy hun. Edrychais yn ôl at Dafydd Jenkins. Gwenodd yntau'n drist: 'Allai'r drych 'na weud sawl stori fach.... ond ddaw hi ddim i siarad, debyg iawn.'

Drych siafio Dafydd Jones

Y llythyrau sy'n siarad dros Dafydd wrth gwrs – a thra buodd yn Hingette, ysgrifennodd unwaith eto at ei fam, ar ddydd Sadwrn, 25.3.1916. Roedd Dafydd wedi ei gythruddo gan lythyr a dderbyniasai gan ei gyfyrder:

> Clywais oddiwrth John Dolfelin (...) a dywedodd ei fod ef, ynghyd ac amryw o'i gyfeillion, yn ceisio ymuno a'r gas company.

Y 'gas company' oedd yr adran o'r Royal Engineers a oedd yn gyfrifol am ddarparu nwyon gwenwynig i'w ddefnyddio gan y fyddin. Ers canol 1915, roedden nhw wedi bod yn ceisio recriwtio dynion oedd â gwybodaeth flaenorol o gemeg, yn enwedig rhai oedd wedi astudio'r pwnc yn y brifysgol. Wrth gwrs byddai Dafydd ei hun wedi bod yn gymwys ar gyfer gwasanaeth o'r fath – ond nid colli cyfle oedd wedi ei gythruddo gymaint â rhywbeth arall a ddywedodd John yn ei lythyr:

> Dywedai y byddai gwell ganddo hynny na bod mewn Bayonet Charge. Digon gwir byddai yn well gan bawb fod allan o Fayonet charge ond, os byddai pawb fel hwy, lle buasem ni fel gwlad erbyn hyn[?] Rhaid i mi ddweud nad wyf yn credu llawer mewn cachgwn. Unwaith rhaid marw a pha ddull o farw sydd well na rhoddi einioes i lawr er amddif[f]yn hen, ieuanc a benywed ein gwlad – nid oes pleser i edrych ymlaen dros ymladd er cadw 'slackers' yn fyw a chysurus. Y mae gennyf filwyr odditanaf yn awr â phump, chwech, ie a saith o blant ganddynt, tra y mae bechgyn dibriod yn gwneud eu goreu i gadw allan. Credaf y bydd barn dragwyddol ar eu penau.

Ac yna, fel petai'n sylweddoli iddo ddweud gormod yn barod, mae'n terfynu'n ddigon ffwr-bwt:

> Nid oes gennyf ragor heno ond anfon cofion cynesaf attoch oll fel teulu.
> Oddiwrth
> Dafydd

Dyma wedd newydd ar bersonoliaeth Dafydd sydd heb ymddangos yn aml hyd yma yn ei lythyrau hefo'i fam. Mae'n dangos 'bach o natur', ys dywedir.

Gwelwn yma angerdd a dicter dyn ifanc, yn hytrach na'r mab diplomatig a hunan-feddiannol. Roedd yn gwybod ei farn ei hun – a doedd e ddim yn brin o'i rhannu pan deimlai fod hynny'n briodol. Ond nid dwrdio oedd ei unig ymateb i sefyllfa anfoddhaol – credai ei bod hi'n bwysig gweithredu hefyd. A chawn olwg ar hynny yn y pennod nesa. Roedd Dafydd yn gwerthfawrogi'r angen i ddifyrru yn ogystal ag i ddisgyblu!

Ceir manylion am ffynonellau pob dyfyniad yn y bennod hon, a phob un sy'n dilyn, ar wefan Gwasg Carreg Gwalch:
https://files.ekmcdn.com/92a6b5/resources/other/anwyl-fam-nodiadau.pdf

16

'Yr ydym yn disgwyl gramophone yma'

(*Canu yn y ffosydd*)

Roeddwn i'n gyrru o gwmpas gogledd-ddwyrain Ffrainc ar drywydd Dafydd, mewn car yr oeddwn i wedi'i logi. Roedd gen i radio i ddifyrru'r daith, un clyfar oedd yn gweithio drwy sgrin gyffwrdd; gallwn wneud unrhyw beth gydag e ond ei ddiffodd! Felly mwynheais arlwy di-baid o DJs egnïol a'u dewis o ganeuon rap Ffrangeg. Un gân a glywais dro ar ôl tro oedd 'Tu vas me manquer', lle mae'r canwr yn herio'i gyn-gariad hefo'r byrdwn – 'tu vas me manquer' (mi fyddi di yn fy ngholli) – ond mae llais y canwr yn llawn anobaith ingol a synhwyrwn ei fod o'n gwybod mai anwiredd yw hyn; ddaw hi byth yn ôl.

Roedd hi'n gân fachog, a chefais fy hun yn ei hymian hi wrth ymweld â mynwent filwrol ... cyn stopio fy hun mewn eiliad o embaras! Ond dyma feddwl wedyn, tybed pa ganeuon oedd yn mynd â bryd y milwyr Cymreig yn y ffosydd? Rhai tebyg o hiraethus efallai? A thybed pa ganeuon oedd yn mynd â bryd Dafydd yn ystod yr ychydig hamdden a ganiateid iddo? Fel y gwyddom, roedd e'n gallu canu; roedd wedi ennill ar yr unawd bariton mewn eisteddfodau, ac roedd galw arno i wneud 'tyrn' mewn cyfarfodydd cymdeithasol yn y coleg. Ac roedd rhai o'i gyd-swyddogion yn gallu canu hefyd, fel y nododd mewn llythyr adre o'r reserve line yn Givenchy, ym mis Mawrth:

> Yr ydym yn bedwar swyddog yn aros yma, ac yr ydym yn tori allan i ganu, ac yr ydym yn bedwarawd da dros ben.

Tybed a fydden nhw'n codi ar eu traed i ddiddanu'r swyddogion eraill, yn yr officers' mess? Allwn ni ond dyfalu beth fyddai cynnwys eu repertoire – er bod Dafydd yn cyfeirio at un o ganeuon poblogaidd y dydd, yn un o'i lythyrau cyntaf adref o Ffrainc:

> Yn aml toraf allan i ganu y gân Seisnig –
> *Sure I love the dear silver that grows in your hair*
> *And the brows that are wrinkled and furrowed with care*
> *I kiss the dear fingers so toil worn for me*
> *Oh God Bless you and keep you Mother Mo Chree.*

Ystyr 'Mo Chree', neu 'mó chroí' yn y Wyddeleg wreiddiol, yw 'fy nghalon' neu 'fy nghariad'. Ysgrifennwyd y gân ar gyfer y sioe *Barry of Ballymore* yn 1911, ac fe ddaeth yn fwy poblogaidd wedyn, pan gafodd ei recordio gan y tenor enwog, John McCormack, yn 1911.

Ond roedd Methodistiaeth y cyfnod yn dal yn hynod amheus o fyd y theatr yn gyffredinol. Fel y dywedodd y *Goleuad* yn 1914:

> *Os bydd arogl diod a myglys* (tobacco) *ar y ddrama, a sŵn gwatwar ein pethau gore fel cenedl ynddi, ni fyn y Cymry ddim â hi.*

Tybed oedd Dafydd wedi sylweddoli wrth ddyfynnu 'Mother Mo Chree' na fyddai ei fam yn cymeradwyo sôn am gân o'r fath ffynhonnell, waeth pa mor ddiniwed oedd y geiriau? Tybed ai dyna pam ei fod yn troi'r stori'n ddigon disymwth, er mwyn sôn am rywbeth y mae'n gwybod fydd yn fwy derbyniol gan ei fam?

> Y mae yn bleser i wrando ar y bechgyn yn canu 'Beth sydd i mi yn y byd' ac 'O Fryniau Caersalem ceir gweled'. Hefyd 'Duw mawr y Rhyfeddodau maith'. Y maent yn cael y fath hwyl pan yn canu ac, i glywed côr o ddau neu dri chant yn canu, rhyfedd yr effaith.

Byddai 'Beth sydd i mi yn y byd', sef emyn Morgan John Rhys, yn cael ei chanu yn y cyfnod yma ar y dôn boblogaidd 'Aberystwyth'. Clywsom eisoes bod hi'n ffefryn gyda'r milwyr yng Nghaerwynt, ac mae sawl cyfeiriad ati'n cael ei chanu yn y ffosydd, er enghraifft:

> *Dywedir fod y Welsh Regiment, yn Mons, yn y trenches, yng nghanol y bwledi a'r shells yn canu y dôn* 'Aberystwyth!'
>
> (Y *Cymro*, 2.12.14)

Ac ysgrifennodd Pte. Evan Jones at ei rieni, ar ôl brwydr Coed Mametz, i ddweud:

> *We were going over to the woods singing* Beth sydd i mi yn y byd."
>
> (*Yr Adsain*, 25.7.16)

Mae'n hawdd gweld sut y byddai'r emyn bruddglwyfus hon wedi magu ystyr newydd i'r milwyr Cymraeg ar feysydd y gad:

> *Beth sydd i mi yn y byd?*
> *Gorthrymderau mawr o hyd!*
> *Gelyn ar ôl gelyn sydd*
> *Am fy nghlwyfo nos a dydd;*
> *Meddyg archolledig rai,*
> *Tyrd yn fuan i'm iachau,*
> *Yna canaf am Dy waed*
> *Nes meddiannu'r nefol wlad.*

Byddai'r cyfeiriadau at 'elyn', 'clwyfo', 'meddiannu' a 'gwaed' i gyd wedi atseinio gydag arwyddocâd newydd yn Ffrainc, nas ceid wrth ganu'r geiriau hyn nôl yng Nghymru.

Wrth gwrs, nid emynau oedd yr unig bethau oedd yn apelio at y milwyr Cymreig. Ym mis Ionawr 1916, ysgrifennodd un o filwyr bataliwn Dafydd at y *Glamorgan Gazette* gyda 'chais cerddorol' i'r darllenwyr:

CAERAU CORPORAL'S APPEAL

Corporal H. Saville, D Co. (1st Rhondda's), 10th Welsh Regiment, B.E.F., late of Tonna Road, Caerau, would be obliged if some generous readers could send him an accordeon and about half-a-dozen single noted mouth-organs, "just to liven things up a bit." In a letter to the "Gazette", he says: "We have been in action three times, and are just going again, and have had the best of luck so far; but we need a little recreation of some sort when away from the firing line."

Nid yw'n hysbys a gafodd Cpl. Saville ei offerynnau, na beth y byddai wedi dewis ei chwarae arnynt chwaith, ond mae digon o dystiolaeth ynglŷn â beth roedd y milwyr Prydeinig yn ei ganu'n gyffredinol. Yn ôl y llyfryn *Tommy's Tunes*, a gyhoeddwyd yn 1917 gan F.T. Nettleingham, (oedd yn 2nd Lt. hefo'r R.F.C.), gellid rhannu caneuon y milwyr yn ddau ddosbarth: caneuon ar gyfer martsio, a chaneuon y gwersyll. Roedd llawer o'r caneuon Saesneg a gofnodwyd ganddo â golwg digon sinicaidd ar y rhyfel, a llawer o'r rhai mwya poblogaidd â geiriau rhy fras i'w hatgynhyrchu yn y llyfr!

Weithiau defnyddid tonau emynau Saesneg ar gyfer geiriau dychanol, er enghraifft: 'The Church's One Foundation' ar gyfer 'We are Fred Karno's Army'; a 'What a Friend we have in Jesus' ar gyfer 'When this Lousy War is Over'.

Ni welais enghraifft o emyn-dôn Gymreig yn cael ei 'benthyg' ar gyfer geiriau seciwlar yn y fath fodd, ond mae'n siwr gen i y byddai digon o Gymry ym mataliwn Dafydd yn canu 'When this Lousy War is Over', heb boeni dim am y peth.

Pwrpas ei lyfr, meddai Nettleingham, oedd cofnodi'r caneuon oedd yn boblogaidd **go iawn**, yn hytrach na'r caneuon yr oedd y YMCA yn meddwl y **dylid** eu canu. Roedd wedi ei gythruddo, er enghraifft, gan yr holl sylw yn y wasg i ganeuon fel 'It's a Long Way to Tipperary'. Yn ei farn o, doedd hon ddim yn gân mor boblogaidd â hynny gan y milwyr, ac yn wir mynnai mai 'heip' gan y papurau newydd oedd yn gyfrifol am ei phoblogeiddio! Ond fel mae Rachel Cowgill, yr academydd o Brifysgol Caerdydd, wedi nodi yn ei hastudiaeth o *Tommy's Tunes*:

Songs were contested territory – a means for soldiers to assert their identity.

Oedd yr emyn Cymraeg felly yn fodd i'r milwyr o Gymru ymfalchïo yn eu hunaniaeth? Mae'n wir fod un o glasuron y Rhyfel Mawr, 'Pack up your Troubles in your Old Kit Bag' wedi cael ei sgwennu gan ddau frawd o Lanelwy, George a Felix Powell; ac mae'n wir fod yr alaw ar gyfer cân boblogaidd arall o'r un cyfnod, sef 'Keep the Home Fires Burning' wedi'i sgwennu gan Ivor Novello o Gaerdydd; ac mae Meic Birtwistle yn ei gyfrol *Rhyfelgan* wedi dangos hefyd sut y byddai rhai beirdd gwlad yn llunio caneuon gwladgarol yn y Gymraeg, i'w canu ar donau poblogaidd.

Ond pan fo sôn am y Cymry'n canu yn y ffosydd, emynau sy'n cael eu henwi bron bob tro. Dyma lythyr gan Llewelyn Turner o Bwllheli, er enghraifft:

> *Y mae yma barti o tua 30 o fechgyn ieuanc o Gymru yn ymgynull at eu gilydd mewn ffos yn agos i mi ac yn canu hen emynau Cymreig. Y maent yn arwain fy meddwl ar unwaith adref at fy hen gyfeillion. Dyma rai o'r emynau a genir ganddynt: 'O Fryniau Caersalem ceir gweled', 'Beth sydd i mi yn y byd', 'Yn y dyfroedd mawr a'r tonau', 'O gariad, o gariad, anfeidrol ei faint', 'Oleuni mwyn, o arwain ni'.* [... Y] *mae gwrando arnynt yn fy llanw a'r hapusrwydd mwyaf y gallaf feddwl am dano ar y ddaear hon.*

Wrth gwrs, byddai llawer iawn o'r milwyr ym mataliwn Dafydd wedi'u magu yn y capel hefyd, fel Llewelyn. Roedden nhw'n blant eu cyfnod a phan oedden nhw'n iau, roedden nhw wedi tystio i Ddiwygiad Evan Roberts yn ysgubo drwy Gymru. Ond ni ddylid dehongli eu hoffter o ganu emynau fel arwydd eu bod nhw o reidrwydd yn fwy 'ysbrydol' na'u cyd-filwyr o Loegr. Roedd yr emyn yn nerthu ffydd rhai, bid siwr, ond roedd hefyd yn ddatganiad o hunaniaeth Gymraeg.

Gwelwn yma efallai, **ddechrau** symudiad yr emyn o fyd y capel i fyd canu gwerin. Wrth gwrs, dau fyd sydd wedi gorgyffwrdd erioed ydynt – byddai Pantycelyn yn menthyg ei donau o'r byd seciwlar, ac (er bod rhai yn gwaredu at y syniad) y mae gwaddol gerddorol y capeli wedi hen ymdreiddio i'r tafarnau a nosweithiau seciwlar heddiw. Ac er bod y rhan fwyaf efallai yn morio canu'r geiriau yn ddigon di-feddwl a di-hid ar adegau felly, hoffwn feddwl fod ambell un yn cael ei gyffwrdd, nid yn unig gan rym y tonau ond hefyd gan rym y geiriau, a'u neges. Dyna hynodrwydd cân – ymhob oes. Gallwn fynegi mewn cân ryw deimladau nas gallwn eu mynegi mewn geiriau.

Roedd Dafydd yn sicr yn credu fod canu yn llesol i'r dynion dan ei orchymyn – ond fel y cawn weld, roedd hynny'n bennaf am iddo weld cerddoriaeth fel ffordd o gadw ei filwyr rhag temtasiynau eraill!

Mae'r llythyr a ysgrifennodd at ei fam o'r reserve line ger Givenchy yn parhau fel hyn:

> Yr ydym yn disgwyl gramaphone yma, rhodd i'r company; rhaid i mi gyfaddef mai fi sydd yn ei roi, ac yna byddwn yn cael concerts bob nos gobeithiaf.

Roedd gramoffonau wedi dod yn boblogaidd iawn yn ystod blynyddoedd cyntaf yr ugeinfed ganrif. Er bod 323 mil o bianos yn dal i gael eu gwerthu o gwmpas y byd yn 1914, gwerthwyd 500 mil o gramoffonau y flwyddyn honno. Roedd 'selections on the gramophone' wedi dod yn eitem reolaidd mewn cyfarfodydd adloniannol yn y trefi ac yng nghefn gwlad fel ei gilydd – a doedd canolbarth Ceredigion ddim ar ôl yn hyn o beth; mewn 'cwrdd clebran' yn yr ysgoldy yn Nantcwnlle, er enghraifft:

> *Bu Mr. Jenkin Evans, Perthnoyadd, mor garedig a dyfod a'i* gramophone *i fyny, ac nid oes eisieu dweyd fod pawb wedi mwynhau hwn.*

Erbyn y Rhyfel Mawr roedd siopau'n gwerthu gramoffonau ymhob rhan o Gymru – ac mae'r hysbyseb hon o'r *Rhondda Leader* yn ffefryn gen i:

> *Enjoy yourselves during the long Winter evenings by purchasing a GRAMOPHONE at W. WILTSHIRE'S Cycle, Phono and Athletic Depot., PENTRE.* (...) *Latest Gramophone and Phonograph Records. Also Large Stocks of Flash Lamps, Footballs, Jerseys, and everything in the Sporting line at rock bottom prices.*

(Am gyfuniad rhyfeddol o nwyddau – 'flash lamps' a 'footballs' – i gyd yn yr un siop!) Gyda dyfodiad y rhyfel, roedd siop Orchestrelle ym Mae Colwyn wedi bod yn ddigon craff i weld fod marchnad newydd bosib i'w nwyddau ymhlith aelodau'r lluoedd arfog:

> *Soldiers and Sailors everywhere are deriving continual enjoyment from the Compactophone. Wherever duties take them the Compactophone can go. PRICE £4 4s.*

Ac nid siop Orchestrelle oedd yr unig un i weld y cyfle hwn; roedd cwmni Decca hefyd yn marchnata un o'u peiriannau fel y 'Trench Decca'. Byddai Dafydd wedi gweld y gyfres o hysbysebion ganddynt yn y papurau newydd, yn dangos milwyr yn y ffosydd yn gwrando'n fodlon ar un o'u peiriannau; ac roedd gramoffonau yn ddigon cyffredin yn y ffosydd i gael eu crybwyll mewn cân boblogaidd a ysgrifennwyd yn 1916, sef 'Take me back to Dear Old Blighty':

Jack Dunn, son of a gun, somewhere in France today
Keeps fit doing his bit, up to his eyes in clay
Each night after a fight to pass the time along
He's got a little gramophone that plays this song.

'Dyn ni ddim yn gwybod pa fath o gramoffon roedd Dafydd wedi penderfynu ei brynu, ond does dim amheuaeth ynglŷn a'i reswm dros ei brynu, fel yr esboniodd wrth ei fam:

> Credaf mai dyna fydd y ffordd oreu i gadw rhai o'r bechgyn yma allan o dafarndai Ffrainc pan y byddwn yn mynd yn ôl am rest. Rhaid i mi fod yn strict ar gwestiwn y cwrw yma. Os dof ar draws dyn wedi cael gormod o gwrw, câ fynd i'r clink ar unwaith; dwy neu dair mlynedd o brison life fydd y canlyniad. Nid oes gennyf ddim ffydd mewn meddwyn.

Roedd yr *estaminets* lleol yn gyrchfannau poblogaidd pan oedd y dynion allan o'r lein. Caffis digon di-lun oedd rhain, yn gwerthu wy a tjips, gwin a chwrw. Roedd Dafydd wedi gweld yn y Rhyl, adeg y terfysg yn erbyn siop yr Almaenwr Fassy, beth allai ddigwydd pan oedd milwyr cyffredin yn colli'u pennau, ac roedd yn fodlon disgyblu'n llym i osgoi hynny. Yn wir, wrth gyfeirio nôl at ryw sylw coll gan ei fam am rialtwch meddw yn ardal Tregaron, awgrymodd wneud yr un peth gartref hefyd!

> Credaf pe bai magistrate Tregaron yn rhoi 3 years penal servitude, fel y câ bechgyn allan yma, y buasai llai o feddwi yn yr ardal. Dylsai y bechgyn oeddech yn ddweud wrthyf ychydig llythyron yn ôl gael dod allan yma am fis. Ni fyddai chwant cadw swn arnynt pan ddeuent yn ôl.
>
> Nid oes gennyf ychwaneg heddyw. Cofion cynesaf at bawb.
>
> Dafydd

Roedd Dafydd, fel y gwyddom, yn llwyr-ymwrthodwr. Ond os oedd ei safbwynt yntau ynglŷn â'r ddiod feddwol yn gwbl glir, roedd agwedd y fyddin yn llai cyson. Gwir fod meddwdod yn drosedd y gellid ei gosbi â dirwy hyd at ddecswllt; 'field punishment no.1' (lle clymid milwr at olwyn gwn am ddwy awr bob dydd); neu garchar hyd yn oed. Ond roedd y fyddin hefyd yn rhoi dogn o *rum*, sef wythfed ran o beint, i bob milwr ddwywaith yr wythnos; ac yn ddyddiol pan oedden nhw yn y llinell flaen. Gan fod y fyddin yn rhoi alcohol i'r dynion, prin y gellid yn rhesymol eu gwahardd rhag ceisio mwy yn eu hamser rhydd! A chyn belled fod y dynion yn gallu gwneud eu dyletswydd wedyn, doedd awdurdodau'r fyddin ddim yn gwarafun i'r dynion eu gollyngdod achlysurol yn yr *estaminets*. Gwyddai'r uwch swyddogion nad oedd crefydd yn gysur i bawb; a bod rhai'n troi at alcohol er mwyn delio â thrawma rhyfel, fel mae'r gerdd hon gan filwr Awstraliaidd yn tystio:

> *You say we're mad when we strike the beer!*
> *But if you'd stood in shivering fear*
> *with the boys who bring the wounded back,*
> *cross no-man's land where there ain't no track,*
> *you'd read no psalms to the men that fight!*
> *You'd take to drink to forget the sight*
> *of torn out limbs and sightless eyes,*
> *or the passing of a pal that dies.*

* * *

Nid oes sôn am y gramoffon yn llythyrau Dafydd ar ôl hyn, sy'n drueni. Byddai'n ddiddorol gwybod a lwyddodd ei strategaeth i gadw'r dynion o'r *estaminets*. A byddai'n ddiddorol gwybod hefyd pa recordiau roedd e wedi'u harchebu i'w chwarae i'r dynion. Roedd cryn amrywiaeth ar gael, fel y tystia un o'r hysbysebion ar gyfer y Trench Decca:

> *In an instant boredom vanishes. (...) First something light from a Revue, next a 'cello solo or a song, then a little 'patter' and so on. Everyone's taste is gratified and whether it be ragtime or a Queen's Hall orchestral triumph, the music is perfectly rendered by the inimitable 'Decca'.*

Yn eironig, un o'r ychydig bethau na fyddai ar gael ar ddisg oedd emynau Cymraeg. A'r rhain, yn ôl sawl ffynhonnell, fel y gwelsom eisoes, fyddai yn codi calonnau'r milwyr Cymreig, cyn yr ymosodiad

Swyddogion tanc yn gwrando ar gramoffon, 1917

ar Goed Mametz yng Ngorffennaf 1916. Mae Tom Nefyn Williams yn ei hunangofiant *Yr Ymchwil* wedi rhoi darlun dirdynnol inni o sut yr oedd canu emynau wedi ei nerthu yntau a'i gyd-filwyr, cyn brwydr arall ryw naw mis yn ddiweddarach:

> *Sylweddolai pobun ei fod wyneb-yn-wyneb ag angau (...) A mawr oedd y straen ar deimlad a meddwl, yn arbennig felly ar eiddo y rhai na fuasent o'r blaen yn blasu o ruthr (...) brwydr fawr.*
>
> *Toc, a hithau oddeutu un ar ddeg o'r gloch y nos, dyma lais tenor yn canu'r barrau cyntaf o'r dôn* Diadem. *"Cyduned y nefolaidd gôr", y rheini oedd y geiriau. Ar drawiad, yn gymwys fel pe gwasgasai rhywun glicied reiffl, ergydiodd ein hyder a'n pryder i linellau olaf y pennill. Megis cwch rhwyfau yn mynd o don i don, llithrasom ninnau yn ddiymdrech o emyn i emyn:* Diadem, *yna* Cwm Rhondda; (...) Dwyfor, *yna* Tôn y Botel; Gwylfa, *yna* Crug-y-bar; Aberystwyth, *yna* Rhos-y-medre. *Cymanfa ganu bell-bell o bob addoldy, ac ar drothwy'r cyfyngder gwaethaf!*

Ond rydym yn rhedeg ymlaen yn rhy bell. Nid oedd Dafydd na'i fataliwn eto 'ar drothwy'r cyfyngder gwaethaf'. Awn yn ôl felly i Ebrill 1916, i le o'r enw Le Touret.

Ceir manylion am ffynonellau pob dyfyniad yn y bennod hon, a phob un sy'n dilyn, ar wefan Gwasg Carreg Gwalch:
https://files.ekmcdn.com/92a6b5/resources/other/anwyl-fam-nodiadau.pdf

17

'Pedwar diwrnod yn y trenches a phedwar allan, am bedwar niwrnod ar ugain'

(*Le Touret – La Gorgue: Ebrill 1916*)

Ar y cyntaf o Ebrill 2016, roeddwn i'n eistedd mewn *cafe-tabac* yn Le Touret. Profiad od oedd darllen llythyr Dafydd o union gan mlynedd ynghynt, a gwybod mai o'r pentre bach hwn yr ysgrifennodd ef. Tybed oedd e wedi eistedd mewn café ar y pryd er mwyn ysgrifennu adref?

O bosib ar yr union safle hwn? Mae tywyslyfr Baedeker ar gyfer yr ardal yn disgrifio caffis y cyfnod fel a ganlyn:

> *The Cafe is as characteristic a feature of French provincial as of Parisian life and resembles its metropolitan prototype in most respects. It is a favourite resort in the evening, when people frequent the cafe to meet their friends, read the newspapers, or play at cards or billiards. The refreshments, consisting of tea, beer, cognac, liqueurs, cooling drinks of various kinds (sorbet, orgeat, sirop de groseille or de framboise etc.), and ices, are generally good of their kind, and the prices are reasonable.*

Roedd rhai o'r diodydd uchod yn swnio'n ddiddorol: 'orgeat' (sef rhyw fath o surop o gnau almwn) a 'sirop de groseille' (sef rhywbeth wedi ei wneud o betalau hibiscus). Tybed fyddai Dafydd wedi eu profi? Roedd rhyw hanner dwsin yn yfed cwrw wrth y bar yng nghaffi Le Touret ar ddiwrnod cyntaf Ebrill 2016, ond roeddwn i wedi cymryd coffi o barch at ddaliadau Dafydd, cyn ymneilltuo i un o'r byrddau i ddarllen ei lythyr.

> Sadwrn 1/4/16
>
> Anwyl Fam,
>
> Dim ond gair neu ddau heddyw eto, er dweud fy mod yn iach a chyfan. Clywais oddiwrth lawer fy mod wedi fy nghlwyfo. Dim eto. Fe gymer i elyn lawer fy nghlwyfo 'Too clever for the Hun'. Nid yw wedi fy nal eto er fy mod wedi bod yma erbyn hyn bedwar mis.

A dyma Dafydd yn sylweddoli fod brafado o'r fath yn gweddu'n well i'r officers' mess na llythyr at ei fam ac mae'n amodi'r sylw blaenorol yn syth!

Wrth reswm yr ydwyf bob amser mewn perygl ac felly yr wyf finnau yn wyliadwrus.

Nid oes gennyf ddim neullduol heddyw. Yr oll yn hynod dawel. Byddaf yn mynd i'r trenches heno ac felly erbyn y cewch chwi hwn, byddaf allan eto. Pedwar diwrnod yn y trenches a phedwar allan am bedwar niwrnod ar ugain ac yna mynd yn ol am fis o rest. Dyna y trefniadau ar hyn o bryd.

Roedd symud milwyr yn ôl ac ymlaen yn y modd yma yn helpu eu cadw nhw ar eu mwyaf effeithiol. Nid rwtîn y llinell flaen oedd yn llethu'r dynion cymaint â'r amodau byw. Roedd Llewelyn Wyn Griffith yn gapten gyda'r Ffiwsilwyr Cymreig yn yr un rhan o'r lein, ac yn ei gofiant rhestrodd y

(c)old nights, the discomfort of wet clothes, dragging minutes of anxiety on patrol, the sufferings of men

ond yn anad dim y blinder llethol oedd y broblem. Soniodd Dafydd fwy nag unwaith am ddal i fyny ar ei gwsg pan oedd allan o'r lein. Ond pan gâi gyfle i wneud hynny, roedd ei adferiad yn un sydyn a gallai edrych ar y byd a'i bethau gyda brwdfrydedd newydd:

Yr ydym yn cael tywydd ardderchog ar hyn o bryd. Haf perffaith. Deallaf eich bod chwi wedi cael tywydd garw dros ben yng Nghymru y dyddiau diwethaf ac fod llawer o fywydau wedi eu colli. Credaf ei bod yn waeth yna nac yma.

Nid oes gennyf ragor heno.

Cofion cynesaf at bawb.

Dafydd

Roedd y *Cambrian News* wedi adrodd am eira mawr yn ardal Tregaron ychydig wythnosau ynghynt. Ai colledion ŵyn yw'r 'llawer o fywydau' y mae Dafydd yn cyfeirio atynt yma? (*'One of the severest snow-storms of recent years was experienced during the week ...The mountainous districts were many feet deep in snow. The lambing season has thus opened in very unpropitious weather'*)

Beth bynnag, roedd hi'n chwech o'r gloch yn Le Touret wrth imi orffen darllen llythyr Dafydd a dechreuais wrando eto ar y sgwrs ger y bar. Roedd perchennog y lle yn f'atgoffa o ryw fersiwn Ffrengig o Rhys Iorwerth, hefo gwallt tebyg, crys polo a hiwmor sych tawel. Dywedodd hanesyn am luchio gwydr o un pen bar i'r llall, hwnnw'n ffrwydro ac yntau'n dathlu'i gamp hefo 'Yes!' Pawb yn y bar yn gwenu. Ar y silff y tu ôl iddo, roedd rhesi o bacedi sigaréts yn cyhoeddi'n groch, 'Fumer tue' (Mae ysmygu'n lladd). Roedd Dafydd yn smocio ac fe restrir cetyn ymhlith ei eiddo ar ôl iddo farw. Ond gan nad yw'n sôn dim amdano yn ei lythyrau, nac yn diolch am dybaco, gallwn fentro fod hwn yn arfer nad oedd ei fam yn ei gymeradwyo!

Roedd cetyn yn cael ei ystyried yn fwy gweddus na sigarét i swyddog ifanc, a thybed ai yn ystod ei gyfnod yn yr OTC yr oedd Dafydd wedi dechrau ysmygu? Dyma ddyfyniad diddorol o'r *Cambria Daily Leader* i gefnogi'r ddamcaniaeth honno!

> *The standing orders of an O.T.C. in a university centre includes the following instructions:— As an officer cadet and gentleman you will not smoke a pipe in public. On a route march cadets must not smoke cigarettes, but pipes, as cigarettes are very injurious, and a pipe is healthy.*

Anodd gwybod a fyddai Dafydd wedi credu fod bendithion iachusol i ysmygu cetyn (!), ond yn sicr, roedd yr arfer o ysmygu wedi ymledu'n ddirfawr yn ystod ei oes fer yntau. Roedd ysmygu wedi cynyddu bedair gwaith rhwng 1900–1913 ym Mhrydain, ac yn ôl amcangyfrifon yr awdurdodau, roedd 96% o filwyr Prydain yn ysmygu erbyn dechrau 1915! Yn y ffosydd, credid fod mwgyn yn nerthu dyn dan bwysau – ac roedd yn helpu cuddio'r arogleuon ffiaidd oedd o'i gwmpas. Ond yn bwysicaf oll efallai, roedd yn arfer oedd yn ei gysylltu â'i fywyd blaenorol. Roedd yn ffordd o'i atgoffa ei hun ei fod yn unigolyn – gan mai dyma un o'r chydig bleserau nad oedd yn cael ei reoli gan awdurdodau'r fyddin.

* * *

Mae'r llythyr a ysgrifennodd Dafydd o Le Touret yn ddiddorol am reswm arall. Mae'n un o'r ychydig lythyrau sydd wedi ei ddyddio'n llawn ganddo. Fel arfer, nid oedd yn nodi mwy na pha ddiwrnod o'r wythnos oedd hi. O ganlyniad pan drosglwyddwyd ei lythyrau i'r Llyfrgell Genedlaethol a chael eu rhwymo mewn cyfrol, nid oeddynt bob tro yn y drefn gywir. Serch hynny, gan fod Dafydd yn aml yn cyfeirio at ddigwyddiadau cenedlaethol neu at bethau oedd yn y newyddion lleol, bu modd (gydag ychydig bach o waith ditectif!) weithio allan ym mha drefn y dylai'r llythyrau fod – a dyna'r drefn dwi wedi ei dilyn yn y gyfrol hon. (Ceir mwy o fanylion mewn atodiad ar wefan www.carreg-gwalch.cymru, ynghŷd â nodiadau ynglŷn â ffynonellau'r dyfyniadau ymhob pennod. Yn yr atodiad, rhoddir yr union resymau am ddyfarnu pam fod modd dyddio'r llythyr a'r llythyr i'r diwrnod a'r diwrnod.) Ond yn ddi-os, mae trafferthu dyddio'r llythyrau'n union wedi talu ar ei ganfed am fod modd wedyn eu croesgyfeirio yn erbyn papurau newydd y cyfnod a Dyddiadur Rhyfel y Fataliwn, gan ddatgelu ymhle'n union roedd Dafydd yn Ffrainc ar unrhyw amser penodol – a sawl manylyn arall am ei rwtîn dyddiol.

* * *

Ar y cyntaf o Ebrill felly, ar ôl i Dafydd orffen ei lythyr adref, aeth y fataliwn yn ôl i'r llinell flaen ryw bedair milltir i ffwrdd, gan gymryd cyfrifoldeb am y sector rhwng OLD GERMAN BREASTWORK a LA QUINQUE RUE. 'Normal routine in trenches' oedd piau hi wedyn, yn ôl Dyddiadur Rhyfel y Fataliwn, tan iddyn nhw gael eu rhyddhau bedwar diwrnod yn ddiweddarach, a dyma Dafydd yn achub ar y cyfle i ysgrifennu eto:

10th Welsh Regt
B.E.F.
Iau.

Anwyl Fam.
Dim ond gair neu ddau heddyw eto er hysbysu fy mod yn iach a diogel. Deuais allan o'r line neithiwr ac heddyw yr wyf yn aros mewn room fach tua milldir y tu ol i'r firing line, yr unig room gyfan yn y pentref. Byddaf yma am bedwar niwrnod ac yna byddaf yn mynd yn ol i'r line eto. Y mae yr oll yn mynd ymlaen yn hynod hwylus yma ar hyn o bryd, gweddol cysurus a distaw, er fod shells yn disgyn yn awr ac yn y man heb fod ymhell oddiyma.

Y tro hwn roedd y fataliwn wedi cael billets yn Festubert, yn yr hyn oedd yn ffurfio'r llinell flaen Brydeinig ryw flwyddyn ynghynt – nid oes ryfedd felly fod shells yn disgyn yn agos ac mai un ystafell gyfan oedd ar ôl yn y pentre i gyd.

Y rheswm iddyn nhw fod mor agos i'r llinell flaen oedd mai cwmni Dafydd oedd yn gyfrifol am amddiffyn y 'posts & keeps' yn y tir corsiog o flaen Festubert. Felly roedd ei ddynion yntau'n dal yn y llinell flaen am bedwar diwrnod arall, a dyna sy'n esbonio'r dôn ychydig yn gwynfanus sydd i'r darn nesaf o'i lythyr. Roedd Charles ei frawd wedi ysgrifennu ato o'r gwersyll hyfforddi newydd ym Mharc Cinmel, hefo newyddion am rai o'i gyfeillion o gylch Llanddewi Brefi:

Dywedodd wrthyf fod John Dolfelin a John Manafon wedi gadael Kinmel Park am Chatham i ymuno â'r Gas Company. Y maent hwy yn burion diogel yn awr; ni welant fawr o ymladd mwyach. Nid ydyw yn deg i fechgyn ymunodd ar y cyntaf orfod ymladd tra bod bechgyn sydd yn ymuno yn awr yn cael y jobs da i gyd.

Festubert yn gynnar yn y rhyfel; ychydig o'r adeiladau hyn oedd yn dal i sefyll erbyn 1916.

Hawdd deall rhwystredigaeth Dafydd. Cemeg oedd un o'i bynciau yn y coleg, felly mi fyddai yntau wedi bod yn ymgeisydd delfrydol ar gyfer y Gas Company yn lle bod yn y ffosydd ger Festubert. Ond fel y gwna Dafydd yn aml yn ei lythyrau, ar ôl sylweddoli iddo ddweud gormod, mae'n ceisio rhoi argraff mwy cadarnhaol, 'Nid yw er hyny i filwr rwgnach...' meddai mewn Cymraeg annodweddiadol o letchwith (ond dyma enghraifft arall o Dafydd yn meddwl yn Saesneg ac yna'n cyfieithu i'r Gymraeg – 'However, it's not for a soldier to complain'). Mae'n mynd rhagddo fel hyn:

> ...ac felly ni wnaf finnau rwgnach, er nad ydym ni yn ei chael yn ddrwg; diolch am fy mod yn gadben. Nid ydwyf yn cael hanner y gwaith a ga Lieutenant ei wneud. Y mae gennyf fi bump Lieutenant odditanaf a'm gwaith i yw rhoddi gwaith iddynt hwy i'w wneud. Gallaf wneud hynny yn gampus.

A dyma fe wedi chwalu unrhyw argraff o'i hun fel cwynwr, gan goroni'r cyfan gydag ychydig o hiwmor cynnil!

Ar ôl pedwar diwrnod arall yn yr un sector o'r llinell flaen, daeth y fataliwn nôl i Le Touret ar y 13eg o Ebrill, a'r diwrnod wedyn anfonodd Dafydd lythyr arall adre. Es yn ôl i'r caffi i'w ddarllen. Y tro hwn roedd hi'n llawnach a sawl gŵr a gwraig yn eistedd wrth y byrddau yn lle wrth y bar.

Roedd tipyn yn dod mewn i brynu tocynnau loteri; 'Joker' oedd enw un o'r gemau loteri yma, a 'Euromillions' oedd y llall. Gwenais wrth sylwi ar arwydd uwchben y bar: 'Ceux qui boivent pour oublier, sont priés de payer D'AVANCE Merci!' (Gofynnir i'r sawl sy'n yfed er mwyn anghofio, i dalu O FLAEN LLAW. Diolch!) Ac roedd hynny'n od o berthnasol i lythyr nesaf Dafydd. Ond anghofio **diolch**, yn hytrach nag anghofio **talu** oedd ei broblem ef!

> Anwyl Fam
>
> Derbyniais eich caredig barcel a llythr yn ddiogel. Drwg gennyf na fuaswn wedi dweud fod y lleill wedi dod i law. Y rheswm yw credaf fy mod yn methu ateb ar unwaith a felly pan ysgrifenaf nesaf byddaf yn anghofio pa un a fyddaf wedi cydnabod y parcel ai peidio. Yn aml ni wn a wyf wedi cydnabod llythyron wyf yn dderbyn oddiwrth ffrindiau.

'Os byddi di byth mewn twll, tria ddod mas ohono' – a dyna mae Dafydd druan yn ei wneud yma. Mae'n debyg fod sawl parsel wedi eu hanfon gan Margaret yn yr wythnosau blaenorol a Dafydd heb ddiolch amdanynt! Gallwn ddychmygu fod Margaret wedi ysgrifennu rhywbeth tebyg i hyn: *Gobeithiaf fod rhain yn dy gyrraedd di wir, gan nad wyf wedi cael gair o ddiolch amdanynt hyd yma.* Os yw diolch Dafydd yn hwyr rhaid dweud ei fod yn hynod ddidwyll:

> Diolch i chwi yn gynnes dros ben am yr oll yr ydych yn anfon allan. Ni allai neb wneud yn well ac ofnaf ei bod yn rhwydd i ni anghofio caredigrwydd yn ein gofidiau. Yr oeddwn unwaith yn meddwl y gallwn diolch i chwi yn bersonol diwedd y mis hwn ond erbyn hyn mae pob leave wedi ei gau etto felly rhaid aros am ychydig etto.

Mae 38 o gyfeiriadau at barseli yn llythyrau Dafydd, a'r rheini i gyd yn perthyn i'r cyfnod ar ôl iddo gyrraedd Ffrainc. Dyma un o'i hoff eiriau – a pha ryfedd! Arlwy digon sylfaenol oedd yn y llinell flaen – corn biff, Maconochie stew ac yn y blaen. Lobsgóws mewn tun oedd Maconochie stew; cwmni o Aberdeen oedd yn ei wneud hefo maip, moron, ffa, tatws, nionod – a chydig bach o gig eidion. Yn ôl y milwyr roedd yn weddol petai modd ei gynhesu, ond yn ofnadwy yn oer.

Ac wrth gwrs, nid oedd modd gwneud tân yn ystod y dydd i gynhesu bwyd rhag i'r mwg dynnu sylw'r gelyn. Roedd pethau'n well ymhellach tu ôl i'r llinell flaen, ond roedd parseli bwyd yn ychwanegiad pwysig at yr hyn roedd y fyddin yn ei ddarparu. Mae dyn yn rhyfeddu at y math o bethau yr oedd mam Dafydd yn llwyddo i'w hanfon ato. Mae cyfeiriadau at ffowlyn, teisennau, ac wyau, fel y gwelsom eisoes. Darllenais lythyrau gan filwyr eraill o Gymru yn diolch am dorth a menyn cartre – eto, nid y math o bethau y byddai rhywun yn meddwl eu hymddiried i'r post heddiw!

Mae Dafydd yn cloi llythyr y 14eg o Ebrill ar nodyn mwy ansicr (neu 'ddi-sicr' chwedl yntau);

> Deuais allan o'r trenches neithiwr ac byddaf allan am tua deuddeg niwrnod fel y deallaf yn awr. Ni wyddom wrth reswm pa un a ddal y cynllun ai peidio, efallai y cewn ddychwelyd cyn pen wythnos. Y mae yr oll mor ddi-sicr yma ar hyn o bryd. Nid ydym yn sicr na fydd ymladd caled yma cyn bo hir. 'Let them all come' yw ein cri. Gwnawn ein goreu bawb o honom, er amddiffyn gweiniaid byd.

Ymddengys fod hwn yn gyfnod ansefydlog braidd yn hanes Dafydd ac yntau'n edrych ymlaen at ei *leave* cyntaf ers cyrraedd Ffrainc. Tybed ydi'r cyfeiriad at 'ymladd caled' yn awgrym fod rhyw achlust wedi cyrraedd swyddogion y fataliwn am y 'Big Push' oedd yn yr arfaeth ymhen rhyw ddeg wythnos?

Roedd yn amser symud ymlaen i Dafydd, ac i minnau hefyd. Ffarweliodd â Le Touret a martsio i bentre Le Paradis ar gyfer 'resting, refitting & cleaning up'. Mae 'na bentref Paradwys ar Ynys Môn hefyd ond rhaid dweud nad oedd unrhyw beth neilltuol o nefolaidd ynglŷn â'i gefnder yng ngogledd Ffrainc.

Roedd y lle'n codi'r felan arna'i braidd. I ddechrau, roedd y ffordd i Le Paradis wedi'i chau (mae'n siwr fod 'na ryw neges imi yn fanno!) am fod y lôn yn cael 'peau neuve' neu groen newydd sbon. Pan lwyddais i gyrraedd ar hyd lôn arall, doedd 'na ddim llawer i'w weld yno, heblaw cwmni loriau Du Quesne ac eglwys wedi ei chau er mwyn ei hail-doi a'i thrin yn erbyn 'la foudre' (pydredd sych). Ac yna, ger yr eglwys, gwelais gofeb i anfadwaith a ddigwyddodd yno yn 1940.

Roedd cwmni o filwyr Prydeinig oedd yn ceisio ymladd eu ffordd tua Dunkirk wedi ildio i filwyr yr SS ar ôl rhedeg allan o fwledi. Ond yn lle cael eu cymryd yn garcharorion, cawsant eu saethu. Bu farw 97 ohonynt ond llwyddodd dau i ddianc a thystio i'r hyn oedd wedi digwydd, ac ar ôl y rhyfel cafodd Hauptsturmführer Knöchlein, prif swyddog yr SS ar y diwrnod, ei ddienyddio am orchymyn y drosedd ryfel hon.

Os oeddwn i'n teimlo'n reit ddi-galon wrth symud ymlaen o Le Paradis, nid felly Dafydd nôl yn Ebrill 1916. Roedd y ddaear yn glasu, y tywydd yn gwella, ac ar ôl tair noson yn Le Paradis, symudodd y fataliwn i dref La Gorgue, ychydig cyn y Pasg.

Yno roedden nhw am dreulio gweddill eu cyfnod gorffwys – ac roedd Dafydd yn amlwg wrth ei fodd:

> Fel y dywedais yn fy llythyr y dydd or blaen yr ydwyf allan o'r firing line am tua deuddeg niwrnod ac ar hyn o bryd yr wyf yn aros mewn tre go fawr yng ngogledd F[f]rainc ac felly yn teimlo yn dra hapus, se ond cael gweld dynion mewn civilian clothes unwaith yn ychwaneg, a gweld siopiau prydferth. Er nad wyf ond tua pump milldir o'r firing line nid yw pobl y dref yn hydio taten g[y]da golwg ar gadw goleu allan y nos. Y mae y siopiau yn llawn goleuni ac hefyd y mae y dref yn cael ei goleuo tra y mae llefydd fel Llambedr ac Aberystwyth yn ofni cadw y lleiaf o oleuni. Rhyfedd y gwahaniaith onite.

Tref fach hefo poblogaeth o ryw bedair mil a hanner oedd la Gorgue yn 1916, ond dyma'r lle mwyaf roedd Dafydd wedi ymweld ag ef erstalwm. Ganrif yn ddiweddarach nid yw llawer iawn yn fwy ac es i mewn i siop bapur newydd yn agos i'r canol i holi os oedd yna lyfrau hefo hen luniau o'r dre. Er nad oedd gan y siopwr unrhyw beth o'r fath ar werth, diflannodd i'r gegin tu ôl i'r siop a dod nôl hefo rhai o'i luniau ei hun i'w dangos, gydag ambell un o'r cyfnod cyn y Rhyfel Mawr yn eu plith. Yn y cyfnod hwnnw, roedd llawer o ffatrïoedd a melinau tecstiliau ar waith yn y dre. Dangosodd lun o'i siop, a'r lle dros y stryd – dyma rai o'r ychydig adeiladau oedd heb eu difrodi yn yr ymladd a fu yno ar ôl 1916.

Ceisiais yn ofer am rywle i gael pryd o fwyd. Hanner baguette a theisen bricyll o'r boulangerie oedd fy nghinio yn y diwedd! Eisteddais ar fainc yn bwyta fy mara tra'n edrych ar hysbysfwrdd 'informations municipals' electronig arall – dyma'r ffasiwn diweddaraf yma mae'n rhaid, ond peth newydd i mi ar y pryd.

Nôl yn 1916 er bod Dafydd yn mwynhau normalrwydd cymharol

La Gorgue ddoe

La Gorgue heddiw

La Gorgue a gweld pobl yn gwisgo rhywbeth heblaw lifrai khaki, nid oedd pob dim wrth ei fodd:

> Y mae pob leave wedi ei gau eto. Credaf fod pwys ar ein transports ar hyn o bryd felly nid oes neb yn cael dod adref tan tua hanner Mai. Dyna ydym yn gredu yn awr, efallai yr agorir leave cyn hynny eto.

Gan nad oedd unrhyw argoel y byddai'n cael dychwelyd i Geredigion yn y dyfodol agos, roedd yn naturiol iddo hiraethu ryw fymryn am yr hyn yr oedd yn ei golli:

> A oes Eisteddfod yn Llanddewi dydd Gwener Groglith eleni[?] Nid ydwyf yn cofio a oedd un yno y llynedd. Credaf rywfodd fod un wedi bod yno. Y mae yn ddydd Gwener Croglith Gwener nesaf onidyw. Nid ydym ni yn gweld un gwahaniaeth rhwng dydd a dydd yma a haner ein amser dadleuwn pa dydd or wythnos yw. Onidyw yn rhyfedd [?]

Ysgrifennodd Dafydd lythyr arall adref eto ar ddiwrnod y Pasg, y 23ain o Ebrill, 1916:

> [Y] mae yn Sul yma heddyw ac hefyd yn Sul o bwysig hyd yn od gan y F[f]rancod felly yr ydym heddyw yn [ôl yn] amser Rhyl pan oeddem ni yn mynd i Church Parades a'r civilians hefyd yn mynd i'w gwahanol gapelau. Felly y mae yma heddyw, Batallions yn marchio, band yn arwain a'r bobloedd hefyd yn mynd. Hyfryd olygfa. Ni wna'r F[f]rancwr un sylw o Sul er hyny gwedi hanner dydd, ar ol hyny try y Sabbath yn ddydd pleser.

Roedd sawl un wedi cofio amdano y Pasg hwnnw; llythyr gan Jennie ei gyfnither yn Acton, a llythyr a pharsel gan deulu ei ewythr yn Kensal Rise, a gan Jane ei chwaer yn Globe Street. Ac ar ben hynny i gyd, cyrhaeddodd parsel mawr o sanau i bawb yn y fataliwn:

> ...ac, wrth reswm, yr oedd llawer wedi rhoddi tocyn mewn hosan er dweud pwy oedd wedi ei gwneud ac yn eu plith yr oedd parcel o Dregaron. Daethant yma oddiwrth y Welsh Committee. Yr oedd yn dda gennyf weld socks yn dod i law o Dregaron rywfodd. Yr oeddwn wedi gweld yn y papur eu bod yn gweithio yn Tregaron er gwneud 'comforts for the troops'...

Roedd y cyfnod o orffwys ar fin dod i ben. Yn ogystal â'r gorymdeithio i'r eglwys y Sul hwnnw, roedd 'na waith i'w wneud: 'cleaning up of billets &c in preparation for the move tomorrow' chwedl Dyddiadur Rhyfel y Fataliwn. Y tro hwn roedd Dafydd yn fodlon rhannu ychydig o wybodaeth am le yr oedden nhw'n mynd nesa:

> byddaf yn mynd i mewn ir line nos yfori. Line weddol lle yr ydym yn mynd i fewn y tro yma, llawer gwell na yr line yr oeddem y tro o'r blaen. Gallwn fynd oddiamgylch faint fyd fynnwn yn y dydd yma y mae y trenches mor dda. Byddwn fewn ac allan am un diwrnod ar bymtheg ac yna yn ol pob tebyg bydd[w]n yn dychwel yn ol i'r dref yma.

Ar nos Lun y Pasg felly, 24.4.1916, aeth Dafydd yn ôl i'r llinell flaen rhwng Sunken Road a Moated Grange. Os oedd y ffosydd yma yn sychach ac yn ddyfnach na'r rhai blaenorol yng nghyffiniau Festubert, nid oeddynt damaid ddiogelach ac mae Dyddiadur Rhyfel y Fataliwn yn nodi ar ddiwedd y cyfnod hwn yn y llinell flaen: 'Our total casualties during this tour were 1 O.R. killed & 2 OR wounded.'

Yr 'Other Rank' oedd wedi'i ladd oedd un o filwyr hŷn y fataliwn, Preifat William Williams o Matthewstown yng Nghwm Cynon. Roedd yn 47 pan gafodd ei ladd. Un o Abercarn ydoedd yn wreiddiol ond roedd yn byw yn y Porth pan listiodd hefo'r 10th Welsh yn 1914. Er nad oedd yn briod, roedd ganddo chwaer oedd yn dal i fyw yng Nghwm Cynon. Nid yw'n hysbys a oedd yn filwr yng nghwmni Dafydd ai peidio, ond os nad oedd rhaid i Dafydd ysgrifennu llythyr cydymdeimlad at chwaer Pte. Williams, gwyddom iddo orfod llunio sawl llythyr tebyg yn ystod misoedd cyntaf 1916 am mai pur anaml y byddai'r fataliwn yn mynd i'r llinell flaen ac yn dod yn ôl heb golli neb.

* * *

Nid mynd nôl i dref La Gorgue wnaeth y fataliwn ar 28 Ebrill 1916, ond yn hytrach i'r ffermdy unig yn Riez Bailleul lle buon nhw yn fuan yn y flwyddyn newydd. Ond pan ysgrifennodd Dafydd at ei fam drannoeth, nid oedd unrhyw awgrym fod unrhyw beth wedi digwydd i darfu ar ei hwyliau:

> Yr ydym yn cael tywydd rhagorol ar hyn o bryd ... ac erbyn hyn, tebyg ei bod yr [u]n fath gyda chwi, y mae y dail yn dod allan ac y mae'r coed afalau yn llawn blodau hyd yn oed deg troedfedd o'r lle yr oeddem yn y line y diweddaf. Y mae yn wlad go ffrwythlawn lle yr ydym ar hyn o bryd.

Rhyfedd meddwl am goeden afalau mor agos at y llinell flaen! Ond rhyfeddach fyth gan Dafydd oedd rhai o'r pethau oedd yn digwydd nôl gartref:

> Nid oes gennyf ddim rhyfedd heddyw gyda golwg ar newyddion. Yr oll yn hynod ddistaw yn ein hardal ni os nad yw ymhob man o Ffrainc. Yr ydym ni ar hyn o bryd yn edrych attoch chwi yn Lloegr am newyddion. Mae llawer mwy yn digwydd yna nac yma credaf. Yn enwedig yn yr Iwerddon. Cewn ni yma y papurau, ddiwrnod ar ol Lloegr felly nid yw yn ddrwg arnom gyda golwg ar newyddion. Da genym oedd gweld fod Robert Casement wedi ei ddal. Gobeithio y ca ei dorri yn gan tamaid.

Cafodd Roger Casement (nid Robert!) ei arestio ar 21 Ebrill 1916, cyn dechrau Gwrthryfel y Pasg; ond mae'n syndod nad yw Dafydd yn cyfeirio'n fwy penodol at yr ymladd yn Nulyn, oedd yn tynnu at ei derfyn erbyn y dydd Sadwrn hwnnw pan ysgrifennodd ei lythyr. Gyda phapurau Fleet Street yn cyrraedd Ffrainc ddiwrnod ar ôl eu cyhoeddi yn Llundain, mae'n debyg y byddai hanes y Gwrthryfel yn dew yn yr officers' mess. Ac os oedd Dafydd am weld darn-ladd Casement, allwn ni ond dychmygu beth fyddai ei farn ar y gwrthryfelwyr oedd wedi codi arfau yn erbyn lluoedd Prydain. Neu 'Loegr' fel yr oedd yn amlwg wedi arfer eu galw. Mae hyd yn oed yn sôn am 'chwi yn Lloegr' wrth ysgrifennu at ei fam yng Ngheredigion! Yn anffodus, mae defnyddio Lloegr lle golygir Prydain yn arfer sy'n dal heb ddarfod yn llwyr o'r tir heddiw. Hawdd deall ei bod hi'n fwy cyffredin o lawer yng nghyfnod Dafydd.

Ar ddiwrnod olaf y mis, roedd y fataliwn yn cael ei pharatoi ar gyfer mynd yn ôl i'r llinell flaen:

30.4.16

Training commenced on the usual lines including a vigorous hour spent in bayonet exercise. The enemy's aircraft showed great activity during the early hours of the morning. Normal routine in reserve billets.

Arwyddocaol efallai oedd y cyfeiriad at hyfforddi hefo bidogau. Roedd swyddogion y pencadlys yn awyddus i'r fataliwn wneud mwy na'r 'normal routine in trenches' y tro hwn...

Ceir manylion am ffynonellau pob dyfyniad yn y bennod hon, a phob un sy'n dilyn, ar wefan Gwasg Carreg Gwalch:
https://files.ekmcdn.com/92a6b5/resources/other/anwyl-fam-nodiadau.pdf

18

'Credaf y byddaf yn dod adref cyn diwedd y mis'

(*Riez Bailleul – Merville – Laventie: Mai 1916*)

O Riez Bailleul aeth y fataliwn yn ôl i'r un sector lle buon nhw ar ôl y Pasg. Ac roedd uwch swyddogion y frigâd am fanteisio ar eu hadnabyddiaeth o'r rhan hon o'r lein, drwy ofyn iddynt wneud cyrch ar linell y gelyn. Dechreuodd yr ymarfer ar ei gyfer cyn gadael Riez Bailleul, ac yna yn ystod eu deuddydd cyntaf yn ôl yn y llinell flaen: '*Normal routine in trenches. Organisation & preparation of raiding party*'.

Roedd awdurdodau'r fyddin Brydeinig yn credu mai'r ffordd orau i amddiffyn eu llinell flaen oedd trwy fod yn ymosodol, ac y dylid 'dominyddu' tir neb. 'Tommy's fighting spirit was thought of as a sediment in a heavy wine which unless frequently shaken, would come to settle in the region of puttees or trouser seat,' meddai'r hanesydd Denis Winter. Roedd cyrch ar y ffosydd cyferbyniol yn gyfle i ladd y gelyn, dinistrio rhywfaint ar ei amddiffynfeydd, cymryd carcharorion neu gipio dogfennau o *dug-outs* eu swyddogion ac felly dysgu mwy am fwriad y gelyn. Ond un o sgil-effeithiau anffodus y cyrchoedd hyn, fel y darganfuwyd ar ddiwrnod cyntaf Brwydr y Somme, oedd bod cyrchoedd o'r fath nid yn unig yn 'dangos i'r gelyn pwy oedd y bos', roedden nhw hefyd yn ei annog i gryfhau ei amddiffynfeydd...

Yn anffodus, ni wyddom beth oedd union flaenoriaethau'r cyrch arbennig hwn ar ddechrau Mai, nac yn wir a oedd cwmni Dafydd yn rhan ohono, am fod manylion y cyrch wedi'u cadw mewn chwe atodiad ar wahân i Ddyddiadur Rhyfel y Fataliwn, a'r rheini wedi mynd ar goll erbyn hyn – felly dim ond y sylw moel yma sydd gennym yn crynhoi'r hanes:

> *The raid organised to take place on the night 5th-6th was not successful owing to the failure of a Bangalore Torpedo which did not explode.*

Roedd y 'Bangalore torpedo' yn ddyfais a ddefnyddid i glirio weiren bigog cyn ymosod. Roedd modd ei osod heb adael y llinell flaen. Rhoddid ffrwydron mewn peipen 5 troedfedd o hyd, yna'i selio, a sgriwio peipiau gweigion i mewn i'r un hefo'r ffrwydron ynddi, a gwthio honno allan i ganol y weiren bigog yn nhir neb (yn debyg i frws llnau simdde neu frws llnau draen). Pan oedd y pen pellaf yn y lle iawn, gellid ei danio, gan chwythu llwybr drwy'r weiren. Ond am ryw reswm ni wnaeth y *torpedo* ffrwydro ar noson y 5ed o Fai, dim ond dechrau llosgi. Am fod hon yn arf gymharol newydd, roedd yn bwysig nad oedd yr Almaenwyr yn cael gafael arni, ac felly aeth un o'r swyddogion allan i'w nôl hi, hefo un o'i filwyr. Mab i berchennog siop nwyddau haearn yn y Wyddgrug oedd y swyddog hwnnw, Capt. Robert Jesse Adams Roberts, ond aeth pethau o ddrwg i waeth wedyn, fel y dysgwn o'r *London Gazette*:

> *When shown up by a bright flame emitted by the burning torpedo, he was attacked at fifteen yard's distance by several of the enemy, but both he and his companion threw bombs which caused casualties, and got back safely. The torpedo was destroyed.*

Cafodd Roberts y Distinguished Service Order am ei ddewrder, a chafodd ei 'companion', L/Cpl. Samuel Jones, y Military Medal. Cafodd Jones hefyd ei ddyrchafu'n gorporal llawn a chael mynd adre i Dreherbert ar *leave* yn fuan wedyn; yn ôl y *Rhondda Leader*,

> *(he) was given an enthusiastic reception on his return home on Friday night. A procession headed by the Town Band was formed at the station, and paraded the district.*

* * *

Daeth y fataliwn allan o'r lein ar y 7fed o Fai a ddau ddiwrnod yn ddiweddarach, aethant am gyfnod o orffwys, nid i La Gorgue, y dref lle buon nhw dros y Pasg, ond i Merville. Pan ysgrifennodd Dafydd adre ar y 10fed o Fai, roedd yn amlwg ar ben ei ddigon:

> Deuais yn ol yma neithiwr mewn tref eto ond nid yr un dref ag o'r blaen; tua dwy filldir ym mhellach o'r firing line na'r dref lle yr oeddem o'r blaen. Mae hon yn dref go dda eto! Llawn bywyd. Yr ydym ni bechgyn fy nghwmni i yn aros mewn ty ardderchog dros ben ac yr ydwyf yn cysgu mewn bedroom hardd. Gwely plyf hefyd, y cyntaf wyf wedi gael os tro. Pob tro y deuwn allan fel yma cewn wely go lew ond y mae yr un gefais heddyw neu neithiwr yn ardderchog; deuddeg awr y cysgais a chysgu cysurus hefyd.

Mae Merville yn dref braf hefo sgwâr fawr yn ei chanol, a neuadd y dre yn mynnu'ch sylw yn syth, gyda'i thŵr cloc sydd ddwywaith yn dalach na gweddill yr adeilad.

Crwydrais i gyfeiriad Afon Lys sy'n rhedeg drwy'r dre a gweld cerflun yno a godwyd ar ôl y Rhyfel Mawr – 'aux victimes civiles' (i gofio'r sifiliaid a gollwyd).

Yn eironig difrodwyd y gofeb honno yn ystod yr ymladd genhedlaeth yn ddiweddarach, yn 1940; a phenderfynwyd y byddai gadael y gofeb fel yr oedd yn fwy pwerus na'i thrwsio.

Es yn ôl i ganol y dre a phrynu *chausson pomme* (sef pestri hefo afal yn ei ganol) a chymryd coffi yn *Au Cyrano*, wrth edrych yn hamddenol o gwmpas y sgwâr. Mae neuadd y dre'n llenwi un ochr ond ar y tair ochr arall ceir tai nobl gyda thri llawr o leiaf, a gallwn ddychmygu fel y byddai Dafydd yn gyffyrddus mewn lle fel hwn, lle 'llawn bywyd' chwedl yntau. Penderfynais y dylwn innau aros hefyd – ches i ddim gwely plu, ond yn sicr chefais i mo'm siomi o ran bywiogrwydd y lle.

Cofeb Merville, tua 1925

Cofeb Merville heddiw

Ar ôl swpera a mynd am lasiad o gwrw wedyn, dechreuais siarad hefo artist canol oed o'r enw Gérard. Roedd hwnnw wedi'i dal hi braidd ac aeth hi'n dipyn o drafodaeth wrth imi geisio egluro iddo mai iaith ac nid tafodiaith Saesneg oedd y Gymraeg. Dywedais ambell frawddeg wrtho er mwyn enghreifftio'r gwahaniaethau amlwg rhwng y ddwy iaith, a thybiais mod i wedi llwyddo i'w ddarbwyllo o'r diwedd – nes iddo gyhoeddi *mais c'est pas le même Anglais*! (ond tydi hi ddim yr un fath o Saesneg!). A'n gwaredo.

Aeth Gérard allan i'r sgwâr hefo merch y bar a'i ffrindiau, i gael mwgyn (a chael trimio'i fwstásh!). Pan ddaeth y ferch nôl i'r bar, cefais sgwrs gallach o lawer hefo hi, ond drwyddi hi deallais dipyn mwy am yr hen Gérard hefyd. Dangosodd hi lun olew trawiadol yr oedd Gérard wedi'i beintio o berchennog y bar – ac esboniodd pa mor hoff oedd yr artist o chwarae hefo geiriau. Mae e '*devant*', meddai – o flaen pethau, yn ffraeth ei dafod. Cefais enghraifft o hynny pan ddaeth yn ei ôl a disgrifio'i hun fel dyn *nuage* – dyn cwmwl – ac yna, wrth holi amdana' i, gofynnodd a oedd gen i 'wife', ynteu 'wifeman'!

* * *

Tybed sut roedd Ffrangeg Dafydd erbyn mis Mai 1916? Yn ei lythyr cyntaf adre o Ffrainc, nôl ym mis Rhagfyr, roedd wedi gwneud y sylw hwn: 'we have a lot of fun here trying to talk French to the inhabitants. They do not understand a word of English, so the little French I did at school comes in quite handy.' Ar ôl hynny, nid yw'n sôn dim am gyfathrebu mewn Ffrangeg. Tybed a oedd rhaid iddo ddelio gyda'r trigolion lleol ym Merville, ar ran dynion ei gwmni efallai? Mae Lt. Henry Sackville Lawson (1876–1918) o'r Royal Field Artillery yn disgrifio yn un o'i lythyrau adre sut yr oedd wedi ymdrin â maer lleol yn Ffrainc, wrth geisio trefnu llety ar gyfer ei ddynion yntau. Doedd y maer arbennig hwn ddim yn medru Saesneg, tu hwnt i'r gair 'possibility'. Ni waeth beth oedd y cwestiwn, dyna'r unig ateb a geid ganddo:

'Have you any officers' rooms?' 'Pozzeebeelitee'.

'Is the water good?' 'Pozzeebeelitee'.

'Is there plenty of straw?' 'Pozzeebeelitee'.

At last (meddai Lawson) I sprang up off the office chair and said in a loud voice of thunder, 'Je desire ni possibilité *ni* probabilité. *Il faut que vous parlez de* certaintaie.'

(o'i gyfieithu'n fras iawn, 'Dwi'm isio *posibiliadau* gennych chi, na *thebygolrwydd* chwaith – dwi isio *sicrwydd* gennych chi')

Prifathro yng Ngholeg Buxton oedd Lawson cyn ymuno â'r fyddin, ac os oedd yn medru Ffrangeg yn ddigon da i roi'r maer yn ei le, beth yn y byd oedd ar ei ben yn peidio siarad hefo'r dyn yn ei iaith ei hun o'r cychwyn? Yn hytrach na'i fychanu, drwy geisio'i orfodi i siarad Saesneg? Gobeithiaf yn wir nad oedd Dafydd yn rhannu'r un agwedd anffodus â Lawson!

Ond y gwir amdani yw mai pur anaml y mae Dafydd yn cyfeirio at drigolion Ffrainc o gwbl; sonia ryw gymaint am eu dulliau ffermio ac am gyflwr y tir; yn La Gorgue yr oedd wedi eu collfarnu am eu diffyg parch at y Sabath. Ni waeth pa mor rugl neu beidio oedd ei Ffrangeg, beth mae hyn yn ei ddangos efallai yw pa mor anaml yr oedd yn dod i gysylltiad â thrigolion y wlad. Byddai llawer o filwyr Cymraeg yn rhoi'r geiriau hyn fel cyfeiriad ar frig eu llythyron: 'Rhywle yn Ffrainc'. Ond mewn gwirionedd, nid 'rhywle yn Ffrainc' oedd Dafydd am y rhan fwyaf o'i amser, ond yn hytrach mewn gwlad arall o'r enw 'Trenches'. Ac yn wir, mae 'trenches' yn air sy'n dominyddu'r ohebiaeth ganddo; mae'n ymddangos 29 o weithiau, a cheir hefyd 'line' (8), 'firing line' (8), 'front line' (3) a 'British Lines' (1).

Roedd dwy ran i'r 'wlad' hon, gwlad y trenches; sef 'fyny'r lein'; ac 'in reserve'. Dim ond pan oedd y dynion mewn *billets* ar gyfer gorffwys yr oedden nhw'n dod yn agos at y ffin hefo'r wlad 'drws nesa', sef Ffrainc a'i thrigolion.

Efallai iddo deimlo na fyddai mwy o fanylion am Ffrainc o diddordeb i'w fam. Neu efallai fod yn well ganddo ddefnyddio'r gofod prin yn ei lythyrau i holi am hynt a helynt pobl yng Ngheredigion. Fel dywedodd yr hanesydd Krista Cowman, 'in quiet moments behind the lines, epistolary exchanges (...) brought about a temporary, imaginary return to a civilian world'. Ac roedd clywed hanes y byd hwnnw yn llythyrau ei fam, neu yn y copïau o'r *Cambrian News* a dderbyniai ganddi, i weld yn gysur iddo.

Ond os trown yn ôl at y llythyr a ysgrifennodd adre ar y 10fed o Fai, gwelwn fod rhywbeth yn y newyddion o Geredigion wedi ei styrbio serch hynny. Mae'n agor ei lythyr fel hyn:

10/5/16

Anwyl Fam

Derbyniais eich llythr yn ddiogel heddyw a llawer diolch am dano. Yr oedd ei gynnwys yn dra derbyniol ond yr oedd cynnwys y papur yn wael. Ni welais y Cambrian cynddrwg erioed.

Credaf nad newyddion o Geredigion oedd wedi'i dramgwyddo ond yn hytrach y newyddion o Iwerddon, ac mai erthygl olygyddol y *Cambrian News* (5.5.1916) oedd wedi codi'i wrychyn. Yn ei lythyr blaenorol (29.4.1916), roedd Dafydd wedi ymateb yn chwyrn i'r newydd am restio Casement; ers hynny roedd y gwrthryfel yn Nulyn wedi ei drechu, a'r tri cyntaf o blith yr arweinwyr wedi eu dienyddio ar y 3ydd o Fai. Serch hynny, roedd golygydd y *Cambrian News* yn dadlau mai cymodi oedd y ffordd ymlaen yn dilyn y gwrthryfel, nid dienyddio. Dyma flas o'i erthygl olygyddol, o dan y pennawd THE TRAGEDY OF IRELAND:

> *For over a century Great Britain betrayed a total incapacity to assimilate to herself an island within a few hours of our shores. The Home Rule Act ushers in a new era, an era of goodwill.*

Wedi dweud hynny, nid yw'r golygydd yn cymeradwyo'r gwrthryfel yn Nulyn; yn wir, mae'n gweld bod cysylltiad rhwng *extreme agitators* ymhob man:

> *In the South Wales coalfield they appear as Syndicalists; on the Clyde as munition strikers and in Ireland, as Sinn Feiners and they have this common characteristic that they are ever ready to resort to violence (...) to gain their ends.*

Ond ar y llaw arall, roedd y golygydd hefyd yn credu nad trais oedd y ffordd orau i drechu trais, a chlôdd ei erthygl hefo'r geiriau hyn:

> *we already hear cries of vengeance in familiar quarters. We trust the Government will pursue a saner policy. There should be no aftermath of vindictiveness, for it cannot but sow the seeds of further mischief.*

Anodd gen i gredu y byddai hynny wedi bod yn rhyw gymeradwy iawn yn officers' mess y fataliwn, a dyna dwi'n amau sydd tu cefn i sylw Dafydd, 'ni welais y Cambrian cynddrwg erioed'! Ond nid yw'n ehangu ar y sylw, efallai am fod ganddo newyddion da i'w rhannu:

> Yr oeddech yn son am anfon parcel allan i mi. Peidiwch anfon parcel allan i mi yn awr tan y clywch oddiwrthyf. Credaf y byddaf yn dod adref cyn diwedd y mis fwy na thebyg byddaf yn gadael yma ar y 19th. Caf bum neu chwech diwrnod adref. Felly gallwch weld fy mod yn dra hapus yn awr.

Ar ôl disgrifio'i lety a'r cwsg rhagorol yn ei wely plu, fel y clywsom uchod, mae'n terfynu'r llythyr yn frysiog â sylwadau blith draphlith braidd, wrth gau pen y mwdwl:

> Cefais lythr oddiwrth Jane heddyw hefyd. Dywedodd ei bod hithau wedi clywed oddiwrthych ychydig ddiwrnodau yn ol. Cenfigenu wnant fod bechgyn Rhattal heb gommissions tra y mae

Charles a minnau wedi cael.
Nid oes rhagor heno
Cofion cynesaf
Dafydd

Roedd Jane ei chwaer yn gweini hefo'i hewythr Herbert ers dechrau'r flwyddyn yn Globe St yn Llundain, ac heb fod ymhell oddi wrthi yn South Lambeth Road roedd 'na deulu arall o'r hen gymdogaeth hefo busnes llaeth, sef teulu Rhattal.

Ymddengys fod rhywun o'r teulu hwnnw nôl yn Llanio wedi gwneud rhyw sylw wrth Margaret am nad oedd eu bechgyn nhw wedi cael eu gwneud yn swyddogion fel Dafydd a Charles. Efallai y bu Charles ychydig yn ffodus yn hynny o beth, gan nad ymunodd â'r fyddin tan ddechrau 1916, ond roedd Dafydd wedi cael dwy flynedd o brofiad gyda'r Officer Training Corps yn Aberystwyth. Does wybod faint o sôn wnaeth Margaret am y peth yn ei llythyr hithau ato, ond yn amlwg nid oedd Dafydd am godi i'r abwyd y tro hwn. Mae'n ddiddorol cymharu'r ymateb mwy hirben hwn hefo'r ffordd y bu hanes y Gas Company yn amlwg yn dân ar ei groen (gw. penodau 15 ac 17) ac yntau'n teimlo iddo gael rhywfaint o gam. Efallai fod nosweithiau mewn gwely plu wedi'i gwneud hi'n haws iddo weld pethau'n gliriach a chodi uwchlaw rhyw fân gecru fel'na!

* * *

Crefft oedd llythyru, ac ar ei orau roedd Dafydd yn llythyrwr difyr a medrus. Ond mae diwedd y llythyr uchod yn darllen fel 'unrhyw fater arall' mewn cyfarfod cyngor, a'r sawl sy'n cadeirio'n awyddus i gael pawb allan drwy'r drws! Roedd pwyslais ar lythyru'n rheolaidd a chadw cysylltiad, pa un ai oedd newyddion diddorol i'w rhannu ai peidio. Ac fel y gwyddom, 'nid oes un newydd neullduol yw anfon adref y tro yma' a 'mae pob peth yn mynd ymlaen fel arfer' yw'r ddau ymadrodd sy'n cael eu hailadrodd amlaf yn llythyrau Dafydd – efallai i suo ei fam i feddwl nad oedd bywyd yn y fyddin yn fwy peryg na gwaith swyddfa efallai! Ond o ddarllen y brawddegau hyn, dro ar ôl tro, mae dyn yn synhwyro weithiau mai ysgrifennu o ran dyletswydd y mae, nid o ran mwynhad.

Paul Fussell oedd un o'r beirniaid cyntaf i droi at lythyrau a dyddiaduron y Rhyfel Mawr, yn ei gyfrol arloesol *The Great War and Modern Memory* (1975). Roedd wedi gwasanaethu hefo byddin yr Unol Daleithiau ac yn ei lyfr roedd yn awyddus i archwilio'r ffin rhwng y mytholeg am y rhyfel a'r realiti. Wrth bwyso a mesur y rhelyw o lythyrwyr 1914–18, fe'u cafodd yn brin, gan dynnu sylw at eu gorddefnydd o frawddegau ystrydebol, fel 'mae pob peth yn mynd ymlaen fel arfer':

> *The trick was to fill the page by saying nothing and to offer the maximum number of clichés.* Bearing the brunt *and* keep smiling *were as popular as* in the pink. (...) *The main motive determining these conventions was a decent solicitude for the feelings of the recipient. What possible good could result from telling the truth?*

Gwyddom fod Dafydd wedi datgelu ambell fanylyn am y peryglon yr oedd wedi eu hwynebu, er enghraifft yn hanes y *mine* a ffrwydrodd, gan ladd ei gyfaill o Flaenpennal (Pennod 15) – ond ar y llaw arall, gwelsom hefyd ddigon o enghreifftiau ohono yn ceisio osgoi codi ofn ar ei fam. Sy'n codi'r cwestiwn gogleisiol, tybed oedd e'n datgelu mwy am realiti'r llinell flaen mewn llythyrau at eraill, at ei gyfoedion er enghraifft?

Mae Marguerite Helmers yn ei herthygl *The Rhetoric of Letters from the Western Front* (2016) wedi cyferbynnu dau lythyr a ysgrifennwyd o fewn deuddydd i'w gilydd gan Sgt. Robert Constantine. Ysgrifennodd un at ei fam, a'r llall at ei frawd. Mae'n rhannu'r un wybodaeth yn fras hefo'r ddau – ei fod wedi cael aros tu ôl y llinellau ar *detail* golchi blancedi. Ond tra ei fod yn cyffredinoli yn y llythyr at ei fam, er enghraifft:

> *Things are just about the same out here*

(sy'n ein hatgoffa'n syth o rai o hoff ymadroddion Dafydd!), yn y llythyr at ei frawd, mae'n datgelu tipyn mwy.

> *Aeroplanes are playing a big part in this war. Germans come and have a look around and then we get the shells hot.*

Mae pob llythyrwr yn ymwybodol o'i 'gynulleidfa' ac yn addasu'r hyn sydd ganddo i'w ddweud yn ôl yr hyn mae'n tybio wnaiff weddu orau. Efallai'n wir fod Dafydd wedi ysgrifennu llythyrau mwy dadlennol at Charles ei frawd, neu'i gyfeillion. Ond diolchwn am y llythyrau at ei fam sydd gennym, a diolchwn fod perthynas Dafydd â'i fam o'r cyfryw fel y gallai rannu cymaint ag y gwnaeth gyda hi. Ac os oedd pethau eraill nas rhannwyd – wel, bid a fo am hynny. Fel y dywedodd y beirniad Daniel Swift wrth drafod llythyrau ei daid o'r Ail Ryfel Byd:

> *The letters are sparse and I might have liked more, but they tell a pure story of an occupied man.*

Gyda'i gyfrifoldebau fel capten, roedd Dafydd yntau'n 'occupied man' hefyd, ac ychydig wythnosau ynghynt, roeddwn i wedi sylwi ar hynny wrth drafod ei lawysgrifen. Yng ngwesty'r Talbot yn Nhregaron yr oeddwn i, yng nghwmni Ifan Jones Evans yn trafod syniad am raglen gneifio; ac ar ôl i ni orffen hefo hynny, dangosais i rai o lythyrau Dafydd iddo, am fod diddordeb ganddo. Ei gwestiwn cyntaf oedd "Pwy fath o Gymrag o'dd gyda fe?" ac wrth iddo ddarllen y llungopi o lythyr a gynigiais i iddo, syllais allan drwy'r ffenest ar gefn cerflun Syr Henry Richard, Apostol Heddwch. Pan edrychais yn ôl at Ifan, gallwn weld fod llythyrau Dafydd wedi cydio ynddo yntau hefyd. "Ti'n teimlo'i bryder e. Fydde fe byth di meddwl fod dou foi yn mynd i fod yn ishte fan hyn yn trafod ei lythyron gan mlynedd yn ddiweddarach! Mae sgrifen taclus dag e, yndo's e?"

A dyma edrych o'r newydd ar *sut* yr oedd yn ysgrifennu'r hyn oedd ganddo i'w ddweud. Gellir ei ddychmygu'n ysgrifennu'n gyflym ac yn hyderus – dyw'r ysgrifbin yn aml ddim yn codi'n llwyr oddi ar y papur rhwng geiriau, gan wneud i ambell linell ymddangos fel petai'n llawn geiriau cyfansawdd!

Mae ei ffordd o drafod ei ysgrifbin yn ategu'r ymdeimlad mai llif yr ymwybod sydd yn y llythyrau; mae'n cyfansoddi'r frawddeg wrth ei rhoi ar y papur. Prin hefyd yw'r atalnodi a phrin yw'r priflythrennau – arwyddion o frys eto, ond nid yw'r llawysgrifen byth yn flêr.

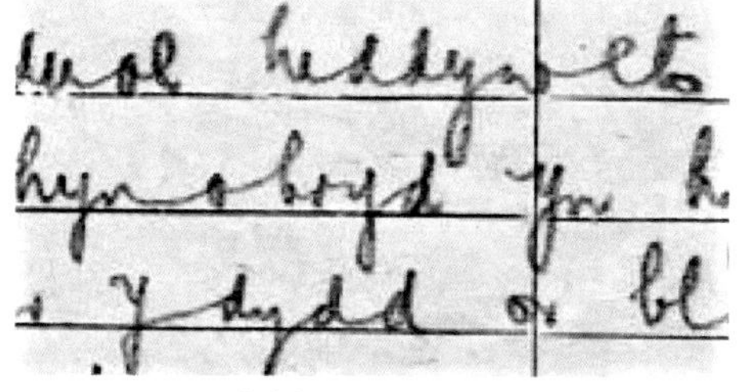

Y pensil ddim yn codi o'r papur

Wrth eistedd hefo Ifan, dyma sylweddoli ar nifer o nodweddion eraill yn iaith ei lythyrau: 'yw' yn lle 'i'w'; 'neillduol' yn lle 'neilltuol'; a 'saf' yn lle 'saff'. Camgymeriad arall a geir yn bur fynych yw 'llythr' yn lle 'llythyr' – tebyg fod Dafydd wedi dysgu yn yr ysgol mai 'cefn' a 'llyfr' oedd yn gywir yn yr iaith lenyddol, er mai 'cefen' a 'llyfyr' oedd pobl yr ardal yn ei ddweud ar lafar. Efallai iddo ddefnyddio'r un rhesymeg gyda'r gair 'llythyr' ond yn yr achos yna, 'llythyr' sy'n gywir, ar lafar ac ar glawr.

* * *

Dim ond un 'llythr' arall a gafwyd ym mis Mai, am fod Dafydd wedi darogan yn gywir – erbyn ail hanner y mis byddai ar ei ffordd nôl adre i Lanio, ac felly heb angen ysgrifennu at ei fam. Wrth roi pin ar bapur ar nos Sul y 14eg o Fai, roedd yn dal yn nhre Merville, ac roedd 200 o filwyr y fataliwn newydd gael eu brechu – ond nid yw'n sôn am hyn, dim ond trafod y tywydd a phryd o datws newydd a gawsai. Roedd ei feddwl yn amlwg hanner ffordd adre'n barod:

> Gwlawiodd yn drwm ddoe, heddyw y mae yn ddiwrnod nice ac erbyn heddyw y mae y ddaear yn dangos gwahaniaeth mawr. Y mae yr oll yma gallwn feddwl llawer yn fwy cynnar na gyda chwi. Y mae tatws yn dod allan yn y caeau yma, ac yr wyf wedi cael pryd o datws newydd yn dref ddiwrnod neu ddau yn ol.
>
> Mwy na thebyg byddaf adref y Sul nesaf os try pethau allan yn iawn. Felly ni wnaf ysgrifennu rhagor yn awr.
>
> Hyd y dof adref
>
> Dafydd

Sgwâr Laventie

Y diwrnod ar ôl anfon y llythyr hwn, cafodd y fataliwn ei harchwilio gan brif swyddog y frigâd a gwnaeth hwnnw 'an exhaustive inspection of billets' hefyd. Roedd yn fodlon hefo'r hyn a welodd, a deuddydd yn ddiweddarach, martsiodd y fataliwn saith milltir i Laventie.

Roedden nhw ar eu ffordd nôl i'r llinell flaen, ond nid Dafydd. Yn Laventie, cafodd ei ryddhau o'r diwedd, i fynd ar *leave*, ddiwrnod yn gynt na'r disgwyl.

Ni allwn ond dyfalu ynglŷn â pha lwybr gymerodd tuag at arfordir Ffrainc, ac a ddigwyddodd unrhyw beth hynod ar ei ffordd yn ôl dros y môr – mae Capt. Llewelyn Wyn Griffith, a gafodd *leave* tua'r un pryd, yn disgrifio derbyn tocyn melyn ar gyfer ei siwrnai yntau ond yn gorfod teithio mewn cerbyd gwartheg (gwag) dros nos i Boulogne. Yno cafodd siafio a bwyta brecwast yng nghlwb y swyddogion ar y cei, cyn prynu potel o eau-de-cologne yn y dre ar gyfer ei wraig, ac yna mynd ar fwrdd y llong. Mor lluosog oedd lluoedd Prydain erbyn hyn, ar ddiwrnod arferol roedd 40 mil o ddynion yn croesi Mor Udd wrth fynd, neu ddod nôl o'u *leave*.

* * *

Anelu am y trên yn hytrach na'r fferi oeddwn innau, ond rhaid i minnau gofnodi un cyfarfyddiad annisgwyl wrth imi ddisgwyl am gael mynd ar yr Eurostar yn Lille...

Cyn mynd ar y trên yn ôl i Loegr, rhaid dangos eich pasbort i un o'r swyddogion Prydeinig, ac felly dyma fi'n cyflwyno'r llyfryn bach i'r gŵr barfog, cydnerth a safai wrth y giât. Edrychodd ar fy mhasbort, ar fy wyneb, ac yna nôl ar y pasbort.

'Seems to be a Welsh theme going on here,' meddai mewn Saesneg gofalus, diacen. Doeddwn i ddim yn siwr be'n union oedd ganddo, felly cynigiais yn fy Saesneg Llundeinig arferol,

'So I'm not the first through tonight then?

Edrychodd ar y pasbort eto, cyn gofyn:

'Where's your father from? '

'Tottenham.'

'Cause he's given you a very Welsh name.'

'He is Welsh, our family have been living in London for a hundred years and more.'

Mae'n rhaid bod hwn yn ymddiddori mewn enwau anghyffredin yn rhinwedd ei swydd. Gwenais a dal fy llaw allan i gael y pasbort yn ôl. Ond roedd rhywbeth yn dal i'w boeni.

'You don't sound Welsh at all', meddai'r swyddog barfog, 'but ap Glyn seems like a Welsh speaker's name – chi'n siarad Cymra'g?'

'Wel bobol bach yndw – 'do'n i ddim yn disgwyl hynna draw fa'ma yn Lille!'

Er nad oedd fawr ddim o acen Gymreig ar ei Saesneg yntau chwaith, roedd y swyddog pasbort yn dod yn wreiddiol o Bontypridd! Roedd yn gweithio i lywodraeth Prydain ond yn byw bellach yn Lille. Yn anffodus, gyda'r ciw yn dechrau ymestyn y tu ôl i mi, nid oedd cyfle inni gael llawer mwy o sgwrs na hynny, ond es i gyfeiriad y trên gyda

gwên ar fy wyneb wrth i'r Gymraeg lwyddo i beri syndod imi unwaith yn rhagor.

Ceir manylion am ffynonellau pob dyfyniad yn y bennod hon, a phob un sy'n dilyn, ar wefan Gwasg Carreg Gwalch:
https://files.ekmcdn.com/92a6b5/resources/other/anwyl-fam-nodiadau.pdf

19

'He looked a picture of health, after many months sojourn in France'

(Llanio: Mai 1916)

Roedd Dafydd wedi cychwyn o Laventie ar fore Iau, y 18fed o Fai 1916, ac erbyn y bore wedyn roedd yn sefyll ar blatfform gorsaf Paddington yn disgwyl trên am orllewin Cymru. Aeth i'r swyddfa deligram gerllaw ac anfon neges i'r Wern am 8.40 a.m.:

Coming home tonight.

Dai.

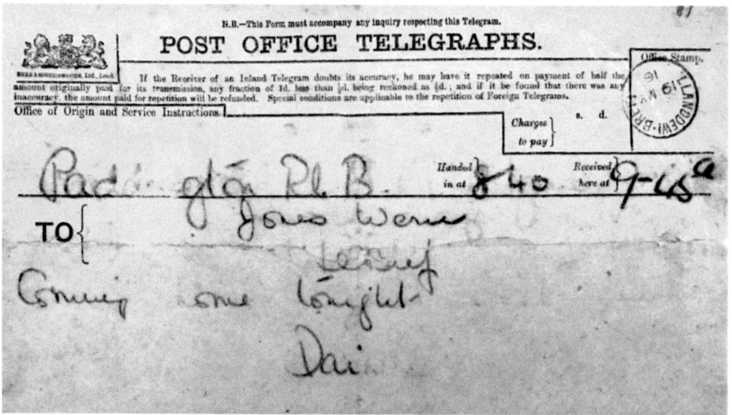

N.B.—This Form must accompany any inquiry respecting this Telegram.

POST OFFICE TELEGRAPHS.

If the Receiver of an Inland Telegram doubts its accuracy, he may have it repeated on payment of half the amount originally paid for its transmission, any fraction of 1d. less than ½d. being reckoned as ½d.; and if it be found that there was any inaccuracy, the amount paid for repetition will be refunded. Special conditions are applicable to the repetition of Foreign Telegrams.

Office of Origin and Service Instructions. Paddington Pl. B. | Charges to pay s. d. | Office Stamp. LLANDDEWI-BREFI

Handed in at 8.40 Received here at 9.45a

TO { J Jones Wern Llanddewi?

Coming home tonight

Dai

Dyw gorsaf Paddington ddim wedi newid llawer ers amser Dafydd. Mae bwâu haearn y to anferth, a gynlluniwyd gan Brunel yn 1854, yn dal i ddenu'r llygad ac i ryfeddu'r meddwl. Ond roeddwn i am weld un peth a ychwanegwyd yn fuan ar ôl cyfnod Dafydd. Ar blatfform 1, yn disgwyl yn amyneddgar ar lwyfan chwe throedfedd o wenithfaen, mae cerflun efydd o filwr o'r Rhyfel Mawr. Mae'n sefyll yn gadarn â'i gôt fawr am ei ysgwyddau, a mwfflar am ei wddf. Plyga'i ben ymlaen fymryn, wrth ddarllen llythyr. Mae'n ddarlun gonest iawn – nid milwr smart, yn torsythu â'i wn sydd yma, ond dyn cyffredin yn lifrai ymarferol y ffosydd.

Y cerflun ar y platfform yn Paddington

Dadorchuddiwyd y cerflun ar Sul y Cofio 1922, i gofio am y ddwy fil a hanner o weithwyr y Great Western Railway a laddwyd yn ystod y Rhyfel Mawr, a chan fod y cerflunydd, Charles Sargeant Jagger, wedi gwasanaethu drwy'r rhyfel ei hun, roedd yn bwysig ganddo ddangos sut roedd milwyr y ffosydd yn edrych go iawn. Fel y dywedodd mewn cyfweliad o'r cyfnod:

> *experience in the trenches persuaded me of the necessity for frankness and truth.*

Gyda'i gerflun ar blatfform Paddington, mae wedi llwyddo i ddal moment dyner, wrth i'r milwr ymgolli yn ei lythyr; ond mae yma gadernid hefyd, fel petai'r cysylltiad hefo'i gartref, sef y llythyr yn ei law, yn nerthu'r milwr rywsut ar gyfer ofnadwyaeth y ffosydd. Dwi'n hoff iawn o'r cerflun hwn; a does 'na ddim

amheuaeth fod llythyrau o gartre yn bwysig iawn wrth gynnal ysbryd milwyr fel Dafydd.

Derbyniwyd teligram Dafydd erbyn 9.45 yn Llanddewi Brefi, ac fe fyddai pawb wedi bod ar bigau drain yn y Wern y diwrnod hwnnw, yn disgwyl yn eiddgar amdano – a Dafydd druan ar drên yn ymlwybro'n araf tua'r gorllewin. Cymerai dros bum awr a hanner i gyrraedd Caerfyrddin; roedd rhaid disgwyl am awr yn fanno, ac yna dwy awr arall o daith, cyn cyrraedd Pont Llanio o'r diwedd, gyda'r hwyr. Ni allwn ni ond dychmygu'r croeso a gafodd, ar y platfform ac wrth ei hebrwng yn ôl i'r tŷ.

* * *

Waunclawdd

Yn ystod ei gyfnod gartref, mae'n debyg y byddai Dafydd wedi ymweld â sawl aelwyd teuluol yn yr ardal. Roeddwn i'n awyddus i weld hen gartref ei fam yn Waunclawdd. Roedd mam-gu Waunclawdd wedi marw cyn geni Dafydd, a'i dad-cu pan oedd yn fachgen ifanc – ond roedd Mary Ann, chwaer ei fam, yn dal i fyw yn yr hen gartref. A byddai Dafydd wedi dymuno diolch iddi ac yntau wedi derbyn sawl llythyr a pharsel ganddi yn ystod ei gyfnod yn Ffrainc.

Mae Waunclawdd ryw filltir a hanner allan o Llanddewi Brefi ar ochr ddwyreiniol y pentre – ac mae'n golygu tynnu fyny rhyw 500 troedfedd digon serth ar lethrau Banc y Gwyngoed. Nid oedd modd imi fynd at y fferm ei hun, ond hyd yn oed led cae i ffwrdd, roedd y golygfeydd dros Ddyffryn Teifi yn odidog. Yn ôl traddodiad teuluol, Charles, tad Margaret a Mary Ann, a gododd Waunclawdd fel tŷ unnos. Roedd yn ddyn duwiol iawn a phan fuodd farw yn 1899, dywedwyd amdano yn y *Faner*:

> *Amaethwr bychan ydoedd, yn byw yn agos i ben un o'r mynyddoedd sydd yn cysgodi y llanerch; ac er fod ganddo ffordd anhygyrch i deithio ar hyd-ddi dair gwaith pob Sabbath, ac yn nghanol yr wythnos yn aml, ceid ef yn hynod ffyddlawn; a thystiodd rhai yn ei gladdedigaeth ei fod wedi cerdded yn ôl a blaen gymmaint a phe buasai yn amgylchynu y byd.*

Milltir a hanner yw hi lawr i gapel Bethesda ynghanol y pentre – ond o fynd nôl a mlaen dair gwaith ar y Sul, byddai hynny'n golygu naw milltir i gyd.

Pan symudodd Margaret a Thomas i'r Wern roedd hynny fymryn ymhellach eto o gapel Bethesda, yr ochr arall i Afon Teifi – ond dim ond yn y bore a'r nos y bydden nhw'n mynd i Fethesda. Ar gyfer Ysgol Sul yn y prynhawn, byddai'r teulu'n mynd i Ysgoldy Llanio, ryw chwarter milltir i ffwrdd; serch hynny, byddai defosiynau'r Sul yn dal i olygu rhyw 7 neu 8 milltir o gerdded nôl a mlaen i deulu'r Wern. Ond dyna'r drefn ac nid oedd yn faich o fath yn y byd i Margaret Jones, oedd wedi arfer dringo'r llwybrau serth yn ôl a mlaen o Waunclawdd!

Roedd Charles Jones ei thad yn olau yn ei Feibl, ac yn ôl y *Faner*, pan gladdwyd e:

> *Sylwyd yn y bregeth ei bod yn ammheus a oedd un, o fewn ugain milldir, ag oedd yn fwy gwybodus (ag eithrio y pregethwyr), yn yr Ysgrythyr. Anrhydeddwyd ef a phob swydd ag y gallai yr Ysgol Sabbothol ei rhoddi iddo. Bu yn gynnrychiolydd, yn ymwelydd, yn arolygwr, ac yn athraw am dros drigain mlynedd. Yr oedd yn dderbyniwr cysson o'r FANER er ei chychwyniad, ac yr oedd yn edmygydd mawr o'r diweddar Mr. Gee. Clywsom ef yn dyweyd ei fod wedi cael llawer o wybodaeth wleidyddol a hanesyddol trwy ei ysgrifau galluog.*

Magwyd Margaret felly ar aelwyd grefyddol – ond roedd gan ei thad ddiddordeb byw yng nghwrs y byd hefyd, a thebyg fod hynny wedi gadael ei ôl ar ei ferch. Yn ôl ei hŵyr, Dafydd Jenkins, 'crefydd ac addysg oedd o bwys mwya iddi yn y byd 'ma'. Roedd Charles Jones yn sicr wedi llwyddo gosod safonau digon llym iddi ynglŷn â chadw'r Saboth, ac mae Dafydd Jenkins hefyd yn cofio stori ddigon dadlennol amdani, a gafodd gan ei fam Blodwen. Roedd Margaret Jones a Blodwen yn cerdded adref o'r capel ryw fore Sul, a be welson nhw'n mynd heibio ar hyd y ffordd fawr, ond siarabáng, a'i lond o ymwelwyr. Rhyfeddai Margaret at y fath ymddygiad, gan ddweud:

> *Pwy nefo'dd sydd i'r rhein, gwed?!*

Wrth gwrs, mae'r ffaith fod yr hanesyn hwn wedi ei chofio gan ei merch, yn dangos fod agweddau'r genhedlaeth nesa ychydig yn fwy cymodlon! Ond dyna grefydd Margaret; a dyna sut y magodd hi Dafydd a gweddill y teulu.

Bethesda

Teimlwn felly ei bod hi'n bryd imi ymweld â chapel Bethesda, yn Llanddewi Brefi, lle roedd teulu'r Wern yn addoli erstalwm. Anodd gorbwysleisio pwysigrwydd y capeli ym mywyd ardaloedd fel hyn. Er bod poblogaeth Ceredigion wedi lleihau o ryw 13,000 rhwng 1871 ac 1901, roedd nifer y capeli yn y sir wedi cynyddu, gyda 47 o addoldai newydd wedi eu codi yn ystod y cyfnod yna. Ysywaeth, wedi'r penllanw hwnnw, trai hir a welwyd dros y ganrif wedyn. Ar y Sul arbennig pan drois i mewn, yn y festri roedd oedfa'r bore, a rhyw bump ar hugain yn bresennol. Er mai criw hŷn oeddym ar y cyfan, roedd hi'n braf gweld tair cenhedlaeth o deulu Llanio Fawr yno; a braf hefyd oedd gweld ambell wyneb cyfarwydd arall oedd â gwreiddiau yn Llanio, fel Eirwen Tŷ Mawr, Cyril Evans, a Sarah Plas. (Roedd Cyril yn arfer gweithio yn y Llyfrgell Genedlaethol ac ef oedd wedi bod yn gyfrifol am gasglu llythyrau Dafydd gan Megan ei chwaer yn 1994, a'u hebrwng i Aberystwyth).

Cafwyd oedfa ddigon diddorol y Sul hwnnw. Dangoswyd ffilm am y gwahanglwyf, gan ei bod hi'n *World Leprosy Day*; a phregethodd y gweinidog Carwyn Arthur ar y testun 'nad oedd rhaid i ufudd-dod fod yn faich'. Credaf y byddai Dafydd, ar ôl blwyddyn a hanner yn y fyddin, wedi amenio i hynny! Daeth y gwasanaeth i ben gyda'r emyn hyfryd 'Dyma gariad fel y moroedd, tosturiaethau fel y lli'; ac yna cefais gyfle i fynd drws nesa i'r capel ei hun, yng nghwmni Eirwen, Cyril a Sarah.

Cerddodd Eirwen o gwmpas, gan ddangos ym mha gorau, neu seti, y byddai pawb yn eistedd erstalwm:

Byddai'r morynion yn y stâl yn y cefen fan co, fel bod nhw'n gallu mynd mas yn gynt, yn ôl at eu gwaith... wedyn yn y côr hyn, rhif wech,

Capel Bethesda

teulu ysgoldy Llanio o'dd yn perthyn i Cyril o'dd man 'na... wedyn 13, côr ni, Tŷ Mawr Llanio... ac wedyn o gwmpas ffor 'yn, rhif 27 fi'n credu, o'dd côr Penlanwen; a rhywle yn y cyffinie 'ma bydde teulu Wern Isha wedi iste, am bod nhw'n perthyn i deulu Penlanwen.

(Penlanwen oedd cartre Owen Jones (1878–1966), brawd iau Thomas Jones y Wern; treuliodd gyfnod yn gweithio yng Nghanada, cyn dod nôl i ffermio yn ei ardal enedigol.)

Wrth edrych o gwmpas y capel fel y byddai Dafydd wedi ei wneud, yr adnod tu ôl i'r pulpud oedd yn tynnu sylw yn gyntaf: 'Duw Cariad Yw', mewn llythrennau troedfedd o hyd. Ond o graffu'n fanylach gwelwn hefyd gofeb bres i Mary Roberts, Foelallt a ymfudodd i'r Unol Daleithiau. Hi oedd mam-gu Harriet Beecher Stowe, awdur enwog *Uncle Tom's Cabin*.

Bu Dafydd yma am y tro olaf ar yr 21ain o Fai 1916. Ddau fis yn ddiweddarach, byddai'i deulu a'i gymdogion yn ymgynnull yng nghapel Bethesda ar gyfer ei wasanaeth coffa.

* * *

Ysgoldy Llanio

Ar ôl llond plât o ginio dydd Sul yng nghlwb rygbi Tregaron (ac ar ôl taro'n annisgwyl ar berthnasau imi o Wernfelen, Pontrhydfendigaid, oedd yn digwydd bod yno'n ciniawa'r un pryd!), es i draw wedyn yng nghwmni Eirwen, Sarah a Cyril i wasanaeth y prynhawn yn Ysgoldy Llanio.

Ysgoldy Llanio

Mae'r ysgoldy yn dyddio o 1859, ac mae'r adeilad yn hŷn na Chapel Bethesda yn Llanddewi Brefi. Mae drws coch plaen yn agor o'r lôn mewn i gyntedd bychan chwe throedfedd o hyd, ac yna ceir yr ysgoldy ei hun; ystafell fawr blaen, rhyw 20 troedfedd wrth 30, gyda phulpud isel yn un pen, a meinciau ysgol hynafol y gellir eu symud at ddibenion y gwahanol ddosbarthiadau Ysgol Sul

Gweddill ffyddlon sy'n cadw'r lle i fynd heddiw, a chafwyd cyfarfod anffurfiol a hynod gartrefol. Ers ei sefydlu ganrif a hanner yn ôl, mae'r ysgoldy wedi bod yn anenwadol, ac yn hyn o beth, roedd pobl Llanio ymhell o flaen eu hamser! Byddai'r drafodaeth yn yr Ysgol Sul yn aml yn ehangu'n naturiol i gwmpasu cwestiynau gwleidyddol y dydd, a'r dadansoddi'n parhau tu allan wedyn ar ôl i'r Ysgol Sul ddod i ben, gan gymaint y blas ar y trafod. Yn ôl Eirwen, byddai Ysgoldy Llanio wedi chwarae rhan bwysig ym magwraeth Dafydd:

> *Bydde fe wedi bod yn aelod yn y dosbarthiade, mwy na thebyg o dair o'd, lan i'r oedran pan o'dd e'n gadael yr ardal ma... bydde 'na gwrdd dechre'r flwyddyn, cwrdd diolchgarwch, ac wedyn fe fydde 'na arholiad ysgol Sul a gymanfa bwnc ac yn y blân... bydde'r pethe 'ma 'di bod yn gerrig milltir yn ei fywyd e.*

Ac roedd un agwedd ar weithgarwch yr Ysgoldy lle roedd mam Dafydd yn cymryd rôl mwy blaenllaw, yn ôl Eirwen:

> *Wel o'dd Mrs Jones... mae'n debyg mai hi o'dd yn gyfrifol am beth o'n nhw'n galw'r 'te bocsus' slawer dydd, ch'mod, te'r genhadaeth... felly o'dd hi ar yr ochr ysbrydol, ond yn edrych mas i'r gymuned ehangach. Ro'dd yn dal i fynd pan o'n i'n ifanc, cyn y Nadolig, ac mae arna'i ofan gweud... o'dd pobol yn rhoi'u harian mewn i ben negro pren gyda tyrban!*

Yn ystod y Rhyfel Mawr byddai aelodau'r Ysgoldy'n cynnig cymorth ymarferol hefyd i feibion y fro oedd wedi ymuno â'r fyddin. Soniodd Dafydd fwy nag unwaith yn ei lythyrau am eu caredigrwydd yn anfon parsel Nadolig ato. Ond rywsut, presenoldeb ei fam oedd i'w synhwyro fwyaf wrth i mi godi i fynd o'r adeilad.

Wrth i Eirwen gloi drws yr Ysgoldy, tynnodd fy sylw at goflech syml ar y wal allanol, er cof am Alun Edwards. Alun oedd ewythr Cyril, ac fel prif lyfrgellydd Ceredigion helpodd sefydlu'r Cyngor Llyfrau, Coleg y Llyfrgellwyr ynghyd â sawl cymwynas arall i'w gymdeithas. Esboniodd Cyril mai drws nesa roedd ei deulu'n byw yn y cyfnod hwnnw ac yno roedd y llyfrgellydd arloesol hwn wedi ei fagu, cyn ychwanegu: "...A hi Margaret Jones dda'th ag Alun Edwards, 'yn wncwl i, i'r byd; a mam; a sawl un arall yn y gymdogeth."

Mae'r ffaith fod hynny'n cael ei gofio ganrif yn ddiweddarach yn gryn glod iddi – ac yn tystio i wytnwch gwead y gymdeithas yn yr ardal hon.

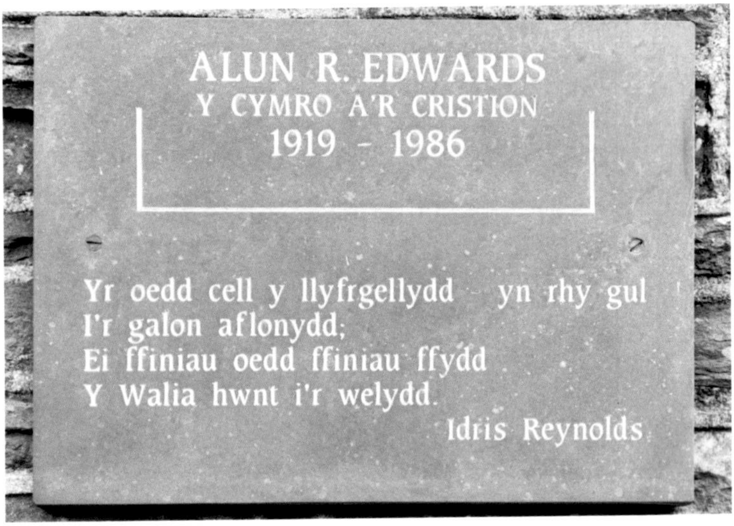

* * *

Tregaron

Yn ystod ei *leave*, aeth Dafydd hefyd i ymweld â'i hen gyfeillion o'r ysgol sir. Roedd hi'n beth cyffredin ym mhapurau lleol y cyfnod i nodi pan oedd milwyr o'r ffrynt yn ymweld â'u hen gynefin; ac yn wythnos olaf Mai roedd gohebydd Tregaron ar gyfer y *Carmarthen Journal* yn ddigon craff i sylwi ar bob wyneb cyfarwydd oedd wedi ail-ymddangos yn yr ardal; Corporal Evan H. Jones o Swyddfynnon; Lieut. J.T. Davies, neu Jac Frondewi, oedd newydd ddod allan o'r ysbyty; ac wrth gwrs, Dafydd ei hun:

> *Captain D. Jones (Wern). who was an undergraduate at U.C.W. Aberystwyth when war broke out, and one of the fore-most athletes of his university, was also amongst us for a day or two.*

Yn ôl y *Carmarthen Journal*:

> *He also looked a picture of health, after many months sojourn in France.*

Weithiau pan oedd milwr yn dod adref, byddai rhai cymunedau'n gwneud tipyn o sioe o'r peth. Cafwyd fflagiau yn y stryd pan gyrhaeddodd Talfryn, cyfaill Dafydd, ei gartref yn Nhreforys fis ynghynt, ond doedd hynny'n ddim i gymharu â'r croeso a gafodd Pte. Allen, oedd hefyd o'r un fataliwn:

> *Pte. T. Allen, who has just returned from a scene of action, was*

welcomed home on Monday by the Blaengwynfi Silver Band. The procession also included Mr. Isaac T. Jones, J.P., chairman of the Glyncorrwg Council, and the local district councillors. The streets were gaily decorated with flags and bunting, and the inhabitants turned out in large numbers to give the hero a hearty reception. Pte. T. Allen is in the 1st Rhondda, and has been wounded. He was formerly a haulier at the Glyncorrwg New Pits.

Anodd dychmygu teulu'r Wern, na Dafydd, yn gyffyrddus hefo'r fath sbloets! Bodlonon nhw, yn hytrach, ar ddiolch yn dawel am gael Dafydd yn ôl yn iach, am rai ddyddiau o leiaf.

Aberystwyth

Ond nid ei deulu a'i gyfeillion yn ardal Tregaron oedd yr unig rai oedd yn ddiolchgar am gael ei weld unwaith eto. Wrth inni dynnu at derfyn ein pererindod, mae 'na un cymeriad newydd sydd heb eto ymuno â ni – er nad cymeriad newydd mohoni chwaith, mewn gwirionedd. Roedd Lilian Howell wedi dod yn ffrindiau hefo Dafydd pan oedd y ddau yn Aberystwyth cyn y rhyfel. 'Cefais y fraint o adnabod eich mab yn dda iawn yn y coleg', meddai mewn llythyr cydymdeimlad at ei fam ar ôl iddo farw. Gwyddwn fod Lilian a Dafydd wedi gohebu'n gyson â'i gilydd yn ystod ei gyfnod yn Ffrainc, ond yn anffodus dyw'r llythyrau hynny ddim wedi goroesi. Yn wir, dim ond y pum llythyr a ysgrifennodd Lilian at Margaret Jones ar ôl i Dafydd farw sy'n tystio i'w perthynas o gwbl – ond o ddadansoddi rheini'n fanwl, credaf y gallwn fod yn eitha sicr eu bod nhw'n gariadon.

Ym mis Mai 1916, roedd Lilian newydd ei phenodi'n athrawes yn ysgol Ffordd Alexandra yn Aberystwyth.

Mae adeiladau'r hen ysgol yn dal i sefyll drws nesaf i orsaf rheilffordd y dre, a sefais o'u blaen gan ddychmygu Dafydd yn disgwyl amdani ar ddiwedd ei diwrnod gwaith cyn mynd â hi i gael te mewn caffi cyfagos efallai. Ond ar ddiwrnod fy ymweliad roedd yr hen ysgol yn fwrlwm o sŵn waldio a micsar sment wrth i'r adeilad gael ei drawsffurfio'n unedau ar gyfer llefydd bwyta. Doedd e ddim yn lle cydnaws ar gyfer hel meddyliau, felly anelais am yr Hen Goleg, ar lan y môr. Yma byddai Dafydd a Lilian wedi cyfarfod gynta, ryw dair blynedd ynghynt. Ynghanol yr Hen Goleg, mae'r cwad, sef neuadd hardd hefo to uchel o bren a gwydr a balconi yn rhoi mynediad i'r ystafelloedd darlithio ar y llawr cyntaf.

Dringais y grisiau cerrig i fyny o'r cwad i'r balconi a dychmygu prysurdeb y lle rhwng darlithoedd dros ganrif yn ôl. Roedd y cwad a'r

Cwad y coleg yng nghyfnod Dafydd a Lilian

balconi yn llefydd pwysig iawn yng nghyfnod Dafydd a Lilian am mai dyma rai o'r ychydig leoedd lle yr oedd awdurdodau'r coleg yn caniatáu i ddynion a merched siarad efo'i gilydd. 'Conversation between men and women students outside college is forbidden' meddai rheolau'r coleg.

Felly roedd yn rhaid i'r myfyrwyr wneud yn fawr o'u cyfle tu fewn, a diolch i'r *Freshers' Guide* a gyhoeddwyd yn flynyddol fel rhan o gylchgrawn y coleg, *The Dragon*, cawn ryw syniad o sut yr oedd myfyrwyr y coleg yn ymdopi â'r cyfyngiadau hyn. '*Balconising*' oedd eu term am y sgyrsiau cychwynnol i fyny ar y balconi, o olwg y dorf yn y cwad islaw. Ac yna, wrth iddyn nhw ddod yn fwy cyfarwydd efo'i gilydd, roedden nhw'n barod wedyn ar gyfer '*quadding*', sef cerdded o gwmpas y llawr gwaelod a thrio fflyrtio'n fwy cyhoeddus yn ystod yr egwyl o ddeng munud rhwng eu darlithoedd. Dyma ddiffiniad y *Freshers Guide* ar gyfer 1914:

> *Quadding, that is holding a five minutes (seven if you are sharp) interview with your affinity* (gwrthrych dy serch). *In this time after exchanging notes on various lectures attended and yet to be attended, there is still time left for a long stretch of silence.*

Mewn erthygl ddoniol o rifyn y Pasg, mae'r awdur di-enw yn cymryd arno adolygu casgliad o astudiaethau ffug-academaidd am yr arferion uchod, gan gynnwys "Ethics of Quadding" ac "Etiquette of Quadding":

> *"Urban Quadding" is the subject of an article by Mr. Jack Thomas*

who takes as his motto "All the world's a quad where all the men and women can be quadders". Mr. Wilson Jones, who adopts the pen name of the Colonel, is more than usually confiding in his "Masculine Modes for the Quad", although some of his statements such as "It is vitally important that the colour of the Quadder's spats and waist-coat buttons should be in harmony with the Quadee's tie" are rather far-fetched.

Unwaith yr oedd bachgen a merch wedi dod i adnabod ei gilydd yn y cwad, gallent wneud eu trefniadau eu hunain wedyn i gyfarfod mewn lleoedd eraill, o olwg awdurdodau'r coleg. Mae'n rhyfedd i ni heddiw feddwl bod y fath reolau Fictoraidd yn dal i gael eu harddel, yn yr un cyfnod â'r dadlau mawr dros roi'r bleidlais i ferched. (Ond wrth gwrs, dyma sefyllfa fyddai'n cael ei gweddnewid gan y rhyfel wrth i'r dynion gael eu galw i'r lluoedd arfog a'r merched yn cael cyfle i ddangos beth allen nhw wneud mewn sawl maes newydd.)

Yn y misoedd olaf cyn i'r rhyfel fwrw ei gysgod ar Aberystwyth, hoffwn feddwl fod Dafydd a Lilian wedi cael cerdded fraich ym mraich i fyny Constitution Hill efallai, neu i gyfeiriad Llanbadarn ... ond wrth gwrs, rhamantu llwyr o'm rhan i yw hynny. Does wybod i sicrwydd bellach sut y datblygodd perthynas Dafydd a Lilian yn y coleg, nac wedyn chwaith.

Ac efallai na fu'n fêl i gyd. Dridiau cyn i Dafydd gyflwyno'i gais am gomisiwn yn y fyddin, cafwyd yr adroddiad hwn yn y *Dragon*, cylchgrawn y coleg:

Married v Single

This interesting match was played on the Vicarage Field on Saturday November 21st. The 'Married' side consisted of non-quadders, while the 'Singles' were made up of quadders or suspected quadders. Mr. J.H.Curtis captained the 'Married' while Dai Jones – recently qualified – captained the 'Singles'.

Mae'n anodd gwybod sut y dylid dehongli'r adroddiad hwn. Mae'n awgrymu'n gryf fod Dafydd mewn perthynas oedd newydd ddod i ben, ac felly'n *Single* unwaith eto. A oedd Dafydd a Lilian wedi ffraeo? Ynteu tybed a ydi'r amseriad yn arwyddocaol? Oedd Lilian yn anfodlon ynglŷn â'i benderfyniad i fynd i'r fyddin? (Anodd dychmygu hynny, ynghanol brwdfrydedd y misoedd cyntaf dros y rhyfel.) Ynteu tybed oedd Dafydd, gan wybod ei fod ar fin mynd i'r fyddin, wedi penderfynu mai annheg fyddai gofyn i ferch ddisgwyl amdano, ac felly wedi dod â phethau i ben oherwydd hynny?

Ni chawn wybod bellach. Ond pa bryd bynnag y dechreuodd y

berthynas rhyngddynt, a hyd yn oed os bu ymwahanu dros dro, roedd pethau wedi ailgydio rhwng Dafydd a Lilian drwy gyfrwng llythyrau erbyn 1916. Roedd y ddau'n gohebu'n gyson. Ond mae 'na un elfen bellach i'r dirgelwch ynglŷn â natur eu perthynas. Fel y cawn weld yn y man, wnaeth Dafydd ddim sôn wrth ei fam am Lilian. Cyfrinach oedd eu perthynas. Gadewch i ni edrych yn fanylach felly, ar sut ferch oedd hi. Oedd 'na rywbeth amdani fyddai'n peri i Dafydd fod eisiau cuddio'r berthynas?

Roedd Anne Lilian Howell ryw fis yn hŷn na Dafydd, ond wedi dechrau ei chwrs yn y coleg flwyddyn ar ei ôl, yn 1913. Roedd hi'n dod o Aberaeron, ac yn unig ferch i Benjamin a Jane Howell. Yn sicr, doedd 'na ddim byd o ran ei chefndir i gywilyddio yn ei gylch. Roedd yr Howells yn deulu digon da eu byd, yn byw mewn tŷ Sioraidd braf ar brif stryd Aberaeron; roedd Benjamin yn *surveyor* i Gyngor Ceredigion, ac roedd ei frawd John yn gynghorydd ac yn Ynad Heddwch.

Ond doedden nhw ddim yn deulu 'crand' chwaith – roedd Wncwl John yn cadw siop nwyddau haearn ac roedd wedi priodi merch tafarn y Lloyd Jack Arms. Efallai mai'r cysylltiad yna oedd wedi peri i Dafydd gadw'n dawel!

Roedd Lilian wedi cael ei siâr o brofedigaethau yn ystod ei hoes fer. Pan oedd hi'n dair ar ddeg roedd hi wedi colli ei hunig frawd,

Tŷ Lilian Howell ar Ffordd y Gogledd, yn Aberaeron

David Stanley, i'r diciáu. Doedd yntau ond yn 19 oed ac ar fin mynd i weithio yn y banc. Bu farw ei thad wedyn yn Chwefror 1912, a dim ond ar ôl hynny yr aeth Lilian i'r coleg i hyfforddi fel athrawes. Tybed oedd ei thad wedi bod yn wrthwynebus gynt? Neu oedd hi wedi gohirio mynd i'r coleg er mwyn helpu ei nyrsio? Ynteu oedd marwolaeth ei thad wedi ei gorfodi hi i fynd allan i weithio, er mwyn cynnal ei mam a hithau?

Nid oes atebion yn y lloffion prin a gawn yn y papurau lleol, am ei hanes hi cyn iddi gyfarfod â Dafydd. Ond dysgwn ei bod hithau, fel yntau, yn mwynhau chwaraeon. Bu'n aelod o dîm hoci Ysgol Aberaeron ers pan oedd hi'n 14 oed, ac roedd hi'n chwarae fel cefnwr. Yn ystod un o'i gemau yn erbyn Ysgol Tywyn yn 1907, nodwyd:

> *the Towyn forwards made some fine dashes for goal but the Aberayron defence was impregnable.*

Ac ym Mabolgampau'r ysgol ym Mehefin 1909, daeth hi'n drydedd yn yr 'Hockey Shot for Girls'. Roedd ganddi lygad a thipyn o fôn braich mae'n rhaid!

Dysgwn wedyn iddi fynd i gyfarfod o Helfa Neuaddfawr yn 1910, gyda'i chyfnither Nesta: ('Luncheon was on the table at 10-30 o'clock'). Nid yw'n glir a fu'r ddwy yn hela wedyn, ynteu ai mynd yno i gymdeithasu'n unig a wnaethon nhw, fel mae'r adroddiad yn y papur yn awgrymu:

> *These "meets" become more and more associated with festive jollity, and the tables testified to the splendid hospitality of the Host and Hostess.*

A dysgwn hefyd o'r papurau lleol fod Lilian yn rhagori mewn campau fyddai efallai yn fwy cymeradwy yng ngolwg mam Dafydd: cafodd lwyddiant yn arholiadau Ysgol Sul Presbyteriaid De Ceredigion, a byddai'n helpu rhedeg stondin yn y *bazaar* i godi pres at gronfa adeiladu Capel Tabernacl. Cafodd wobr hefyd am bedwar bwnsiad o bys pêr yn y Sioe Arddwriaethol leol, ac mewn cyngerdd yn Ysgol Aberaeron, aeth Lilian ymlaen hefo'i chyfnither Nesta i chwarae'r 'School Song' a'r 'Soldiers' Chorus' fel deuawd ar y piano.

Ar ben hynny, yn syth ar ôl gorffen ei chwrs coleg yn 1915, roedd hi wedi cael gwaith am ddau dymor fel prifathrawes dros dro yn Ysgol Elerch yn Nhalybont. Hi felly oedd yn gyfrifol am lunio'r maes llafur ar gyfer 1915–16: ac ymhlith ei chofnodion yn *Log Book* yr ysgol, gwelwn iddi ddewis llyfrau fel *The story of Cardiganshire* a *Hanes a Chân* i gael eu darllen; a bod y plant yn mynd i ddysgu adrodd darnau o *Gemau Ceiriog*, a'r rhai lleia yn mynd i ddysgu 'Willie yn rhwygo'r fegin'.

Fel prifathrawes, roedd hi hefyd yn trefnu fod y plant yn gwneud eu rhan yn y rhyfel, fel y cofnododd hi yn *log book* yr ysgol:

29.3.16

Miss Clifford Brown of Talybont visited, appealing to the children to collect eggs for the wounded. The children became responsible for despatching four dozen eggs every fortnight.

4.4.16

The first lot of eggs for the wounded were despatched today. Fifty were sent.

Roedd Dafydd ar y pryd yn y ffosydd ger Festubert. Tybed beth oedd ei ymateb i newyddion Lilian o Ysgol Talybont? Ond erbyn iddo ddod adref ar *leave* ym mis Mai, roedd ei chyfnod hi fel prifathrawes yno wedi dod i ben, ac roedd hi wedi cael gwaith yn Ysgol Alexandra yn Aberystwyth. Athrawes oedd hi yn fanno, ond roedd hi'n ysgol dipyn mwy. Roedd hi wedi curo pump ymgeisydd arall am y swydd yn ôl y *Cambrian News* a byddai'n derbyn cyflog o £80 y flwyddyn.

Mae'n anodd deall pam na fuasai Dafydd wedi sôn am Lilian hefo'i fam – roedd hi'n ymddangos yn dipyn o *catch*! Tybed oedd a wnelo salwch mam Lilian â'r penderfyniad? Roedd Mrs Howell yn wael iawn yn y cyfnod hwn, a chollodd Lilian sawl diwrnod o'i hysgol newydd yn ystod mis Mai a Mehefin 1916 er mwyn ei nyrsio; efallai fod gadael ei mam ar y penwythnos er mwyn mynd lawr i'r Wern hefo Dafydd yn ormod ar y pryd? Pwy a ŵyr...

Ond mae bron yn sicr fod Dafydd wedi ymweld â Lilian, ar ôl oriau ysgol yn Aberystwyth, yn ystod ei *leave* olaf. Fyddai dim llawer o amser ganddynt – roedd y trên olaf i Bont Llanio yn gadael Aberystwyth o gwmpas 6 y nos. Ond mae'n bur debyg iddo fynd i stiwdio H.H. Davies and Son, yn 28 Pier St. Aberystwyth, i dynnu'r llun cyferbyn cyn mynd yn ôl i Ffrainc. (Cwmni H.H. Davies wnaeth y copïau coffa ohono i'r teulu ar ôl iddo farw, felly mae'n debyg mai ganddyn nhw roedd y negydd gwreiddiol.) Tybed aeth Lilian i'r stiwdio gydag e?

Mae'r llun olaf hwn yn ei ddangos yn ei lifrai, ac er ei fod yn ddigon trwsiadus, mae tipyn o ôl byw ar ei ddillad – mae plygion yn ei lewys, mae'i bocedi'n bochio oherwydd yr hyn maen nhw'n ei gario, ac mae ochrau ei gap wedi meddalu'n llwyr, ar ôl bod drwy chwe mis yn y ffosydd. Mae'n edrych yn fwy cyffyrddus yn ei groen ei hun y tro hwn; mae'n pwyso nôl yn hamddenol, a rhyw natur gwên ar ei wyneb wrth iddo edrych heibio'r camera i'r pellter. Efallai fod Lilian yr ochr arall i'r camera yn gwenu arno. Neu efallai iddo synhwyro mai hwn fyddai'r llun olaf ohono, a'i fod eisiau tynnu llun da i'w gofio...

* * *

Pythefnos o *leave* a gafodd Dafydd; a chyn pen dim roedd hi'n amser iddo ddechrau ei daith yn ôl i Ffrainc, o orsaf Pont Llanio. Sefais ar y bont reilffordd yn ymyl yr orsaf a cheisio dychmygu'r olygfa, yn gynnar ar fore Sadwrn ar y 27ain o Fai, 1916, gyda'r trenau'n mynd i gyfeiriad Aberystwyth ar un ochr, ac i Gaerfyrddin ar y llall. Mae'r cledrau wedi diflannu ers 1975, ond mae'r tanc dŵr haearn fyddai'n ail-lenwi'r trenau stêm yn dal yno; a hefyd y platfform lle safai Dafydd y tro olaf hwnnw. Roedd wedi canu'n iach â'r teulu wrth giât y Wern. Efallai iddo ofni i'w deimladau fynd yn drech nag ef, petai'r teulu yn ei hebrwng at y trên. Sut y gwyddwn hynny? Wel, wrth siarad hefo Dafydd Jenkins yn Llanfihangel y Creuddyn am ei wncwl, roeddwn i wedi holi tybed oedd Blodwen ei fam wedi rhannu unrhyw atgofion am ymweliad olaf ei brawd â'r Wern? Roedd hi'n 16 oed ar y pryd, ac yn dal i fyw gartref – ond na, meddai Dafydd Jenkins, doedd dim cof ganddo am unrhyw straeon fel yna ganddi. Ac yna, cofiodd yr hanesyn dirdynnol hwn:

...ond ambell waith bydde 'na rywun yn galw heibio o ardal Llanio, Llanddewi... a wi'n cofio un gŵr oedd yn dod 'ma... o'dd e'n weud bod e'n cofio Dafydd yn mynd nôl am y tro dwetha dros Bont Llanio a chwifio... ei ddymuniade gore iddyn nhw fel o'dd e'n gadel y stesion. A dyna'r tro dwetha welwd e... o'n nhw'n dweud fod e yn ei iwnifform, yn ddyn smart iawn, taldra ei dad ac yn cerdded yn sgwâr, o'dd e'n bictiwr i weld e'n mynd, ond dyna'r tro dwetha y ca'dd Dafydd groesi'r bont ym Mhont Llanio, doedd dim dod nôl i fod.

Roedd ar ei ffordd yn ôl i Ffrainc. Roedd rhan olaf fy mhererindod innau hefyd ar fin cychwyn.

Ceir manylion am ffynonellau pob dyfyniad yn y bennod hon, a phob un sy'n dilyn, ar wefan Gwasg Carreg Gwalch:
https://files.ekmcdn.com/92a6b5/resources/other/anwyl-fam-nodiadau.pdf

20

'buom yn marchio am ddiwrnodau lawer'

(*Laventie – Béthonsart: Mehefin 1916*)

Yn ystod ei gyfnod gartref yng Nghymru, roedd gweddill bataliwn Dafydd wedi bod mewn ac allan o'r ffosydd ger Laventie, ac ailymunodd â nhw yn y dref honno ar ddiwrnod olaf Mai. Anfonodd air adre drannoeth:

> 10th Welsh Regt
> BEF
> June 1st 1916
>
> Anwyl Fam
> Dim ond gair byr er hysbysu fy mod wedi cyrraedd yn ol yn ddiogel, ar ol taith hir ac heb ddim rhyfedd a[r] yr holl daith. Cyrhaeddais yma bore dydd mercher. Cymerodd i mi lawer mwy nac i ddod adref. Wrth reswm nid oedd cymmaint o wylltu wrth dod yn ol. Y mae yr oll yn mynd ymlaen yn hynod fel arfer. Nid oes fawr o wahaniaeth er pan aethom i ffwrdd a dweud y gwir.
>
> Gwelais Talfryn pan ar y ffordd yn ol a disgynais i siarad ag ef am ychydig oriau felly ni chyrhaeddais Lundain tan yn hwyr iawn felly nad cefais i Kersal Rise tan foreu Sul.

Roedd ei gyfaill Talfryn yn dal i wella ar ôl yr anafiadau a gafodd ym mis Mawrth – 'five wounds', yn ôl erthygl amdano yn yr *Herald of Wales*. Ers canol Ebrill roedd wedi cael mynd at ei rieni yn 127, Woodfield Street, Treforys, i ddod nôl ato ei hun yn iawn, a fanno yn ôl pob tebyg y gwnaeth Dafydd alw arno, wrth dorri'i siwrnai yn ôl i Ffrainc.

Efallai i Talfryn ddangos i Dafydd yr oriawr yr oedd newydd ei dderbyn mewn cyngerdd a gynhaliwyd i'w anrhydeddu yng nghapel Seion. Cafwyd eitemau cerddorol a phenillion a '[d]uring the proceedings Mrs. Gray, Ynysforgan, presented Captain James with a wrist-watch.(...) The recipient returns to his duties in three weeks time.' Roedd Talfryn wedi cael gwaith fel *instructor* hefo'r fyddin, ac er iddo sôn yn ei lythyr cydymdeimlad at deulu Dafydd 'I'm only here for a time, the day will come when I shall have to go back', nid yw'n hysbys os digwyddodd hynny.

Ar ôl gweld Talfryn, roedd hi'n oriau mân y bore ar Dafydd yn cyrraedd ei lety hefo brawd ei dad, Billy, yn Kensal Rise yn Llundain. Y diwrnod wedyn daeth aelodau eraill o'i deulu i alw arno:

> Daeth Jane a Mary Jones i fynny yr nos Sul felly ni chefais fantais fynd i Acton o gwbl er fy mod wedi meddwl cael mynd. Yr oedd pawb yn Llundain cyn bellaf ag y gallaf fi weld [yn iawn].

Jane oedd ei chwaer fach, oedd yn gweithio hefo Herbert, brawd arall i'w dad, yn ei fusnes llaeth yr ochr arall i Afon Tafwys. Nid wyf yn sicr pwy oedd Mary Jones – ond brawd ei fam, Wncwl John, a'i deulu oedd yn byw yn Acton (gw. Pennod 9). Felly er na chafodd Dafydd gyfle i ymweld â phawb o'i deulu yn Llundain (amhosib mewn un diwrnod, gan fod cymaint ohonyn nhw!) cafodd weld sawl un o leiaf.

> Gadewais Lundain boreu dydd Llun a chysgais y nos yn Boulougne a gadawais Boulougne [yn] foreu prynhawn dydd mawrth.

Mae diwedd y llythyr hwn ar goll. Yn ôl tywyslyfr Baedeker o'r blynyddoedd cyn y rhyfel,

> *Boulogne is an important herring-port and exports large quantities of salted fish; and it is the chief centre in France for the manufacture of steel pens, introduced from England in 1846.*

Go brin y byddai Dafydd wedi cael amser i ymweld â'r farchnad bysgod, na phrynu pin newydd! Erbyn y rhyfel, roedd harbwr newydd wedi galluogi Boulogne i ddod yn un o brif borthladdoedd Ffrainc, ac roedd y rheilffordd yn ei gysylltu â phrif drefi gogledd Ffrainc i gyd. Er bod y daith nôl i Laventie wedi parhau'n hirach na'r daith adre lai na phythefnos ynghynt, mae'n siwr nad oedd Dafydd yn poeni gormod am hynny!

Daeth yn ôl at ei fataliwn pan oedden nhw'n paratoi ar gyfer cyrch arall ar ffosydd y gelyn ac ar y 3ydd o Fehefin aethon nhw nôl i'r llinell flaen. Y noson wedyn, aeth 4 swyddog a 53 o filwyr allan i gyfeiriad ffosydd yr Almaen. Ar ôl ei wrhydri yn y cyrch blaenorol, gyda'r 'Bangalore Torpedo', dewiswyd Capt. Roberts o'r Wyddgrug i arwain pethau eto. Yn wahanol i'r cyrch a fu ychydig wythnosau'n gynt, y tro hwn mae'r cyfarwyddiadau manwl yn ei gylch wedi goroesi. Roedd rhain wedi dod lawr ar ffurf *Operation Order* o'r pencadlys y diwrnod cynt, gyda gwerth tri thudalen a hanner o fanylion. Roedd pwrpas y cyrch yn ddigon plaen:

> *Object* (*a*) *To kill Germans.*
> (*b*) *To take prisoners.*
> (*c*) *To obtain information.*

Yna, roedd yn rhestru be fase rôl pob milwr cyffredin yn y cyrch, *Bombers* neu *bomber searchers* oedd y rhan fwyaf ohonynt. Roedd pob bomber searcher i fod i gario *bludgeon, 10 bombs, haversack, torch*. Ar ôl cyrraedd ffosydd y gelyn ei waith oedd cael hyd i'r *dugouts* tanddaearol gyda chymorth ei dorts, a'u chwilio am bapurau swyddogol os oedden nhw'n wag, neu'r gelyn yn ildio; neu'u bomio fel arall. Gorchmynnwyd i bawb dduo'u hwynebau cyn cychwyn allan, a hefyd: *No badges, identity discs, letters etc. which could lead to identification will be worn by raiders.* Roedd manylion ynglŷn â lle'n union y byddai'r magnelwyr yn tanio er mwyn torri'r weiren bigog ac er mwyn rhoi cyfle i'r milwyr groesi tir neb cyn i'r Almaenwyr sylwi – a 'Tonypandy' oedd y cyfrinair i sicrhau na fyddai milwyr y llinell flaen yn tanio arnynt wrth iddyn nhw ddychwelyd o'u cyrch.

Ond er gwaethaf yr holl gynllunio manwl a'r paratoi ers dyddiau o flaen llaw, methiant oedd y cyrch hwn hefyd, am na lwyddwyd i dorri'r weiren bigog – ac felly cafodd y dynion eu dal ynghanol tir neb, ymhell o ddiogelwch eu ffosydd.

Mae'r bardd David Jones yn disgrifio profiad tebyg yn nhir neb, a'r teimlad o banig oedd yn dilyn, yn ei gyfrol *In Parenthesis*:

> *The thudding and breath to breath you don't know which way, what way, you count eight of him in a flare-space, you can't find the lane* [hynny yw, y bwlch yn y weiren bigog] – *the one way – you rabbit to and fro, you fall in home over...*

Mae David Jones yn cloi'r paragraff hefo geiriau eironig:

> *We maintain ascendancy in no-man's-land.*

Os llwyddodd David Jones i gyrraedd yn ôl yn ddianaf, nid felly milwyr y 10th Welsh y noson honno. Mae'r cofnod swyddogol yn nodi '*3 killed and all 4 officers and 9 men wounded*'. Noson ddrud felly – ac aflwyddiannus.

* * *

Ysgrifennwyd llythyr nesaf Dafydd y noson ar ôl y cyrch, a'r noson cyn iddo ddod allan o'r lein, ar y 5ed o Fehefin:

10th Welsh Regt
B.E.F.
Tuesday.

Anwyl Fam,

Derbyniais eich caredig lythyr yn ddiogel ac hefyd eich parcel. Gallwn feddwl wrth ei gynnwys fod [y] byd yn dechreu crynhoi er anfon melusion i mi. Ni wn a dweud ond y gwir pa fodd iw talu yn ol. Diolchwch [i] bawb yn gynnes am eu caredigrwydd. Byddaf yn dod allan heno o'r trenches a credwn y cewn seibiant am ddeuddeg niwrnod er adgyfnerthu.

Nid oes gennyf newydd neullduol heno mae yr oll yn mynd ymlaen yn hynod fel arfer. Derbyniais barcel bach oddiwrth Tregaron County School Reunion neithiwr gallwn feddwl felly eu bod yn anfon parceli allan i bawb o hen bupils Tregaron. Llawer ddiolch iddynt hwythau. Er hynny nid oes parcel ga y fath dderbyniad a'ch eiddo chwi.

Yr hen sebonwr! Mae'r rhodd gan ei hen ysgol yn ei brocio i holi ymhellach am rai o'i hen gyfeillion unwaith eto:

Cefais lythr oddiwrth John Dolfelin ychydig ddiwrnodau yn ol. Gallwn feddwl ei fod ef yn mwynhau ei hun yn o lew. Dywedodd ef wrthyf ei fod wedi gweld Mary Anne Manarafon ac hefyd fod John yn mynd adref am week-end.

Roedd John Dolfelin, ei gyfyrder a'i gymydog yn Llanio, a John Manarafon, o ganol pentref Llanddewi Brefi, ill dau yn Chatham erbyn dechrau Mehefin, wedi dechrau hyfforddi fel aelodau o'r Gas Company hefo'r Royal Engineers. Er bod Dafydd wedi cyfeirio'n ddigon dilornus at John Dolfelin yn ei lythyrau, roedd John yn ohebydd triw os dim arall. Mae Dafydd yn sôn 26 o weithiau drwy'r ohebiaeth hefo'i fam iddo dderbyn llythyrau neu barseli gan wahanol berthnasau neu gyfeillion. A syndod efallai yw deall mai gan John Dolfelin yr oedd pump o'r llythyrau hyn. Fe sydd ar frig y rhestr; Jennie, cyfnither Dafydd yn Llundain, sydd yn ail hefo pedwar, a'i chwaer Jane yn drydydd hefo tri. Ond yn ôl at lythyr Dafydd – mae'n cael hwyl wrth holi'i fam am hwn a llall!

Lle mae Dai Bristol yn awr[?] Pan oeddwn adref dywedodd wrthyf ei fod yn ymuno ar unwaith y pryd hwnnw. Nid wyf wedi clywed o'i gylch oddiar hynny.

Felly nid yw Jack Frondewi heb fod ar goll etto.

Nid oes gennyf ragor heno. Anfonaf unwaith eto gofion cynesaf attoch oll.

Eich mab

Dafydd

Mae un enw newydd yma – Dai Bristol, neu David Evans, Bristol House yn fwy swyddogol. Roedd Dai yn un o gyfoedion Dafydd ond aeth e ddim ymlaen i Ysgol y Sir yn Nhregaron. Arhosodd yn hytrach yn Ysgol Llanddewi Brefi nes oedd yn 14 oed. John Evans, *general grocer* oedd ei dad, ond dyna'r cyfan y gallaf ei ddweud am Dai Bristol ar ôl pori yn y cyfrifiad ac ym mhapurau'r cyfnod. Hynny a'r ffaith iddo ddod yn 2il yn ras 100 llath y Men's Institute yn Llambed ym mis Awst 1910! Ond pa beth oedd ei waith, neu ym mha le wnaeth e ymrestru ar ôl ei sgwrs hefo Dafydd yn ystod ei *leave* ym mis Mai – ni allaf ddweud. Ond nid o ddiffyg trio!

Yn rhy aml, wrth geisio olrhain hanes Dafydd mae'r ymchwil wedi disodli'r broses o'i ysgrifennu, yn hytrach na'i ysgogi. Mae rhyw frawddeg yn gwahodd fy chwilfrydedd, fel yn y llythyr uchod:

...nid yw Jack Frondewi heb fod ar goll etto.

Ymateb i ryw sylw coll yn llythyr ei fam sydd yma gan Dafydd mae'n debyg; a gwyddom o'i lythyrau nôl ym mis Mawrth fod Jack wedi cael ei anafu ac wedi colli ei goes – ond pam fyddai 'heb fod ar goll etto'? Dyma esgus berffaith i adael yr ysgrifennu a dilyn fy chwilfrydedd fel ffured lawr rhyw dwll cwningen, gan ymgolli wedyn yn y chwilio a'r chwalu... nes sylweddoli awr yn ddiweddarach nad o'n i fawr callach pam fod Jack Frondewi 'heb fod ar goll etto'. Yn yr un modd, pwy yn union oedd 'Lewis Tregaron'? Ble'n union roedd Wncwl Daniel yn byw yn Llundain? A pham fase Charles wedi 'priodi er dianc o grafangau Llew'? Mae mor hawdd gwastraffu amser yn ceisio'n ofer i ateb y cwestiynau hyn. Ac mewn gwirionedd, oes 'na gymaint â hynny o ots, beth bynnag? Dyna fyddai'r llais bach annifyr yn sibrwd yn fy nghlust yn aml! 'Ddeui di ddim i wybod. Pa ots? Dos yn dy flaen.'

Ond mae ots. Mae llawer o'r enwau hyn yn rhedeg fel cyfalaw drwy lythyrau Dafydd – Tŷ Mawr, Rattal, Dolfelin, Manarafon, Dewi House – dyma enwau ei gyfeillion a'i gymdogion yn ei hen ardal. Ac am fod y tai a'r ffermydd hyn yn dal i fod, ac am fod rhai o ddisgynyddion y bobl a grybwyllir yn dal i fyw yn yr ardal, dwi wedi teimlo rhyw ddyletswydd i geisio twrio i'w hanes nhw – ond methais â datrys sawl cyfeiriad, fel y gwelwyd eisoes. Enwau yn unig yw llawer o'r cymeriadau yn llythyrau Dafydd ac mae fel darllen rhestr actorion mewn hen rifyn *Radio Times* – a thithau'n gwybod nad oes recordiad o'r rhaglen yn bodoli mwyach. Felly hefyd drama goll Llanio a'r cylch, o'r cyfnod hwn, ganrif a mwy yn ôl.

Ond nid manylion unigol eu hanes nhw sy'n bwysig yn y cyswllt hwn, gymaint â'r ffaith eu bod nhw'n rhan o gymdogaeth. Cymdogaeth goll i raddau erbyn hyn, ond cymdogaeth oedd yn dal i gynnal ei meibion dramor, nid yn unig drwy ddulliau ymarferol fel parseli bwyd ac ati, ond hefyd yn feddyliol. Roedd cael siarad am gartre yn ddihangfa o'r mwd a'r llau i feibion fel Dafydd, yn angor iddynt yn wyneb angau, yn cynnig math o ystyr i'r cyfan. Felly ymddiheuriadau i deuluoedd Tŷ Mawr, Rattal, Dolfelin ac ati, os na lwyddais i oleuo'r cysgodion i gyd – ond gobeithiaf imi ddangos o leiaf pa mor bwysig oedd y gymdogaeth hon i fechgyn fel Dafydd – y darn bach o Gymru-yn-eu-pennau, a aeth hefo nhw i Ffrainc, i Fflandrys a thu hwnt.

A byddai angen pob nerth oedd i'w gael arnynt, wrth iddynt wynebu heriau mwy nag erioed yn ystod haf 1916...

* * *

O'r ffosydd, aeth Dafydd yn ôl i La Gorgue, y dref lle treuliodd gyfnod y Pasg, ac yn fanno y treulion nhw'r tridiau nesaf yn *resting, training & refitting*. Fel rhan o'r 'refitting' yma, mae'n bosib fod bataliwn Dafydd wedi cael eu helmedau dur eu hunain am y tro cyntaf. Ar ddechrau eu cyfnod yn Ffrainc, dim ond capiau ffelt fyddai gan filwyr bataliwn Dafydd, fel yn y llun a dynnodd o'i hun yn Aberystwyth ar ei *leave* olaf. Cap meddal oedd am ei ben y diwrnod hwnnw, rhywbeth digon tebyg i'r un oedd yn cael ei hysbysebu ar y dde isod, hefo'i 'inside peak stiffener' o ledr, a'r leinin o dan y ffelt oedd yn 'dal dŵr'. (Tybed?)

ALL caps interlined with greaseproof and waterproof material, the inside stiffener of peaks is made of leather.

FLEXIBLE SERVICE CAP

(REGULATION SHAPE)

A comfortable fitting cap with rounded edge, made in medium and light weight, of proofed Whipcord, with a leather head band and grease and rain-resisting lining, especially made to retain its shape and has the appearance of a stiff cap.

Price **19/6** cash.

To avoid delay enclose cheque with Order, unless an account is already open.

4 [*See page iii. cover*

THE POCKET CAP

(ENTIRELY SOFT)

By an ingenious way of making the inside band of horse hair, and the inside stiffner of peak of soft leather, this cap can be rolled up without showing any ugly breaks, a most suitable cap for the front. Made of whipcord or rubbered Waterproof and Drill. Price **17/6** cash

To avoid delay enclose a cheque with Order, unless an account is already open.

See page iii. cover] 5

Yn ystod blwyddyn gynta'r rhyfel, roedd yr awdurdodau milwrol wedi sylwi'n araf faint o ddynion oedd yn cael eu colli o ddydd i ddydd yn sgil anafiadau i'r pen. Ac wrth gwrs yn y ffosydd, pen y milwr oedd debycaf o gael ei daro, a doedd cap ffelt yn gwarchod dim arno yn erbyn shrapnel magnelau'r gelyn. Roedd y Ffrancwyr wedi arwain y ffordd yn ystod haf 1915 drwy gyflwyno helmedau dur ar gyfer eu milwyr, ond yn Awst 1915 wnaeth John Leopold Brodie ffeilio patent ar gyfer cynllun newydd amgenach a fyddai'n sail i'r hyn y byddai milwyr Prydain yn ei wisgo am eu pennau am y deng mlynedd ar hugain nesaf. Mantais cynllun Brodie oedd bod modd ei wasgu allan o un darn o ddur, oedd yn ei wneud yn gryfach ac yn haws i'w gynhyrchu.

Roedd helmedau cyntaf Brodie wedi cyrraedd Ffrainc erbyn mis Medi 1915, ond gan nad oedd digon ar gael i roi un i bawb, roedden nhw'n cael eu trin fel 'trench stores'; hynny yw, pethau i'w cadw yn y llinell flaen, a'u rhannu i'r milwyr wrth iddyn nhw ddod mewn i'r ffosydd, a'u cymryd yn ôl wrth iddyn nhw fynd allan o'r lein, ar gyfer y milwyr nesaf. Ond erbyn haf 1916 roedd miliwn o'r helmedau hyn wedi cael eu cynhyrchu ac roedd modd rhoi un i bob un yn y fyddin.

Tua'r Somme

Ar y 10fed o Fehefin 1916, dechreuodd bataliwn Dafydd a gweddill yr adran Gymreig, y *38th (Welsh) Division*, symud tua'r De. Roedden nhw'n rhan o gynllun enfawr fyddai'n gweld 13 o adrannau'r fyddin

Brydeinig a 5 adran Ffrengig yn ymosod ar yr Almaenwyr yn ardal y Somme, ar ddiwrnod cyntaf Gorffennaf. Roedd hyn wedi bod ar y gweill ers dechrau'r flwyddyn ond oherwydd ymosodiadau'r Almaenwyr yn ardal Verdun, nid oedd byddin Ffrainc yn gallu rhyddhau cymaint o filwyr ag y bwriadwyd yn wreiddiol, i ymuno yn y frwydr.

Cyn y gellid cychwyn y 'Big Push' hwn (fel y cyfeirid ato'n gynyddol yn y wasg Saesneg), roedd rhaid yn gyntaf symud degau o filoedd o'r milwyr Prydeinig o'u safleoedd presennol yn y gogledd, a mynd â nhw ryw naw deg milltir tua'r de. Roedd bataliwn Dafydd wedi cael teithio mewn cerbydau modur pan ddaethant i Ffrainc gynta, ond doedd ddim sôn wedyn am unrhyw beth heblaw nerth traed a charnau mul wrth fynd o un lle i'r llall. Ac felly roedd hi y tro hwn eto. Roedd y milwyr Cymreig ar eu ffordd i gymryd rhan yn un o frwydrau mwyaf yr ugeinfed ganrif, gan symud yn yr un modd ag y byddai'u cyndadau wedi'i wneud ganrif ynghynt, yng nghyfnod Napoleon.

Roedd 12 bataliwn yn yr adran Gymreig a rhyw 18 mil o ddynion i gyd. Ystyriwch am funud faint o her oedd cynllunio ar gyfer symud y fath lu o un lle i'r llall, gan ymorol am fwyd a llety iddynt ar y ffordd. Ond yn y fyddin wrth gwrs, roedd trefn ar gyfer pob dim! Ac roedd honno wedi'i gosod allan yn fanwl yn y *Field Service Regulations*, cyfrol 296 o dudalennau oedd yn deddfu ar bob dim o 'water bottles, care of' i 'latrines, positions of'. Yn yr adran sy'n ymwneud â 'march formations and distances', dywedir y dylai bataliwn o filwyr traed allu martsio '100 yards a minute', a milltir o fewn 18 munud. Caniateid awr i fartsio tair milltir gan gynnwys 'short halts'. Wrth fartsio hefo pedwar dyn ymhob rhes, byddai bataliwn yn ymestyn yn ôl am 590 llath ar yr heol. Byddai'r adran Gymreig gyfan yn llenwi wyth milltir o'r lôn! Dyma ddisgrifiad David Jones y bardd, o'r daith tua'r De:

> *The south road gleamed scorching white its wide-plotted curve; you couldn't see the turned tail of the column, for the hot dust, by ten o'clock.*

Roedd rhaid gadael lle ar y lôn ar ochr dde y golofn o filwyr, fel y gallai swyddogion fynd heibio ar gefn ceffyl neu mewn moduron. Gan nad oes unrhyw sôn am geffyl gan Dafydd, mae'n debyg iddo fartsio hefo dynion ei gwmni. Yn ôl y *Field Service Regulations* dylai swyddog gerdded tu ôl i'w filwyr:

> *to see that no man quits the ranks without permission, that the sections, files, animals and vehicles keep properly closed up, and that the column does not unduly open out.*

Yn ôl Llewelyn Wyn Griffith, a oedd yn gapten hefo'r Ffiwsilwyr Cymreig, roedd y daith hon yn fendith ar ôl undonedd bywyd y ffosydd:

> *The marching in good air was leaving its mark on us all, and we were gaining a release from the humiliating burden of mud that had clogged our pores and turned our thoughts into its own greyness. We walked with a swing, we sang on the march; men began to laugh, to argue and even quarrel, a sure sign of recovery from the torpor of winter. We were going into a battle, true enough, from which few of us could hope to return, but at the moment we were many miles from war, and the hedges were rich with dog-rose and honeysuckle; we were seeing the old flowers in a new country.*

Dros bum niwrnod martsiodd Dafydd a'i fataliwn drwy L'Eclème i Cantrainne, ac yna i bentre glofaol Auchel, cyn troi nôl i'r wlad a chyrraedd Béthonsart ar 15fed Mehefin. Mae David Jones y bardd yn disgrifio'r rhyddhad i'r milwyr cyffredin o gael gorffwys a chael saib o lwch y ffordd.

> *In a meadow place (...) they swimmed in streams, and washed their cootied shirts; and white Artois geese would squawk, and sway a wide-beamed femininity between the drying garments spreaded out.*

Ar ôl cyrraedd Béthonsart, achubodd Dafydd ar y cyfle i ysgrifennu at ei fam:

> 15/6/16
>
> Anwyl Fam
>
> Ar ol amser maith, wele fi yn cymeryd mantais i ysgrifenu gair attoch gan fawr obeithio eich bod oll yn mwynhau iechyd da bawb ohonoch.
>
> Y rheswm na fuaswn wedi ysgrifenu yn gynt yw ein bod wedi bod yn symud o'r hen le i le newydd a thrwy hynny buom yn marchio am ddiwrnodau lawer, bedwar neu bump, ac felly nid oedd llawer hwyl ysgrifenu gair tan yn awr.

Os oedd Llewelyn Griffith wedi teimlo fod y martsio tua'r De wedi cael effaith lesol arno, nid felly Dafydd. Mae'n egluro pam:

> Nid wyf yn teimlo yn dda fy hun. Yr hen cwyn, Boils ar fy ngwddf, ac os na fyddant yn well ymhen diwrnod neu ddau bydd raid i mi fynd i hospital. Un peth da yn hynny fydd y caf ychydig rest. Os af i Hospital byddaf yno bythefnos neu dair wythnos fwy na thebyg. Fy nghan yn awr yw ar i'r Boils fynd ymlaen. Gan ein bod yn awr mewn lle nad oes awydd arnaf aros dwy [awr]...

Mae gweddill y llythyr ar goll a thrueni felly nad oes modd i ni glywed mwy am beth oedd wedi codi'r fath felan arno – dyma'r unig dro drwy'r ohebiaeth i gyd iddo swnio mor hunan-dosturiol. Roedd y cornwydydd ar ei wddf yn boenus bid siwr, a hynny'n ei ddiflasu. Ond mae'r frawddeg olaf yn awgrymu ei fod yn aros mewn lle ofnadwy! Ni fynnai aros yno ...dwy funud? Dwy awr? Heb sôn am yn agos i bythefnos. Rhywbeth felly oedd diwedd y frawddeg sydd ar ei hanner, debygwn i. Newydd gyrraedd Béthonsart oedd e, pentref gwledig nad oedd yn gallu cynnig llety o safon tref fel Merville, mae'n siwr, ond mi fentrwn i ei fod cystal bob tamaid â'r pentrefi lle roedd wedi aros dros y nosweithiau blaenorol, ac yn well o lawer na ffosydd gwlyb Festubert. Roedd rhywbeth yn bwyta'i gaws, druan, ac efallai mai sylweddoli ei fod ar ei ffordd i frwydr fawr oedd hynny. Ni fedrai ddweud hynny wrth ei fam wrth gwrs, ac efallai mai dyna'r rheswm iddo fwrw'i lach ar ei lety newydd, fel ffordd o waredu ei rwystredigaeth gyffredinol.

Penderfynais weld Béthonsart dros fy hun, ac wrth yrru lawr o La Gorgue ac ymadael â gwastadeddau'r Pas de Calais, roedd y tir yn dechrau codi'n fryniau isel wrth gyrraedd Artois. Pentref hefo ffermydd yn ei ganol a byngalos mwy diweddar wedi llenwi'r bylchau rhyngddyn nhw yw Béthonsart heddiw. Roedd golch yn hongian ar lein mewn sgubor agored; roedd sgubor arall hefo clo Yale ar y ddôr gan awgrymu fod y tu mewn wedi'i drawsffurfio'n dŷ annedd.

Ac eto, roedd arwyddion nad oedd y lle wedi'i 'sybyrbeiddio' yn llwyr. Gwelais wyddau mewn cae bach oedd yn f'atgoffa o eiriau David Jones; tair caseg gwair ar gefn trelar; ac roeddwn i wedi parcio yn ymyl fan tua'r un maint â threlar Ifor Williams, hefo arwydd 'Commerce de bestiaux' ar ei ochr, sef 'masnachwr gwartheg'. Roedd dwy fuwch i'w gweld yn y cefn – ond dim golwg o'r gyrrwr.

Wrth grwydro ymhellach, gwelais fod cyfoeth wedi bod yn y

pentre hwn unwaith. Roedd yr ysguboriau yn rhai helaeth ac wedi'u codi'n gadarn o garreg neu o frics coch.

Roedd talcen un yn cyfuno'r ddau ddefnydd gan greu patrwm igam-ogam diddorol. Ac ar gongol y brif heol drwy'r pentref roedd porth hynafol hefo'r dyddiad 1590 wedi'i gerfio yn y bwa gwreiddiol, a 1742 uwch ei ben pan ychwanegwyd cilfach yn y wal ar gyfer delw grefyddol.

Tybed oedd y ddelw yn dal yno pan fu Dafydd yn y pentre hwn? Tybed a safodd yma gan edmygu'r porth fel y gwnawn innau? Tynnais lun o'r porth a cherdded yn fy mlaen. Roedd y peth nesaf a welais yn rhyfeddach fyth. Ar ochr y lôn fawr, roedd ysgubor hefo 22 o sgwariau wedi'u peintio ar ei hochr. Pam tybed? Ai ar gyfer gêm o ryw fath?

Roeddwn i'n ysu am gael gwybod, ond heblaw am ambell i gar yn ysgubo heibio ar y lôn, roedd y pentre'n hollol dawel a neb i'w gweld yn unman.

Ond ym mis Mehefin 1916 roedd Béthonsart yn unrhyw beth ond tawel. Am fod yr ardal hon ymhell tu ôl i'r llinell flaen ac ymhell felly o olwg yr Almaenwyr, roedd miloedd o filwyr wedi cael eu hel yma er mwyn derbyn hyfforddiant arbennig ar gyfer brwydr y Somme.
Dyma'r hyn a ddywedwyd am yr hyfforddiant yn Nyddiadur Rhyfel y Fataliwn.

June 15th – 25th

This period was spent in strenuous training with the rest of the 38th

Divn on a specially reserved area in the neighbourhood of MAGNICOURT EN COMTE. Co[mpan]y Field days, B[attalio]n Field days, B[riga]de Field days and finally a Divisional Field day.

Roedd Magnicourt ryw bedair milltir i ffwrdd o Béthonsart, ac es i draw i weld y lle. Wrth ddringo allan o'r pentre, des i at ucheldir ffrwythlon a'r caeau anferth yn ymrolio tua'r gorwel yn glytwaith o liwiau, yn frown, yn wyrdd, a bob hyn a hyn roedd caeau rêp yn sgrech o liw yn eu canol nhw. Roedd y tywydd yn gymylog ac yn annifyr o glos – a neb arall i'w weld ar gyfyl y lle. Ond yn 1916 base'r caeau hyn yn ferw o ddynion. Gwaith cyntaf y milwyr oedd palu rhwydwaith o ffosydd yn unswydd ar gyfer ymarfer ar gyfer Brwydr y Somme. Y syniad oedd caniatáu i'r swyddogion (am y tro cyntaf) geisio cydlynu symudiadau niferoedd mawr o ddynion ar y tro.

For the first six days of training, platoons and companies practised going into attack over open ground in extended lines, or 'waves', each successive wave carrying the action forward as the one in front supposed itself in check.

Roedd y rhan fwyaf o swyddogion yr Adran Gymreig, fel Dafydd ei hun, heb gael eu profi o gwbl mewn brwydr fawr, dim ond ambell batrôl yn nhir neb, neu gyrch nos sydyn yn erbyn llinell flaen y gelyn. Ar ôl chwe diwrnod o ymarfer fesul cwmni (sef y *Coy. Field Days* a'r *Bn. Field Days*) yn ystod y tri diwrnod wedyn, cafwyd cyfle i ymarfer ar raddfa fwy, hefo'r pedair bataliwn mewn brigâd, ac yna hefo deuddeg bataliwn yr adran Gymreig gyfan.

Er nad oedd neb yn eu gwrthwynebu yn ystod yr ymarferion hyn (a hynny'n gwneud i'r holl beth deimlo'n afreal mae'n rhaid!) roedd ymdrech serch hynny i baratoi swyddogion fel Dafydd ar gyfer newid annisgwyl yn ystod brwydr, er mwyn gweld pa mor dda roedden nhw'n ymdopi â hynny:

As the attack proceeded, unit commanders were deliberately confronted with unexpected difficulties. Some, for example, were told that they had advanced into their own artillery fire; others that formations to right or left had been held up by the enemy and were in need of assistance. Until appropriate action was taken, the unit concerned was deemed to have suffered casualties on a scale determined by watching umpires.

Ond y diffyg mwya yn y hyfforddiant hwn oedd natur y tir lle roedden nhw'n ymarfer. Er gwaetha'r ffaith fod sawl coedwig sylweddol yn ardal y Somme (ac yng Nghoed Mametz, lle byddai'r Adran Gymreig yn ymladd maes o law) ni fu unrhyw sylw o gwbl i ofynion ymladd mewn coedwig. Serch hynny, rhaid bod Dafydd wedi gwneud argraff yn ystod yr ymarferion hyn, a dangos ei botensial fel swyddog, fel y cawn weld yn y bennod nesaf...

* * *

Ond ar ddydd Mercher yr 21ain o Fehefin 1916, cyn gorffen y rhaglen hon o ymarferion ar gyfer y frwydr, ysgrifennodd Dafydd adre. Braf nodi fod tipyn gwell hwyl arno y tro hwn – ond hwn fyddai'i lythyr olaf at ei fam. Dyma fe:

> 10th Welsh Regt
> BEF
> Dydd Mercher
>
> Anwyl Fam
>
> Derbyniais y papyr ach caredig lythr neithiwr a llawer diolch am danynt. Yr oedd yn dda gennyf weld eich bod oll yn mwynhau iechyd arferol. Da gennyf fedru dweud fy mod innau yn llawer gwell erbyn hyn nag oeddwn wythnos yn ol a dweud y gwir y mae pob trwbl bron heibio erbyn hyn. Da gennyf glywed fod y parcel wedi cyrraedd adref. Ni allwn dalu am eu cludiad. Nid oedd talu ond am ei gludo yn Lloegr. Gobeithiaf nad oedd y charge yn gryf.

Dillad gwely oedd yn y parsel a anfonodd Dafydd adre, ac mae'n debyg fod ei fam yn naturiol ddigon wedi gofyn 'pam?' Mae Dafydd yn ceisio esbonio:

> Nid wyf wedi symud i wlad boethach er y carwn gael mynd. Yr oeddem yn gorfod gwneud ein kit i 35 lbs. felly yr oedd yn rhaid anfon y pethau allem spario adref. Digon possible y bydd i mi anfon am y blancedi etto pan ddaw y gaeaf os byddwn yma am aeaf etto. Gobeithiwn y bydd y cwbl drosodd cyn y gaeaf. Credaf nad oes neb o'r ddwy ochr a chwant gweld gae[af] y trenches unwaith etto.

Dyma eiriau poenus o eironig. Ni welai Dafydd aeaf arall yn y 'trenches' nac yn un man arall o ran hynny. Ond fel y gwelsom gynifer o weithiau cyn hyn, os oedd Dafydd yn ddi-feddwl yn ysgrifennu rhywbeth a allai beri pryder i'w fam, byddai'n ceisio newid y cywair yn syth, a dyna a wnaeth unwaith eto yn y fan hyn.

> Derbyniais eich parcel a pharcel o Llanio Isaf yn ddiogel a llawer diolch am danynt. Yr oedd y ddau yn dra dderbyniol.
>
> Hefyd derbyniais y llythyr bach oeddech yn siarad am dano. Active Service Cheque Book. Ni allwn gael arian yma hebddo.

Yn wahanol i'r milwyr cyffredin doedd swyddogion ddim yn cario llyfr cyflog. Byddai'r rhan fwyaf o swyddogion y fyddin yn agor cyfrif hefo Cox & Co. oedd a'u prif swyddfeydd yn Charing Cross yn Llundain (a'r swyddfeydd hynny ar agor drwy'r dydd, bob dydd, fel y gallai swyddogion oedd newydd gyrraedd nôl o Ffrainc godi arian.) Rhaid bod Dafydd wedi gadael ei lyfr siec yn y Wern Isaf.

> Gwyddwn fy mod wedi ei golli rhywle ond ni wyddwn ple ac yr oeddwn am ysgrifenu am dano. Gallwn gael un yn ei le ymhen un diwrnod ar hugain er hynny.
>
> Nid oes gennyf ddim rhagor heddyw.
>
> Cofion cynesaf attoch oll
>
> Dafydd

Ac felly y terfyna llythyr olaf Dafydd. Ei lofnod mor gadarn ag erioed, er bod mwy o sioe yn y tanlinellu, fel petai'n amau rhywbeth... Ond mae tair wythnos o'i hanes eto i fynd. Nid yw Dafydd wedi'n gadael ni eto...

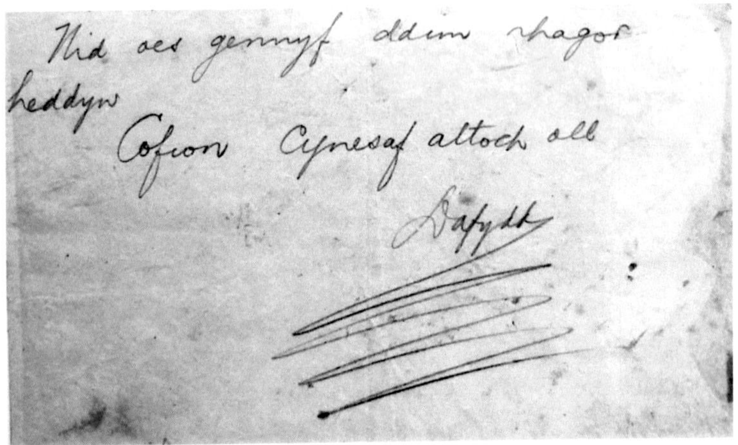

Nid oes gennyf ddim rhagor
heddyw
Cofion Cynesaf attoch oll
Dafydd

Ceir manylion am ffynonellau pob dyfyniad yn y bennod hon, a phob un sy'n dilyn, ar wefan Gwasg Carreg Gwalch:
https://files.ekmcdn.com/92a6b5/resources/other/anwyl-fam-nodiadau.pdf

21

'pan yn dod allan o'r goedwig disgynodd shell ar ei bwys'

(*tua'r Somme – Coed Mametz: Mehefin–Gorffennaf 1916*)

Ar ryw bwynt ar ôl anfon ei lythyr olaf at ei fam, cafodd Dafydd ei symud o'i gwmni, "A" Coy. i swydd newydd hefo cwmni'r pencadlys, neu'r Headquarters Company. Roedd pedwar cwmni o filwyr ymhob bataliwn, hefo dros ddau gant o ddynion ymhob un, ac roedd Dafydd wedi bod yn gyfrifol am "A" Coy. ers cyrraedd Ffrainc. Ond roedd 'pumed gwmni' i'w gael hefyd, tipyn yn llai o ran ei faint, hefo rhyw 70 o ddynion ynddo. Hwn oedd 'cwmni'r pencadlys', a oedd yn cynnwys prif swyddogion y fataliwn, gan gynnwys yr Adjutant, y Quartermaster, y swyddog meddygol a hefyd y rhingylliaid oedd yn gyfrifol am drafnidiaeth, coginio, anfon negeseuon ac yn y blaen.

Dyma galon weinyddol y fataliwn, a byddai'r Lieutenant Colonel, sef prif swyddog y fataliwn, yn awyddus i hel y swyddogion mwyaf disglair ac effeithiol ato – yn enwedig mewn brwydr lle roedd rhaid iddo gydlynu symudiadau mil o ddynion, yn ogystal â bod yn gyswllt hefo swyddogion yr 114th Brigade oedd yn gyfrifol am y pedair bataliwn oedd wedi cychwyn hefo'i gilydd yn y Rhyl dros ddeunaw mis ynghynt (sef y 10th Welsh a'r 13th Welsh o'r Rhondda, y 14th Welsh o Abertawe a'r 15th Welsh o sir Gaerfyrddin). Roedd Dafydd yn ddewis amlwg ar gyfer y gwaith yma yn ôl ei gyd-swyddog, a'i gyfaill o Aberystwyth, T. Ifor Davies:

> *He was without exception the finest officer in the battalion and his opinion was sought after by every other officer, including the Colonel, in whose opinion he stood far above everyone else, so level headed and absolutely void of fear he was. The men I know simply worshipped him...*
>
> *To go into action he was taken away from his company in order to act as second in command of the battalion, a position filled in all other battalions in the brigade by a major.*

Gan nad yw Dafydd yn sôn am gael dyrchafiad o'r fath yn ei lythyrau adre (a chan nad oedd rheswm iddo beidio), mae'n ymddangos mai ar ôl iddo anfon ei lythyr olaf adre ar 21.6.16 y cafodd wybod am y newid swydd yma. Gallwn ddychmygu fod Dafydd wedi disgleirio yn ystod yr ymarferion yn Béthonsart, ac mai hynny efallai oedd wedi ysgogi Lieut. Col. Ricketts i dynnu Dafydd o'i safle hefo'i gwmni, a'i ddefnyddio i'w helpu i gyfarwyddo'r fataliwn gyfan.

* * *

Ar ôl y cyfnod hyfforddi yn Béthonsart, ar y 26ain o Fehefin roedd bataliwn Dafydd yn barod i symud tua'r Somme unwaith eto. Roedd eu taith ar y diwrnod cyntaf yn arbennig o heriol, fel y nodwyd yn Nyddiadur Rhyfel y Fataliwn:

26.6. 16

The Bn. marched from Bethonsart to Neuvillette about 21 miles. Start at 5pm. The weather was extremely wet and the roads hilly. This was the most severe march the Bn had yet been called upon to perform. The men started physically tired after the strenuous training for open warfare at BETHONSART.

Mae'r rheswm am hyn yn aneglur. Yn ôl y Field Service Regulations, pymtheg milltir oedd yr uchafswm oedd yn cael ei argymell ar gyfer taith diwrnod. Ac yn ystod y dyddiau canlynol wnaeth y fataliwn ddim martsio mwy na deng milltir ar y mwyaf, felly pam y fath frys wrth ymadael â Béthonsart, tybed? Ar ôl cyrraedd Neuvillette y noson honno anfonodd Dafydd 'Field Postcard' at ei fam ond yn amlwg roedd wedi blino gormod i lunio llythyr llawn.

O Neuvillette, aethon nhw ymlaen i Fienvillers ac erbyn bore'r 1af o Orffennaf 1916, pan ddechreuodd yr ymladd mawr ar y Somme, roedden nhw wedi cyrraedd Rubempré, ryw 17 milltir o'r llinell flaen. Roedd rheswm am hyn. Wrth gynllunio ar gyfer brwydr y Somme, roedd yr Adran Gymreig ymhlith y rhai y penderfynwyd eu cadw wrth gefn ar y dechrau, er mwyn atgyfnerthu'r ymdrech yn erbyn unrhyw fylchau fyddai'n datblygu yn llinellau'r Almaenwyr. Ond tebyg y bydden nhw wedi clywed sŵn y gynnau o bell, dros sŵn eu hesgidiau ar yr heol...

O Rubempré aeth y fataliwn i Puchevillers, yna i Franvillers gan gyrraedd Heilly erbyn noson y 4ydd o Orffennaf. Anfonodd Dafydd Field Postcard arall at ei fam o'r fan hyn, ond eto nid oedd amser na'r amgylchiadau yn caniatáu iddo ysgrifennu llythyr llawn. Anfonodd gerdyn hefyd at Lilian ei gariad. Roedd yn gwybod fod ei fataliwn yn symud drannoeth i gymryd eu rhan yn y frwydr fawr. Ac ar y 5ed o Orffennaf, martsiodd y 10th Welsh ddeng milltir i gyrraedd Fricourt, pentref oedd wedi cael ei chipio oddi wrth yr Almaenwyr ar y 1af o Orffennaf. Dyma'r cofnod o Ddyddiadur Rhyfel y Fataliwn:

Nr FRICOURT 5.7.16

The 38th Divn. were now relieving 7th Divn. & 114th Bde. were supporting 113th & 115th Bdes which were before MAMETZ WOOD.

Wrth iddyn nhw ddynesu at ddiwedd eu taith y diwrnod hwnnw, byddai bataliwn Dafydd wedi dechrau cyfarfod â milwyr yn mynd i'r cyfeiriad arall ar ôl ymladd yn ystod dyddiau cyntaf y frwydr. Roedd L/Cpl. W.O. Hughes o Ddeiniolen yn symud i gyfeiriad Fricourt hefo'r 17th RWF yr un pryd, a dyma'i ddisgrifiad yntau o'r hyn a welai:

Erbyn hyn yr oedd cerbydau y Groes Goch yn ein pasio yn aml, yn llwythog o wroniaid clwyfedig – pob un a allai godi ei ben yn ei glwyfau yn gwenu yn siriol! (...) [D]aeth cwmniau i'n cyfarfod yn orchuddiedig a llaid a llwch; rhai yn gwisgo penwisgoedd Ellmynaidd, eraill yn cario pob math o ryw fân daclau – yr oll mewn hwyliau uchel, yn canu yn egniol... Daethom hyd Fricourt, lle y bu pentref ond palla iaith i ddisgrifio yr alanas. Yr oedd adeiladau a choed a phopeth yn gandryll! Yr oedd yn anichonadwy clywed ein gilydd yn siarad yn swn enbyd y gynau.

Milwyr clwyfedig yn cilio o Bernafay Wood, 19.7.1916

Ond ar ôl cyrraedd cyffiniau'r frwydr, cael eu dal ar y cyrion oedd hanes bataliwn Dafydd:

> *6.7.16*
>
> *All preparations for action at any moment. Active operations in progress on all sides. Intense artillery activity. Carrying & working parties for troops in front.*

Ar y 7fed wedyn, darparu 'working & carrying parties' a wnaethant wrth i'r 115th Brigade o'r Adran Gymreig ymosod yn aflwyddiannus ar Goed Mametz. Y diwrnod hwnnw, postiodd Dafydd ei Field Postcard olaf at ei fam. Roedd yn gwybod mai eu tro nhw fyddai hi nesaf i geisio cipio'r coed. Yn wahanol i'r cardiau blaenorol, mae plygion trwm yn hwn – yn amlwg cafodd ei gario am gyfnod wedyn ym mhoced ei fam, fel crair olaf gan ei mab...

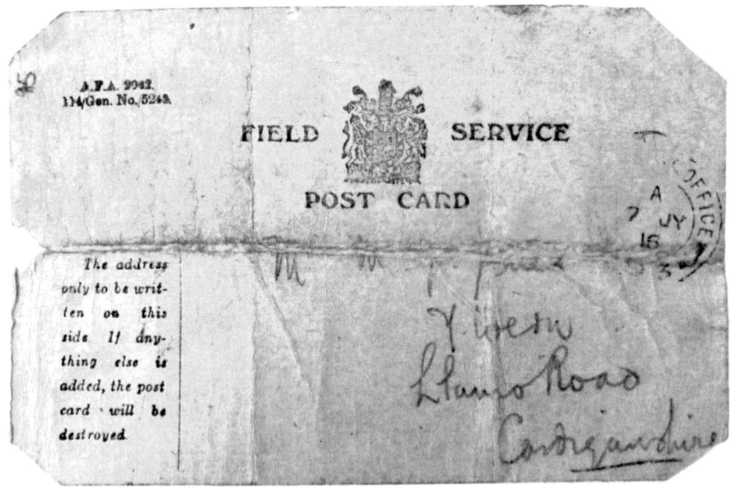

FIELD SERVICE POST CARD

The address only to be written on this side. If anything else is added, the post card will be destroyed.

Y Wern
Llanio Road
Cardiganshire

Ond pan gyrhaeddodd y cerdyn ben ei daith yn Llanio, tybed beth oedd ymateb Margaret Jones a'r teulu? Roedd Dafydd wedi anfon sawl Field Postcard yn y gorffennol, ond byth tri yn olynol. Petai wedi troi at y rhifyn diweddaraf o'r *Cambrian News* (7fed o Orffennaf), byddai wedi gweld yr hanesyn rhyfedd hwn:

> *Cred trigolion Llangeitho y clywant swn y saethu o Ffrainc. Nid oes dim yn annhebyg yn hyn. Yn ol tystiolaeth roddwyd gan Mr. Miller Christy mewn cyfarfod o'r Royal Meteorological Society, mae llawer o bobl yng ngwahanol barthau yn credu yr un fath. Ei dyb ef yw eu bod yn teimlo, yn hytrach na chlywed y swn.*

Tybed a oedden nhw wedi clywed sŵn tebyg yn y Wern? Fodd bynnag, nid dyna'r unig ragarwydd o'r gyflafan oedd yn prysur ddatblygu tua Ffrainc. Yn yr un rhifyn cafwyd newyddion trist am farwolaeth un o gyfoedion Dafydd, John Llewelyn Griffiths o Bontrhydfendigaid. Er bod Griffiths flwyddyn yn iau na Dafydd, roedd wedi dilyn llwybr rhyfeddol o debyg iddo. Roedd y ddau wedi cydoesi yn Ysgol Tregaron ac yna yn y coleg yn Aberystwyth. Roedd Griffiths hefyd wedi bod yn athro heb dystysgrif (yn Swyddffynnon) cyn mynd ymlaen i'r coleg yn 1914; ac ar ôl cyrraedd Aberystwyth, aeth yn aelod o'r O.T.C. a chwarae dros dîm pêl-droed y coleg, fel Dafydd. Sgoriodd y ddau ohonynt mewn gêm gyfeillgar pan enillodd tîm y coleg 4-0 yn erbyn tîm y dre ym mis Hydref 1914. (John o'r wing 'with a low drive', Dafydd, yng nghanol cae, 'finished up an individual effort with a beautiful shot'.) Enillodd John wedyn ar yr unawd tenor yn Eisteddfod y Coleg yn 1915, fel y gwnaethai Dafydd ar yr unawd bariton flwyddyn ynghynt. Aeth i'r

NOTHING is to be written on this side except the date and signature of the sender. Sentences not required may be erased. If anything else is added the post card will be destroyed.

I am quite well.

I have been admitted into hospital
{ sick } and am going on well.
{ wounded } and hope to be discharged soon.

I am being sent down to the base.

I have received your { letter dated ______ / telegram " ______ / parcel " ______

Letter follows at first opportunity.

I have received no letter from you
{ lately.
{ for a long time.

Signature only. } Dai

Date 6/7/16

[Postage must be prepaid on any letter or post card addressed to the sender of this card.]

W3497-293 2,000m. 9/16 J. J. K. & Co., Ltd.

LIEUT. J. L. GRIFFITHS.
Photo, Davies and Son, Aberystwyth

fyddin yn fuan wedyn, fel Lieutenant yn y Northumberland Fusiliers.... ond cafodd ei ladd ar y 26ain o Fehefin, 1916.

Ond hyd yn oed os nad oedd y *Cambrian News* yn sôn rhyw lawer eto am frwydr y Somme, roedd digon o bapurau eraill yn gwneud hynny. Ar yr 8fed o Orffennaf er enghraifft, roedd *Baner ac Amserau Cymru* wedi cyhoeddi stori dan y pennawd:

> *YMOSOD AR FFRYNT O 26ain MILLDIR. DROS WYTH MIL O GERMANIAID YN GARCHARORION.*

Aeth y stori ymlaen i nodi fod 'y brwydro yn ffyrnig iawn...dyma'r ymosodiad mwyaf erioed o eiddo y Prydeiniaid.' Rhaid felly fod teulu'r Wern Isa wedi amau fod cysylltiad rhwng tawedogrwydd Dafydd a'r ymladd mawr yn Ffrainc.

Ond am y tro roedd Dafydd yn ddiogel. Roedd y fataliwn yn aros eu tro yn yr hen ffosydd Almaenig oedd wedi'u cipio yn ystod dyddiau cynta'r ymladd. Tebyg fod Dafydd wedi cysgu mewn hen dugout Almaenig, fel yr un a welodd L/Cpl. W.O. Hughes o'r Ffiwsilwyr Cymreig:

> *Amlwg fod Fritz wedi cyflogi i aros am dymhorau yn y lle gan fod cywreinrwydd y ffosydd yn synu pob un ohonom. Roedd pob 'dug-out' yng nghrombil y ddaear wedi ei goedio a phlanciau wyth modfedd o led wrth 3 i 3.5 modfedd o drwch. Gallai deuddeg i bymtheg o ddynion dwylath gysgu mewn lloches glyd wedi ei choedio etc yn ofalus pe buasai mil o shells yn disgyn uwch penau.*

Does wybod faint o gwsg y byddai Dafydd wedi'i gael ar y noson cyn iddyn nhw ymosod ar Goed Mametz. Byddai wedi bod wrthi yn rhannu'r gorchmynion olaf i'w filwyr tan yn hwyr y noson gynt, ac yna gorfod codi cyn y wawr, gan fod yr ymosodiad cyntaf am 4.15 y bore. Tybed beth oedd ar ei feddwl? Dyma atgofion Capten Llewelyn Wyn Griffith o'i deimladau yntau, y bore cyn brwydr Mametz.

> *In the stuffy darkness of the old German dug-out an orderly lit a candle and roused us... I swung my feet over the side of the wire-net mattress and stumbled up the stairs into the thin chill of the dawn, stupid and less than half awake... Shivering and stretching, stamping my feet on the duckboards, swinging my arms like a cab-driver, I walked along towards the sound of a crackling wood fire and its promise of a cup of tea ...*
>
> *Was it my last day? With a wise obstinacy, the mind refused to dwell on such a thought, and the signalman in my brain shunted such futile traffic into some siding, giving the right of way to the greater utility of a desire for a cup of tea. I found some biscuit and a tin of jam,*

and sat on an ammunition box near the fire, eating and drinking in silence.

Roedd hi'n ddydd Llun, y 10fed o Orffennaf, 1916. Ar ôl ymosodiad aflwyddiannus ar Goed Mametz gan yr 115th Brigade ar y 7fed, y cynllun y tro hwn oedd ymosod gyda dwy frigâd arall yr Adran (yr 113th a'r 114th) yn arwain, a'r 115th yn eu cefnogi.

Roedd y 10th Welsh yn rhan o'r 114th Brigade, ac yn ymosod ar ran o'r goedwig oedd yn cael ei adnabod fel yr 'Hammerhead' oherwydd ei siâp ar y map. Dyma ble oedd yr ymosodiad aflwyddiannus blaenorol wedi'i anelu ar y 7fed hefyd. Es i draw i weld y lle drosof fy hunan.

* * *

Ar fore o haf, dringais i ben cefnen isel o dir gyferbyn â Choed Mametz, i weld y gofeb Gymreig sydd wedi'i chodi yn y man lle cychwynnodd yr ymosodiad ar yr Hammerhead.

Cofeb syml ond trawiadol yw hi, gyda draig goch sylweddol ar ben colofn sgwâr o garreg wen, yn edrych draw i gyfeiriad y coed. Cafodd ei chodi yn sgil apêl gyhoeddus gan y Western Front Association ynghanol y 1980au. Roedd angen codi £22,000 a rhoddwyd cryn hwb i'r apêl ar ôl i'r darlledwr Vincent Kane gyfweld â'r cyn-filwr Tom Price o Drefforest, un o'r rhai oedd wedi awgrymu y dylid cael cofeb i'r Cymry oedd wedi'u colli. Dim ond 18 oed oedd

Price pan ymladdodd yng Nghoed Mametz, ac roedd clywed hanes un a oedd wedi cael ei anafu yn ystod yr ymladd yn gryn help i'r achos.

Comisiynwyd cwmni F.T. Mossford o Gaerdydd i gynhyrchu'r golofn garreg, ddeg droedfedd o uchder, gan ddefnyddio tywodfaen o goedwig Dena. Wrth gerdded o'i chwmpas gallwn weld bathodynnau'r tair catrawd fu'n rhan o'r frwydr am Goed Mametz, wedi'u cerfio i wyneb y garreg – y Ffiwsilwyr Cymreig, Gororwyr De Cymru a'r Gatrawd Gymreig. Ar y bedwaredd ochr roedd y geiriau hyn:

Parchwn eu hymdrechion
Parhaed ein hatgofion

Ar ben y golofn ceir draig goch ysblennydd, o waith yr artist-gof David Petersen. Yn ei chrafangau mae'n dal tameidiau o weiren bigog yn sumbol o'r ffordd y llwyddodd y Cymry i fylchu a meddiannu amddiffynfeydd yr Almaenwyr yn y coed.

Wrth sefyll dan y ddraig ac edrych i gyfeiriad y coed gallwn werthfawrogi'r her oedd yn wynebu'r milwyr Cymreig y diwrnod hwnnw. Ar ddechrau'r frwydr roedden nhw yn y fan lle safwn innau, ar ben cefnen o dir, rhyw gan troedfedd o uchder, oedd yn rhedeg o flaen ochr ddeheuol Coed Mametz. I gyrraedd y coed felly, roedd rhaid disgyn lawr llethr serth ac yna croesi tir agored – ac i wneud pethau'n waeth, roedd yr Almaenwyr wedi dal eu gafael ar y ffosydd a oedd i'r dde o'r goedwig. Felly byddai unrhyw filwyr a geisiai groesi'r tir agored hwnnw yn wynebu tanio nid yn unig o gyfeiriad y gelyn o'u blaenau yng Nghoed Mametz ond o'r ochr hefyd.

* * *

Dechreuodd y cyfan gyda'r magnelwyr yn ymosod ar ran ddeheuol y coed; defnyddiwyd siels arbennig hefyd i greu llen o fwg. Roedd J.C. Rowlands o Borthaethwy yn sarjant hefo'r 17th RWF a dyma'i ddisgrifiad yntau o'r *barrage* y bore hwnnw:

> *Ar doriad y wawr wele ninnau dan arfau yn barod. Ac yna llefarodd y magnelau – o fel y taranent! Gwelem frigau y coed drwy gymylau tew o fwg, yma ac acw wele bentwr o ddaear Ffrainc yn dyrchafu i'r entrych. Mewn manau eraill dacw'r mwg yn cael ei hollti gan ffrwydriad pelan ar ol pelan uwch ben*

Cwmni 'A', hen gwmni Dafydd oedd y cyntaf o'r 10th Welsh i gael ei anfon i lawr y llethr ac ar draws y tir agored at y coed, gyda'r tri chwmni arall yn dilyn yn fuan ar eu hôl. Roedd W.O. Hughes o'r 17th RWF yn dal ar ben y bryn ac yn eu gwylio'n nhw'n mynd:

> *O'u blaen yr oedd y maes wedi ei fritho a chyrph y llanciau dewr a geisiodd gymeryd y coed yn gynharach ar y dydd – pob 'shell hole' bron a rhyw druan archolledig ynddo, yr hwn na feiddiai symud gan fod y Snipers Germanaidd o fewn cyrraedd ergyd iddynt pe gwelant.*

Cyn y gallai Hughes ymuno yn yr ymosodiad ei hun, cafodd fwled drwy'i fraich. Ond mynnodd gip arall ar y milwyr Cymreig yn croesi'r tir agored:

> *Rhaid oedd cael un olwg ar y bechgyn yn advancio, er gwaethaf bwledi y gelyn, ac nid golygfa ddiwerth oedd ychwaith – pob un yn cerdded yn hamddenol fel pe buasent ar parade!*

Pan ddaeth tro J.C. Rowlands i groesi at y coed, roedd yn teimlo'n unrhyw beth ond hamddenol:

> *Symudasom ymlaen, yr oeddym yn ymwybodol o belenau o bob maint yn chwalu o'n cwmpas a darnau ohonynt yn chwyrnellu drwy'r awyr. Yr oedd y gelyn yn tywallt "cawodydd o'i fendithion" arnom. Rhuai ein magnelau ninnau y tu ol, ac yr oedd y twrf a'r ysgrechiadau yn ddiddiwedd. Ond neshaem at y Coed.*

Ond beth yn union ddigwyddodd i Capten Dafydd Jones yn ystod y frwydr hon? Er bod cymaint wedi ei ysgrifennu am Goed Mametz, mae'n anodd iawn olrhain hanes unigolyn drwy'r cyfan – heblaw fod hwnnw wedi goroesi ac wedi cael cyfle i gofnodi ei atgofion. Mae Dyddiadur Rhyfel y Fataliwn yn rhoi syniad i ni o beth oedd yr amcanion strategol yn ystod y frwydr – ond am y gweddill rydym yn ddibynnol am bytiau gan gyd-filwyr Dafydd, yn enwedig ei hen gyfaill coleg a chyd-swyddog yn y 10th Welsh, T. Ifor Davies. Ar ôl y frwydr, anfonodd lythyr i'r Wern i adrodd am hanes Dafydd, ac fel y gwelwn ni, cafwyd tro annisgwyl yn syth ar ddechrau'r diwrnod cyntaf:

Before all our battalion had left the trench to attack, the colonel was wounded, hence the work of commanding and directing the whole battalion devolved on Dai. (...) That he did with conspicuous ability and bravery, every officer and man having absolute confidence in him. We were in Mametz Wood for over 50 hours, during which time he was simply splendid.

Tipyn o gyfrifoldeb i Dafydd felly. Cafwyd colledion trwm wrth groesi'r tir agored at y coed, a dyma sefydlu patrwm fyddai'n parhau am y ddeuddydd nesa – dim ond dechrau gofidiau oedd hyn. Gyda chymaint yn cwympo, roedd hyd yn oed eu hymgeleddu yn gofyn cryn ddewrder:

Stretcher-bearer John Matthew Thomas, A Company, 10th Welsh, has been awarded the Military Medal for gallantry in attending to the wounded, and carrying them to cover under the enemy's fire.

Roedd Thomas yn 36 oed ac yn rhingyll yn hen gwmni Dafydd. Roedd yn byw yn Nhon-du, a chyn y rhyfel, gweithiai fel glöwr ym mhwll Ton Phillip ger Mynydd Cynffig. Ac roedd digon o waith ar ei gyfer yntau a'i elor-wely yn ystod y frwydr, gan fod dau gant o'r fataliwn wedi derbyn anafiadau a llawer o'r rheini'n methu cerdded i gael cymorth cyntaf.

* * *

Cerddais lawr yr allt o'r gofeb a chroesi cae rêp at y coed tywyll. Roedd bynting draig goch yn rhwystro pobl rhag mentro mewn – a sawl torch o babi coch wrth y fan. Roedd arwydd yn cyhoeddi fod y coed yn 'Interdit au public' gan fod hela yn cael ei ganiatáu yma, ond roedd y lle'n dawel a mentrais i mewn, gan gadw at y llwybrau. Roedd rhywun wedi bod yn torri coed a'u hollti a'u pentyrru. O edrych o 'nghwmpas, gwelwn mai coed cymharol ifanc oedd yno. Cafodd yr hen rhai i gyd eu dryllio gan y magnelau yn ystod y brwydro. Wrth gerdded trwy'r coed, ni allwn glywed dim ond sŵn fy nhraed ar y pridd ac ar ddail crin y flwyddyn gynt; ac roedd ambell aderyn yn canu. Mor wahanol i'r twrw anhygoel a brofodd J.C. Rowlands yn ystod y frwydr, gan mlynedd yn ôl:

Disgwyliai rhai ohonom i'r goedwig gau allan y swn aruthrol, ond yma yr oedd yn fwy byddarol – Coed drylliedig yn disgyn, y pelennau yn ffrwydro, a'r machine guns yn poeri, bwledi yn suo ac yn chwiban drwy y perthi dryslyd.

Y cae o flaen Coed Mametz, 2016

Roeddwn i wedi bod yn y coed unwaith o'r blaen, yn ystod mis Tachwedd rai blynyddoedd ynghynt; a'r pryd hwnnw, roedd hi'n haws o lawer gwerthfawrogi faint o ddifrod a wnaed i lawr y goedwig gan ffrwydradau'r holl siels oedd wedi disgyn yma yn ystod y frwydr. Roedd y pantiau'n dal i'w gweld yn glir ym moelni'r gaeaf. Ond y tro hwn roedd tyfiant yr haf wedi llyfnu tipyn ar y hen greithiau hynny, a gallwn werthfawrogi'n well pa mor anodd oedd symud trwy'r coed, heb sôn am ymladd yno. Roedd Sgt Eli Hollyfield o Fargoed yn cofio'r anawsterau'r a wynebai'r 10th Welsh:

> *My captain gave the order to go through the wood in single file, and I can assure you we had a hard task to get through. After the artillery had done its work in front of us it was more like a maze than a wood.*

Yn ôl Dyddiadur Rhyfel y Fataliwn, ar ôl iddyn nhw ymladd eu ffordd mewn i'r coed a chyrraedd y nod gyntaf, 'the 10th commenced digging in'. Yna, yn ôl T. Ifor Davies:

> [*we*] *remained in our first position until 2 p.m. when the 10th were given orders to attack again. We went but had to come back owing to the fire of some hidden machine guns. At 4 p.m. they attacked again but I was left behind as a support with a few men. Dai went on.*

Dyma atgofion J.C. Rowlands am yr ymladd yn y coed y diwrnod hwnnw:

> [*C*]*hwyrnellai cawodydd o fwledi trosom. Llama un o'n swyddogion ymlaen a llefa, "Come on the Welsh", ac yna syrthia gan riddfan. Yn awr neu byth. Peidia y cawodydd â'n rhidyllio am eiliad ac yna llamwn ymlaen. Gwelwn y gelyn, dyma ddigon. Y mae y gwaed*

Cymraeg yn berwi ynom. Ymwthiwn trwy y llwyni dryslyd a dacw'r bidog yn fflachio ac yn ymgladdu yn ysgerbwd Almaenaidd.

Cyfartha cyflegrau yn groch, ie, ein tro ni yw hi yn awr. Dyn yn erbyn dyn – Tydi neu efe i syrthio. Ac yn fwyaf cyffredin efe oedd yn syrthio. Dacw haid ohonynt yn rhoi eu dwylaw i fyny acw gan lefain am drugaredd, haid arall yn ymladd yn ffyrnig.

Yn ôl cyfweliad hefo milwr di-enw o Frynaman yn y *South Wales Evening Post*, nid oedd pob milwr yn siwr sut i ymateb pan oedd y gelyn yn ildio:

Somebody from a Rhondda battalion on the left was heard to enquire of his sergeant, 'What shall I do with this one?'

Daeth yr ateb yn iaith y Rhondda:

'Rho wech modfadd iddo fa!'

Roedd cwmni Eli Hollyfield hefyd wedi llwyddo cymryd carcharorion, ar ôl i'r gelyn gilio o'u blaenau:

After some work when we captured 22 Germans and one officer and a machine gun we got near the end of the wood. The order 'Dig yourselves in' was given again, and as soon as we finished this line of trench, we were told to keep good lookout for an attack.

Erbyn noson y 10fed o Orffennaf, roedden nhw wedi cyrraedd o fewn 300 llath i ymyl ogleddol y coed, a chloddiwyd ffos newydd ar draws eu rhan nhw o'r goedwig. Dyma sylwadau Dyddiadur y Fataliwn;

The night was spent in this position and except for enemy machine gun fire from our left front across the clearing the hours of dark were uneventful.

Ond ar fore Mawrth yr 11eg, cawsant orchymyn i dynnu nôl at y lein yr oedden nhw wedi cloddio'r bore cynt, lle roedd Dafydd wedi gadael Ifor:

When talking together that morning he said, "You didn't mind me leaving you behind yesterday Ifor did you; you are married, I am not." That was all, but what more could any one wish for from a friend who was willing to risk his life in order to leave another in comparative safety. I shall remember those words as long as I live, those alone show what a kindly feeling lay within Dai's apparent[ly] indifferent countenance.

Mae'n werth oedi gyda'r geiriau hyn, oherwydd credaf iddynt ddadlennu rhywbeth eitha allweddol am Dafydd Jones. Doedd e ddim yn un i ddangos ei deimladau, ond nid oedd hynny'n golygu chwaith fod e'n diystyru teimladau pobl eraill. Mae'n siwr fod hynny wedi bod yn gaffaeliad iddo fel swyddog.

Everybody had impli[cit] faith in him and in every respect it was fully justified. At 3 P.M. Tuesday afternoon we had to deliver another attack. Dai and I went forward together and from that moment onward we were not parted for one minute until death itself parted us for ever in this world.

Eu nod y tro hwn oedd ymladd eu ffordd at ymyl ogledd-orllewinol y coed, ychydig i'r chwith o ble buon nhw'r noson gynt. Llwyddwyd i wneud hynny, a chloddio lein newydd o ffosydd dim ond hanner canllath o ymyl y coed. Roedd Coed Mametz wedi'i gipio fwy neu lai. Ond ar eu hail noson yn y coed, doedd dim llonydd i'w gael i'r Cymry gan yr Almaenwyr, fel y nodwyd yn Nyddiadur Rhyfel y Fataliwn:

At dusk the enemy commenced a heavy bombardment with H[igh].E[xplosive]. and torpedoes – the latter apparently coming from an enemy trench on the ridge north east of the wood. Heavy losses were incurred here...

Roedd T. Ifor Davies yn cofio'r noson honno a hefyd sut y bu Dafydd wrthi'n annog ei filwyr:

Oh what a terrible night that Tuesday night was and how well he bore up under such an ordeal. (...) he was undoubtedly the best officer we had, of whom the colonel had a very high opinion. (...) He was everywhere, seeing to everything with spirits that cheered every officer and man who came in contact with him.

* * *

Wrth grwydro yn y coed heddiw, gwelwn yma ac acw faneri draig goch wedi'u pinio ar foncyffion y coed, arwydd fod pobl o Gymru wedi dymuno cofio'u hynafiaid oedd wedi ymladd a marw yno. Roedd ychydig yn swreal sylwi ar y baneri bach 'ma ar goll bron ynghanol y gwyrddni – ond doedd hynny'n ddim byd i'w gymharu â'r swrealaeth erchyll a welodd Llywelyn Wyn Griffith yma yn ystod y frwydr:

There were more corpses than men, but there were worse sights than corpses. Limbs and mutilated trunks, here and there a detached head, forming splashes of red against the green leaves... one tree held in its branches a leg, with its torn flesh hanging down over a spray of leaf.

Y peth mwyaf sobreiddiol wrth gerdded trwy Goed Mametz heddiw ydy sylweddoli gymaint o bobol fuodd farw yma, ac yn wir sydd wedi'u claddu yma o hyd. Mae'n anodd cysoni'r coed heddiw â'r gyflafan a fu. Ond os ydych chi'n craffu, mae modd dechrau gweld... a dyna wnaeth y ffotograffydd Aled Rhys Hughes ar gyfer arddangosfa arbennig a gynhaliwyd yn y Llyfrgell Genedlaethol adeg canmlwyddiant y frwydr yn 2016. Bu Aled yn ymweld â choed Mametz ar y 10fed o Orffennaf bob blwyddyn, rhwng 2009 a 2015, er mwyn tynnu lluniau – ac er mwyn ceisio gweld. Mae'r lluniau'n dangos y tir amaethyddol o gwmpas y coed wedi'i adfer i sut y buasai cyn y Rhyfel Mawr. Felly hefyd y coed ei hun – nid oes sicrwydd a oes unrhyw goeden wedi goroesi o'r cyfnod cyn dinistr y frwydr, ond yn lluniau Aled o'r coed, ceir awgrym o'r hyn a ddigwyddodd yma, gyda'r cysgodion yn cyfleu ansicrwydd, yr anhawster o wybod ar beth yn union yr ydym yn syllu. Hon yw'r goedwig ond ai rhain yw'r coed? Mae ei luniau yn ein gorfodi ni i ofyn cwestiynau. Felly hefyd y delweddau sy'n dangos ambell siel o'r frwydr yn gorwedd o hyd ynghanol y dail crin ar lawr – dinistr ynghanol tyfiant. Mewn un ddelwedd anhygoel, mae dwy goeden gyfagos wrth dyfu, wedi codi siel i fyny o'r ddaear dros y blynyddoedd, gan greu'r argraff iddo gael ei ddal rhwng y ddau foncyff wrth hedfan at ei darged. Eto, rhaid cwestiynu yr hyn yr ydym yn ei weld...

* * *

Ynghlwm â'r baneri draig goch a welir yn rhai o luniau Aled Rhys Hughes, a'r rhai yr oeddwn i wedi'u gweld drosof fy hun, fel arfer ceir rhyw neges yn datgan pwy sy'n cael ei goffáu. 'Parhaed ein hatgofion' meddai'r arysgrif ar gofeb y ddraig, ar ben y bryn gyferbyn – ac wrth

ei throed, fel petai'n adlais twt o'r argymhelliad hwnnw, roeddwn wedi gweld torch fach er cof am Cpl. Farr o'r 10th Welsh. Roedd yn 36 oed pan fuodd farw, ac yn löwr yn Nhonypandy. Un o Wlad yr Haf ydoedd yn wreiddiol, ond yn byw hefo'i chwaer a'i theulu yn Charles Street.

Wrth gwrs, nid Farr oedd yr unig un. 'The Bn. suffered casualties 17 officers and 297 other ranks' – dyna gofnod moel Dyddiadur Rhyfel y Fataliwn am golledion Brwydr Mametz. Mae hyn yn cynnwys y rhai oedd wedi eu hanafu yn ogystal â'r rhai oedd wedi marw; ond o droi at restrau'r Commonwealth Graves Commission, gwelwn fod 21 o'r fataliwn wedi marw ar y 10fed, 3 ar yr 11eg, a 48 ar y 12fed o Orffennaf – 72 i gyd.

Mae'r ffigurau hyn yn gamarweiniol, a dweud y lleiaf. Bu'r fataliwn yng nghanol y brwydro drwy'r dydd ar y 10fed a'r 11eg, a chawsant eu tynnu allan o'r coed ar fore'r 12fed – ac eto, ymddengys mai ar y diwrnod olaf y cafwyd y colledion trymaf. Ond gellir esbonio'r anghysondeb fel a ganlyn: mae'n debyg fod y rhan fwyaf o'r marwolaethau a gofnodwyd ar y 10fed yn rhai a gafodd eu lladd wrth groesi'r tir at y coed. Byddai lleoliad eu cyrff yn ei gwneud hi'n glir ar ba ddiwrnod y buon nhw farw. Yn ystod y ddeuddydd wedyn, ar ôl i'r fataliwn ddechrau ymladd yn y coed, roedd yn anodd dweud ag unrhyw sicrwydd pryd yn union y buodd neb farw, ond yn ystod y 10fed a'r 11eg y cafwyd y colledion trymaf, bid siwr. Priodolwyd cymaint o'r marwolaethau i'r 12fed oherwydd mai dyna pryd y cawson nhw eu cofnodi gyntaf wrth i'r dynion wneud *roll call* ar ôl dod allan o'r coed.

Pwy oedd y dynion tu ôl i'r ystadegau moel yma?

Glowyr oedd llawer ohonynt. Dynion ifainc. Roedd Llewelyn Morgan yn 19 oed pan gafodd ei ladd, yn löwr o Gwm Cynon; roedd hefyd yn gôl-geidwad a chadeirydd clwb pêl-droed yr Aberaman Mintoes.

Private Llewelyn Morgan, Aberaman, the footballer-soldier, who has been killed in action, as reported in our last issue.

Glöwr arall, o'r Porth yn y

TEYRNGED I THOMAS YALE.—Dyma lun y diweddar Lieut. Thomas Yale Lloyd, mab Mr. a Mrs. Hugh Lloyd, Richmond Terrace, y crybwyllem yr wythnos ddiweddaf am ei gwymp yn y rhyfel:—

Rhondda, oedd Gwilym Williams, tad ifanc, a'i blentyn hynaf ond yn wyth oed. Roedd Sgt. William Henry Loud wedi gweithio fel glöwr ym mhwll yr Ocean yng Nghwmparc, cyn symud i weithio fel heddwas ym Maesteg. Roedd yn 21 oed.

Ymhlith y swyddogion a laddwyd, roedd Lt. Harry Cowie yn 22 oed, ac yn dod o Ferthyr. Roedd Harry yr hynaf o saith o blant ac wedi gweithio hefo'i dad cyn y rhyfel mewn cwmni yswiriant. Un o Gymry Lerpwl oedd 2nd Lt. Thomas Yale Lloyd (llun ar y chwith), ac roedd yn 20 oed. Roedd yn aelod gweithgar yng nghapel y Presbyteriaid yn Fitzclarence Street ac wedi mynd yn syth o'r cyfarfod gweddi yno er mwyn dal y trên o Lime Street pan ymunodd gyntaf â bataliwn y 10th Welsh.

Collwyd 72 ar faes y gad ond mewn gwirionedd bu'r golled derfynol yn uwch na hynny gan fod eraill wedi marw'n ddiweddarach yn sgil yr anafiadau a gawsant yng Nghoed Mametz. Roedd Tommy Davies yn dod o Sanclêr yn wreiddiol, ond roedd ei deulu wedi symud i Fargoed. Cafodd ei glwyfo yn ei ben, a'i anfon yn ôl i Loegr ond nid oedd modd ei achub, a bu farw mewn ysbyty yn Lerpwl.

Tebyg oedd hanes y gŵr hwn o Ddinbych:

> *MARW MEWN YSBYTTY.*
>
> *Dydd Llun, bu farw y Private Isaac Williams, 10th Welsh Regiment, Bataliwn y Rhondda, mewn ysbytty yn Devonport, mewn canlyniad i ergyd a gafodd ar faes y rhyfel. Yr oedd yr ymadawedig yn 33ain mlwydd oed, ac yn fab i Mr. Edward Williams, prynwr a gwerthwr dodrefn, Swine Market, a Love Lane. Cydymdeimlir yn ddwfn a'i dad a'r gweddill o'r teulu yn eu profedigaeth.*

Nid efe oedd yr unig un o'r gogledd a gollwyd. Roedd Isaac Lewis Jenkins yn dod o Dywyn, Meirionnydd ac aeth i weithio fel labrwr yn y gwaith alcam yn Llanelli. Roedd yn cyd-letya yno hefo Kate, merch o Ddolgellau ac fe briodon nhw; ond ar ôl iddo listio hefo'r 10th Welsh fel drymiwr, aeth hithau nôl at ei rhieni ym Meirionnydd.

Gadawyd hi hefo tri o blant, a'r ieuengaf ond yn 5 wythnos oed.

Serch hynny, o Forgannwg yr oedd y rhan fwyaf o'r dynion a gollwyd: William Joyce, 19 oed o Benrhiwceiber; William Thomas (25) o Abergwynfi; William Thomas Davies (21) o Gwm Ogwr; Arthur Henry Dobbs (24) o Dreharris; Owen Hughes (21) o Ynysybwl...

Ac roedd llawer o'r Rhondda ei hun: Maldwyn Davies, 21 oed o Lwynypia; Daniel Davies (30) o Drehafod; William Nicholas Morris (20) o Gwmparc; Thomas Idris Morgan (19) o Dreherbert; Thomas James Curtis (22) o Drealaw.

Ac mae'r litani enwau'n parhau. Dwi'n dal heb enwi'u tri-chwarter nhw, ond dyna ddigon, gobeithio, i roi rhyw awgrym o faint y golled, o un fataliwn yn unig.

* * *

A beth am Dafydd? Fe'i gadawsom yn y coed, ar noson yr 11eg/12fed o Orffennaf, yn symud yn dawel o gwmpas ei ddynion, rhwng hyrddiadau magnelau'r gelyn. Am 6 y bore wedyn, yn ôl Dyddiadur Rhyfel y Fataliwn, daeth y gorchymyn i ddechrau tynnu nôl, wrth i'r 21st Division symud ymlaen i gymryd lle'r Adran Gymreig. Roedd T. Ifor Davies hefo Dafydd, wrth iddo roi trefn ar bethau:

> *We were relieved about 7 o'clock on Wednesday morning. Dai sent all the other officers and men out of the wood. I stayed behind with him while he gave some information to the new officers. In about twenty minutes time we started off through the wood together (...) We were coming through the wood together, and were within 5 yards of the exit when the shell burst, killing poor Dai and five other men and wounding myself. That he should have got it at the very end of his work was terribly unfortunate.*

Roedd ei gyfaill coleg, E.J. Griffith, wedi teimlo'r annhegwch hynny i'r byw hefyd, pan ysgrifennodd i gydymdeimlo â theulu'r Wern:

> *Daeth drwy y frwydr yn ddianaf, ond pan yn dod allan o'r goedwig, disgynodd shell ar ei bwys, ac er tristwch pawb, profodd y clwyf gafodd yn ei ochr yn farwol.*

Roedd T. Ifor Davies gydag ef ar y diwedd:

> *He did not live one second, death being absolutely instantaneous. Not one groan or one word did he utter.*

Ac felly bu farw Capten Dafydd Jones o Lanio, ar gyrion Coed Mametz.

22

'...deeply regret to inform you...'

(*Mametz – Llanio – Llundain: Gorffennaf – Awst 1916*)

Es i'n ôl i'r Llyfrgell Genedlaethol yn Aberystwyth, i edrych eto ar y casgliad llythyrau yno; ac i ddarllen y neges dyngedfennol honno yr oedd pob rhiant yn ofni ei derbyn adeg y Rhyfel, sef y telegram o Swyddfa'r Rhyfel

> *OHMS War Office London to Jones, Y Wern, Llanio Road, Cardiganshire. deeply regret to inform you Captain David Jones, Welsh Regiment was killed in action July 12th. the army council express their sympathy. Secretary, War Office.*

Cyrhaeddodd y telegram ar nos Lun yr 17eg o Orffennaf. Ni allwn ond dychmygu'r derbyniad a gafwyd yn y Wern i'r newydd ofnadwy. Tawelwch llethol gan Thomas Jones efallai, igian crio gan y plant llai; a Margaret Jones hithau yn graig i bawb yn storom eu profedigaeth. Ond gallwn ddychmygu ei dagrau tawel hithau mewn eiliadau preifat efallai, cyn cario mlaen orau y gallai. Thâl hi ddim inni dresmasu mewn tŷ galar mwy na hynny.

Un o'r gorchwylion cyntaf fyddai rhannu'r newyddion. Cafwyd rhyw ddeg o erthyglau bychain yn y wasg yn sôn am ei farwolaeth, yn

N.B.—This Form must accompany any inquiry respecting this Telegram.

POST OFFICE TELEGRAPHS.

If the Receiver of an Inland Telegram doubts its accuracy, he may have it repeated on payment of half the amount originally paid for its transmission, any fraction of 1d. less than ½d. being reckoned as ½d.; and if it be found that there was any inaccuracy, the amount paid for repetition will be refunded. Special conditions are applicable to the repetition of Foreign Telegrams.

Office of Origin and Service Instructions. Charges to pay s. d. Office Stamp. LLANDDEWI-BREFI 17 JY 16

O H M S

War Office London Handed in at 5·30 .M., Received here at 6 35 .M.

TO Jones Y Wern Llanio Road Card.

Deeply regret to inform you Capt David Jones Welsh Regiment was killed in action July 12th The Army Council express their sympathy Sec War Office y *Carmarthen Weekly Reporter*, y *Welsh Gazette*, *y Carmarthen Journal*, a'r *Cymro*. Ond mae'r un fwyaf cynhwysfawr yn y *Cambrian News*:

Llanddewi's Loss.

CAPTAIN D. JONES KILLED.

On Monday evening of last week a gloom was cast over Llanddewi Brefi by the sad news that Captain David Jones, of the Welsh Regiment, 1st Rhondda Battalion, had been killed in action. Though he had been "in the ranks of death" for more than a year, words cannot express the grief which was felt. Capt. David Jones was the second son of Mr. and Mrs Jones, Wern Isaf, Llanio Road, while his brother, viz., Lieut. Charles Jones, is also serving his country.

Captain Jones received his first education at Llanddewi Council School under Mr. D. Rees. On leaving the above school he won a teacher candidate scholarship at the Tregaron County School where the fact that he obtained the junior, senior and matriculation certificates is a sufficient proof of his mental capabilities. In addition to this Captain Jones was a fine athlete and was the backbone of the Tregaron County School 1st XI for many years. It is worthy of note here that one of his friends, viz., Lieut. J. Llew. Griffiths, a member of the same team, has also fallen in the big advance.

Captain Jones served as a teacher first at 'Rhydfendigaid under Mr. J. Rees and then at Tregaron under Mr. D. Thomas. At both places he made himself extremely popular. When his two years' practice in teaching came to an end he entered the U.C.W., Aberystwyth, as a Normal student. He had not to remain long at "the college by the sea" before becoming popular as an eminent athlete and he played as full-back for the 1st soccer XI. At the College Chair Eisteddfod he won the baritone solo.

Like hundreds of others he felt that it was his duty to fight for his country and being one of the O.T.C. he obtained a commission and was attached to the R.W.F. and afterwards transferred to the Welsh, in which he had secured the position of captain. He crossed over to France about a year ago and had only recently obtained leave from the trenches. On his return he valiantly played his part in the great advance.

Pwy tybed oedd wedi rhoi'r manylion hyn i'r papur? Neb o'r teulu mae'n debyg. Er fod y rhan fwyaf yn gywir, nid felly'r sylw am ymuno'n gyntaf â'r Ffiwsilwyr. Efallai i'r gohebydd ddrysu rhwng Dafydd a Charles, oedd yn swyddog gyda 12th RWF. Mae'r darn nesaf o'r erthygl yn ategu'r teimlad mai rhywun o'r tu allan i gylch y teulu oedd wedi darparu'r manylion i'r *Cambrian News*:

Writing back a short time before his death Captain Jones said that should his end come he would only fall in a noble and just cause and that if it was God's wish he was ready to sacrifice his life.

Nid oes unrhyw sylw i'r perwyl yna yn llythyrau olaf Dafydd at ei fam. Gallwn ei ddychmygu yn gwneud datganiad o'r fath o bosib, ond nid yw'n swnio fel y math o beth y byddai'n ei ysgrifennu at ei fam o gwbl. Tybed a oedd Dafydd wedi dweud hynny mewn llythyr at un o'i hen athrawon? (Efallai wrth ddiolch am y sanau o Dregaron.) Gellid dychmygu mai at un o athrawon Dafydd y byddai ei rieni wedi troi, er mwyn paratoi crynodeb o'i hanes yn y Saesneg i'w gyhoeddi yn y papur – a hawdd fyddai i hwnnw wedyn ychwanegu ei fanylyn personol ei hun.

Mae'r erthygl yn newid trywydd wedyn er mwyn adrodd am wasanaeth coffa Dafydd a gynhaliwyd yn Llanddewi Brefi ar nos Sul y 23ain – tipyn o waith trefnu o gofio mai chwe diwrnod yn unig oedd wedi mynd heibio ers i'r telegram gyrraedd y Wern:

On Sunday evening a memorial service was held at Bethesda C.M. Chapel. The meeting was opened by Pte. D.T. Davies, whilst the Rev. Rhys Morgan (pastor) preached most sympathetically on the 7th verse of the 107th Psalm: "Ac a'u tywysodd hwynt ar hyd y ffordd uniawn i fyned i ddinas gyfanneddol." Mr. D. Lloyd Jenkins presided at the organ. The chapel was crowded with those who assembled to pay their last tribute to the noble lad. Deep sympathy is extended by all to his, parents, brothers, sisters and relatives in the sad event which has befallen them. [Deceased's photo will appear next week]

Llanddewi Brefi Officer.

CAPTAIN DAVID JONES,
Wern Isaf, Llanio Road, recently killed in action. Mr and Mrs. Jones, father and mother of the deceased, have received innumerable letters of condolence, and amongst them a letter from his Majesty the King, expressing deep sympathy with them in their sad bereavement.

A dyma fe'r llun o'r rhifyn canlynol. 'Pregethwr ieuanc addawol' oedd y Pte. D.T. Davies a agorodd y cyfarfod, un arall o feibion y pentre a oedd yn digwydd bod gartref cyn ailymuno â'r 13th Welsh yn Ffrainc. Mae capel Bethesda yn Llanddewi Brefi yn un digon sylweddol, a byddai angen rhai cannoedd yno i'w llenwi hyd yr ymylon fel y mae adroddiad y *Cambrian News* yn awgrymu – ond wedi'r cyfan, dyma'r peth agosaf i angladd y gellid ei gynnig i gofio Dafydd.

Tybed beth oedd y drefn i'r teulu galar mewn gwasanaeth o'r fath – a oeddynt yn eistedd ym mlaen y capel gyda'u perthnasau tu ôl iddynt, megis mewn gwasanaeth angladdol go iawn? Ynteu'n cadw i'w sêt arferol ynghanol y capel? Nid Dafydd fyddai'r unig un ar goll o gôr y teulu, gyda Charles yn gwasanaethu gyda'r fyddin – a thybed a gafodd Jane ddod adre o'i gwaith yn Llundain?

Cafodd Dafydd ei goffáu mewn gwasanaeth arall wythnos yn ddiweddarach, ond yn Aberystwyth y tro hwn, yng nghapel Seilo (Shiloh). Roedd Dafydd wedi mynd â'i bapur aelodaeth yno pan aeth i'r coleg:

> *MEMORIAL SERVICE.—An impressive memorial service was held at Shiloh Chapel on Sunday evening when the Rev. T.E. Roberts, pastor, made memorial references to four members who have been killed in France—Capt. (appointed Major) D. Jones. Llandewi Brefi, an old student, who had been a member of Shiloh Chapel since 1912; Lieut. J. Llewelyn Griffiths, of Pontrhydfendigaid, nephew of Inspector and Mrs Edwards; Pte. D.W. Jones, Gors; and Sergt.-major E.D. Evans, who had been a member or Shiloh from childhood and was greatly respected by all on account of his quiet demeanour and sterling qualities. For twelve years he was cashier at Newcastle Emlyn.*
>
> *The Pastor referred to the testimonials which were given to the valiant men and their devotion to their country. A suitable hymn was sung, followed by the playing of the Dead March by Mr Alfred Morgan, Llanbadarn road. The memorial part of the service concluded with a pathetic prayer by the Pastor.*

Roedd y stori am sut yr oedd Dafydd wedi cymryd cyfrifoldeb am y fataliwn gyfan yng Nghoed Mametz ar ôl i Lt. Col. Ricketts gael ei anafu yn amlwg wedi cyrraedd Aberystwyth – ac wedi cael ei hymestyn ychydig gan ei gyfeillion balch! Petai Dafydd wedi byw, ni fyddai'n syndod yn y byd petai wedi cael ei ddyrchafu'n Uwch-gapten neu 'Major', yn enwedig ar ôl dangos ei allu i arwain y fataliwn yn ystod brwydr – ond yn groes i'r hyn mae'r erthygl uchod yn ei haeru, nid oedd wedi cael ei 'apwyntio'n Major' cyn ei farw.

Roedd capel Seilo yn ymyl safle presennol Canolfan Morlan heddiw, ar Heol y Frenhines. Tybed oedd Lilian Howell yn bresennol yn yr oedfa? Roed hi'n aelod gyda'r Annibynwyr yn y Tabernacl ym mhen arall y dre, ond fel aelod o Gymdeithas y Cyn-fyfyrwyr mae'n bur debyg y byddai wedi clywed am yr oedfa hon drwy un o'i ffrindiau colegol.

* * *

Erbyn diwedd Gorffennaf byddai sawl un wedi galw yn y Wern a'u 'breichiau'n gam' gyda danteithion i'r teulu galar. Ac wrth i'r newydd am farwolaeth Dafydd ymddangos yn y wasg, byddai'r llythyrau cydymdeimlad wedi dechrau cyrraedd, ac mae rhyw ugain o'r rheini wedi'u cadw'n ofalus gyda llythyrau Dafydd ei hun yn y Llyfrgell Genedlaethol. Gan y teulu y mae'r rhan fwyaf, fel y gellid disgwyl, a dyma gwpwl o enghreifftiau.

Llwynbedw
Treherbert
Gorff. 20:16

Fy Anwyl Gyfnither,

Yr wyf yn ysgrifennu gair attoch i ddatgan fy nghydymdeimlad llwyraf a chwi yn eich profedigaeth chwerw iawn. Mae'r storom yn fawr!! Wrth ysgrifennu yr wyf yn teimlo mai gwag iawn yw geiriau ar y gorau, ac nas gallant osod allan deimlad dyn ond yn rhanol iawn. Yr wyf yn teimlo yn fawr fy hunan ac yn chwith ryfeddol i feddwl na chaf ei weled yma mwy. Edrychwn arno fel yn perthyn i'r dosbarth goreu o fechgyn sydd ar feusydd y brwydrau. Yn fachgen o gorff lluniaidd a chadarn, yn dalentog ac wedi cael addysg ragorol ac ar ben hyny – yn fachgen crefyddol wedi ei faethu yn addysg ac athrawiaeth yr Arglwydd. A diolchaf am y peth olaf hyn, yn rhinwedd hwn nid marw ydyw, heddyw, ond byw, ie a byw mewn byd iach ei awyrgylch a nefolaidd ei gân.

Bu farw ar lwybr dyledswydd wrth ymladd dros ei wlad. Y mae ffyrdd Rhagluniaeth yn ofnadwy o dywyll. Mae'r blodau yn chwerw eu blas, ond cymerwch gysur er hyny, "melus fydd y grawn" Nid wyf yn teimlo y gallaf ysgrifenu rhagor yn awr. Mawr obeithiaf y cewch chwi eich dau a'ch plant ar perthynasau eraill nerth lawer i sefyll yn y dydd blin hwn. Y mae Edith a finnau yn uno mewn cydymdeimlad ac yn uno mewn gweddi ddwys ar eich rhan.

Cofion anwyl iawn attoch
eich cefnder
D. Williams

Gweinidog gyda'r Methodistiaid Calfinaidd yn Horeb, Treherbert oedd y Parchedig David Williams (efallai fod cliw yn y ffordd yr ysgrifennai'r dyddiad, fel adnod Feiblaidd!) ac mae'r llythyr ganddo yn un o'r rhai mwyaf pwyllog a dderbyniwyd; mae rhywun yn teimlo ei fod wedi arfer ysgrifennu llythyrau o'r fath ac yn gwybod sut i gynnig geiriau didwyll o gysur.

Rhuthro i gydymdeimlo yn syth wnaeth Mary Anne, cyfnither

Dafydd, a hithau wedi derbyn y newydd am ei farwolaeth dim ond diwrnod ar ôl iddo gyrraedd y Wern:

Bronynant Hospital
Colwyn Bay
Gorphenaf 18fed 1916

Fy anwyl Fodryb a'r Teulu

Drwg iawn oedd genif i glywed y boreu yma am farwolaeth Dafydd. Cefais siom ofnadwy iawn, ond does dim i wneud yn yr hen fyd yma. Y mae'n rhaid i bawb gymeryd y chwerw gyda'r melus. Gobeithio y cewch chwi i gyd fel teulu nerth i ddal y siomedigaeth drom hon, ond yr ydym y siwr fod Duw a digon o allu ganddo i nerthu pawb yn ei profedigaeth, Y mae un peth yn dda genif i feddwl nag ydyw yn dioddef heddyw a byddau yn well genich i glywed ei fod wedi myned y fel yna, nag y byddau yn gorfod dioddef am fisoedd, ac yr ydwyf yn siwr fod Dafydd druan bach mewn gwell lle heddyw, nag y mae wedi gael y misoedd diweddaf. Y mae yn dda genif fy mod wedi ei weld pan oeddwn gartref yr haf. Nid af i ddanfon rhagor y tro yma, ond dymunaf gydymdeimlad â chwi yn fawr yn eich galar. Gobeithio eich bod chwi i gyd mewn iechyd da fel ac yr ydwyf finnau yn bresenol. Terfynaf yn awr gyda danfon fy nghofio yn anwylaf attoch i gyd, hyn yn fyr,

oddiwrth eich anwyl nith

Mary Anne

Yn ei ffordd frysiog ei hun, mae'n cynnig cydymdeimlad yr un mor ddidwyll â llythyr y Parchedig Williams. Nyrsio mae'n debyg roedd Mary Anne. Sefydlwyd Bronynant yn 1904 fel ysbyty ar gyfer ynysu cleifion heintus. Ni wyddys a oeddent yn trin clwyfedigion rhyfel yno erbyn 1916, ond mae yma awgrym gan Mary Anne ei bod hi'n gyfarwydd â'u gweld: "Y mae un peth yn dda genif i feddwl nag ydyw yn dioddef heddyw," meddai, "a byddau yn well genich i glywed ei fod wedi myned y fel yna, nag y byddau yn gorfod dioddef am fisoedd".

Yn ogystal â'r llythyrau teuluol, cafwyd y llythyr hwn gan un o'i gyn-ddarlithwyr yn y coleg, y gŵr a oedd o bosib wedi annog Dafydd i ymuno â'r Officer Training Corps:

University College of Wales
Aberystwyth
3rd August 1916

Dear Mr & Mrs Jones

I am instructed by the Military Education Committee of the College to extend to you the deepest sympathy in the loss of your son Captain

David Jones. He was a prominent and highly esteemed member of the O.T.C while at College and his career in the Army was a source of pride to the officers of this Contingent.

Personally I shall feel his loss the more since he also worked under me at the Chemical Laboratories and I had come to know him very intimately. Please accept also my sincere sympathy in your very heavy bereavement.

Yours faithfully
T. Campbell James
Lieut.
Aberystwyth O.T.C

Er gwaetha'r ffaith fod ei Gymraeg 'yn lân a gloew' fel y dysgon ni ym mhennod 2, llythyr Saesneg rhyfeddol o stiff a gafwyd gan T. Campbell James. Ond does wybod pa mor aml roedd y 'Military Education Committee' yn ei gyfarwyddo i ysgrifennu at rieni ei gyn-fyfyrwyr. Roedd sawl un wedi ei golli erbyn 1916 a dyw ysgrifennu llythyr cydymdeimlad ddim yn hawdd ar y gorau.

Roedd llawer o'r rhai a ysgrifennodd i gydymdeimlo â theulu'r Wern wedi nodi fod Dafydd wedi marw dros ei wlad, hyd yn oed y gweinidog o Dreherbert ('Bu farw ar lwybr dyledswydd wrth ymladd dros ei wlad'). Mae'n sylw sy'n atseinio dro ar ôl tro wrth i gyfeillion y teulu ymbalfalu am ystyr a chyfiawnhad dros yr holl ladd:

'The only consolement you can have in your deep sorrow is that poor Dai died for a good cause'

(John Williams, Dolyfelin)

'He has died a hero's death... He died doing his duty.'

('your affectionate niece Dorothy')

Mae'n ddiddorol nodi nad oes unrhyw sylw i'r perwyl hwn gan T. Campbell James, dim ond ymfalchïo yn llwyddiant Dafydd yn y fyddin. Nid yw'n ceisio cynnig cysur Cristnogol chwaith, sef y motiff amlwg arall sy'n rhedeg drwy sawl llythyr.

'may God strengthen you to bear up'.

(Dorothy)

'nodded Duw fydd trosoch oll'

(E. J. Griffith)

Roedd David Williams y gweinidog wedi datgan ei ffydd yn yr atgyfodiad ('nid marw ydyw, heddyw, ond byw, ie a byw mewn byd iach ei awyrgylch a nefolaidd ei gân'), ac felly hefyd mam Talfryn James:

'I hope you can think of him as not lost but gone before, as we shall

surely meet our dear ones again.'

(*Mary Ann James*)

Ond diddorol yw nodi, er i ni feddwl am ddechrau'r ganrif ddiwethaf fel cyfnod tipyn mwy crefyddol na'n cyfnod ni, mai llai na hanner y llythyrau sy'n gwneud unrhyw sylw am Dduw. Ai'r Rhyfel Mawr oedd yn gyfrifol am danseilio ffydd y genhedlaeth honno? Ynteu a oedd y Gymru gapelyddol wedi cyrraedd ei phenllanw yn y Diwygiad ddegawd ynghynt, a'r rhyfel ond yn cyflymu'r trai hir?

* * *

Yn ogystal â'r llythyrau cydymdeimlad a ddaeth i deulu Dafydd gan ei berthnasau a'i gydnabod yng Nghymru, cafwyd hefyd nifer o lythyrau gan ei gyd-filwyr yn Ffrainc. Mae astudiaeth Joy Damousi, *The Labour of Loss* (1999) wedi canfod nifer o batrymau sy'n cael eu hailadrodd mewn llythyrau gan filwyr at deuluoedd eu cyd-filwyr oedd wedi'u lladd.

In meticulously documenting the details of death, soldiers took care to describe the particular circumstances of a special loss... These details gave great benefit to bereaved families who had a tremendous appetite for detail.

Roedden nhw'n ymwybodol mai ffeithiau moel yn unig a geid gan yr awdurdodau milwrol ac roedden nhw'n deall awch teuluoedd am fanylion pellach. Yn absenoldeb corff i'w gladdu, a nhwthau mor bell o'r fan lle collwyd mab, neu frawd, neu ŵr, y manylion hynny oedd yr unig beth y gallen nhw gydio ynddynt. Gwelsom eisoes yn llythyr T. Ifor Davies yn y bennod diwethaf sut y cofnododd ef bopeth y gallai ei gofio am ddyddiau ac oriau olaf Dafydd, ac yntau wedi bod yn ei gwmni am y rhan fwyaf o'r cyfnod hwnnw.

Patrwm arall yn y llythyrau hyn, yn ôl Damousi, oedd canmol y milwr marw, gan nodi cymaint o barch oedd iddo gan ei gyd-filwyr. (Dyma batrwm sy'n mynd â ni nôl at wreiddiau ein traddodiad llenyddol Cymraeg hefyd wrth gwrs.) Ac mae hyn yn amlwg yn y llythyrau gan gyd-filwyr Dafydd:

he was undoubtedly the best officer we had, of whom the colonel had a very high opinion

(*T. Ifor Davies*)

Mae'r gatrawd yn filwyr a swyddogion wedi colli un a oedd yn hoff iawn ganddynt, ac am danaf fy hun oeddynt ein dau yn gyfeillion cynhes yn ystod ein gyrfa golegawl.

(*E.J. Griffith*)

Roedd Davies a Griffith wrth gwrs yn adnabod Dafydd ers dyddiau coleg. Roedd John Williams Dolyfelin hefyd wedi bod yn y coleg hefo Dafydd, ond roedd mewn catrawd wahanol. Ond er gwaethaf amheuon Dafydd na fyddai'r Gas Company o'r Royal Engineers yn gwasanaethu yn y ffosydd, roedd John Dolyfelin wedi cael ei anfon i'r Somme hefyd:

I came to know after his death that he was killed about 2 or 3 miles from where we are now staying. I have often seen the place from a distance.

Llythyrau byrion a gafwyd gan E.J. Griffith a John Williams, o'u cymharu â'r ddau lythyr swmpus a anfonwyd gan T. Ifor Davies. Roedd gan Ifor fwy o hamdden i ysgrifennu wrth gwrs ac yntau'n dod ato'i hun ar ôl cael ei anafu yn yr un ffrwydrad a laddodd Dafydd; a dyfynnwyd tipyn ganddo yn y bennod ddiwethaf oherwydd y manylion a roddai am frwydr Coed Mametz. Ond doedd llythyrau Ifor ddim yn brin chwaith o'r math o ysgrifennu mwy teimladol sydd hefyd yn gallu bod yn falm i deulu galar. Dyma ddiwedd un o'i lythyrau:

Nothing I have said or could possibly say can in the least degree express my sorrow at losing such a friend. His memory will be dear to everyone of us. But oh! To lose a friend of five years' standing under such circumstances is simply terrible. What it must be to his mother, of whom he thought so much, I cannot possibly imagine. Practically the last words he said to me were "Never mind Ifor, we shall soon be out of it, and then for a letter from my dear mother." His loss is irreparable, and nothing in the world will compensate you.

I can only say that there will be consolation and comfort to you in the fact that he laid down his life bravely for his king and Country in the cause of right. Would to God that there were more young men of Dai's type. He simply loved his work and made himself loved and respected by all round him. As long as I live the thoughts of his noble sacrifice will be one of my most cherished memories. He may be dead, but yet he lives, and his example will be followed by all of us.

Again allow me to offer you my deepest sympathy, and may the Lord comfort and console you during this great trial. Firm trust in Him is the only way, and I think that Dai has not died in vain.

I hope that what I have written will be of some help to you in your great trouble. The very first time I ever come within twenty miles of Y Wern I shall call to see you for Dai's sake.

May the Lord help you & abundantly bless you in your hour of need.

From Dai's old friend
Yours very sincerely
Ifor.

Mor wahanol yw'r llythyr a gafwyd gan ei gyfaill mawr arall o'r coleg, Talfryn, oedd hefyd wedi gwasanaethu gydag ef, tan iddo gael ei anafu ym mis Mawrth 1916. Nid oes dyddiad ar y llythyr ond mae'n amlwg o'r llinellau cyntaf fod Talfryn am ryw reswm wedi oedi tipyn cyn ysgrifennu o'r diwedd at Mrs Jones. Ac er ei fod yn medru'r Gymraeg, dewisodd ysgrifennu ati yn y Saesneg:

Penisa
Glancoed
St. Asaph
N. Wales.

My dearest Mrs Jones,

I wonder what you think of one who was supposed to be such a great friend of yours, but think what you may, the fact still remains that I could not write to you, if I did all I could say would be that I was sorry for you for the loss of a son, but my loss was almost as great for I'd lost a friend, not an ordinary friend, but a friend to whom I was a part of his life & he a part of mine.

Roedd Ifor, mae'n debyg, wedi plesio Mrs Jones drwy sôn mai un o'r pethau diwethaf a ddywedodd Dafydd oedd ei fod yn edrych ymlaen at dderbyn llythyr arall gan ei fam. Roedd Talfryn ar y llaw arall, yn awgrymu fod ei golled yntau bron gymaint ag eiddo Margaret Jones. Nid cystadleuaeth mo galar, ac anodd credu y byddai sylw o'r fath yn cynnig llawer o gysur i fam ei ffrind. Ond un cystadleuol fuodd Talfryn erioed, fel Dafydd yntau mae'n debyg, a'r ddau wedi bod am y gorau ym mabolgampau'r coleg erstalwm i weld pwy fyddai'n cipio teitl y *victor ludorum* (y prif bencampwr).

Together we went to college, lived in the same rooms, left together to join the army, & went to fight together & all that time we worked together we did things together and pity the fellow who tried any mean trick on either one or the other, & in France our two companies always combined, it was always A&D, why we were the first two of the battalions to go into the trenches & that was on the day of my 22nd birthday.

Â rhagddo i ddisgrifio sut y cafodd ei anafu yn y ffosydd ym mis Mawrth a gofal Dafydd amdano bryd hynny:

I'm sure it hurt him as much as it did me, to see his old friend lying helpless on a stretcher, yet he was pleased I think that I was going back to England, but after all I'm only here for a time, the day will come when I shall have to go back, will I be as fortunate next time, I may be & will I have an answer to what I asked Elsie. Shall I see Dai again?

Elsie oedd gwraig newydd Talfryn, merch o Fanceinion a oedd wedi troi at nyrsio yn ystod y rhyfel, ac mae'n bosib mai felly yr oedden nhw wedi cyfarfod ar ôl i Talfryn gael ei anafu. Ar ôl cyfnod gartref yn Nhreforys iddo gael dod ato'i hun yn iawn, roedd Talfryn wedi cael gwaith fel instructor yn hyfforddi milwyr newydd yng ngwersyll Cinmel (ac roedd yn lletya yn Llanelwy fel y dengys y cyfeiriad ar frig y llythyr). Roedd Talfryn heb fod yno felly, gyda Dafydd, yn ystod ei awr fawr yng Nghoed Mametz. Tybed oedd e'n teimlo'n euog am hynny? A thybed ai hynny sy'n rhoi cyfrif am y tôn histrionig braidd sydd i ddiwedd ei lythyr?

I'm sure you grieve for your lost one but believe me there are still a few alive who will avenge his death, how would I love again to strike a bayonet through a[nd] through a dirty German & tell him with each stroke "for Dai – for Dai", a short while & I'll have that chance again.

My grief is as your grief – great but never satisfied, but Dai understands his old steadfast true friend

Talfryn

Nid yw'n hysbys a aeth Talfryn yn ôl i'r llinell flaen ai peidio, a chael 'dial ar yr Almaenwyr brwnt', ond goroesodd y rhyfel a dychwelyd i Aberystwyth yn 1919 i gwblhau ei radd. Roedd Dafydd ac yntau wedi bod yn dipyn o ffrindiau yn y coleg, ac yn y fyddin; fel dywedodd mam Talfryn, Mary Ann James, yn ei llythyr hithau at Thomas a Margaret Jones, 'fast friends they were too, joined same time and were faithful to the end'. Ond mae sawl peth yn llythyr ei mab sy'n taro'n chwithig a dyma'r llythyr rhyfeddaf a dderbyniwyd i'r Wern yn sgil marwolaeth Dafydd.

Serch hynny, nid hwnna oedd yr unig gydymdeimlad a ddaeth i'r Wern oedd wedi ei eirio mewn ffordd anffodus... Ddeuddeg diwrnod ar ôl derbyn y teligram tyngedfennol cyntaf gan y Swyddfa Rhyfel, daeth teligram arall – o Buckingham Palace y tro hwn, gan y Keeper of the Privy Purse:

> *The King and Queen deeply regret the loss you and the Army have sustained by the death of Captain D. Jones in the service of his Country, their Majesties truly sympathise with you in your sorrow.*

'...the loss you and the Army have sustained'... Tebyg fod y teligram hwn wedi cael ei werthfawrogi yn y Wern, ond roedd yr awgrym fod 'colled' y fyddin ar yr un lefel â phrofedigaeth teulu Dafydd yn anffodus a dweud y lleiaf. Ond fel y gwelwn yn y bennod nesaf, roedd y fyddin â'i hewinedd yng ngwâr Dafydd hyd yn oed ar ôl iddo farw. Nhw oedd biau fe o hyd, a dim ond yn raddol – ac yn rhannol – y bydden nhw'n ei roi nôl i'w deulu...

Ceir manylion am ffynonellau pob dyfyniad yn y bennod hon, a phob un sy'n dilyn, ar wefan Gwasg Carreg Gwalch:
https://files.ekmcdn.com/92a6b5/resources/other/anwyl-fam-nodiadau.pdf

23

‘Ond huna mwy dan gysgod gwŷdd y Somme’

(*y teulu â’r fyddin: Gorffennaf 1916 – Rhagfyr 1925*)

Mae un ffynhonnell arall am fywyd a marwolaeth Dafydd i’w thrafod, sef y ffeil a gadwyd amdano gan y Swyddfa Ryfel gynt. Cefais gopi ohoni o’r Archif Cenedlaethol yn Kew. Ni wn a yw ffeil Dafydd yn un nodweddiadol, ond ymddengys fod marwolaeth Dafydd wedi creu mwy o lawer o waith papur na’i fywyd. Mae 32 tudalen yn y ffeil. Mae’r chwe thudalen cyntaf yn ffurfio rhyw fath o fynegai i’r tudalennau sy’n dilyn; ei ffurflen gais am gomisiwn yn 1914 sy’n rhoi cyfrif am y tri nesaf; mae’r gweddill – 23 o dudalennau – yn ymwneud â rhoi trefn ar ei ystâd ar ôl iddo gael ei ladd ym mrwydr Coed Mametz.

Yn yr ohebiaeth hon, dros yr wyth mis a ganlynodd, gwelwn enw Thomas Jones yn ymddangos am y tro cyntaf. Gwaith penteulu oedd llythyru â’r awdurdodau! Ond gellir dychmygu fod Margaret yn ei gymell ac yn ei annog i roi pin ar bapur.

I ddechrau, anfonodd y Swyddfa Ryfel ffurflen ‘Effects 126A’ at Thomas Jones, ac fe’i dychwelodd atynt ar ddiwrnod olaf Gorffennaf 1916, er mwyn hawlio eiddo ei fab, fel tad ac ysgutor ei ystâd. Ond symudodd pethau’n ddigon ara’ deg wedyn. Bu’n rhaid i Thomas Jones ysgrifennu at y Swyddfa Ryfel eto ym mis Hydref i ofyn am dystysgrif marwolaeth ei fab, a dim ond wedyn y cafodd brofiant ar ei ewyllys, ganol Rhagfyr.

Gwerth ystâd Dafydd Jones oedd £158/7/6 – a chyfran sylweddol o hynny oedd y *Gratuity* o ryw £116 a dalwyd i Dafydd am ei wasanaeth yn Ffrainc. Ond ni thalwyd hwnnw tan fis Mawrth 1917. Doedd ei eiddo personol chwaith ddim wedi ei ryddhau i’r teulu tan fis Ionawr 1917, er i’r fyddin anfon rhestr o beth oedd ganddo rai wythnosau yn unig ar ôl ei farwolaeth.

Yn y llun cyferbyn, mae rhestr o’r hyn oedd yn ei bocedi. Roedd rhestr arall o’i kit yn nodi fod ganddo un crys, un pâr o drowsus, ond naw pâr o sanau, pedwar tei ac 13 o goleri crysau. Roedd y rhestr kit hefyd yn nodi fod ganddo bapur ysgrifennu a 10 o pencil pieces, 3 brwsh, tun Brasso a thun o bolish – a’r drych metel a welais gan Dafydd Jenkins.

Ymddengys o'r ohebiaeth a gadwyd fod holi am eitemau eraill o eiddo Dafydd nad oedd ar y ddwy restr hyn wedi troi'n dipyn o obsesiwn gan deulu'r Wern. (A phwy all eu beio? Heb gorff eu mab i'w gladdu, y trugareddau hyn oedd yr unig beth oedd yn weddill iddynt.) Dyma T. Ifor Davies yn ceisio ateb cwestiynau Margaret:

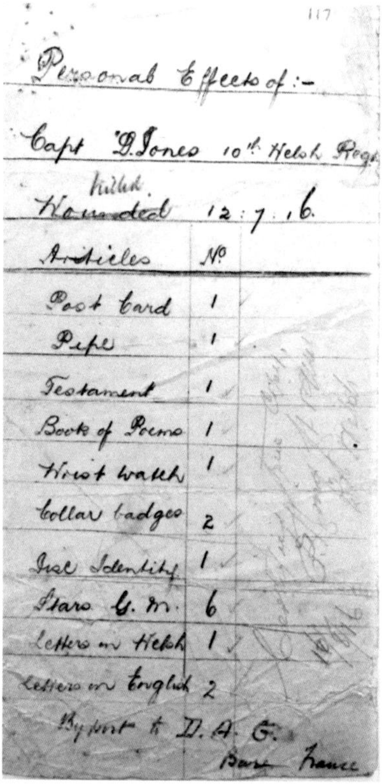
117

Personal Effects of:-

Capt D. Jones 10th Welsh Regt

Killed
Wounded 12.7.16

Articles	No
Post card	1
Pipe	1
Testament	1
Book of Poems	1
Wrist watch	1
Collar badges	2
Disc Identity	1
Stars G.M.	6
Letters in Welsh	1
Letters in English	2

By post to D.A.G.
Base France

You asked me a few questions about his kit, so I will try and answer them to the best of my ability. The government do not take possession of any part of his kit, but returns it to you. It is very strange you have not yet received any of it but perhaps it would be advisable for you to write to Messrs Cox & Co. Shipping Agents 16 Charing cross London, they will make all further inquiries for you.

I don't know whether Dai had his pocket book on him or not, when he was killed but most likely he had left it behind before going into action. As to his revolver and field glasses, he was wearing them when he got killed, and I am very doubtful whether you will ever get them. I should have taken them off him, but seeing him dead and having been wounded, I completely lost my head and forgot to search him. Possibly some one else did try, and [you] may even yet get the things.

Mae'n debyg fod Thomas wedi anfon yr un cwestiynau at *adjutant* y fataliwn, R.O. Lloyd, ond newydd ei benodi roedd hwnnw ac yn amlwg heb siarad hefo Ifor a oedd wedi bod yn dyst i'r digwyddiad. (Roedd hwnnw bellach mewn ysbyty yn Lloegr yn gwella o'i anafiadau ei hun):

With regard to Capt Jones' kit – that has been forwarded by the Quartermaster & ought to have reached you by this time. Regarding the revolver – field glasses etc. in all probability these were destroyed by the explosion of the shell which took your son's life.

Holodd Thomas hefyd am 'pocket book' neu walet ei fab, ond nid yw'n glir lle gafodd y syniad fod swm mor fawr ynddo. Ateb digon swta a gafodd gan yr *adjutant* i'w ymholiadau ar y pwynt yna, fodd bynnag:

You can rest assured that had any money been found on the body, even though it was only a Franc – let alone £12 as you suggest – that money would have been sent to his next of kin. Our officers in the Army are gentlemen. Personally Mr Jones, I think you are labouring under a false impression regarding the amount. Let me tell you that no officer is allowed to draw more than 125 Francs at a time from the Field Cashier – That is a little under £5. Besides, for weeks before the Battle we had no opportunity of visiting the cashier & your son was in the same boat as the rest.

I am very sorry that you should have cast such insinuations – but I suppose your grief at your sad loss made you write words you did not intend to.

Ymddengys fod Charles hefyd wedi llythyru hefo Lt. Col. Ricketts, ar gais ei rieni (efallai eu bod nhw'n barnu y byddai cais gan swyddog yn y fyddin yn cael gwell ymateb!) Dyma ran o'r llythyr hwnnw:

Cefais y list o bethau Dafydd druan. A ydych chwi wedi cael y pethau sydd ar y list?

Y syndod, yn ôl pob peth glywaf fi, yw fod cymaint ar gael. Dywedodd Ricketts fod pethau yn cael eu cipio ar unwaith, nes gwyr neb lle y maent wedi mynd a'r peth cyntaf gipiant yw field glasses, gan eu bod mor ddrud ag mor hawdd eu dwyn.

Dim rhagor y tro hwn, anfonwch y newyddion oll.

Cofion cynhesaf

Charles

Yn y diwedd, Ifor, cyfaill Dafydd, wnaeth ddatrys dirgelwch y 'field glasses'; roedd wedi eu cadw'n ddiogel wedi'r cyfan, fel yr eglurodd mewn ôl-nodyn i'w ail lythyr at deulu'r Wern:

Since starting this letter, my kit has arrived from France and in it came Dai's field glasses. These I will send out by post as soon as possible.

A phan ysgrifennodd Margaret Jones at E.J. Griffith (y cyfaill colegol arall oedd yn gwasanaethu yn yr un fataliwn) i holi am hynt y parseli yr oedd hi wedi'u anfon cyn deall bod ei mab wedi marw, cafodd esboniad digon syml:

Efallai y boch yn methu a deall beth ddaeth o'r parseli ddanfonoch yr amser olaf. Dymuniad yr ymadawedig oedd (ynghyd a'r holl "officers") i ni wneud defnydd o bob parsel ddelai os digwyddai rhywbeth iddynt.

Roedd Ricketts wedi dweud wrth Charles fod pethau'n 'cael eu cipio ar unwaith' – a gwir y gair, fel y gwyddai teulu'r Wern. Un o'r pethau cyntaf i'w cyrraedd ar ôl marwolaeth Dafydd oedd y llythyr rhyfedd hwn:

J.H. Avis Sgt.
A/191st Batt. R.F.A.
B.E.F.
France
19.7.16

Dear Friend

I hope I am not breaking this news to[o] sudden to you, as I was taking a part in an advance on the Mametz Wood I saw Cpt Jones fall it was a Hun shell that bursted very close by him and a piece of shrapnel hit him in the side, later on in the day I was passing him and I found a few Cards in a pocket case laying close by, on one of them I saw the address. So I have sent them on to you, the case I have got, and will let you have it the first chance I get, no parcels are allowed to be sent home at present which prevent me from sending it

I remain Yours
Sincerely
J.H.Avis

Dyma'r manylion cyntaf am sut y bu farw Dafydd gan na ddaeth llythyr Ifor i law tan wedyn; ac ymddengys fod rhieni Dafydd wedi ysgrifennu yn ôl at Sgt. Avis, nid yn unig i holi am ddychwelyd y letter case hwn, ond hefyd i holi a wyddai yntau fwy am fan claddu eu mab. Bum wythnos yn ddiweddarach, daeth llythyr arall i'r Wern, ond gan wraig Sgt. Avis y tro hwn:

46 Mary Street
Canning Town
London
August 22nd

Dear Mrs Jones

My husband, Sgt Avis, has asked me to reply to your letter for him. He said he cannot very well write all particulars from France but as soon as he returns to England he will forward you all information regarding Capt. Jones burial place also the letter case he is keeping for you.

I trust all will go well with him, that he may return these to you.
Yours sincerely
Bertha Avis

Nid oes sôn pellach am Sgt Avis yn yr ohebiaeth, a chan nad oes cofnod chwaith o'i farwolaeth yng nghofnodion y Commonwealth War Graves Commission, mae'n ymddangos iddo lwyddo i anrhydeddu'i addewid a dychwelyd eiddo Dafydd i'w rieni. Ond mae'n siwr fod darllen am y dieithryn hwn yn mynd trwy bethau eu mab fel aderyn corff yn brofiad digon annifyr i rieni Dafydd – hyd yn oed os oedd ei gymhellion yn rhai digon parchus. Ac efallai fod hynny wedi eu nerthu yn eu penderfyniad i sicrhau fod popeth a oedd yn eiddo i'w mab yn cael ei ddychwelyd i'r Wern.

Chafodd eiddo Dafydd mo'i ddychwelyd i'w rieni gan y fyddin tan Ionawr 1917; ac ar ôl hynny rhannwyd gwahanol eitemau i aelodau'r teulu i gofio amdano. Ond cadwodd Margaret Jones yr eitem fwya dirdynnol iddi hi ei hun, a dyma'r eitem olaf yn y gyfrol o lythyrau Dafydd yn y Llyfrgell Genedlaethol.

Mewn amlen blastig glir, mae'r ddisg adnabod ar gortyn a dynnwyd oddi ar ei gorff ar ôl iddo farw. Lledr coch yw'r ddisg a'r llythrennau canlynol wedi'u stampio'n frysiog iddi – ar un ochr mae 'CAPT. D. JONES' ac ar y llall, fanylion ei fataliwn '10 WELSH'. Mae'r llythrennau'n dawnsio'n afrosgo o gwmpas ymyl y ddisg, pob un wedi'i stampio'n unigol, a'r ddisg wedi neidio dan forthwyl y gwneuthurwr, mae'n debyg. Mae'r cortyn a oedd yn hongian am wddf Dafydd wedi'i blethu o dri llinyn llai, ac mae wedi'i galedu gan chwys a baw y ffosydd. Dyma'r agosaf y deuwn at gyffwrdd y dyn ei hun.

* * *

Wrth ymweld â'r Llyfrgell Genedlaethol i weld llythyrau Dafydd y tro hwn, gwelais fod arddangosfa yn ymwneud â bywyd a gwaith Philip Jones Griffiths yno hefyd; felly mewn â fi i'r oriel i'w gweld. A minnau newydd fod yn astudio'r ddisg adnabod fu am wddf Dafydd, naturiol oedd sylwi ar 'dog tags' y milwyr Americanaidd mewn sawl llun o ryfel Fietnam. Ond yn yr arddangosfa hon, roedd cyfle nid yn unig i weld lluniau'r gŵr o Ruddlan, ond hefyd i weld sut roedd yn byw. Roedd curaduron yr arddangosfa wedi ail-greu ystafell o'i gartre, hefo'i het haul a'i siacedi'n hongian fel petai newydd ddod mewn. Ar y bwrdd, gwelwn ei gamerâu, ei docynnau awyren a newid mân o sawl gwlad. Cefais fy hun yn craffu ar gynnwys ei silffoedd; ymhlith y llyfrau roedd cerddi Ceiriog a bywgraffiad Paul Ferris o Dylan Thomas. Roedd ei chwaeth mewn tapiau cerddoriaeth yn ymestyn o Cristal Gale i Leah Owen a Meibion Prysor. Y trugareddau personol hyn oedd yn dod â'r dyn yn ôl yn fyw, fel y bil teiliwr a'r bil gwesty o'r Rhyl a gafwyd ymhlith pethau Dafydd.

Bu farw Philip Jones Griffiths yn 2008, ond dros ddegawd ynghynt roedd wedi cytuno i ymddangos yn y rhifyn cyntaf o'r *Sioe Gelf*, rhaglen gelfyddydau y bûm yn ei chyd-gynhyrchu ar gyfer S4C; a braf oedd clywed llais Philip yn atseinio o gwmpas yr arddangosfa ar dâp o'r rhaglen. Cyfrinach ffotonewyddiaduraeth dda, meddai, oedd ymdrwytho yn y gymdeithas yr oedd yn ceisio'i chyfleu. Neu yng ngeiriau'r meistr ei hun:

Rhaid deall be sy'n hapno gynta, wedyn tynnu'r llun.

Ond er mor braf clywed ei lais o hyd, trwy ei luniau mae Philip yn llefaru wrthym heddiw. Ymysg nifer o ddelweddau adnabyddus o gyfnod Fietnam, roedd ambell lun mwy diweddar. A'r ddelwedd fwyaf dirdynnol o bosib, oedd 'War Dead, Kuwait'. Llun pen sy'n troi'n benglog yn nhywod yr anialwch; ac eto mae digon o wallt a chroen ar ôl i awgrymu'r person a fu...

A dyma fy nwyn yn ôl at brif bwrpas fy ymweliad, sef ymchwilio ymhellach i'r pennod olaf un yn hanes Dafydd Jones. Erbyn Mawrth 1917, roedd Thomas Jones wedi llwyddo i roi trefn ar ystâd ei fab hefo swyddogion y Swyddfa Ryfel. Roedd ei eiddo wedi ei ddychwelyd, yr arian oedd yn ddyledus wedi ei dalu, a'r cwestiynau a gododd yn sgil ei farwolaeth wedi'u hateb – heblaw'r cwestiwn pwysicaf un. Ymhle roedd ei fedd?

* * *

Bythefnos ar ôl y gwasanaeth coffa ym Methesda, Llanddewi Brefi, roedd cerdd i gofio Dafydd wedi ymddangos yn y *Cambrian News*. D. Lloyd Jenkins, organydd Bethesda, oedd yr awdur, a dyma hi:

Yn Amser Rhyfel
[*Soned i Cadben David Jones, Wern Isaf, Llanio Road.*]

Tu draw i'r don, o gyrraedd mam a thad,
yng ngwely'r alltud, huna yn dy hedd,
yr hedd a brynaist â dy waed, tra'th wlad
dy hun a garai fod yn fan dy fedd.
Ni cha ein dagrau wlitho'th dwmpath glas,
ac nid oes obaith leddfa loes ein bron,
– O Dduw! mor rhyfedd ydyw trefn Dy RAS
Ti dorrodd fedd i'r milwr dros y don.
Ond huna mwy dan gysgod gwŷdd y Somme;
Ni eill un fagnel rwygo mwy dy hedd,
Mae'th delyn di yn boddi corn y gad.
Nyni sy'n griddfan yn yr aelwyd lom,
Nyni sy'n rhodio llwybrau gwaed i'r bedd,
Tra tithau'n canu mwy mewn Nefol Wlad.
D. LLOYD-JENKINS.

Cyfeiriodd y bardd yn graff at un o'r anawsterau mwyaf wrth alaru am fab a gollwyd yn y rhyfel. Nid oedd modd dwyn y corff yn ôl i'w gartref, er mwyn mynd drwy'r defodau arferol oedd yn rhan o'r broses o alaru. Gorweddai 'yng ngwely'r alltud'; ac 'ni cha ein dagrau wlitho'th dwmpath glas'. Amhosib fyddai ymweld â beddau'r milwyr wrth gwrs, a'r rhyfel yn ei anterth o hyd – ond beth am wedyn?

* * *

Pan ysgrifenasai *adjutant* y fataliwn at rieni Dafydd i gydymdeimlo, nododd fod y gwaith o gladdu'r cyrff wedi ei adael i'r adran o'r fyddin a daeth i gymryd lle'r Cymry yn y llinell flaen:

> *your son was the last Officer to come out of the wood (...) he was struck by a shell & killed instantaneously – but being in such a position the burial of the body had to be left to the incoming Division. Your son's body, as well [as] scores of others who so gallantly died for their country, was buried at Mametz – If you send to the Graves*

Registration Commission you will be supplied, if practicable, with the exact location of the grave.

Ond er mor hyderus oedd datganiad yr *adjutant*, byddai'r ymladd yn parhau yng nghyffiniau Coed Mametz am wythnosau i ddod ac yn anffodus, nid claddu'r meirw oedd blaenoriaeth y milwyr a oedd yn meddiannu'r llinell flaen newydd. Mae sawl adroddiad digon brawychus am yr olwg oedd ar Goed Mametz yn y dyddiau a'r wythnosau ar ôl i'r Cymry ei gipio. Yn ôl Capt. A.R. Dugmore o'r King's Own Light Infantry:

The scene around the outskirts and edge of Mametz Wood was simply indescribable. The whole place was literally carpeted with bodies... the trenches were in many places piled three and four deep with bodies.

Mae'r disgrifiad gan filwr di-enw o Wyddel yn fwy graffig fyth:

The bodies of the Welsh soldiers that were killed fighting for the woods were so numerous, and the amount of remaining men to bury them so few, that it meant a large number were lying on the ground the entire time I was there. Rigor mortis had begun, with the scorching sun further speeding the terrible process.

Roedd L/Cpl. Harry Fellows o Ffiwsilwyr Northumberland yn un o'r milwyr a gafodd y gwaith o gladdu'r meirw yng Nghoed Mametz. Mae'n disgrifio torri beddau wyth troedfedd wrth chwech troedfedd â dim ond dwy droedfedd o ddyfnder iddynt oherwydd gwreiddiau'r coed. Claddwyd y cyrff fesul chwech wedyn yn y beddi hyn, gyda phen un wrth draed y nesa. Cyn eu claddu, tynnwyd unrhyw offer oddi arnyn nhw, tynnwyd eu papurau o'u pocedi a'u clymu hefo'r ddisg adnabod oedd ar linyn o gwmpas y gwddf. Rhoddwyd bidog yn y pridd i farcio'r bedd a hongian y papurau ar garn hwnnw, gyda helmed ddur drosto i gadw'r glaw i ffwrdd.

Ar ôl brwydr y Somme, a'r lefel newydd o golledion a gafwyd, bu'n rhaid i'r fyddin edrych o'r newydd ar eu trefniadau ar gyfer casglu a chladdu cyrff ar ôl brwydrau. Sefydlwyd y Graves Registration Commission yn ôl ym Mawrth 1915, gyda'r cyfrifoldeb o gofnodi ble roedd bedd pob un a laddwyd, ond cyfrifoldeb y bataliynau unigol oedd claddu eu cyd-filwyr. Ysywaeth, fel y gwelsom, mewn brwydr fawr nid oedd hynny bob tro'n bosibl. Cafodd bataliwn Dafydd eu symud o'r ardal cyn bod modd trefnu claddu'r rhai a gollwyd – a chyda'r brwydro'n parhau, byddai hynny wedi bod yn anodd i'w wneud beth bynnag. Roedd y cadfridogion yn ymwybodol fod gadael cyrff heb eu claddu yn andwyol i morale y milwyr cyffredin oedd yn eu gweld yn yr wythnosau (a'r misoedd weithiau) ar ôl brwydr. Ar y llaw arall, roedden nhw'n ymwybodol hefyd fod y weithred o gladdu degau o'u cyd-filwyr (petai amgylchiadau'n caniatáu) yn gallu bod yr un mor andwyol i ysbryd y dynion. Nid oedd ateb hawdd i hyn, ond penderfynodd y fyddin fod rhaid cael gwell trefn ar bethau, o leiaf.

Erbyn dechrau 1917, roedd 'Swyddogion Claddu' wedi eu penodi ar gyfer pob adran o'r fyddin. Ym mis Ebrill 1917, yn dilyn brwydr Vimy Ridge, roedd y Canadiaid a laddwyd i gyd wedi'u claddu a'u beddau wedi'u cofnodi cyn pen pedair awr ar hugain, yn ôl adroddiad eu swyddogion. Erbyn y frwydr am Hill 70 ym mis Awst 1917 roedd y Canadiaid wedi agor beddau cyn y frwydr ac roedd y gwaith o gasglu cyrff wedi ei drefnu'n fanwl o flaen llaw. Trefniant anghynnes – ond gwell na gadael cyrff cyfeillion i bydru.

* * *

Felly – be ddigwyddodd i fedd Capten Dafydd Jones? Roedd y teulu wedi holi pob un yn dwll a fu'n dyst i farwolaeth Dafydd, ond ofer yr holi. Petai wedi marw mewn brwydr ddiweddarach, efallai y byddai mwy o obaith i ni fedru ymweld â'i fedd heddiw. Ac eto... efallai ddim... Erbyn diwedd y rhyfel roedd hanner miliwn o filwyr Prydeinig nad oedd yr awdurdodau yn gallu rhoi cyfrif am eu beddi. Yn 1919, cyflogwyd rhai miloedd o wirfoddolwyr gan y fyddin i ymgymryd â'r gwaith o geisio cael hyd iddynt. Penderfynwyd hefyd godi cyrff rhyw 160 o filoedd o filwyr oedd yn gorwedd mewn beddi unigol, a'u hail-gladdu mewn mynwentydd milwrol swyddogol, er mwyn hwyluso'r gwaith o ofalu amdanynt yn y blynyddoedd i ddod.

Daeth y chwilio gan y fyddin i ben yn hydref 1921 ac mewn datganiad a wnaed i Dŷ'r Cyffredin gan Sir Laming Worthington-Evans, yr Ysgrifennydd Gwladol dros Ryfel, rhoddwyd yr argraff fod y gwaith yn dirwyn i ben am fod meysydd y gad wedi cael eu chwilio'n drwyadl i gyd. '*Since the Armistice*' meddai:

> *the whole battlefield area in France and Flanders has been systematically searched at least six times. Some areas in which the fighting had been particularly heavy were searched as many as 20 times.*

Camarweiniol oedd hyn a dweud y lleiaf. Roedd effeithiolrwydd y chwilio yn dibynnu ar sawl ffactor, e.e. profiad y sawl oedd yn chwilio, yn enwedig os oedd yr arwyddion ar wyneb y ddaear wedi diflannu ers claddu'r milwr. Dibynnai hefyd ar ba adeg o'r flwyddyn y gwnaed y chwilio; byddai'n anos o lawer darganfod unrhyw beth mewn lle fel Mametz os gwneid hynny yn ystod misoedd yr haf, pan oedd y drysi a'r mieri yn gorchuddio llawr y goedwig. Ac mae'r ffaith syml fod cynifer o gyrff wedi cael eu darganfod ar ôl 1921, ar hap gan ffermwyr yn aml, yn profi nad oedd y gwaith ar ben. Darganfuwyd 28,036 rhwng 1921 a 1928 a rhyw ddeng mil arall yn y naw mlynedd hyd 1937.

Mae'n debyg y byddai teulu'r Wern wedi darllen yn y papurau am yr holl waith o chwilio ac ail-gladdu ac yn 1925 ysgrifennodd Blodwen, chwaer Dafydd, at yr awdurdodau i ofyn a oedden nhw wedi llwyddo dod o hyd i fedd ei brawd. Dyma'r ateb a gafodd:

IMPERIAL WAR GRAVES COMMISSION

82, Baker Street
London, W1
4th December, 1925.

Madam,

With reference to your letter dated 1st instant, I regret to have to inform you that although the neighbourhood of Mametz Wood in which Captain D. Jones was reported to have been buried has been searched, and the remains of all those soldiers buried in isolated and scattered graves reverently re-buried in cemeteries, in order that the graves be permanently and suitably maintained, the grave of this officer has not been identified.

As you will understand in many areas Military operations caused the destruction of crosses and grave registration marks, and completely changed the surface of the ground so that the work of identifying even those graves of which the position was accurately known has often been extremely difficult.

I need hardly say that any further information which may be obtained will be communicated to you at once, and I greatly regret that it should be necessary to send you this reply.

Ond y gwir yw, nid Dafydd oedd yr unig un oedd yn dal ar goll. O'r 72 milwr o fataliwn Dafydd a laddwyd ym mrwydr Coed Mametz, dim ond 13 ohonynt sydd wedi'u claddu mewn beddi hysbys. Mae lleoliad mwyafrif helaeth y beddi, felly, wedi'u colli. Mae'n anodd osgoi'r casgliad nad oedd Coed Mametz wedi cael ei archwilio mor drwyadl ag yr oedd y llythyr yn ceisio'i awgrymu.

* * *

Mewn rhyfeloedd cynharach pan oedd Prydain yn dibynnu ar fyddin broffesiynol fechan, yr arfer oedd claddu'r milwyr cyffredin mewn beddi torfol, yn aml heb gofeb o fath yn y byd. Ond roedd y Rhyfel Mawr yn wahanol; roedd maint y byddinoedd a godwyd, a maint y colledion a gafwyd, yn golygu fod rhaid ymdrin â'r sefyllfa'n wahanol. Fel y nododd *The Times* yn 1928:

These new British soldiers were men whose parents and wives had not accepted, as one of the conditions of a professional soldier's career, the possibility of an unknown grave in a foreign country; their relatives poignantly and insistently demanded the fullest information as to the location of the graves of those who fell.

Mae'n anos galaru am rywun sydd wedi 'marw ymhell'. O ganlyniad, dros y blynyddoedd ers y Rhyfel Mawr, daeth y mynwentydd milwrol yn gyfrwng ac yn ganolbwynt i alar am genhedlaeth gyfan. Ailadroddus yw'r cerrig beddi gwynion hyn; maen nhw'n nodi'r gatrawd, enw'r milwr, a'i 'rank' neu'i radd yn y fyddin; ei oed a dyddiad ei farwolaeth. Dyna'r cwbl.

Ond dy'n nhw ddim yn hollol unffurf chwaith. Weithiau mae'r cerrig hyn yn mentro siarad â ni. Ar ôl y rhyfel, caniateid i deuluoedd y milwyr meirwon ychwanegu neges bersonol, os oeddynt yn dymuno, ar gerrig beddi eu meibion. Yn ôl canllawiau'r Imperial War Graves Commission:

Leave should be given for a short inscription of not more than three lines (...) and at the cost of the applicant (...) the inscription must be of the nature of a text or prayer

Caniateid hyd at 66 o lythrennau yn yr arysgrif honno a hynny ar gost o dair ceiniog a dimai am bob llythyren. Ac wrth ymweld â mynwentydd y Somme heddiw, gwelwn fod sawl teulu wedi dewis rhoi'u negeseuon yn Gymraeg. Ar fedd Pte R. Lewis o Gaergybi, er enghraifft, a fu farw 10.7.1916, cawn yr adnod hwn o lyfr y Diarhebion:

Yn ofn yr Arglwydd, y mae gobaith cadarn
ac i'w blant Ef, y bydd noddfa.

Mae bedd Lt J.F. Venmore, Cymro Lerpwl a fu farw 11.7.1916 yn dyfynnu o efengyl Ioan:

Cariad mwy na hwn, nid oes gan neb

Cwpled syml sydd ar fedd Sgt D. Williams o Rydfelen, Pontypridd, a laddwyd ar ddiwrnod cyntaf brwydr y Somme:

Huna, huna, Daniel bach
ti gei eto godi'n iach

Mae'r cerrig beddi hyn fel petaent yn siarad â'i gilydd, Cymro yn galw'n fud ar Gymro; maen nhw'n sicr yn atseinio'n rymus hefo ymwelwyr Cymraeg eu hiaith heddiw. Tybed a fyddai Thomas a Margaret Jones wedi dewis adnod i'w roi ar fedd Dafydd? Ond chawson nhw mo'r cyfle.

* * *

Gadewais lythyrau Dafydd am funud a mynd allan i'r caffi yn y cyntedd. Archebais de.

Ar sgrin uwch ein pennau, roedd ffilmiau mud o weithgareddau'r Urdd o'r 1930au ymlaen yn cael eu taflunio. Roedd y ffilmiau cynharaf yn dangos aelodau'r Urdd yn gorymdeithio a drilio, fel byddin mewn trowsus byr. Faint oedd profiad Ifan ab Owen Edwards yn y fyddin wedi siapio'i weledigaeth ar gyfer y mudiad newydd tybed? Roedd sylfaenydd yr Urdd yn un o gyd-fyfyrwyr Dafydd cyn y rhyfel. Tybed a fyddai wedi ceisio tynnu Dafydd mewn i weithgareddau'r Urdd, petai wedi cael byw a dychwelyd i Gymru? Gallasai yntau wedyn fod yn un o'r arweinwyr aelwyd a welwn yn un arall o'r ffilmiau, yn cerdded rhwng cloddiau Llangrannog. Neu'n un o'r dynion yn sythu'u coesau ar y glaswellt yng nghwmni'r merched, ar ôl hwyl yn y gegin a golchi llestri ar y cyd. Beth fyddai barn Dafydd, tybed, am y dawnsio gwerin mewn siwtiau nofio?!

Roedd y caffi ar fin cau. Dau ohonom oedd ar ôl. O dan y sgrin, roedd 'na fyfyriwr o Siapan, yn cnoi bisgeden yn ofalus fel gwiwer, a'i sylw wedi'i hoelio ar ei laptop, yn gwbl anymwybodol o'r ffilmiau oedd yn chwarae uwch ei ben. A minnau ar y llaw arall, yn darllen gormod iddynt, yng nghrafangau fy obsesiwn. Ond roedd 'na un arall fel fi, ganrif yn ôl, a fyddai wedi drysu'i phen hefo posibiliadau o'r fath...

Nid teulu'r Wern oedd yr unig rai a oedd yn daer am wybod pob manylyn am ddiwedd Dafydd, ac mewn gwewyr wrth feddwl am bosibiliadau coll ei fywyd. Roedd 'na un arall oedd yn ymdeimlo'n llawn â'u profedigaeth. Ymhlith y degau o lythyrau cydymdeimlad a gafwyd gan deulu Dafydd, mae 'na bump gan un person, sef Lilian Howell o Aberaeron. Yn y bennod nesaf, trown ein sylw at yr unig ferch tu allan i'w deulu oedd wedi hawlio calon Dafydd. Un a fyddai efallai wedi rhannu'i bywyd ag ef petai Dafydd wedi dod yn ôl o'r rhyfel...

* * *

Wrth imi ymadael â'r Llyfrgell Genedlaethol am chwech y noson honno, deuthum o olau cyson yr ystafell ddarllen, i noswaith o dywydd oriog ar riw Penglais. Roedd yr awyr yn gymylau i gyd, ac nid oedd modd gweld na Llŷn na Phenfro ar y gorwel – ac eto roedd rhes o belydrau, drwy fwlch yn y cymylau, yn goleuo llain lachar fel bedd, ymhell allan yn y môr...

Ceir manylion am ffynonellau pob dyfyniad yn y bennod hon, a phob un sy'n dilyn, ar wefan Gwasg Carreg Gwalch:
https://files.ekmcdn.com/92a6b5/resources/other/anwyl-fam-nodiadau.pdf

24

‘Yn ystod yr ymladd mawr yn Mametz yr oedd rhiw wasgfa rhyfedd arnaf… y diwrnod cafodd Dai ei ladd oedd hyni.’

(*Llanio ac Aberystwyth: 1916 ymlaen*)

Fwy nag unwaith yn ystod yr hanes hwn, dwi wedi gresynu nad oes modd clywed ochr arall y sgwrs. Ac mae hynny’n arbennig o wir wrth inni droi ein sylw at y llythyrau cydymdeimlad a anfonodd Lilian Howell at Margaret Jones. Fel a nodwyd mewn pennod flaenorol, doedd mam Dafydd ddim yn ymwybodol o’r berthynas rhwng Lilian a’i mab cyn ei farwolaeth, ac felly yn ei llythyr cyntaf at Mrs Jones, mae Lilian yn gorfod cyflwyno’i hun:

27 North Road
Aberayron
July 23rd ’16

Annwyl Mrs Jones

Hoffwn gyflwyno i chwi fy nghydymdeimlad dyfnaf yn eich trallod mawr. Cefais y fraint o adnabod eich mab yn dda iawn yn y coleg, ac yr wyf yn awr yn medru deall eich colled fawr.

Roedd Lilian yn adnabod Dafydd yn ddigon da i wybod ei fod o’n agos at ei fam – roedd ei gyfaill Ifor wedi sylwi ar yr un peth. Ac a hithau’n ceisio gwneud argraff gyntaf ffafriol arni, gwyddai Lilian na fyddai cyfeirio at hynny’n ddrwg o beth.

Nid llawer i fachgen sydd yn meddwl cymaint am ei fam ag yr oedd ef. Yr oedd ei wyneb yn lloni bob amser wrth son am danoch. Anhawdd iawn yw rhoi fyny’r fath feibion. Nid llai y dolur am mai ymadawiad gwron ydoedd.

Yn ei gwewyr roedd Lilian yn awchu am unrhyw fanylion am farwolaeth Dafydd. Ac roedd hi’n gwybod mai ysgrifennu at ei rieni y byddai’r fyddin gydag unrhyw fanylion o’r fath.

Hoffwn yn fawr iawn gael gwybod fel y digwyddodd. Byddaf yn ddiolchgar iawn os gwnewch ysgrifennu gair ataf am nad wyf yn gwybod dim ond beth welais yn y papur.

Er mor galed yw, gobeithio y cewch nerth i ddal.

Gyda'r cydymdeimlad dyfnaf i chwi a'r teulu
Lilian Howell

r mor galed yw gobeithio y cewch nerth
ddal.
Gyda'r cydymdeimlad dyfnaf
i chwi a'r teulu
Lilian Howell.

Ysgrifennodd Lilian y llythyr hwnnw ar y 23ain o Orffennaf. Bedwar diwrnod yn ddiweddarach, roedd wedi cael ateb gan fam Dafydd, a dyma hi'n ysgrifennu yn ôl ati ar unwaith. Dyw llythyrau Margaret Jones at Lilian ddim gennym, ddim mwy na'i llythyrau at ei mab – ond unwaith eto, mae modd dyfalu tipyn am yr hyn a ysgrifenasai. Mae newid tôn sylweddol yn ail lythyr Lilian at y Wern; yn y llythyr cyntaf mae hi'n ffurfiol, ac yn arwyddo'i henw yn llawn, 'Lilian Howell', ond erbyn yr ail lythyr mae hi'n agor ei chalon wrth fam Dafydd ac yn arwyddo'i hun yn 'Lil'.

Mae'n anodd osgoi'r casgliad, felly, fod rhywun yn nheulu Wern Isa – un o'r chwiorydd efallai – wedi deall gan Dafydd am ei berthynas hefo Lilian, ac felly, pan gyrhaeddodd ei llythyr cydymdeimlad o Aberaeron, eu bod nhw wedi achub ar y cyfle i esbonio wrth eu mam pwy oedd y Lilian yma. Ac mae'n rhaid gennyf i fod mam Dafydd wedi dangos wedyn, yn ei llythyr coll, ei bod hi'n gwybod bellach nad jest 'adnabod ei mab yn dda iawn yn y coleg' roedd Lilian. Nid oes modd esbonio'r newid tôn yn ail lythyr Lilian fel arall. Dyma fe'r llythyr:

27 North Road
Aberayron
Gorffennaf 27ain '16.

Annwyl Mrs Jones
Yr wyf yn ddiolchgar iawn i chwi am ysgrifennu attaf. Y mae clywed oddi wrth un oedd yn ei garu mor fawr yn help i ddal y dolur. Nid wyf wedi hela'r fath amser erioed ag ydwyf wedi wneud oddi ar wythnos i heno pan y darllenais y newydd yn y papur. Nis gallem ei glywed mewn ffordd mwy creulawn. Yr oeddwn wedi derbyn Field Post Card oddi wrtho wedi ei ysgrifennu ar y 4ed "Signed D. Going." felly yr oeddwn yn gwybod ei fod yn yr ymladd ofnadwy hynny, ond yr oeddwn yn disgwyl clywed bob dydd ei fod wedi dod allan yn ddiogel.

Yr oedd y siom yn fawr iawn pan ddeallais na allem glywed oddiwrtho byth mwy.

Mae'n amlwg fod Dafydd a Lilian wedi cytuno ar god preifat rhyngddynt, fel y gallai'r Field Post Card gyfleu ychydig mwy o wybodaeth na'r hyn a restrwyd yn swyddogol (trafodwyd y Field Post Card eisoes ym Mhennod 15). Nid oedd hawl gan Dafydd i ychwanegu unrhyw fanylion i'r cerdyn – ond petai'n arwyddo'i enw'n anghywir fel 'D. Going' yn hytrach na 'D. Jones', go brin y byddai neb yn sylwi ar hynny. Ac roedd Lilian drwy hynny ar ddeall ei fod am gymryd rhan yn y 'Big Push' oedd wedi hawlio'r penawdau ers dechrau'r mis.

A dyma gadarnhau tu hwnt i unrhyw amheuaeth fod Lilian a Dafydd yn fwy na rhyw ffrindiau coleg oedd yn digwydd llythyru hefo'i gilydd. Dim ond at rywun agos iawn y byddai Dafydd wedi trafferthu anfon Field Post Card, heb sôn am sefydlu cod o'r fath. Mae Lilian yn mynd yn ei blaen, gan arllwys ei chalon wrth fam Dafydd:

Am danoch chwi feddyliais gyntaf, a theimlwn y carwn redeg attoch ar un waith i gydymdeimlo a chwi. Y mae yn drueni mawr na buaswn yn eich adnabod yng nghynt. Yr oeddwn wedu danfon dau lythyr a pharcel erbyn y daethai yn ol. Yr wyf yn gobeithio ei fod wedi derbyn [y] llythyr, ond nid wyf yn credu ei fod wedi derbyn y parcel.

Ambell fynud r'wyf yn methu a chredu fod y fath beth ofnadwy wedi digwydd. Fynud arall mae ystyrieth y golled yn dod...

Mae Lilian wedi troi'r tudalen yn fan'no ac yn anffodus mae gweddill y llythyr heb ei gadw. Rywsut mae ei geiriau yn fwy dirdynnol o'u gadael yn hongian fel'na, mewn gwagle fel petai.

Ar yr un diwrnod ag yr anfonodd hi at fam Dafydd, ysgrifennodd lythyr arall at y Swyddfa Ryfel yn Llundain, sydd wedi ei chadw ar ffeil Dafydd yn yr Archif Genedlaethol yn Kew:

27th July 1916
Sir,

I would be very grateful if you would give me information – as detailed as possible – of Capt. David Jones 10th Welsh Regt 1st Rhondda Battalion who was killed in action at Mametz Wood on July 12th.
Thanking you in anticipation
I remain etc.
Lilian Howell

Cafodd ateb digon buan ganddynt ar ddiwrnod olaf Gorffennaf, ond heb fawr o oleuni pellach:

The Military Secretary presents his compliments to Miss Howell, and in reply to her letter of July 27th begs to state that no details of the death of Captain D. Jones, 10th Battalion Welsh Regiment, have reached this department.

The Military Secretary would suggest that Miss Howell should communicate with the Officer Commanding that Battalion, who might possibly be in a position to furnish her with some particulars.

Tybed a ysgrifennodd Lilian at ei fataliwn? Trafodwyd eisoes lythyrau manwl T. Ifor Davies ynglŷn â diwedd Dafydd, ond doedd y llythyrau hynny heb gyrraedd y Wern tan fis Awst. Tybed a wnaeth mam Dafydd rannu'r manylion hynny hefo Lilian pan ddaethant i law?

Mae'n sicr fod Lilian wedi cael ergyd pellach yn ystod mis Awst pan glywodd fod ei chefnder Geraint Howell wedi ei anafu, yn yr ymladd ger Pozières ar y Somme. Roedd Geraint dair blynedd yn iau na Lilian (brawd bach Nesta, ei chyfnither yn Aberaeron), ac fel Dafydd, roedd wedi gadael Aberystwyth cyn gorffen ei gwrs coleg er mwyn ymuno â'r lluoedd arfog. Gwasanaethu fel Air Mechanic gyda'r R.F.C. oedd Geraint, a newydd gyrraedd Ffrainc ryw chwe wythnos ynghynt. Cafodd anaf cas i'w ysgwydd ac roedd pryder am iddo golli defnydd ei fraich dde, fyddai'n dipyn o gystudd iddo ac yntau wedi bod yn chwarae'r organ yng nghapel Tabernacl Aberaeron ers pan oedd yn 10 oed – ond daeth ato'i hun yn ddigon da i fynd yn ôl i Ffrainc tua diwedd 1917. Yn wahanol i Dafydd, daeth Geraint Howell yn ôl o'r rhyfel – ac erbyn Rhagfyr 1918 roedd yn chwarae'r organ yn y Tabernacl unwaith yn rhagor.

Ond er cymaint pryder Lilian am ei chefnder yn ystod haf 1916, o leiaf roedd Geraint yn dal ar dir y byw, yn wahanol i'w chariad. Roedd y boen o golli Dafydd yn ei hysu o hyd – a'i hangen i gael gwybod mwy am ei ddiwedd. Saith wythnos ar ôl iddi anfon at y Swyddfa Ryfel, cafodd ateb pellach ganddynt, a phrysurodd i rannu'r wybodaeth hefo mam Dafydd:

29 North Road
Aberayron
Sept 16th 16

Annwyl Mrs Jones

Os ychydig amser yn ôl gwelais gyfeiriad yn y papur lle y medrem gael gwybod lle yr oedd milwyr oedd wedi cwympo wedi ei claddu. Danfonais ar un waith cael gweld a allem gael gwybod rhagor am Dai. Cefais atteb yn ôl heddyw yn dywed ei fod wedi ei gladdu yn Mametz Wood. Nis gallent ddywedyd y fan am nad ydynt yn medru gwneud ymchwiliad yn Mametz Wood eto am resymau milwrol, ond pan glywant fanylion y maent yn addaw danfon i mi eto.

Ymddengys nad oedd Lilian wedi derbyn unrhyw newyddion pellach yn y cyfamser gan Mrs Jones, ac roedd hi'n ymbil am lythyr arall ganddi:

Os yr ydych chwi wedi clywed rhiwbeth yn rhagor hoffwn yn fawr i clywed oddiwrthych. Buasai yn dda genyf clywed newydd da oddiwrthych ond nid yw yn bosibl. Carwn yn fawr roddi rhiw air o gysur i chwi. Ond mae geiriau mor wag ag yn aml ond gwneud y clwyf yn fwy.

Hoffwn yn fawr iawn i gael gair oddiwrthych etto.

Gobeithio eich bod yn iach

Gyda'r serch mwyaf oddiwrth

Lil.

Erbyn mis Medi, roedd Lilian yn ôl yn ei gwaith fel athrawes Standard VI yn adran y merched Ysgol Alexandra, Aberystwyth. Ond hyd yn oed yn 'normalrwydd' y byd addysg, doedd dim modd osgoi'r rhyfel. Roedd merched yr ysgol yn gweu ar gyfer y milwyr ac erbyn diwedd y rhyfel, bydden nhw wedi cwblhau cannoedd o 'mittens, socks, scarves etc for the men of the Cardiganshire Battery'. Roedd Ysgol Alexandra hefyd yn annog y plant i hel arian at wahanol achosion yn ymwneud â'r rhyfel. Ym mis Gorffennaf, yn ôl Log Book yr ysgol:

The sum of £2-10, which had been specially collected by the children in aid of the fund for the Relief of Starving Belgian Children in Belgium, was handed over to the Mayor of the town on Monday.

Roedden nhw hefyd yn hel symiau sylweddol gan eu rhieni at y War Savings Association, a'r rheini hefyd yn cael eu nodi yn rheolaidd:

29.1.17: The total amount of War Savings Subscriptions was brought up to £201-17s- 6d by the subscriptions taken on Monday morning.

Tybed oedd Lilian yn teimlo'n fwy cefnogol i'r ymdrechion hyn, ar ôl colli Dafydd? Neu'n llai? Fodd bynnag, doedd dim amheuaeth ynglŷn ag ymroddiad yr ysgol. Byddai'r plant yn cael mynd i'r sinema weithiau yn ystod oriau ysgol, er mwyn ail-danio'u sêl dros gasglu arian at y rhyfel.

On Wednesday afternoon, a Lantern Lecture on "War in the Air", arranged by the Aberystwyth War Savings Committee as part of the special War Savings Campaign now being conducted in the town, was held at the Cinema, Market Street. The children were marched to the Cinema at 2.20 p.m, and the lecture lasted until 4 p.m.

Erbyn 1916 roedd y sinema wedi dod yn rhan bwysig o fywyd trefi Cymru. Roedd 'na 2,900 o sinemâu ar draws Prydain erbyn 1910 ac erbyn Mehefin 1916, roedden nhw'n denu cynulleidfaoedd o 20 miliwn bob wythnos (gan gofio mai 43 miliwn oedd poblogaeth gwledydd Prydain ar y pryd). Er bod y Swyddfa Ryfel wedi gwahardd camerâu ffilm o'r ffosydd tan fis Tachwedd 1915, yn raddol gwelwyd fod potensial enfawr i'r cyfrwng hwn, fel modd cynnal morâl a chyflwyno negeseuon propaganda.

Ffilmiau byrion oedd y rhai cyntaf a wnaed dan nawdd y Swyddfa Ryfel, ar ddechrau 1916, ac erbyn canol y flwyddyn honno roedd perchenogion y sinemâu yn dyheu am rywbeth mwy swmpus. Cytunwyd i wneud ffilm 80 munud am frwydr y Somme a phan gafodd ei dangos yn Aberystwyth ym mis Hydref 1916, dyma oedd gan y *Cambrian News* i'w ddweud amdani:

> *Never in the history of cinematography have such remarkable pictures been presented to the public. The pictures were taken by permission of the War Office and give a realistic idea of the great war. The King has expressed the wish that every man and woman should see the film. It will be shown on Monday, Tuesday, and Wednesday next daily at 3, 6.30, and 8.30 and seats may be booked in advance.*

The CINEMA, Market Street, Aberystwyth.

Monday, Tuesday & Wednesday,

October 16th, 17th and 18th.

At Great Expense we have secured the OFFICIAL PICTURES of the

"Battle of the Somme,"

Taken by special arrangement with the War Office and under their direction by the British Topical Committee for War Films.

H M The King has recently expressed the wish that every man and woman should see this Picture.

THE GREATEST FILM IN THE HISTORY OF KINEMATOGRAPHY

All the booking fees of this picture throughout the Kingdom are handed over to the War Office to be devoted to War Charities.

DAILY at 3, 6-30 and 8-30.

ADMISSION [illegible] War Tax Extra. [illegible] Seats Booked in Advance at Pay Office each evening between [illegible] p.m.

In order to avoid disappointment, patrons are advised to book their seats beforehand. Much assistance will be given to us by doing this.

Hysbyseb o'r Cambrian News, 13.10.1916

Tybed oedd Lilian ymhlith y rhai a aeth i'w gwylio yn Aberystwyth? Amcangyfrifir fod 20 miliwn wedi gweld y ffilm ar draws Prydain, yn ystod y chwe wythnos gyntaf yn unig. Yn ôl J.D. Davies, wnaeth adolygu'r ffilm ar gyfer *Y Seren* ar 21 Hydref 1916:

> *Nis gellir ei ddisgrifio fel* entertainment *mewn unrhyw fodd. Y mae yn rhy sobr, lawer rhan ohono, i neb edrych arno er mwyn difyrwch ... Na, nid* entertainment *yw darlun Brwydr y Somme, ond pregeth ddifrifol ar wallgofrwydd rhyfel. Yn lle cymeradwyaeth, ambell i ochenaid yn dianc yn ddiarwybod i'r edrychydd, oedd yn dweyd mor dda oedd y darluniau.*

Ac ochenaid mae'n siwr fyddai ymateb Lilian hefyd. Ar ddechrau 1917 cafodd ei hatgoffa o'i cholled unwaith yn rhagor. Roedd teulu'r Wern Isa wedi derbyn gweddill eiddo Dafydd o'r diwedd, gan gynnwys ei ddillad, ac roedd Margaret am i Lilian gael rhywbeth i gofio am ei mab. Dyma'r llythyr a ysgrifennodd Lilian yn syth o'i llety yn Aberystwyth, i ddiolch iddi:

> *Highbury*
> *Queens Road*
> *Aberystwyth*
> *Jan 17th '17*
>
> *Annwyl Mrs Jones*
>
> *Derbynnais y parsel a'ch llythr caredig bore yma. Diolch yn fawr iawn i chwi am danynt. D'allai ddim a dyweud wrthych mor falch ydwyf i glywed oddi wrthych bob amser. Pan ddof i ddiwedd y llythr yr wyf bob amser yn dymuno y byddai dwy neu dair gwaith gymaint o hyd. Diolch yn fawr iawn i chwi am anfon y pethau bychain i mi mor fuan. Yr wyf yn gwerthfawrogi uch caredigrwydd mawr yn fawr iawn ac hefyd eich bod wedi eu tynnu oddiar goat Dai.*

Ni allwn fod yn sicr beth yn union oedd y 'pethau bychain' yr oedd Lilian yn diolch mor daer amdanynt, ond gan eu bod 'wedi eu tynnu oddi ar gôt Dai', tybiaf mai'r bathodynnau i ddangos mai capten oedd Dafydd oedd y rhain (gweler t. 358). Roedd tri o'r rhain ('Bath stars' fel y'u gelwid) ar ddwy lawes pob capten; a thri ar bob ysgwydd, ar *epaulette* neu stribedyn o khaki. (Gellid fod wedi tynnu rhai o fotymau'r gatrawd o'r gôt hefyd i gofio amdano, ond mae'n debyg mai diolch am 'fotymau' y byddai Lilian, yn hytrach na 'phethau bychain', petai Margaret wedi gwneud hynny.)

Beth bynnag oedden nhw, roedd Lilian yn ddiolchgar iawn amdanynt, a daw'n amlwg nad oedd ei galar wedi pylu dim yn ystod y pedwar mis ers ei llythyr diwethaf:

Yr wyf yn gwybod fath ddolur dirfawr yr oedd edrych a chyffwrdd a'r goat annwyl yn rhoddi i chwi. Yr oeddech yn dyweud nad oedd y pethau o werth. Y maent o werth mawr i mi, ac yr wyf yn falch iawn i'w cael.

Yr wyf finnau yn teimlo hiraeth mawr y dyddiau yma. Yr wythnos ddiweddaf yr oedd tri bachgen o'r coleg yma wedi dod yn ol o Ffrainc. Yr oedd y tri wedi ei clwyfo ac yr oedd dau yn edrych yn sal iawn, ond yr oeddynt wedi cael dod yn ol. Mi oeddwn yn cael y fath dolur wrth eu gweld ac yn teimlo mor ddig wrthynt. Ni ddyweden ddim.

Pe bai Dai wedi cael dod yn ol, hyd yn od pe bai wedi ei glwyfo yn ddrwg fel yr oeddech chwi yn dyweid [...]. Yr oeddwn ninau wedi gweddio cymaint am iddo gael ei arbed. Pan glywem am rhiw ymladd mawr fy meddwl cyntaf oedd 'A yw Dai yn ddiogel' ac yr oedd gweddi fach yn mynd at y lleill, bob tro. Yn ystod yr ymladd mawr yn Mametz yr oedd rhiw wasgfa rhyfedd arnaf. Yr wyf yn cofio un diwrnod yn enwedig pan yn darllen y papur gorfod i mi roddi fyni gan y fath deimlad daeth drosof. Credais fod fy nghalon wedi sefyll gyda maint a dyfnder fy nhimlad. Wrth edrych yn ol wedi hyni gwelais mai y diwrnod cafodd Dai ei ladd oedd hyni. Wedyn daeth yr ergyd mawr ac yr wyf yn gwybod bydd ei ol arnaf byth.

Yr wyf yn gwybod beth bynnag a phwy bynag ddaw i mywyd i yn y blynyddau sydd yn dod nid anghofiaf fi Dai byth. Yr oeddwn ninau hefyd yn meddwl ei fod y goreu o bawb. Yr oedd pob peth da i'w gael ynddo. Llythr heb obaith yw hwn etto. Yr unig gysur sydd i ni mae dim ond pethau da sydd gyda ni i gofio am dano.

Y mae rhaid terfynu y tro yma etto, gan fawr obeithio eich bod yn iach, a'r serch mwyaf oddiwrth

Lil.

Druan o Lilian! Ac yn ôl â hi at rwtîn yr ysgol, a cheisio gwneud ei gorau dros ferched ei dosbarth; ond unwaith eto, roedd maes y gad yn mynnu ymwthio i fyd y maes llafur.

Gwelsom eisoes fod Ysgol Alexandra wedi bod yn brysur iawn yn gwau ac yn hel arian ac yn fodlon i'r plant fynd allan yn ystod oriau ysgol os oedd hynny'n helpu'r ymdrech yn erbyn yr Almaen. Ond ym mis Mehefin 1917, mae cofnod o Log Book yr ysgol yn codi cwr y llen ar wedd hollol wahanol ar weithgarwch y plant. Mae'n dweud yn syml:

4.6.17 *There was no sphagnum moss picking on Tuesday.*

Ac ar ôl y rhyfel, mewn adroddiad ar yr ysgol, canmolwyd y disgyblion 'for the services they rendered during the War in connection with the picking and cleaning of sphagnum moss'. Pam hel mwsog felly? Erbyn 1915, roedd meddygon wedi deall fod modd defnyddio migwyn neu 'sphagnum moss' i drin anafiadau rhyfel. Mae migwyn, fel sawl mwsog arall, yn sugno dŵr, ac yn gallu dal ugain gwaith ei bwysau ei hun, ond gall sugno hylifau eraill hefyd, fel gwaed a chrawn. Mae'n eu sugno deirgwaith yn gynt na wadin cotwm, ac wrth wneud hynny mae'n gollwng cemegau sy'n rhwystro bacteria rhag amlhau yn agos ato, felly mae'n antiseptig. Deunydd crai delfrydol felly ar gyfer trin clwyfau rhyfel.

Ac roedd digonedd o figwyn ar gael yn nhir corsiog Ceredigion. Erbyn diwedd 1917 roedd y pwyllgor lleol wedi anfon llond saith-deg-un o sachau mawrion i gael eu defnyddio mewn ysbytai, ac roedd cwmnïau preifat yn hysbysebu er mwyn prynu mwy:

SPHAGNUM MOSS purchased for use in Hospitals. Easily collected by school children. Good prices given. Help forward a new British Industry.—Apply for details, W. Martindale, Manufacturing Chemist, 10, New Cavendish-street, London, W. p3893

WANTED urgently, 100,000 doz. Rabbit

(*Cambrian News*)

Tybed a fu Lilian allan hefo'i dosbarth yn hel migwyn, gan ryfeddu at allu'r planhigyn i ddal cymaint oddi fewn i'w hun – fel yr oedd hi a chynifer o ferched eraill yn gorfod ei wneud, ar ôl colli brodyr, meibion, gwŷr a chariadon?

Llythyr anghyflawn yw'r un olaf ganddi a gadwyd gan fam Dafydd – mae'r tudalen cyntaf, gyda'r dyddiad, ar goll – ond mae'n amlwg o'i gynnwys ei fod wedi ei ysgrifennu union flwyddyn ar ôl brwydr Coed Mametz. Mae'n dechrau fel hyn:

Y mae adgofion am yr amser hyn llynedd yn fyw iawn nawr ac yn ychwanegu at y baich. Yr wyf yn medru dychmygu eich teimladau chwi. Yr wyf yn gwybod nad oes neb yn teimlo fel mam. Os bydd yn rhyw gysur i chwi i wybod hyny – yr wyf finnau yn teimlo yn fawr iawn, llawn cymaint os nad mwy na pryd hynny. Yr wyf yn gwybod fod cydymdeimlad yn ychydig o help. Dyna fel y mae mor galed arnaf yn nawr heb neb yn teimlo ac yn hiraethu gyda mi – yn hollol wrthyf fy hun yn y byd. Ac y mae yn rhaid derbyn y cwbl heb air. Nis gallwn wneud dim i ddod a nhw yn ol.

Credaf fod Lilian newydd ddatgelu yn y darn sydd ar goll iddi golli ei mam ychydig wythnosau ynghynt. Cofio Dafydd a chydymdeimlo â Margaret yw prif bwrpas llythyr Lilian – ond ers ei llythyr diwethaf mae 'baich' arall wedi dod i'w rhan – a dyna pam iddi sôn yn y frawddeg agoriadol fod yr 'adgofion am yr amser hyn llynedd' yn '**ychwanegu** at y baich'. Bu farw ei mam ar y 26ain o Ebrill 1917, yn 56 oed.

Mae Log Book Ysgol Alexandra yn nodi fod Lilian wedi cael ei rhyddhau nifer o weithiau yn ystod y flwyddyn flaenorol, er mwyn gofalu am ei mam draw yn Aberaeron, er enghraifft':

Miss Lilian Howell was absent on Friday, on account of the serious illness of her mother. The Headmistress took charge of Standard VI.

Nid yw'n hysbys beth oedd yn bod ar ei mam ond yn ystod y misoedd dilynol, mae sawl cofnod tebyg, nes i bethau gyrraedd uchafbwynt ar ddechrau Chwefror 1917:

Miss Lilian Howell has, on account of her mother's continued serious illness, resigned her position on the staff of the school

Roedd Lilian yn amlwg yn teimlo na allai gadw'r ddysgl yn wastad mwyach, rhwng ei dyletswyddau yn yr ysgol, a'i chyfrifoldeb at ei mam fel yr unig blentyn oedd ar ôl. Yn anffodus doedd dim gwella i fod ar Jane ei mam, a llai na thri mis yn ddiweddarach, cafwyd y cofnod trist hwn yn y *Cymro*:

MARWOLAETHAU.

Howell – Ebrill 26, yn 57 mlwydd oed, Mrs. Howell, 27, North Road, Aberaeron, gweddw Mr. Benjamin Evans Howell (efe yn unig frawd yr

Henadur J. M. Howell, Y.H.). Gadawa un ferch, Miss Lilian Howell, sy'n athrawes yn ysgol Alexandra, Aberystwyth.

Dyma ergyd drom arall mor fuan ar ôl colli ei chariad lai na blwyddyn ynghynt. Ac fel mae Lilian yn dweud wrth Margaret yn ei llythyr: 'mae mor galed arnaf yn nawr, heb neb yn teimlo ac yn hiraethu gyda mi – yn hollol wrthyf fy hun yn y byd.' Nid oes wybod faint oedd Lilian wedi medru rhannu hefo'i mam am ei pherthynas â Dafydd, a'i gwewyr ar ôl ei golli, yn enwedig a'i mam yn ei gwendid. Ond bellach nid oedd neb ar ôl. Roedd Dafydd, ei brawd, ei thad, ac yn awr ei mam, i gyd wedi mynd. 'Ac y mae yn rhaid derbyn y cwbl heb air. Nis gallwn wneud dim i ddod a nhw yn ol.'

Roedd llygedyn o obaith o leiaf, o ran medru ei chynnal ei hun. Er i Ysgol Alexandra gofnodi nôl ym mis Chwefror ei bod hi wedi ymddiswyddo, roedden nhw wedi penderfynu cadw ei swydd yn agored iddi, ac ar ddechrau mis Mehefin 1917, yn syth ar ôl gwyliau'r Sulgwyn, aeth Lilian yn ôl i ddysgu Standard VI.

Ond gyda cholled ei mam yn ffres yn ei meddwl o hyd a galar am Dafydd yn dal i bwyso arni yn enwedig gyda phen-blwydd cyntaf Brwydr Coed Mametz yn agosáu, roedd yn rhaid iddi rannu'i gofidiau hefo rhywun. A Margaret, mam Dafydd, oedd yr unig un y gallai droi ati. Dyma weddill y llythyr a ysgrifennodd ati ddechrau Gorffennaf:

Weithiau meddyliaf fod y baich yn fwy nad allai ddal – mae fy nghalon hon wedi tori. Ychydig oeddwn yn meddwl os flwyddyn yn ol byddai yn rhaid i mi fynd drwy gymaint erbyn hyn. Blwyddyn i heddyw oedd Dai yn mynd mewn i'r frwydr. Yr wyf yn gwybod y byddwch chwithau fel finnai yn ei ddilyn yn eich meddwl hyd y bore ofnadwy hwnnw.

Gobeithio eich bod yn iach ac y caf clywed oddiwrthych yn fuan.

Gyda'r serch mwyaf a'r cydymdeimlad dyfnaf oddiwrth Lil.

Dan bwysau'i hemosiwn, mae'n colli ychydig ar ei thrywydd yn y frawddeg gyntaf – 'mae fy nghalon wedi torri' neu 'mae'r galon hon wedi torri' y basen ni wedi ei ddisgwyl yma, ond yn ei gwewyr, cawn gymysgedd o'r ddau. Flwyddyn ar ôl colli Dafydd, roedd cofio amdano'n dal i frifo i'r byw, nes ei drysu bron...

Dyma'r llythyr olaf ganddi at fam Dafydd sydd wedi ei gadw. Byddai'n braf meddwl fod y ddwy wedi parhau i ohebu a bod yn gefn i'w gilydd yn eu galar, ond nid oes wybod. Diolch i Log Book Ysgol Alexandra, mae gennym syniad bras iawn am fywyd Lilian wedyn ac nid yw'n syndod fod y rhyfel yn parhau i ddylanwadu ar amserlen yr ysgol. Cafwyd diwrnod o wyliau i ddathlu rhyddhau Caersalem o afael byddin Twrci yn Rhagfyr 1917, ond ni fu cyfle i ddathlu diwedd y rhyfel yn yr ysgol, lai na blwyddyn yn ddiweddarach, am fod ysgolion Aberystwyth wedi gorfod cau ryw bythefnos yn gynt. Dyma'r esboniad o'r Log Book:

> 29.10.18 *Notice to close the schools immediately on account of the Influenza epidemic which is raging among the children.*

Dyma'r *Spanish flu* bondigrybwyll a'r atgof amdano wedi dod yn boenus o berthnasol inni yn ystod y cyfnod 2020–22. Bu'r ysgolion ar gau am dros ddau fis, cyn ailagor ar ddechrau Ionawr 1919.

Serch hynny, ar fore'r Cadoediad yn Aberystwyth, 'flags and bunting appeared with magic quickness, every house, shop and office became gay with colours. (...) Bands of boys paraded the streets, drumming on every conceivable thing that would make noise.' Ac ychydig o ddyddiau'n ddiweddarach, bu'r brifathrawes yn arwain plant ysgol Alexandra fel rhan o orymdaith fawreddog drwy'r dref, gyda gwasanaeth ar y diwedd o flaen Neuadd y Dref.

> *It was largely for the sake of the children that the demonstration was held. They entered into the spirit of it with zest and, with their bright faces and hundreds of banners, made the brightest and most picturesque part of the procession.*

Yr haf canlynol, cafodd yr ysgol gyfle eto i gofio'n ffurfiol am ddiwedd y rhyfel. Rhoddwyd medalau i'r plant gan Faer Aberystwyth i gofio'r Cytundeb Heddwch a oedd newydd ei arwyddo yn Versailles ac estynnwyd gwahoddiad i'r ysgol

> *to join in the Peace Celebrations to be held on Saturday July 19th and to partake of tea at the Drill Hall at the close of the afternoon procession. Lessons on the Peace Treaty were given in the morning of Friday, and there was a half holiday in the afternoon.*

Yna, ym mis Tachwedd ar ben-blwydd cyntaf diwedd y rhyfel, cafwyd dau funud o dawelwch am y tro cyntaf,

> *Drychfeddwl* [=syniad] *hapus o eiddo ein Brenin fu gorchymyn y tawelwch hwn ym mhob goror o'r deyrnas. Ac yn ol pob hanes, cydymffurfiwyd yn llwyr a'i ddymuniad.* (...) *Safai'r tren yn y twnel, yr ager-long ar y mor, y modur gwyllt ar yr heol, y gof wrth ei engan, y mwynwr yn y twll glo, y chwarelwr yn ei fargen, y plant yn yr ysgol, yr ysgolor yn ei fyfyrgell – a phob un yn ei ffordd ei hun yn offrymu diolch* (...) *am adfer heddwch ymhlith teyrnasoedd y ddaear.*

Tybed beth oedd teimladau Lilian ar yr adegau hyn? A thybed faint o'i chyd-athrawesau a phlant ei dosbarth oedd wedi profi colledion tebyg iddi hefyd?

* * *

Merched ifainc yn codi'n 13 oed oedd yn cael eu dysgu gan Lilian yn Standard VI. Gyda 290 o ferched ar gofrestr yr ysgol, roedd ganddi'n aml dros 40 o ferched yn ei dosbarth. Rhyw un ymhob pedair oedd yn mynd ymlaen o'r ysgol at addysg uwchradd yn y cyfnod hwn; byddai'r gweddill yn mynd yn syth i weithio. Yn ôl dadansoddiad a wnaed gan y brifathrawes yn 1920, dyma'r math o swyddi oedd yn eu disgwyl:

Entered Secondary School 27%
Assisting at home 34%
In service 14%
Dressmakers, Milliners, Tailoresses 11%
Shop assistants 14%
Other Trades 2%

Mewn adroddiad arall a anfonodd y brifathrawes at Gyfarwyddwr Addysg y Sir ychydig wythnosau ynghynt, mae'n mynegi'i barn yn ddiflewyn-ar-dafod ar allu plant yr ysgol, gan gynnwys dosbarth Lilian. Yn ôl y brifathrawes, o'r 41 o ferched oedd yn Standard VI y flwyddyn honno, dim ond 10 ohonynt oedd yn 'fit to benefit by a course of Secondary education'. O'r gweddill, roedd 9 yn 'average', roedd 9 ohonynt flwyddyn ar ei hôl hi yn eu hastudiaethau, 12 ddwy flynedd neu fwy ar ei hôl hi, ac un ferch druan fach yn cael ei chollfarnu'n 'more or less mentally deficient'! Dyna'r her i Lilian, a gwelwn fod y maes llafur yn cynnwys pynciau ymarferol yn ogystal â rhai academaidd. Yn 1922–23 penderfynwyd y byddai Standard VI yn canolbwyntio ar Asia ac America yn y gwersi daearyddiaeth, 'with special reference to the British Possessions'; ond roedd y merched hefyd yn gwneud 'Nature Study and Hygiene' oedd yn cynnwys 'Sick Nursing and the Care of the Baby'.

Roedd y gwersi Nature Study yn caniatáu i Lilian fynd â'i dosbarth allan o'r ysgol weithiau, er enghraifft, 'to observe (...) the newly opened buds of the trees'. Aeth hi â nhw i weld arddangosfa peintiadau yn y Llyfrgell Genedlaethol newydd, ac i'r 'Exhibition of Educational Needlecraft' yn neuadd y plwyf. Ond mae'n debyg mai'r daith orau gan y merched oedd ymweld ag Ystrad Fflur, a ddigwyddodd sawl gwaith yn ystod y 1920au:

26.7.21 On Thursday afternoon, the girls of St. 6 &7, in charge of Miss Howell, the two student teachers and the headteacher, were taken on an expedition to Strata Florida Abbey. The girls assembled at school at 1pm and left by the 1.15pm train for Strata Florida. The Abbey was reached at 3pm and there the girls were given a lecture on the Abbey, after which they examined the ruins.

Tybed oedd Lilian yn ymwybodol fod Dafydd hefyd wedi ymweld â'r Abaty, yn ystod ei gyfnod fel athro yn y Bont, a chael tynnu'i lun gerllaw?

> *The Abbey Church, the Abbey Farm, and the yew tree under which Dafydd ap Gwilym is supposed to have been buried, were visited, and maps, plans and books examined. Tea was obtained at the Abbey Farm, and the children and teachers returned to Aberystwyth by a train that left Strata Florida at 7.50pm. Everybody spent a very enjoyable afternoon and evening.*

Gwedd arall ar fywyd yr ysgol oedd wrth fodd Lilian oedd y côr. Fel Dafydd, roedd Lilian yn mwynhau canu a chafodd gryn gyfle i feithrin doniau cerddorol y plant. Yn 1918, cafodd fynd i wrando ar ddarlith am "School Music" gan yr Athro J. Lloyd Williams. Er mai Botaneg oedd maes hwnnw yng ngholeg Aberystwyth, roedd hefyd wedi sefydlu Cymdeithas Alawon Gwerin Cymru ac roedd yn awyddus i hyrwyddo cerddoriaeth draddodiadol ymhob dull a modd. Roedd yr ysgol yn annog y plant i fwynhau cerddoriaeth o bob math. Yn 1925,

> *37 children drawn from all the classes were taken in charge of the Headmistress and Miss L. Howell, to a special Children's Concert held in connection with the Aberystwyth Musical Festival*

ac yn 1930 rhoddwyd hanner diwrnod o wyliau i'r plant gael cymryd rhan yn y 'Cardiganshire Musical Festival, in which practically the whole of the upper school is taking part'. Roedd Urdd Gobaith Cymru wedi dechrau cynnal ei heisteddfod flynyddol yn 1929, ac yn 1932

Bathodyn mudiad yr Urdd yn ystod y 1930au

cafodd Ysgol Alexandra ddiwrnod o wyliau fel y gallai'r ysgol gyfan gefnogi'r rhai oedd yn cystadlu ym Machynlleth y flwyddyn honno.

Roedd Lilian yn gefnogol iawn i'r Urdd, ac felly mae'n debyg y byddai hi wedi croesawu'r newidiadau a gyflwynwyd i faes llafur yr ysgol yn 1929. Yng ngeiriau'r brifathrawes:

> *The chief alteration in the school curriculum will be connected with Language teaching, a far more prominent position being assigned to Welsh than has hitherto been the case.*

Roedd hyn yn golygu fod Lilian a'r athrawesau eraill yn treulio pum awr bob wythnos bellach yn dysgu'r plant i defnyddio'r iaith Gymraeg yn ogystal â'r pum awr yn dysgu rheolau'r Saesneg. Ac nid cyn pryd.

* * *

Ond beth am fywyd Lilian tu allan i'r ysgol? Roedd hi'n aelod o gapel Tabernacl yn agos at bont Trefechan ac roedd hi'n aelod o'r gangen leol o gymdeithas Cyn-fyfyrwyr Aberystwyth. Yn un o'i llythyrau at Margaret Jones, roedd Lilian wedi datgan:

> *Yr wyf yn gwybod beth bynnag a phwy bynag ddaw i mywyd i yn y blynyddau sydd yn dod nid anghofiaf fi Dai byth.*

Roedd awgrym yn y geiriau hynny ei bod hi'n agored i'r syniad o allu cael perthynas hefo rhywun arall – ond nid oes dim i awgrymu fod hynny wedi digwydd. Wrth ddechrau ymchwilio i'w hanes, roedd rhan ohonof yn gobeithio iddi ganfod hapusrwydd hefo rhywun arall. A hithau wedi'i geni yn 1892, gallai fod wedi byw hyd y 1970au neu'r 1980au hyd yn oed. Roeddwn i'n obeithiol y gallwn i ddod o hyd i rywun fyddai'n ei chofio hi, yn Aberystwyth neu yn Aberaeron, ac anfonais at bapurau bro yr ardal i'r perwyl hwnnw. Tybed fyddai gan rywun lun ohoni yn y cyfnod

Bedd teulu Lilian

pan oedd Dafydd yn ei hadnabod? Cefais atebion buan gan yr haneswyr Gwyn Jenkins a Beryl Evans, a gyda'u help nhw gwelais mai annhebygol iawn fyddai darganfod neb a fuasai'n ei chofio – am iddi farw yn gymharol ifanc ac yn ddi-briod. Mae cofnodion Ysgol Alexandra yn dangos fod problemau iechyd ganddi o'r 1920au ymlaen a achosai iddi golli ambell ddiwrnod yn lled-reolaidd, a bu farw ar y 3ydd o Chwefror 1935, yn 42 oed. Cafodd ei chladdu hefo'i theulu ym mynwent Henfynyw tu allan i Aberaeron (t. 365).

Tybed beth oedd ymateb Margaret i'r newydd hwn? Hyd yn oed os nad oeddynt yn dal i fod mewn cysylltiad â'i gilydd, byddai wedi gweld yr adroddiad am farwolaeth Lilian yn y *Welsh Gazette*, neu'r *Cambrian News*. Yn y bennod olaf, trown yn ôl at hanes Margaret ar ôl iddi golli Dafydd – a sut y cafodd y cof amdano ei gadw'n fyw.

Ceir manylion am ffynonellau pob dyfyniad yn y bennod hon, a phob un sy'n dilyn, ar wefan Gwasg Carreg Gwalch:
https://files.ekmcdn.com/92a6b5/resources/other/anwyl-fam-nodiadau.pdf

25

'Yr wyf yn gwybod nad oes neb yn teimlo, fel mam'

(*Margaret Jones; a'r cofio yn parhau*)

Os prin yw'r manylion am fywyd Lilian Howell ar ôl 1916, prinnach fyth yw'r deunydd yn ymwneud â Margaret. Mae gorwyrion a gorwyresau Margaret yn cario'i DNA ac ychydig atgofion amdani – ond ychydig sydd i'w ychwanegu at yr hyn sy'n hysbys eisoes. Gweithiodd yn dawel ac yn gydwybodol ar hyd ei hoes, ar ei haelwyd ac yn ei chymuned. Gwyddom fod Margaret a Thomas wedi llwyddo anfon tri arall o blant y Wern Isa i'r coleg yn Aberystwyth ar ôl y rhyfel, fel y gwnaethant gyda Charles a Dafydd gynt. Ac wrth i'w phlant ei hun fynd dros y nyth, gwyddom fod Margaret wedi ymddiddori fwyfwy yn hynt ei hwyrion, a Tommy'n enwedig. Gwelsom eisoes y llythyr a ysgrifennodd ato ar ddechrau 1939.

Tybed pa mor aml fyddai Margaret yn estyn y llythyrau a gadwodd gan Dafydd, i edrych arnynt a'u hail-ddarllen? Nid bod perygl i Dafydd na'i gyfoedion fynd yn angof yn y blynyddoedd cyntaf ar ôl y rhyfel, wrth i bob cymuned ar draws Cymru hel arian i gofio'r meibion na ddaeth yn ôl. Bu'r eglwysi a'r capeli, llefydd gwaith a chymdeithasau gwahanol i gyd wrthi hefyd. Yn Aberystwyth er enghraifft, mae *dwy ar bymtheg* o gofebau gwahanol i golledigion y Rhyfel Mawr! Dim ond un serch hynny, sydd yn Llanddewi Brefi, ynghanol mynwent y pentre, ond mae'n un ddigon trawiadol.

E.J. Williams o Lanybydder fu'n gyfrifol am ei gerfio, ac mae'n dangos milwr â'i law dde ar faril ei reiffl, tra bod y stoc yn pwyso ar y llawr. Mae ei droed chwith yn pwyso ar hen siel, efallai'n arwydd fod yr ymladd bellach ar ben.

Mae'r milwr yn syllu tua'r gorllewin, ac erbyn heddiw mae'n edrych i gyfeiriad stad tai Hyfrydle, gyda baner draig goch yn cwhwfan ar ben polyn wrth y safle bysiau. Mae'r cerflun yn sefyll ar ben plocyn o wenithfaen coch, ac ar ochrau hwnnw cerfiwyd enwau'r 14 o ddynion lleol a gollwyd yn ystod y Rhyfel Mawr.

L. CPL. MORGAN D. PRICE, GREY HOUSE,
R. W. F.
LOOS MEDI 25, 1915, YN 39 OED.

CPL. THOS. J. DAVIES, TYMAWR,
15TH W. REGT.
MAMETZ WOOD, GORPH. 10, 1916, YN 25 OED.

CAPT. DAVID JONES, WERN,
10TH W. REGT.
MAMETZ WOOD, GORPH. 12, 1916, YN 23 OED.

CPL. JOHN PATES, COEDYCOF,
S. LANCS. REGT.
MAMETZ WOOD, GORPH. 15, 1916, YN 26 OED.

PTE. WM. D. WILLIAMS, BRYNDEWI,
S. W. B.
MAMETZ WOOD, GORPH. 25, 1916, YN 24 OED.

Enwau bechgyn yr ardal a fu farw ar y Somme

Mae'n sobreiddiol i ystyried fod pedwar ohonynt, a Dafydd yn eu plith, wedi'u lladd o fewn pythefnos i'w gilydd ar y Somme. Dyna ergyd drom i gymuned fach. Gallwn ddychmygu Margaret a gweddill teulu'r Wern ynghanol y dorf yn eu dillad parch, pan ddadorchuddiwyd y gofeb gyntaf, yn 1921.

* * *

Ymwelais â'r gofeb hon yn fuan ar ôl Sul y Cofio yn 2015. Roedd sawl torch blodau o gwmpas ei gwaelod, gyda rhai yn tystio i barhad y gymdeithas y magwyd Dafydd ynddi: er enghraifft, torchau gan Eglwys Dewi Sant; Aelodau Capel Bethlehem; Ysgol Henry Richard ac Aelodau Capel Bethesda.

Roedd rhai eraill wedyn yn tystio i sut mae'r gymdeithas wedi esblygu ers ei gyfnod yntau, er enghraifft, Clwb Peldroed Sêr Dewi, (sef tîm pêl-droed y pentre); Pwyllgor Sioe Clwb Ffermwyr Ifanc; Sefydliad y Merched a Phwyllgor y Neuadd. Edrychais arnynt heb ddim ond sŵn y gwynt o'r Foelallt yn fy nghlustiau, a sŵn ysgol alwminiwm rhyw foi oedd wrthi'n glanhau ffenestri tŷ cyfagos. Roedd bywyd yn mynd yn ei flaen.

Ond nid dyma'r unig gofeb lle gwelir enw Dafydd. Mae hefyd goflech yn hen adeilad yr Ysgol Sir yn Nhregaron sy'n cofio'r cyn-ddisgyblion a gollwyd yn y Rhyfel Mawr; drws nesa iddi mae un arall yn cofio'r rhai a gollwyd genhedlaeth yn ddiweddarach.

Mae'n draddodiad sydd wedi parhau hyd heddiw yn yr ysgol, i ddarllen yr enwau allan yn ystod y gwasanaeth blynyddol adeg Sul y Cofio. 'Fel'na ddealles i fod brawd Mam-gu wedi marw yn y Rhyfel, pan ddarllenon nhw mas "David Jones, Wern Isa, Llanio",' meddai Sarah Evans, wyres i chwaer Dafydd, ac fel yntau'n gyn-ddisgybl yn Ysgol Tregaron. 'A fydde Mam-gu na Mam byth yn colli'r ddau funud o dawelwch ar y sgwâr fan hyn.'

Symudwyd y ddwy goflech yn ddiweddar dros y ffordd i adeilad

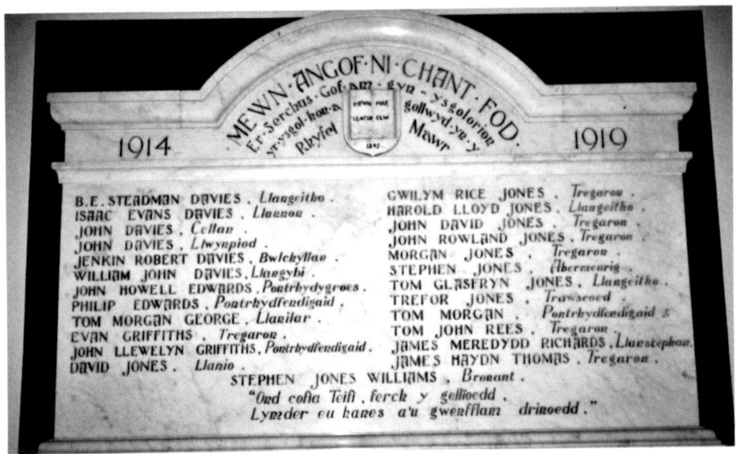

presennol yr ysgol, a Cyril Evans o Lanio yn un o'r rhai fu'n dwyn perswâd ar yr awdurdodau i wneud hyn. Braint annisgwyl oedd cael bod yn rhan o seremoni ar yr 11eg o Dachwedd 2022 i'w hail-gysegru yno. A braf wedyn oedd cael y cyfle, yng nghwmni trawstoriad o ddisgyblion yr ysgol, i rannu mwy o wybodaeth am un o'r enwau oedd ar y goflech, a'i drafod yng nghyd-destun y colledion enbyd a fu ymhob gwlad. 'Cofio' i ddathlu heddwch, nid rhyfel; yn enwedig gan fod ysgol Tregaron bellach yn dwyn enw Henry Richard, Apostol Heddwch – a chynhaliwyd ein sesiwn ni dan olwg llun o'r dyn mawr ei hun!

Hefo disgyblion Ysgol Henry Richard, 11.11.22

Mae enw Dafydd yn ymddangos hefyd ar goflech bres yn yr Hen Goleg yn Aberystwyth, i gofio'r cyn-fyfyrwyr a fu farw.

Tybed a gafodd Margaret a Lilian gyfarfod, wrth i hwn gael ei dadorchuddio? Ni allwn ond dyfalu.

Mae'n gofeb ddigon anodd i'w darllen, a'i lliw tywyll yn gwneud dim i ddenu'r llygad yn anffodus.

* * *

Serch hynny, un o baradocsau'r Rhyfel Mawr, a wnaeth ddinistrio cymaint, oedd iddo hefyd ennyn cymaint o ymateb creadigol i harddu'n pentrefi a'n hadeiladau cyhoeddus. Fel y mae gwaith beirdd fel Wilfred Owen a David Jones ac artistiaid fel Paul Nash a Christopher Williams yn ein helpu ni bellach i ail-ddychmygu'r distryw lawn gymaint â'r ffotograffau a'r ffilmiau mud, mae gwaith y cerflunwyr a phenseiri'r neuaddau coffa hefyd yn rhoi ffocws parhaol i ddefodau'r cofio.

Ond mae un gofeb ar ôl i ni ei thrafod- nid yng Nghymru y tro hwn, ond yn Ffrainc. Ac mae enw Dafydd ar hon hefyd, ynghyd a degau o filoedd eraill, sef y gofeb i'r meirwon 'colledig', yn Thiepval. Oherwydd natur yr ymladd yn ystod 1914–18, roedd cannoedd o filoedd o gyrff 'ar goll'. Roedd rhai wedi'u chwalu gan nerth y ffrwydrad a'u lladdodd. Roedd rhai wedi'u claddu yn y ddaear gan y siels oedd wedi'u lladd, neu wrth i'r tir lle roedd eu cyrff yn gorwedd gael ei sielio. Ymddengys fod Dafydd wedi cael ei gladdu'n barchus ond bod parhad yr ymladd yn golygu fod beddi Dafydd a'i gyd-filwyr wedi cael eu chwalu neu'u colli. Er bod yr *Imperial War Graves Commission* a sefydlwyd yn 1917 wedi gwneud tipyn o ymdrech ar ôl y rhyfel i archwilio meysydd y gad er mwyn codi cyrff a'u symud i'r mynwentydd swyddogol, daeth yn amlwg nad oedd gobaith cael hyd i bawb. Penderfynwyd yn y 1920au, felly, y dylid codi cofebau i'r milwyr colledig, fel y byddai eu henwau o leiaf yn cael eu hanrhydeddu. Mae dros 20 o'r cofebau hyn; o'r Menin Gate a Tyne Cot ger Ieper, lawr i La Ferté sous Jouarre ar lannau Afon Marne. Ond prif gofeb ardal y Somme yw Thiepval, ar ben y bryn y bu'r Almaenwyr mor gyndyn o'i ildio yn ôl yn 1916.

Dwi wedi ymweld fwy nag unwaith â Thiepval. Rhaid cerdded ryw dri neu bedwar can llath i gyrraedd y gofeb ac mae hynny'n eich gorfodi i werthfawrogi ei maint a'i harddwch o bell, cyn agosáu. Mae ar ffurf bwa enfawr, ac mae'r bwa hwnnw yn sefyll ar gyfres o fwâu llai; mae'n gampwaith clasurol ac eto'n gyfoes, yn cyfuno brics coch a cherrig gwyn. Edwin Lutyens a'i cynlluniodd, yr un pensaer ag a wnaeth y Cenotaph yn Llundain.

Mae'r gofeb yn 140 o droedfeddi o uchder ac mae arwyddocâd i'r uchder hwnnw. Roedd Lutyens yn ymwybodol fod yr Arc de Triomphe yn Paris yn 152 o droedfeddi o uchder, ac roedd am i'w

gofeb yn Thiepval fod mor drawiadol â phosibl – ond heb dynnu blewyn o drwyn y Ffrancwyr yn eu gwlad eu hunain!

Wrth imi sefyll eto o dan y prif fwa, er mor solet yw ei waliau, roeddwn i'n fwy ymwybodol o'r gofod o 'nghwmpas, a'r awyr o boptu'r bwa. A dyna gamp y cynllun. Wrth ostwng fy llygaid ac edrych o 'nghwmpas, gallwn weld y wlad yn ymagor i bob cyfeiriad, drwy'r bwâu llai. Yn y caeau a'r coed sy'n ymestyn hyd y gorwel oddi amgylch, y collwyd y dynion ifainc a goffeir ar y gofeb hon. Oherwydd yr hyn sy'n dal yr holl fwâu yn yr awyr yw 16 o bileri gwynion sgwâr.

Ac ar bob wyneb o'r rheini mae enwau'r milwyr coll wedi cael eu cerfio, mewn paneli enfawr sy'n ymestyn ryw ugain troedfedd i fyny o'r llawr. Mae dros 73 o filoedd o enwau yma. Digon o ddynion i lenwi Stadiwm y Mileniwm bron.

Er bod y paneli yn gorfod ymestyn mor uchel i fyny er mwyn cynnwys yr holl enwau, fel mae'n digwydd bod, mae enw 'Captain Jones, D.' reit ar waelod un o'r paneli hyn, ac mae modd estyn allan a chyffwrdd blaen bys yn llythrennau ei enw. Mae presenoldeb yr holl enwau yn mygu rhywun bron, ond mae'r ffaith fod pob un wedi'i gerfio'n gymen i'r paneli carreg yn ddatganiad o leiaf fod arwyddocâd i bob bywyd a gollwyd. Gwirfoddolwyr oedd y rhan fwyaf helaeth ohonynt. Byddin Kitchener. Cost y gofeb oedd £117,000, neu £1 ac 11 swllt am bob enw fel eiddo Dafydd sydd arni.

Un agwedd ar gofeb Thiepval sy'n llai derbyniol yw'r drefn sydd ar yr enwau. Y rhai uchaf eu parch sy'n dod gyntaf; y capten cyn yr is-gapten, a'r is-gapten cyn y rhingyll, a'r rhingyll cyn y milwr cyffredin. Trefn y fyddin sydd yma, nid anhrefn angau fel a geir yn y mynwentydd milwrol, lle gorwedd y capten a'r milwr cyffredin ochr yn ochr â'i gilydd. Mae'n well gen i hynny rywsut. (Serch hynny, ymhob agwedd arall mae'r mynwentydd milwrol yn gwneud eu gorau glas i roi trefn ar angau. Dyma 'parade ground' tragwyddoldeb, a'r cerrig beddi'n rhesi diddiwedd, heb obaith y bydd neb yn gweiddi 'dismiss'.)

Y tro diwethaf imi ymweld â Thiepval oedd ychydig fisoedd cyn canmlwyddiant brwydr y Somme, ac yn lle'r hafan arferol lle gall dyn fyfyrio'n dawel ar ffolineb rhyfel, roedd sŵn adnewyddu ar hyd y lle, a gweithwyr wrthi'n trwsio landeri'r gofeb. Braf oedd gweld llond bws o Ffrancwyr yn y ganolfan ymwelwyr, yn ogystal â'r Prydeinwyr arferol, ond gobeithiaf na chawson nhw mo'u siomi wrth gerdded o gwmpas y bwa enfawr. Er fod Brwydr y Somme yn ymosodiad ar y cyd gan fyddinoedd Prydain a Ffrainc, ac er bod cofeb Thiepval yn cynnwys yr arysgrif 'Aux Armées Françaises et Britanniques' (I fyddinoedd Ffrainc a Phrydain), milwyr Prydain yn unig sydd wedi'u coffáu arni. Onid sumbol mwy grymus o'r cydweithio a fu fyddai cynnwys y milwyr colledig o'r ddwy fyddin ar un gofeb?

Yn anffodus, mae'r un agweddau ynysig wedi parhau hyd heddiw. Y Commonwealth War Graves Commission yw'r corff sy'n gyfrifol heddiw am y mynwentydd milwrol a'r cofebau Prydeinig sy'n frith ar hyd yr hen linell flaen. Maen nhw'n cael gosod arwyddion gwyrdd tywyll ar ochr y lôn i helpu ymwelwyr i ddod o hyd i'r mynwentydd, ond tan yn ddiweddar, uniaith Saesneg oedd yr arwyddion hyn gan amlaf. Deallaf mai Prydeinwyr yw'r rhan fwyaf o'r bobl sy'n debygol o ddilyn yr arwyddion hyn, ond cwrteisi sylfaenol yw cydnabod iaith y wlad lle gorwedda'r milwyr, onid e?

Mae Cymru wedi chwarae rhan fach wrth arwain y ffordd at newid. Pan godwyd cofeb y ddraig i'r milwyr o Gymru o flaen Coed Mametz yn 1987, roedd rhaid gosod dau arwydd newydd i gyfeirio ymwelwyr ati. Ac wrth benderfynu y byddai'n ddymunol cynnwys y Gymraeg, gwelwyd wedyn mai hurt fyddai peidio cynnwys y Ffrangeg.

Felly am flynyddoedd, yr unig arwyddion gan y Commonwealth War Graves Commission oedd hefo mwy nag un iaith arnynt oedd y rhai Cymraeg-Saesneg-Ffrangeg ger Mametz! Diolch i'r drefn, mae pethau'n dechrau newid – wrth gyrraedd cofeb Thiepval sylwais fod arwydd dwyieithog newydd yn fy nghyfeirio at y lle, a phan holais y ferch oedd yn gweithio yn y ganolfan ymwelwyr, dywedodd mai dyna'r polisi o hyn allan. Cawn weld.

Bu canmlwyddiant y Rhyfel Mawr yn gyfle inni edrych eto ar sut a pham yr ydym yn cofio'r rhyfel hwnnw – a rhyfeloedd eraill yn gyffredinol. Cofio'r colledion a'r angen i osgoi cyflafan debyg sydd bwysicaf gennyf innau ac nid ar lefel Gymreig/Brydeinig yn unig.

Soniwyd eisoes am natur ynysig y cofio yn Thiepval, ac ar hyd yr hen linell flaen. Yn 2018 gofynnwyd imi ysgrifennu a chynhyrchu cerdd-fideo i nodi diwedd y Rhyfel Mawr, 'Cyfandir o Gofio'. Wrth blethu cerddi Almaeneg, Ffrangeg a Fflemeg gan feirdd wnaeth ymladd yn y Rhyfel Mawr gyda naratif Cymraeg gennyf innau, roedd yn gyfle i wneud ple dros gofio pawb a gollwyd. Nid y 40 mil o Gymru, na'r 887 mil o Brydain, ond *pawb*. Ym mis Tachwedd 2014, agorwyd cofeb newydd gan lywodraeth Ffrainc yn Notre Dame de Lorette i gofio pawb a laddwyd yn Artois, sef yr ardal o'i hamgylch. Mae 'na 580 mil o enwau wedi eu cofnodi yno, ar gylch o gerrig sy'n ymestyn am chwarter milltir, a chofnodir *pawb*: y Ffrancwyr, Almaenwyr, Prydeinwyr, Canadiaid, Indiaid ac yn y blaen. Dyma'r ffordd ymlaen.

* * *

Roedd yn amser imi wneud un tro olaf o gwmpas y bwa enfawr yn Thiepval. Mae'n hynod annhebygol fod Margaret neu Lilian wedi ymweld â'r lle, ond nid yw'n gwbl amhosib. Daeth y syniad o ymweld â meysydd y gad yn reit boblogaidd ar ôl 1918, a sefydlwyd St Barnabas Hostels fel elusen i helpu pobl ymweld yn rhad â beddi eu meibion a'u gwŷr. Ond gan na chafodd cofeb Thiepval mo'i chwblhau tan 1932 pan oedd Margaret wedi cyrraedd oed yr addewid ac iechyd Lilian wedi dechrau dirywio, mae'n amheus gen i a fuodd y naill na'r llall yno erioed.

Megan dan gofeb Thiepval, 1987

Ond bu chwaer fach Dafydd yno yn 1987 pan ddadorchuddiwyd cofeb David Petersen i'r Cymry a gollwyd yng Nghoed Mametz, ac mae llun teuluol ohoni'n sefyll yn ymyl enw ei brawd. Roedd hi'n dipyn o ffefryn gan ei brawd fel y gwelsom, ac iddi hi, Megan, y gadawodd ei mam y casgliad o lythyrau Dafydd ar ôl iddi farw. Ac iddi hi, Megan, mae'r diolch am benderfynu ei drosglwyddo i'r Llyfrgell Genedlaethol ar ddiwedd ei hoes hithau wedyn. Ac felly, yn ymyl enw Dafydd ar gofeb Thiepval, rhyw bedair neu bum milltir o'r fan lle bu farw – dyma'r lle y daw'r bererindod ar ran ei fam i ben.

* * *

Ond un ffurf ar y cofio yw cofeb fel Thiepval. Mae cannoedd os nad miloedd o lyfrau wedi eu hysgrifennu am y Rhyfel Mawr a dydy'r llif ddim ond wedi cyflymu gyda blynyddoedd y canmlwyddiant, gyda sawl cyfrol Gymraeg yn eu plith. Cyfeirir at Dafydd yn sawl un o'r rheini, gan ddyfynnu o'i lythyrau. Mae ei lais yn atseinio o hyd. Y gofeb bwysicaf i Dafydd, felly (mwy na'r holl gerfluniau a'r bensaernïaeth rwysgfawr) yw'r llythyrau at ei fam sy'n gwarchod y llais hwnnw, ac yn ei gyfryngu i ni heddiw dros ganrif ar ôl iddo farw. Mae'r ffaith fod y cyfan wedi ei gadw mor ofalus – llythyrau Dafydd ei hun, a'r llythyrau cydymdeimlad ar ôl ei farwolaeth – yn tystio'n rymus i gariad mam at ei mab. Un llais sydd yma i ddechrau – llais unigol Dafydd – ond yna cawn gôr blêr o gydymdeimlad, gohebiaeth swyddogol, a'r carpiau bodolaeth, y biliau, llyfr cerddi... a'r ddisg adnabod. Maen nhw i gyd yn rhan o'i stori, a fy mraint i oedd rhoi peth cyd-destun i'r stori honno, gan ddilyn o bell yn ôl traed Dafydd. 'Cadw'r chwedlau'n fyw', fel petai.

* * *

'Once a life has been turned into stories
it becomes those stories'.
– *Jeremy Gavron*

Daw'r dyfyniad hwn o *A woman on the edge of time* (2015) gan Jeremy Gavron, llyfr y bûm yn darllen dipyn arno tra'n ymchwilio i hanes Dafydd. Roedd Gavron yn yr un dosbarth â mi yn yr ysgol uwchradd yn Llundain – cawsom ni'n geni ar yr un diwrnod, a dweud y gwir. Is-bennawd ei lyfr yw 'A son's search for his mother'. Ddeallais i ddim nes darllen y llyfr fod ei fam wedi lladd ei hun pan nad oedd Gavron ond yn bedair oed, a dyna rai agweddau ar ei gymeriad annwyl ond tanllyd yn gwneud mwy o synnwyr imi'n syth. Mae'r llyfr yn ymgais i gywain cymaint o wybodaeth â phosib am ei fam, a hynny bron i hanner can mlynedd ar ôl ei cholli, gydag elfen o 'ras yn erbyn amser' gan fod y rhai oedd yn ei hadnabod yn dechrau prinhau.

'I am conscious that what I am doing is not entirely rational, or healthy, but I can't stop myself' meddai Gavron, wrth sôn am y gwglo a'r croes-gyfeirio parhaus, wrth iddo stryffaglu hel pob briwsionyn o wybodaeth amdani – a dwi'n sylweddoli fod patrwm anghyffyrddus o debyg i'm hobsesiwn innau. (A minnau'n llai 'rational' fyth, yn ceisio hel gwybodaeth am rywun sydd wedi marw dros gan mlynedd yn ôl a phawb oedd yn ei adnabod wedi hen farw hefyd!) Ond cwlwm teuluol oedd yn gyrru ymchwil Gavron i hanes ei fam; beth oedd fy esgus innau dros fusnesu am flynyddoedd ym mywyd Dafydd Jones?

Roeddwn i isio dweud stori am y rhyfel ac roedd Dafydd ar gael; yn dweud ei stori ei hun bid siwr, ond roeddwn i'n awchu i gael gwybod mwy. Pererindod ar ran ei fam oedd y daith o gwmpas Cymru, Lloegr a Ffrainc a wnes i er mwyn olrhain ei fywyd – ond rhaid cyfaddef, roedd yn bererindod bersonol hefyd. Roedd yn gyfle i geisio deall rhywbeth mor enfawr â thwf byddinoedd Kitchener, o safbwynt unigolyn – er mor rhwystredig o brin yw'r dystiolaeth ar adegau! Wedi'r cyfan, doedd Dafydd ddim am ysgrifennu am bethau nad oedd, yn ei dyb ef, o ddiddordeb i'w fam, nac am y pethau fyddai'n peri loes iddi chwaith. Serch hynny, mae'n datgelu tipyn; ac mae perthynas y ddau i'w weld yn un agored a gonest ar y cyfan, a diolch am hynny.

Wrth gwrs, nid oes modd ail-greu byd a ddiflannodd, ac ofer ceisio. Y cwbl y gallwn ei wneud yw creu cyfanwaith o ychydig ddarnau, fel y consuria'r archaeolegydd lestr gyflawn o'r teilchion prin a ddaw i'w law. Ceisiais ddweud stori sy'n dadlennu rhywbeth am effaith rhyfel, drwy lygaid un dyn, y Cymro ifanc hwn o Lanio. A thrwy hynny, roeddwn i eisiau amlygu'r edau Gymraeg sy'n rhedeg drwy wead Prydeinig yr hanes hwn, gan ddod â'r Gymraeg o ymylon y profiad a'i gwneud yn ganolbwynt, am mai stori Gymraeg yw hon.

Wrth i ni ddechrau creu hanes mwy annibynnol i'n hunain, nid oes gwadu y clymau a fu (ac y sydd o hyd) hefo Prydain. 'Welsh identity has constantly renewed itself by anchoring itself in variant forms of Britishness', ys dywedodd Gwyn Alf Williams yn ôl yn 1980. Ond fel y dangosodd Gwyn a'i gyfoedion disglair, mae Hanes Cymru'n fwy o lawer na'r hyn sydd wedi digwydd o fewn ffiniau ein gwlad. Rhaid iddo hefyd drafod y dimensiwn Cymraeg a Chymreig sydd wedi bodoli ers canrifoedd yn ein hymwneud â'r byd. 'Hanes Cymru' yw hanes Dafydd Jones a'r chwarter miliwn o'i gydwladwyr fu'n ymladd yn y Rhyfel Mawr, nid rhan o hanes Prydain yn unig. Rhaid edrych eto ar hanes y Cymry yn y byd, gan wneud hynny ar ein telerau ein hunain – nid derbyn naratif gwlad arall yn ddi-gwestiwn, a bodloni ar statws troednodyn yn hwnnw.

* * *

Faint yn fwy a wyddwn ni am Dafydd nag ar gychwyn y daith hon? Tipyn – ond mae o'n cadw dipyn iddo'i hun o hyd, ac o'r hyn a synhwyrwn am ei natur, mae hynny'n gyson â'i gymeriad! Mae fel ysbryd yn cerdded o'n blaenau; daw i'r golwg yn ysbeidiol ac yna diflanna; mae wastad rywle rhyngom â'r gorwel, ond nid oes modd ei oddiweddyd. Mae'r daith yn parhau felly, a hefyd y gwaith o geisio'i adnabod yn well. Ac onid fel yna y dylai fod?

Rhown y gair olaf i Dafydd felly, o un o'i lythyrau ym mis Chwefror 1916. Roedd si fod yr Almaenwyr yn dechrau gwegian:

> Yr wyf yn sicr na wnawn ni roddi fyny hyd y diwedd. Er hynny ein cân yw –
>
> O na wawriodd boreu na fydd rhyfel mwy.

Mae'r ffaith iddo ddyfynnu o emyn yn ein hatgoffa o'i ddawn canu. Mae'i eiriau agoriadol yn dangos dycnwch ei gymeriad. Ac mae'r llinell y mae'n ei dyfynnu yn dangos, er cymaint yr oedd wedi cymryd at waith milwr, ei fod wedi ei fagu i ddeall pwysigrwydd heddwch hefyd:

> O na wawriodd boreu na fydd rhyfel mwy.

Amen i hynny.

Cydnabyddiaethau Lluniau

9, 11, 14, 15, 16, 17, 18, 19, 20, 39a, 39b, 40, 41a, 41b, 62a, 62b, 68a, 68b, 69, 75b, 93, 94, 120, 124, 137a, 138, 140a, 140b, 149, 179a, 179b, 182, 183a, 183b, 233a, 233b, 235, 238, 275, 279, 293a, 293b, 308, 312, 313a, 326, 336, 339, 342a, 342b, 352, 376, 381 – Llyfrgell Genedlaethol

27, 55, 59, 71, 75a, 86, 98, 104, 107, 115, 116, 129a, 129b, 131, 132, 135a, 135b, 144, 146a, 146b, 147, 148a, 148b, 156, 159, 165a, 165b, 166a, 166b, 173, 175a, 175b, 176a, 177, 181, 185, 199a, 199b, 200, 201, 204a, 204b, 204c, 211, 212a, 212b, 221, 232a, 232b, 236, 245, 261a, 261b, 263b, 269a, 269c, 276a, 276b, 280a, 280b, 283, 284, 290, 304, 305a, 305b, 310, 319, 322, 349, 368b, 368c, 369, 371a, 371b, 373a, 373b – yr awdur

13b, 38, 164, 176b, 186, 214, 259, 311, 358, 372 – Wikimedia Commons;
24a, 28, 29a, 29b, 30b, 42, 66, 79, 80, 81, 112a, 112b, 114, 190, 191, 224 – Dafydd Jenkins;
24b, 77, 188, 189, 193a, 193b, 193c, 195, 196, 226 – Margaret Hammonds;
45a, 45b, 47 – Archif Genedlaethol Kew;
97, 288 – Prifysgol Aberystwyth;
152, 286, 365 – Sarah Evans;

13a Wellcome Library; 54 Francis Frith; 57 Harry Thomas; 65 Kathryn's History Blog; 70 New Inn; 72 coflein; 85 Royal Collection Trust; 90 Colin Jones; 105a, 105b Elin Penlanwen; 127 Belgian Refugees in Rhyl; 168 St. Giles Hill graveyard; 175c London Transport Museum; 180 National WW1 Museum; 202 Great War Forum, awdur; 207 IWM Q6050; 252 Llyfrgell Cyngres; 254 IWM Q2898; 263a Mairie de La Gorgue; 269b Mairie de Merville; 300 Bates of Jermyn St; 301 IWM Q5100; 315 BBC; 316 Mark Rees; 364 Urdd Gobaith Cymru; 368a Cyngor Cymuned LLanddewi Brefi; 370a Cyril Evans; 370b Ysgol Henry Richard, Tregaron; 381 Ll. Gen

Lluniau Papurau Newydd

2, Cambrian News, 11.8.16, t.6; **30a** Cambria Daily Leader, 15.10.15, t.3; **44** Cambrian News 16.10.14, t.8; **50** Cymro a'r Celt Llundain, 19.9.14, t.8; **110** Welsh Gazette 15.9.10, t.3; **126** Cambrian News 13.10.16, t.6; **137b** Cambrian News 30.6.16, t.6; **235** Welsh Gazette 1.4.16; **243** Herald of Wales 25.3.16, t. 6; **313** Cambrian News 7.7.16, t.6; **323** Aberdare Leader, 19.8.16, t.7; **324** Y Brython, 27.7.16, t.5; **328** Cambrian News 11.8.16, t.6; **356** Cambrian News 6.10.16, t.8; **359** Cambrian News 8.8.19, t.1.

Diolchiadau

Diolch i ddisgynyddion teulu'r Wern Isa: Sarah Evans, Llangeitho, Dafydd Jenkins, Llanfihangel y Creuddyn ac Ira Margaret Hammonds, Torquay.

Diolch i bobl yr ardal, yn enwedig Emyr Lake, Eirwen Ty Mawr, Cyril Evans – ac Yvonne yn y New Inn.

Fy meibion Gruff a Gwion sydd wedi trawsysgrifio llythyrau Dafydd o'r copïau gwreiddiol.

Staff y Llyfrgell Genedlaethol ac Archifdy Ceredigion; a Gwyn Jenkins a Beryl Evans am eu help hefo hanes Lilian Howell.

Cwmni Da a Radio Cymru am eu cefnogaeth i'r gyfres radio *Y Lôn i Mametz* (2016).

Pawb sydd wedi gorfod fy nioddef yn sôn am y project ers cymaint o flynyddoedd!

Diolch i bawb yng Ngwasg Carreg Gwalch am eu proffesiynoldeb arferol wrth lywio'r gyfrol drwy'r wasg – ac am eu hir amynedd. Ymladdwyd y Rhyfel Mawr mewn llai o amser nag y mae wedi'i gymryd imi gwblhau'r llyfr hwn, mwya'r cywilydd imi.

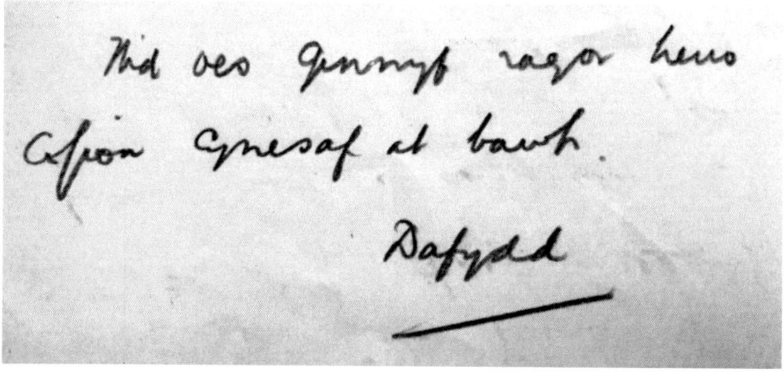
Nid oes gennyf ragor heno
Cofion cynesaf at bawb.
Dafydd